Мои романы

Марина Москвина

Мои романы

Москва

2008

УДК 82-3
ББК 84(2Рос-Рус)6-4
М 82

Иллюстрации и оформление переплета
Леонида Тишкова

На переплете: «Вязаник» *Леонида Тишкова*
Фотография — *Франка Херфорта*

Москвина М.

М 82 Мои романы : романы / Марина Москвина. — М. : Эксмо, 2008. — 640 с. — (Большая литература).

ISBN 978-5-699-31758-5

Хотя творчеством и любовью занимаются от избытка сил, а не от недостатка, единственная надежда романиста — в тишине ума и спокойствии сердца. Ибо каждый миг напоминает нам о недолговечности мироздания.

Скажем, в середине сентября идешь по рынку и спрашиваешь удивленно:

— А где абрикосы? Вчера еще были! Куда они подевались?

— Э-э, милая, — отвечают тебе, — прошла пора абрикосов. Бери кукурузу!

Или целую зиму собираешься прокатиться на горных лыжах, а явишься наконец на гору — с лыжами, ботинками, палками, термосом с горячим кофе, — вдруг видишь: вокруг ни души, снег стаял, склон в проплешинах, и твоя незаметно промелькнувшая юность машет тебе на прощание голубым платком...

Как романист, я похожа на торжественно ползущую виноградную улитку. Ползет она небыстро, зато неуклонно, выставит рожки и мчится — метр в полчаса — в ей одной ведомом направлении. Воспеты детство, отрочество, юность, уже мы прикоснулись к зрелости — готовы три романа.

И два — в уме...

УДК 82-3
ББК 84(2Рос-Рус)6-4

ISBN 978-5-699-31758-5

Дни трепета

Я хочу выйти замуж за первого встречного. Но мой папа Иосиф сует нос в мои дела и не дает мне разгуляться.

— Имей в виду, — предупредил Йося, когда я стала взрослой девушкой, — если какой-нибудь болван без моего ведома и согласия лишит тебя чести, я добьюсь того, чтоб ему на Красной площади прилюдно отрубили голову.

Был у меня дружок Фарид. Мы с ним всюду ходили в обнимочку, целовались, транжирили деньги, ели булочки с маком, горчичные сушки, соевые батончики. Мы наслаждались жизнью!

А Йося мне:

— Этот Фарид — он ублюдок. Я ему так и говорю: ты ублюдок.

— Ты что, Йося, конфронтируешь? — кричит из комнаты Фира — Йосина жена, моя мать.

— Нет, — спокойно отвечает Йося. — Просто я ему говорю: ты ублюдок. Его перекосит всего, а потом ничего, чай приходит пить.

Фарид и Йося напьются чаю и обзывают друг друга. Один говорит:

— Ты еврей!

Другой говорит:

— Ты татарин!

— Помни мои слова, — говорит Йося мне, — он хочет тебя из-за твоей жилплощади.

— Ты тоже, Иосиф, — кричит из комнаты Фира, — женился на мне из-за столичной прописки.

— Что дозволено Юпитеру, — высокомерно отвечает Йося, — не дозволено быку.

Однажды Фарид шел по лестнице, упал и сломал ногу в двух местах. Йося очень обрадовался.

— Как можно думать о женитьбе, — воскликнул он, — когда ты не стоишь на ногах?! Я дочу такому не отдам.

— Я люблю Милочку! — плакал Фарид.

— И я люблю, — говорил Йося. — Но у меня нет сил, я вдрызг больной человек, я на карачках хожу все время.

Йося врун. У нас такой скверик во дворе — туда привозят алкоголиков. И прямо из фургона по алюминиевой горке скатывают в подвал. А мы с Йосей обвороженно стоим и смотрим. Я как увижу фургончик:

— Йося! Везут!

И мы бегом, бегом!

Это наша с Йосей единственная точка соприкосновения. Во всем остальном мы варимся в котле междоусобиц.

— Я все время спрашиваю себя, зачем я живу? — задумчиво произносит Йося.

— Ты живешь, — кричит Фира из комнаты, — чтобы никому не давать никакого покоя.

Стал за мной ухаживать молодой человек из приличной семьи по фамилии Рожакорчев. Мы с ним всю зиму ходили в Зоологический музей, там малолюдно, тепло, так что очень удобно целоваться. Сонмища чучел глядели на нас во все свои стеклянные глаза, мертвые синие, и золотые, и малиновые птицы пели нам свои песни. Мы целовались на лестнице

ЙОСЯ

в коридоре под скелетом мамонта. И под скелетом он чуть не лишил меня невинности.

— Стоп! — сказала я Рожакорчеву в самый последний решительный момент. — Ты не возражаешь, если это случится с ведома и одобрения моего папы?

Йося принял его тепло. Подогрел чайник. А в качестве заварки налил всем рябиновый настой для укрепления десен.

— Этот запах рябин, — говорил Йося, — напоминает о быстротечности жизни. Что пьешь понуро? — хлопал он Рожакорчева по спине. — Распрямись! Распрями плечи! Жизнь

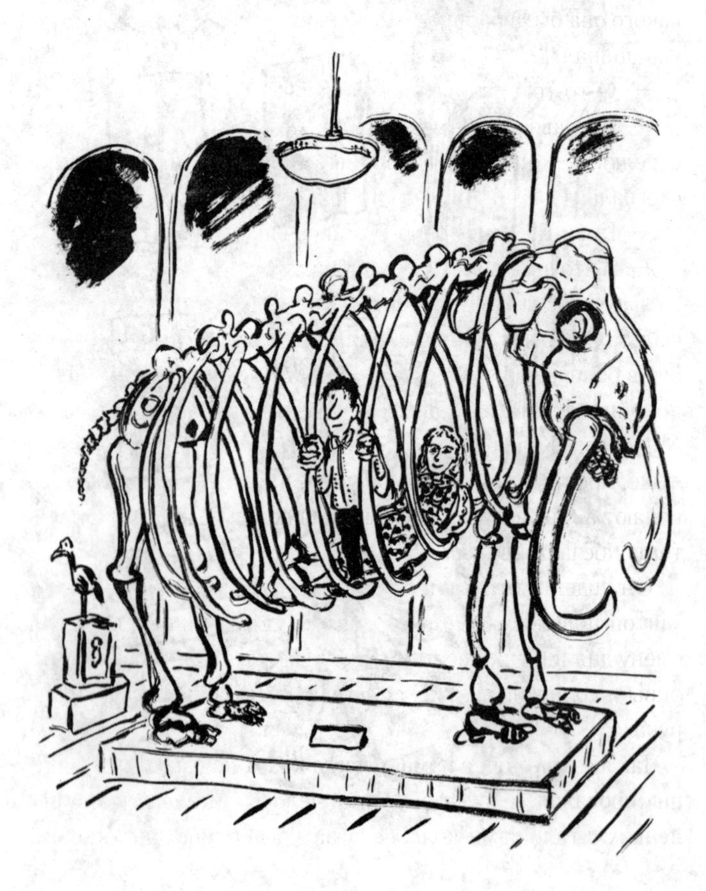

недолгая, короткая, подойдешь к последней черте — подумаешь: что я жил, не веселился? Главное — жить и радоваться жизни. Вон дерево!

— Какое дерево? — спрашивал Рожакорчев.

— Клен, например, или тополь. Солнышко — он радуется.

— А ива плакучая? — спрашивал Рожакорчев.

— Ива, — отвечал Йося, — для нашей среднерусской полосы не пример. Я почему знаю — мы снимали дачу в Немчиновке, и там на Милочку напали гуси! Она бежит по двору в красном платье, а гусь ее за уши щиплет. Вы представляете, какого она была роста, — воскликнул Йося, — что гусь ее за уши щипал?!

— О-го-го! — говорил Рожакорчев.

— Я ружье со стены хватаю, — продолжал Йося. — «Застрелю!» — кричу. Хозяйка выбежала и гуся от Милочки отогнала.

— Га-га-га! — говорил Рожакорчев.

— А что вы думаете? — говорил Йося. — Я ее до двенадцати лет носил на руках! Иначе она кричала и билась об асфальт. Однажды я говорю ей: «Милочка, Йося не мул!» А она в беличьей шубе в лужу — бах! Лежит в луже. Тут несут покойника. Раньше прямо по улицам покойников носили. Милочка: «Кто это, Йося?» А я говорю: «Вот дядя валялся в луже, простудился, теперь он умер, и его сейчас в землю закопают». Она встала и больше уж никогда не падала. Так мне тогда посчастливилось.

Он сидел и блестящими глазами смотрел в окно. В этот миг он повелевал всем: управлял путями планет, вызывал смену дня и ночи, весны и лета, падеж скота, морские приливы и солнечное затмение, судьбы всех живых были в его руках.

Так же сидел он, я помню, когда к нам сквозь крышу дворник провалился. Грузный старый человек в телогрейке и валенках с галошами колол лед на крыше чугунным колом, вдруг — террах-та-ра-рах! — лежит на полу у нас дома, ушибся, ударился, Фиру до смерти напугал.

Йося же и бровью не повел.

Дворник стал страшно извиняться, а Йося:

— Счастье, что ты не на землю упал. А то мог бы сломать два ребра.

Дырку в потолке Йося долго не заделывал. Правда, утеплил дверь и поставил лестницу-стремянку. Вечерами мы там гуляли. И выгуливали на крыше собаку. А что? Небо, снег, звезды.

Фира костерила Йосю на чем свет стоит, по две головы ему в день отрывала, ведь эта прореха с шикарным видом на звездное небо зияла над ее головой.

А Йося отвечал:

— Фира! В кои-то веки твоему взору открылась бесконечность!

— Что тебе эта бесконечность? — кричала Фира. — Мне она даром не нужна!

— Бесконечность — совсем не то же, что безграничность, — уговаривал ее Йося. — Ты, Фира, наверное, думаешь, что небо плоское, как потолок, и на этой плоскости приклеены звезды.

— Да, я так думаю, — совершенно искренне отвечала Фира. — Я люблю определенность. Я хочу знать, что у меня есть крыша над головой.

— Мы гости в этом мире, — уклончиво и высокопарно отвечал Фире Йося.

Потом пошли дожди, затопило соседей снизу, они устроили скандал, вызвали рабочих и дырку законопатили.

— В нашем доме, — жаловался Йося, — одни мусульмане. Проснешься — и хочется крикнуть: «Нет бога, кроме Аллаха!» Боюсь, как бы не вздумали резать неверных!..

— Гу-гу-гу! — говорил Рожакорчев.

Все шло как по маслу. Мы ели торт, корзиночки, трубочки, сосиски. И когда я и Рожакорчев, окрыленные надеждой, ожидали победы и торжества, Йося спросил:

— А вы, молодой человек, извините за нескромность, какой национальности?

— Как это какой? — удивился Рожакорчев. — Я русский дворянин Рожакорчев.

Тут Йося так страшно завращал глазами, меня даже в пот ударило.

— Да что ж это за фамилия такая? — закричал Йося.

— Если тебе не нравится его фамилия, — сказала я, сдерживая ярость, — то я оставлю себе твою — Пиперштейн.

— А мои внуки? — голосит Йося. — За что они будут страдать?

— Я могу пользоваться противозачаточными средствами, — пролепетал Рожакорчев.

— Только через мой труп, — сказал Йося.

— *Но почему???* — спросила я, вся в слезах, когда дверь за Рожакорчевым закрылась.

— Он не из Рюриковичей! — отрезал Йося.

Йося — это император. Он даже ночью лежит, сложив руки на груди, как Наполеон. Фира намеревается сшить ему ночную треуголку.

— Вы меня ненавидите и хотите уморить, — говорит Йося. — И свальный грех устроить на моей могиле. Почему небо щадит меня?

— Потому что ты вечный жид, — весело кричит ему из комнаты Фира. — Отпусти девочку! Пускай она проветрит свой хвост!

Отец мой, Иосиф, сгинь с глаз моих, как ты не понимаешь, речь идет о счастии и несчастии всей моей жизни. Время уходит мое, мимолетная пора, пока возможное еще вероятно. Жених грядет, он ждет меня на «Павелецкой», весь в блестках, с золотой трубой, отважный дрессировщик Симеон, укротитель хряков.

Мне вначале послышалось: «хорьков». Но он уточнил: не хорьки, а хряки! Они злые, опасные очень. Бывает, на перегородку вскочат, зубами на меня: р-р-р!!! Все время с плеткой

СИМЕОН – ДРЕССИРОВЩИК ХРЯКОВ

ходишь. А свиноматки — одна хорошая, добрая, а другая — войдешь — разорвет. Я примчусь к тебе, милая, в январскую ночь, наряженный Дедом Морозом, на тройке из трех козлов, и уйму трепет чресл твоих!

Но я же никого не могу к себе привести! Йося с Фирой безвылазно сидят дома. И лишь только на рассвете, когда все еще спят, бегут в поликлинику сдавать анализы. Тут Фире надо было срочно, она без направления отнесла свою бутылочку и резинкой прикрепила записку:

«Товарищи! Проанализируйте, пожалуйста, мою мочу! Дай Бог здоровья и долгих лет жизни вам, вашим детям и внукам, внукам ваших детей, детям ваших внуков и всего-всего наилучшего! Фира Пиперштейн».

Ей сделали.

Йося тоже туда же — приходит радостный:

— Я сдал кровь на сахар! Сахара не обнаружили!

— Его сейчас нигде нет! — кричит Фира из комнаты.

— Неважно где, — утешает меня Симеон. — Это может случиться июльской ночью в Серебряном бору на речном песке, на траве, на сосновых корнях, коре, иглах и шишках, на дне реки, в лодке со скрипучими уключинами, на прошлогодней листве, а на том берегу будут петь для тебя два моих щегла, я купил их зимой в зоомагазине. Сравнительно недорого давали: щеглов по восемьдесят рублей, а степных черепах по четыреста, дешевле уже не будет, и я взял, хотя мне это не нужно. В тот день в Москве была лютая стужа, щеглы ничего, а вот черепаха заледенела, протянула шею, ноги, стала делать вид, что она мертвец. Я положил ее под лампу, и на моих глазах она начала оживать, вся насквозь наполняясь божественной новорожденной жизнью, неиссякаемой энергией юности. Я был невольным свидетелем того, как рождалось юное девичье тело, веселое девичье сердце огромной силы, и несокрушимой рождалась веселая-веселая игривая душа. Теперь она румяная, полногрудая, дивнобедрая и очень перспективная, посмотри на меня, какой я, подойди ко мне поближе, тронь мое тело рукою, не бойся тела моего.

— Да ну его к свиньям, твоего Симеона, — возмущался Йося. — Знаю я этих дрессировщиков — то он в блестках, а то сама знаешь в чем. Давайте лучше в субботу всей семьей соберемся и съездим к деду Аркадию в крематорий!

— Крематорий — это не мое хобби! — кричит Фира из комнаты.

— Хорошо, Фира, — угрожающе говорит Йося, — когда ты умрешь, мы с Милочкой тоже не будем ходить на твою могилу. Ни в праздник победы Маккавеев над эллинами и освящения Иерусалимского храма, ни в День получения Торы от Всевышнего на горе Синай, ни в день поминовения усопших, ни в Судный день!..

— Я вас умоляю! — кричит Фира.

А Йося:

— Я запрещаю тебе, Эсфирь, разнузданно говорить на вечные темы. Аркадий — святой! У него сапоги были — гамбургские с длинными носами. А я был оборванец — не в чем в школу идти. И он мне их дал раз надеть. Ну, кто-то бежал, а я ему подставил ножку, тот споткнулся, а носок пустой у сапога отлетел! Они старинные, все сопрело... Как он меня отмутузил! Он бил меня полотенцем! Раньше было полотенце — одно на всю семью. Поздно встал — мокрым полотенцем вытираешься!

— Редкий был скупердяй, пусть земля ему будет пухом, — сказала Фира. — Самодур, людоед и развратник.

А Йося:

— Мой папа — ангел и жизнелюб! Сколько лет я тебя прошу не поносить на чем свет стоит покойников.

Отец мой, Иосиф, когда это случится со мной, я извещу тебя голубиной почтой — сизый голубь Симеона, которого он носит с собой повсюду в спецпортфеле, прилетит к тебе с листком бумаги. Листок будет белый-белый, и ты все поймешь.

— Ну хорошо, не хотите в крематорий, — миро-любиво соглашается Йося, — пойдемте в Музей вооруженных сил.

Я читал в газете, там новые поступления: сапоги Фиделя Кастро и мундир маршала Устинова.

А Фира:

— Надеюсь, у них хватило ума засунуть под стекло сапоги Фиделя? А то представляю, какой там сейчас запашок.

Было так: мы гуляли над прудом. Стало темнеть. Потом окончательно стемнело. Звезды близко, большие, шевелятся, как живые. А у меня, ты же знаешь, Иосиф, слабый мозжечок, я не могу долго целоваться на крутом обрыве. И Симеон сказал:

— Тебе уже поздно возвращаться домой. Видишь три звезды? Это пояс Ориона. Пойдем ко мне? Дочери мои спят, жена Вера ночует в профилактории. Посидим, попьем чаю, я угощу тебя грушевым вареньем. Ведь у меня теперь есть своя комната — баба Соня умерла, я отвоевал ее площадь у соседей по коммунальной квартире, сегодня с двери сняли печать.

Баба Соня, старуха в коричневой вязаной шали — ручное тунисское вязанье крючком, — кикимора и колдунья, сколько помнил ее Симеон, непрерывно варила на кухне в глубокой зеленой кастрюле потроха различных животных, китовый жир, свиные копыта, волчье мясо и медвежьи уши, помешивая палкой и приговаривая:

С костью кость,
С кровью кровь,
С членом член
Склейтесь, как и прежде.

Дикое зловоние расползалось по коммуналке, стекало по лестнице, стелилось по Тверской, просачиваясь на Красную площадь. Видит Бог, терпеть это кипячение изо дня в день было выше человеческих сил. Один только папа Симеона, лишенный обоняния, не мог понять, почему все так бесятся. Однако и его старуха вывела из себя. Случилось это так.

КИТЕЛЬ МАРШАЛА С. УСТИНОВА
САПОГИ Ф. КАСТРО

У бабы Сони была уйма пихтового масла. Ей это масло в бутылях регулярно присылал из Бишкека племянник. Нажарит Соня оладий с перцем и чесноком, польет их обильно пихтовым маслом и угощает маленького Симеона. Тот ел, не отказывался, из страха, что баба Соня рассердится и превратит его в мышь.

Однажды мама Симеона застала его за этим занятием и в тот же день обратилась с вопросом в газету «Труд».

«Много слышала о пользе пихтового масла. А как его употреблять в пищу?» — спрашивала она.

Вопрос напечатали. И дали ответ:

«Как нам сообщили в Институте питания Академии медицинских наук, пихтовое масло пищевого применения не имеет».

— Таких бабок Сонь, — до глубокой старости возмущалась мама Симеона, — каменьями надо побивать!

— Сжечь ее перед Моссоветом! — вскипел тут и папа, обычно хранивший нейтралитет. — И пепел развеять, — кричал он, — над памятником Юрию Долгорукому! Раз она пьет кровь невинных младенцев.

Баба Соня пережила их обоих. Ее согнуло в три погибели, последние пару лет она передвигалась с помощью табуретки. Вперед ее выставит и подгребает к ней, выставит и подгребает.

Заслышав в коридоре величественное и победоносное громыхание табуреткой, осиротевший Симеон обливался холодным потом. Ему постоянно чудилось, баба Соня замышляет что-то против него, хочет нанести вред его здоровью, жизни, имуществу, не вышло отравить пихтовым маслом — так иссушить его, сглазить, наслать на Симеона мужскую слабость... Она могла силою своего искусства даже переменить его пол! А сколько было страхов, что Соня станет препятствовать плодовитости его брака! И если вопреки ее козням кто-то все же родится, то не существо человеческого вида, а отвратительный зверек, нечто вроде суслика. Но сильнее всего он боялся быть умерщвленным пением бабы Сони, направленным именно на него.

— Теперь она в могиле, — говорил Симеон, вознося меня на руках на седьмой этаж (лифт у них в доме ночью не работал), — и я могу вздохнуть полной грудью, расправить плечи, как я проголодался, мы не ели целый день, будешь капусту морскую? А гречку?

Я не припомню в точности все, что мы ели, да это и не важно, помню лишь слова Симеона:

— Ты играешь с огнем. Дай мне слизнуть с твоих пальцев грушевое варенье! Что? Ты не вымыла руки, когда пришла с улицы? Но это ерунда. Сейчас у всех свиной цепень. Что нам терять, кроме свиного цепня?

— О ты, прекрасный возлюбленный мой! — отвечала я. — Постель наша — зелень, потолки наши — кедры, стены — кипарисы...

— Я человек заслуженный, непростой, — жарко шептал Симеон, обнимая меня одной рукою, а другой в это самое время нащупывая на стене выключатель. В пустынной комнате от бабы Сони осталось три предмета: обшарпанный диван, дубовая табуретка и люстра, ослепительно сиявшая во все пять лампочек. — Я еще покрою себя неувядаемой славой. Ведь я такой, я всегда добиваюсь, чего хочу. Ты будешь гордиться, что знала меня когда-то!

Щелкнул выключатель. Но свет не потух.

Щелк! Щелк! Щелк!!!

Люстра не гасла. Наоборот, она разгоралась. Бешеный свет, нестерпимый, залил пустыню Сониной комнаты.

— Старая ведьма! — вскричал наконец Симеон. — Это ее рук дело! Уж на том свете, а продолжает вредить.

Он яростно замолотил кулаками по выключателю.

— Но, может быть, — робко предположила я, — это можно и при свете?

Симеон обернулся и печально произнес:

— Я не могу при свете. Я стесняюсь.

— Симеон! — Я взяла его за руку. — Плюнь ты на все. Слышишь зов плоти моей? Ближе прижмись ко мне, крепче, ты будешь спать под одним одеялом со мной, и рука твоя будет лежать у меня на груди!..

Я подвела его к дивану, мы разделись и только хотели возлечь, как со страшным треском, воем и лязгом из дивана выскочили пружины.

— Мама родная, — пробормотал Симеон, опускаясь на табуретку.

И табуретка под ним заходила ходуном.

В этот миг на пороге возникла жена Симеона Вера, три его пуделя, черепаха и две дочери в белых ночных сорочках, Надежда и Любовь.

— Симеон! Укротитель табуреток! — сказала Вера. — Ты что тут шумишь?

— Да вот, — объяснил им Симеон, — что-то не в порядке с электричеством! Я гашу свет, а он не гаснет. Я гашу, а он не гаснет!

— Разве? Разве? — удивилась Вера... и выключила свет.

А впрочем, уже рассвело, я попрощалась со всеми и поехала домой.

— Где ты была? Мы всю ночь собирались обзванивать морги! — сказал Йося, когда я вернулась. Он имел такой грозный вид. В корейских резиновых сапогах со шнуровкой на толстой подошве, в жилете приталенном полосатом, в штанах, о каких только мог бы мечтать Дуремар, — все это Йося выбрал на ВДНХ в отделе культуры в куче барахла, прибывшего из далеких, не в меру расщедрившихся стран.

У Иосифа совсем обуви нет, а на барахолке было много

приличных ботинок, но он как увидел корейский сапог, так тот и запал ему в душу. Йося стал спрашивать:

— А где такой еще?

— Вон ищите в горе башмаков!..

Йося рылся, и рылся, и рылся, и ухватил эти самые резинки, потому что они напомнили ему войну, когда его папа Аркадий ходил по земле в подобных сапогах, только у него они были кожаные, а Йося учился, учился и работал на заводе, он делал мины...

— Какие мины? — кричит из комнаты Фира. — Всем известно, что ты, Иосиф, делал миски.

— Я делал мины! — заводится Йося. — Мины! Заруби себе это на носу!

А Фира:

— Я только хочу одного, — говорит, — чтобы мой муж не стыдился того обстоятельства, что во время Великой Отечественной войны с немецко-фашистскими захватчиками он делал миски. Всякий труд почетен, а миска в тяжелое военное время не менее полезна, чем мина. Как бы там ни было, Иосиф, ты ветеран, герой, уважаемый боец трудового фронта, и тебе полагается бесплатный проездной.

— Если я еще раз услышу, — клокочет Иосиф, — слово «миска», я просто... уйду из этого дома!

Он хлопает дверью и выскакивает на улицу — прямо на дождь, но через минуту возвращается:

— Милочка! Фира! — Йося чуть не плачет. — В правом сапоге дыра!

— А ты думал, — отвечает Фира, — они будут хорошие сапоги нам отдавать? Если бы мы им отдавали, мы дали бы хорошие!

— А на жилете совсем нету пуговиц! Ах! Ах! Пуговиц нет! — Он сунул руки в карманы, а там пробка от пива — как видно, кто-то пошел, попил пива с омаром, напился, наелся, раздобрился, скинул со своего плеча жилет и послал в Москву Йосе Пиперштейну лично в руки: эх, была не была, носи, Йоська, старый ты еврей! Что ж ты такой-то? Старый, лысый?! И куда тебе без жилета? Что за жизнь без жилета русскому еврею? Только что повеситься! — А где мое-то пиво с раками? — плакал Йося, сжимая в ладони чужедальнюю пробочку от бутылки. — Господи! Ведь я тоже — вот он я, и мне хочется всего, чего и другим Божьим тварям. Хотя мне грех жаловаться — вчера вечером Фира отварила кальмара. Их теперь продают целиком. И она его, целого, отварила. Господь Бог наш и Бог отцов наших, известно тебе тайное тайных всего живого, и ты сам знаешь это свое творение: щупальца, щупальца, кругом присоски, в середине клюв и два огромных глаза. Мы с Фирой долго гадали: что

там можно есть, а что нет, я отрезал какое-то щупальце, съел, и мне показалось, что это был член.

И приснился Иосифу сон, как приплыл к нему тот кальмар и сказал: «Ты зачем съел мой член? Теперь я, Иосиф, съем твой».

— Я ему объяснил, что я съел его член по неведению, ведь он мало чем отличался от остальных частей его тела, что это всего-навсего оплошность, путаница, неувязка, квипрокво и, конечно, без всякого злого умысла.

А кальмар — куда там! — и слушать не стал. Вонзил клюв в Иосифа и откусил ему это место.

Дальше видит Иосиф свой член в заграничной упаковке на витрине коммерческого ларька. Но не такой, какой был, а гораздо больше, крупнее, причем с электрическим проводом, вилкой для штепселя, стоимостью одиннадцать тысяч рублей.

— Шляешься где попало! — орет на меня Иосиф. — Являешься под утро, а сейчас такие ужасы творятся! Кругом лежат то ли пьяные, то ли мертвые. В подземных переходах нищие суют тебе под нос свои трофические язвы! От каждого встречного можно получить ножевое или огнестрельное ранение. Везде слышатся крики, стоны, оружейные выстрелы. Повсюду следы чьей-нибудь трагической гибели. Вчера по телевизору показывали: мужик бежал по берегу реки, увидел женщину с ребенком, набросился и покусал! Теперь им будут делать сорок уколов от бешенства. Кто знает, нормальный он или ненормальный?

— Нормальный, издерганный жизнью чело- век, — задумчиво говорит Фира.

— Нормальные, издерганные жизнью люди, — неистовствует Йося, — высаживают грудью дверь, врываются в дома и жгут хозяев утюгами!

— Хотела бы я знать, — изумляется Фира, — где они берут утюги?

Сама она сожгла свой утюг, позабыв его выключить, и уже целый год гладит Йосины брюки да и другие наши вещи о край ванны.

— О, время всеобщего бедлама! — говорит Йося, воздев руки к небесам. — В России царят гнев, страх, сонливость, жестокосердие. Я тебя заклинаю, Милочка, никогда никому не открывай дверь!

— И в лифт пускай не садится с незнакомыми мужчинами! — кричит Фира. — Я тоже видела своими глазами: стоит у подъезда группа молодых людей — столпились, сгрудились, и знаете, что они делают???

— *Что?* — в ужасе спрашивает Йося.

— Сосут сосульку!

— *Одну на всех?* — ужасается Иосиф.

Господи! Как прекрасно все, что ты создал! Земля, и лед, и камни, и палки, и вороны. Я так люблю смотреть. Я даже когда целуюсь, не закрываю глаза. Тогда есть возможность наблюдать светила небесные и движение лун, звезда Нила вспыхнет на несколько минут перед восходом Солнца, предвещая половодье, свет от нее летит восемь лет и восемь месяцев. Это если любимый повыше тебя. Если же он пониже, виден один только снег золотой на закате, и больше ничего.

— Блин горелый! — нежно бормочет мне на ухо некто Кукин. — Я с тобой, Милочка, — говорит он, — как накурился марихуаны.

Он так и представился, когда мы познакомились: некто Кукин.

В ночь на это событие мне приснился сон — у нас маленький куренок, очень глупый. А Йося возьми и посоветуй:

— Надо отрубить ему голову. Тогда вырастет другая, лучше!

И вот куренок сидит в корзинке, живой-здоровый, но без головы.

Прошло три года.

Сидит по-прежнему без головы. Вызвали ветеринара. Приходит ветеринар. Я спрашиваю:

— Вот у нас куренок. Вырастет у него голова?

А тот отвечает:

— Нет, не вырастет. А если вырастет, то плохая, некрасивая.

Я — на Йосю:

— Что ты наделал?! Никогда не буду слушаться твоих дурацких советов.

Проснулась вся в слезах.

Слышу: изо всех сил кто-то барабанит в балконную дверь так, что стекла дребезжат. Это Фира закрыла Иосифа на балконе — он там лобзиком выпиливал полочку из фанеры в подарок своему старшему брату Изе на день рождения. Фира по телефону: «Ду-ду-ду, ду-ду-ду!» Йося стучит, а Фира не слышит. Я открыла ему, Йося выскочил как ошпаренный. Фира сразу давай на него орать, это ее обычная манера: когда она провинится в чем-нибудь, начинает обвинять Йосю во всехсмертных грехах.

— Что ты стучишь? — кричит Фира. — Зачем? Нельзя подождать?

— Хорошо, Фира, — Йося сразу идет на попятную. — Я больше не буду стучать. Я буду стоять и плакать, забившись в уголок, и, может быть, к ночи кто-то обо мне вспомнит. А может быть, и нет...

— Как ты смеешь кричать на меня? — не унимается Фира.

— А что бы ты хотела? — в испуге спрашивает Иосиф.

— Чтобы ты сказал: ах ты, моя бедная малышка!

Йося, слушай, я шла по улице, меня догнал человек. В чем он был? Не помню, кажется, в пальто. Да-да, на нем было пальто, причем довольно приличное, швейная фабрика «Свобода».

Шагает он рядом со мною и говорит:

— Блин горелый! Как интересно жизнь устроена — то темнеет, то светлеет.

— Да! — с жаром воскликнула я. — Это крайне интересно.

Некто Кукин

А он продолжал:

— В такие моменты обычно слышен голос сверчка. Хотя он стрекочет непрерывно — и днем и ночью. Надеюсь, вам известно, — спросил он, — что звуки, издаваемые насекомыми, являются любовным призывом? Я почему знаю, — добавил он, — на этой улице жил мой репетитор по биологии.

О, репетитор по биологии, мост между кузнечиком и человеком, трутень медоносной пчелы, зимнее гнездо златогузки, благодаря тебе в тот вечер мы вступили в учтивый разговор.

Мне он понравился, некто Кукин! Понравилось его пальто болотного цвета, гордое имя фабрики, на которой оно сшито, — «Свобода», любовь к природе, презрение к миру, и при этом в руке он все время катал два чугунных шара.

— У меня, Милочка, рука сохнет, — жаловался Кукин. — Я жертва людской несправедливости и жестокости.

Два года назад Кукин испугал милиционера в каком-то учреждении — тот икал, а Кукин его напугал, и милиционер в него выстрелил.

— Лучше бы я дал ему попить, — до сих пор не может успокоиться Кукин.

Он пригласил меня домой. Они жили вдвоем с матерью-старушкой на пятом этаже блочной пятиэтажки, в окне у него шумели березы, на стенке висел календарь с изображением голой девушки.

— А это палка моя плевательная! — с гордостью сказал Кукин, вытаскивая из-за дивана обломок лыжной палки. — Мама теперь ее использует как трость. Я плевал из нее рябиной или бумажными патронами. Обклеил пластырем с одной стороны, чтобы губы не к железу, и плевал из окна вверх под сорок пять градусов — далеко-о попадал! Кто-нибудь сидит у подъезда на лавочке, видит: сверху — раз! — с одной стороны упало, раз! — с другой, не больно, ничего, а просто интересно. Особенно мне. Это очень хорошее дыхательное упражнение. Народ сначала озирается, потом начинает

бдительно смотреть, потом принимаются вычислять обратную траекторию. Иногда замечали меня сквозь деревья.

«А! Вот! — кричали. — С пятого этажа!..»

Тогда я прячусь. А они уходят. Кто ж может выдержать такую бдительность?

Мы с ним стояли, обнявшись, и целый мир, сам того не подозревая, лежал у наших с Кукиным ног: огни земли и безлюдные дороги, отшельники в лесной пуще, осенний туман, халдеи, египтяне, греки, сирийцы и эфиопы — весь наш московский сброд.

— Один парень был на год помладше меня, — говорил, покрывая лицо мое поцелуями, Кукин. — Он девятиэтажный дом рябиной переплевывал. Я же всего только до седьмого мог доплюнуть.

— А меня ты сразил, — отвечала я Кукину, — *одним только взором!..* Нёбо твое — сладость, живот — слоновая кость, весь ты, Кукин, прекрасен, и нет в тебе изъяна.

— Милочка, Милочка, — произнес Кукин страстно и довольно безумно. — Я должен признаться тебе — меня потрясал мой одноклассник. Он от стены противоположной доплевывал до доски! Он потрясал меня тем, что, во-первых, он в классе мог так свободно плеваться. А во-вторых, его мощь — он дотуда доплевывал безо всякого плевательного аппарата.

Кукин рос без отца. Его папа оставил его маму из-за того, что она, вступая с ним в брак, отказалась менять свою девичью фамилию. Хотя у отца была очень благозвучная фамилия: Вагин.

— Вагина — это звучит гордо, — уговаривал он ее, — и красиво. Не то, что какая-то Кукина.

Но мама решила оставить себе непременно фамилию предков, поскольку в том случае, если она станет Вагиной, Кукины переведутся на этой Земле. К тому же, говорила она, не имя красит человека, а человек имя.

Нашла коса на камень, а дело касалось фамильной чести,

поэтому Вагин без проволочек ушел от своей строптивой жены, так и не увидев не замедлившего появиться на свет Кукина. Лишь спустя много лет Вагин позвонил по телефону и неумолимо сказал Кукину, что он, Вагин, ему — родной отец, поэтому стервец Кукин обязан баюкать его одинокую старость.

— Сыночка! Чай готов, приглашай свою спутницу к чаю, — послышался из-за двери голос мамы. Она ватрушек напекла! Выставила парадный сервиз для особо торжественных чайных церемоний. В окне у нее тоже ветер качал березы, но на стене висел ее собственный портрет в простой деревянной раме.

— Правда, я тут похожа на Джоконду? — спросила она с английской улыбкой.

— Один к одному, — говорю.

— К сожалению, — сказала она, — я ничего не слышу, и мы не сможем насладиться беседой.

— Не страшно, — ответила я, налегая на ватрушки.

— Во мне умерла трагическая актриса, — вздохнула она после долгой паузы. — Как я читала со сцены Илью Эренбурга!

— А кто это? — спросил Кукин.

Ему никто ничего не ответил.

— Надо сказать, я окончила очень хорошую школу, — вдруг заявляет мама Кукина. — У нас были лучшие преподавательницы в Москве. Все старые девы. Все-все-все.

— Я хочу умереть молодой, — сказала я.

— Молодой ты уже не умрешь, — резонно заметил Кукин.

В тот день мне исполнилось двадцать семь лет.

Йося, Йося, опять ты набедокурил! Мало тебе досталось от Фиры, когда ты с помойки принес чье-то кресло-качалку, потом притащил табурет, ломберный столик потрескавшийся, ты ополоумел! Любят евреи устраивать голубятни! Как будто сейчас только переехали, все разложили, и никто не думает никуда ничего рассовывать. Тут ковры скрученные, сверху мебель, тряпье, старье, барахло, но это все ладно уже, а зачем ты, Иосиф, принес к нам с помойки гроб? Да, он крепкий, он пахнет сосновой смолою, он хороший и всем нам как раз, но у нас в нем пока — тьфу-тьфу-тьфу! — нет надобности!

— Фира, Милочка, — лепечет Йося. — Я пошел в магазин — вижу, он на помойке валяется, ну просто полностью никому не нужный. Я окаменел, и две пустые черные сумки бились на ветру за моей спиной, как крылья ангела. Только не подумайте, что я его сразу схватил и поволок, хотя каждый бы на моем месте так и поступил, ведь гроб сейчас стоит денег! Я его приоткрыл, заглянул и как следует убедился, что в нем никого! Потом я его приподнял, он был нетяжелый, но с гробом мне вряд ли бы удалось забежать в магазин. Ах, подумал я, ладно, взял гроб и отправился домой.

— А ты не подумал, — заходится Фира, — что в нем могут быть клопы, тараканы! Иосиф! Ты интеллигент! Бывший человек искусства! Куда мы его поставим? В каких таких целях будем применять? Пока не представится случай использовать его по назначению?

— Картошку в нем будем хранить на балконе, — ласково отвечает Йося. — Или поставим к тебе, Фира, в комнату около батареи и станем гостей туда класть. Рома с Леной приедут из Нижнего Тагила...

— Так он же не двуспальный! — кричит Фира.

— Хорошо, — соглашается Иосиф, — я буду в нем ночевать у тебя в комнате. А Рома с Леной улягутся на моей кровати.

— Ни боже мой! — кричит Фира. — У тебя, Йося, волосы с ног облетают. Если долго не подметать, на полу образуется ковер.

Йося — вылитый йети. Он стриг себе брови, в подмышках подстригал и в паху, в носу, между прочим, и на носу у не-

го росли волосы, он стриг себе все это и не стеснялся. Фира говорит, его в молодости за это прозвали «сушеный Тарзан». Она же, красавица Фира, полюбила Иосифа за внутренний мир — больше было не за что. Ведь он артист, музыкант, он играл в духовом оркестре. Худой, совсем крошечный, почти бестелесный, а Фира — женщина крупная. Она в него до смерти влюбилась. И всю жизнь его страшно ревновала, он был барабанщиком, к нему девушки липли.

Иосиф с рожденья играет на барабане. Его даже в детстве делегировали пройтись по Красной площади перед Мавзолеем в праздничном строю.

— Ты кто? — спросили у Йоси, когда он приехал в оргкомитет в сопровождении дедушки Аркадия.

— Я еврей, — ответил маленький Йося.

— Нет, мы спрашиваем: ты горнист или барабанщик?..

Я дочь лабуха.

— Нужно торопиться жить, столько времени пропало впустую, — жалуется Иосиф, — уже мы на ладан дышим, а я с тобой, Фира, не приобрел никакого сексуального опыта. Пусти меня к себе на ночь, хотя бы в гробу.

— Пойми, Йося, — на весь дом рокочет трубный глас Фиры, — мне больше не нужен мужчина. Я в этом не испытываю потребности.

— Что же мне, — Йося всплескивает руками,—искать себе женщину?

— Как хочешь, — пожимает плечами Фира.

— Но я же тебе слово дал! Я весь, Фира, твой, без остатка.

— А ты, Йося, думай, что ты вдовец, — напевно говорит Фира.

Йося, Йося, родной мой, ну почему ты такой обалдуй?

Взгляни на сердце свое и задумайся о причине, которая побуждает тебя хулить всех и каждого, у кого только мысль мелькнет попросить у васс Фирой моей руки! Ну что тебе вздумалось, когда я привела домой Кукина, лечь в свой гроб, скрестить руки и глядеть на него оттуда так зачарованно и печально, что у нас по спине мурашки забегали?.. Кукин пришел к тебе, честь по чести, в игрушечном галстуке на резинке, с букетом гвоздик! Фиры дома не было, так что цветы он был вынужден положить тебе на грудь. Еще он принес конфеты «Цитрон». А ты, Йося, не вылезая из гроба, слопал весь кулек, сморщил нос и сказал:

— Людей, которые произвели эти конфеты, надо выгнать с работы, чтобы они безработицы хлебнули.

— Тебе что, Иосиф, — кричит из комнаты Фира, — надо, чтобы ребенок окочурился?

— Милочка! Фира! — оправдывается Йося. — Этот Кукин имеет такой жуткий облик, что мне показалось, я видел его портрет на стенде «их разыскивает милиция». Он насильник, убийца, зарезал троих человек, я хотел это сразу сказать, но у дочери был до того счастливый вид, что я подождал, пока он уйдет.

— Зато он не курит! — кричу я, заламывая руки. — Где я тебе возьму человека безупречной репутации? Сейчас все насильники! Насильника от ненасильника не отличишь!

— Господь, свет мой и спасение мое, — бормочет Иосиф. — Господь, оплот жизни моей! Смилуйся и ответь: разве я ей не твержу от зари до зари, что лицо — это зеркало души? И что о моральных качествах человека судят по форме его черепной коробки? Приклони, Господь, ухо свое: у меня в головене укладывается — как может избранник моей единственной дочери иметь такую широкую лобную кость?..

— А как могут твои родственники, — кричит из комнаты Фира, — иметь такие ужасные большие носы???

Иосиф не переносил, когда кто-либо отваживался подвергать сомнению неописуемую красоту, ясный ум и благородную натуру, присущую всему его генеалогическому древу, но именно тут ему нечего было возразить. Ибо перед размером и формой носов этого древнего рода испытывали ужас и благоговение и ярые сионисты, и отъявленные антисемиты.

Я помню, в детстве, случись какой-нибудь праздник, съезжалась к нам Иосина родня: царил за столом дедушка Аркадий, одесную восседал Иля-старшийс семьей, по левую руку Иосиф, потом Юлик, Сема, Зиновий, Авраам, муж Илиной сестры Вова, сын полка трубач Тима Блюмкин, подросток Буди-мир — и все с этими своими носами!

Однажды я не вытерпела и сказала:

— Ой, какие у вас страшные носы!

А дедушка Аркадий улыбнулся мне ласково и говорит:

— Вырастешь, Милочка, и у тебя такой будет.

Слабая надежда на то, что это предсказание не сбудется, рассеялась, как дым. Я прямо чувствую: у меня становится нос, как у моего прапрадедушки по Йосиной линии, контрабандиста Кары Пиперштейна. Говорят, именно Кара положил начало огромным еврейским носам, родившись внебрачно от жутко носатого тата, в которого Йосина праматерь Фрида влюбилась без памяти с первого взгляда.

Когда Фрида опомнилась и захотела вернуться, было уже некуда: муж ее Додик, витебский глазной врач, женился на другой.

Соседи Фриды злорадствовали и, передавая из уст в уста эту нашумевшую в Витебске историю, обязательно добавляли:

— У нас никто ее не жалеет. Если бы вы знали, какой ее муж симпатичный.

Отец мой, Иосиф, сноб и мракобес, утоли моя печали! Не с твоим генеалогическим древом придавать значение лобной кости Кукина. Пускай уже каждый ходит с такой лобной костью, с какой ему, черт возьми, заблагорассудится, из-за тебя я как женщина терплю фиаско за фиаско. Жду не дождусь, когда ты в конце концов поедешь с Фирой в санаторий. Твой отъезд я хочу использовать как отдушину.

— Скоро, Милочка, скоро, — отвечает Йося с видом оскорбленного Лира. — Ты еще вспомнишь обо мне, ты еще пожалеешь и скажешь: «Сердце мое пребывало в заблуждении. Не знала я Йосиных путей».

Фира и Йося уехали в город Геленджик. На прощанье Иосиф пообещал мне звонить каждый день, сразу дать телеграмму, как только приедет, и не одну, а три: как доехал, потом — как устроился, и самое главное — когда встречать обратно: поезд, место, вагон, а то письма идут очень долго, но он будет писать, несмотря ни на что, во всех подробностях о своей курортной жизни, хотя у них с Фирой путевка на десять дней. Йосе выдал ее ко Дню Победы комитет ветеранов и присовокупил два рулона туалетной бумаги.

— Ветераны и впредь непоколебимо будут стоять на страже мира, но если что — дадут отпор врагу, — сказал Иосиф, получая вышеуказанные дары от старенькой общественницы Уткиной.

Поезд тронулся. Фира стала махать носовым платком и громко плакать. А Йося крикнул мне из окна:

— Человек, Милочка, должен всю жизнь отращивать себе крылья, чтобы в момент смерти улететь на небо.

Йося, Йося, как только исчезли огни твоего концевого вагона, я вздохнула легко и свободно впервые за много лет. Знаешь ли ты, что ты, Йося, давно мне никто? Да-да, не падай в обморок — известно ли тебе, что один раз в семь лет клетки человека полностью обновляются? Это сказал мне великий Кукин, а ему — его репетитор по биологии. Так что я, Йося, уже не та Милочка, что в красном платье бежала от гуся в Немчиновке, а гусь щипал ее за уши. Я уже трижды не та, а через месяц буду четырежды, ты мне чужой, и пора забыть о той роли, которую ты сыграл в моем рождении.

Знай, я приму его этой ночью, оставлю у себя, было бы непростительною ошибкой с моей стороны все еще держать дистанцию, когда ты, Иосиф, пропал в облаке дорожной пыли, исчез в полосе неразличимости, лишь тень твоя ложится в эту минуту на глинистые берега, глухие заборы, зеленые овраги, на спины кузнечиков и желтые поля сурепки, прилегающие к железнодорожному полотну.

Вон он идет мне навстречу — любитель сладкой жизни Кукин, Тибул, который ни дня не жил честным трудом, коммерческий директор несуществующих структур, продавец недвижимости, культурный атташе с кожаным портфелем и бамбуковойтростью, сам ест пирожное «картошку», а мне купил булочку с повидлом.

— Я зонтик взял, — говорит он, — хотя ничто не предвещало дождя. Ведь когда я с тобой — всегда случается что-то непредвиденное.

Над ним летают голуби и вороны, сияют перистые облака, у ног его цветут одуванчики и анютины глазки... Он снимает ботинки с носками, закатывает штаны и шагает босой по газонной траве и по цветам.

— Простите меня, цветочки, милые и любимые, —говорит Кукин. — Сейчас я пройду по вам, а время придет — и вы будете расти на мне и цвести. Ну? — спрашивает он у меня. — Что мы будем делать? Радоваться? Веселиться? Оживлять покойников?

На «Баррикадной» нам предложили сфотографироваться на память с живым питоном. Я согласилась, а Кукин — нет. Из страха, что тот его удушит.

— Глупо, — сказал Кукин, — в своей единственной жизни быть удавленным питоном во время фотосъемки.

Мы съели по пирожку горячему с рисом, по яблочку, по кулебяке с капустой, и Кукин сказал:

— Ты прекрасна, Милочка! От твоих волоспахнет дохлым воробышком. Надо будет тебякак-нибудь соблазнить.

— Что ж, — ответила я безрассудно. — Пора познать и мне любовное волненье. Кукин, трепет моих очей, проводи меня домой.

— Сейчас очень опасно ходить, — согласился Кукин. — Китайцы расплодились в Москве, и под видом киргизов убегают в Америку. Хотя чего проще, — воскликнул он, — отличить китайца от киргиза! Киргизы кочковатые, а китайцы наоборот, суховатые и желтоватые.

Йося, Йося, могу себе представить, как ты раскричался бы, расплакался, растопался бы ногами, узнай о том, что я приняла его в доме твоем в тот самый вечер, когда от тебя пришла телеграмма: «Устроились хорошо. Рядом море. Иосиф».

Счастье, когда твои близкие живы, здоровы и находятся в санатории! Бледная и трепещущая, ставила я чайник на плиту, а Кукин, со всех сторон окруженный почетом, слонялся по квартире, и впереди была вечность.

— Безумные евреи! — говорил он, встречая повсюду Йосины запасы макарон.

Йося запасал макароны на черную старость, на случай войны, голода, разрухи, еще он запасал крупу и спички. Спички отсыревали, в крупе заводились жучки, Йося же — иссушенный, как осенний лист, — запрещал расходовать его запасы без особых на то причин, считая их стратегическими.

Йося, Йося, все кончено между нами, я больше не вернусь на твой зов, найди уединенное место, пади на траву и орошай землю горькими слезами: сегодня я скормлю твои макароны Кукину.

В нашем доме не принято сходить с ума по мужчинам, но Кукин, да-да — не перебивай! — Кукин разбудил во мне столь сильную любовь, что я совсем одурела от страсти. Где он? А где я? У нас везде ноги, везде руки, везде глаза, головы, лица, уши повсюду в мире...

— Какие у тебя, Милочка, большие уши, — восторженно шепчет Кукин. — Такие уши говорят о здоровом организме человека и о его физической мощи. Люди с мясистыми эластичными ушами, — продолжал он, — имеют проблемы с печенью, почками и сердцем. А у кого уши тонкие и просвечивающие, мучаются всю жизнь с желудком и кишечником.

В заключение — вне всякой связи с предыдущим — Кукин спросил: знаю ли я, почему у меня холодный нос?

— Нет, — ответила я.

— Потому что ты хочешь меня! — сказал Кукин. И он победоносно посмотрел в мою сторону.

— Да, — воскликнула я, обнимая его и целуя, — да, мой единственный Кукин! Явись к нам, репетитор по биологии, а то с годами мне стало казаться, что я еще недостаточно тщательно изучила этот вопрос, хотя я постоянно штудирую специальную литературу, перелопатила горы брошюр, с дальним прицелом выписываю журнал «Огни Сибири», там дают множество дельных советов, и я чисто теоретически неуклонно овладеваю сей областью знаний, по крайней мере — терминологией.

— А я, — беззаботно заметил Кукин, — всегда предпочитал спонтанность в этом деле. Как пойдет, так и пойдет. Жаль, энтузиазм стал угасать.

Он взял сыр, приложил к ноздре и шумно вдохнул.

— Такой здоровый воздух от сыра, — сказал Кукин, — даже голова идет кругом. А давай гонять чаи!!! — неожиданно предложил он. — Будем, Милочка, гонять чаи всем врагам назло. Кстати, ты не знаешь, куда девались татаро-монголы после Куликовской битвы?

Кукин провел у меня шесть часов. Он сидел на кухне, покуда не забрезжил рассвет, гонял чаи, рассказывая о том, что он в жизни любил и утратил, и через какие неописуемые опасности он прошел.

— В молодости, — сказал он наконец, съев четыре яйца, помидорки две, девять бутербродов, — я вел распущенную жизнь, пока неудачная любовь не натолкнула меня на иные мысли, и я решил посвятить всего себя обращению магометан в христианство.

С этими словами он встал и отправился в прихожую надевать ботинки.

— Как? — спросила я. — Разве ты не останешься?

— Нет, — ответил он.

— Почему???

— Мама будет волноваться.

— Но она давно спит!!! — вскричала я.

— Спит, — ответил Кукин. — А все равно волнуется. — И он стремительно убежал на карачках.

Иосиф, я узнаю твои проделки! Той ночью — Йося, не отпирайся! — разбуженный странной тоской и тревогой, ты выскользнул из санатория, накрыв себя шкурой козы, не знавшей ни разу самца, и на языке, который был мертвым уже во времена Ашшурбанапала, произнес: «Да будет туман, страх и великие чудеса для всех, кто ищет тебя! Да станут они мякиной на ветру, гонимые Ангелом Господа!» Вслед за этим — молчи, Йося, за твои мерзости Господь, Бог твой, изгонит тебя от Лица Своего, — сделался такой густой туман и такая тьма, что враги твои заблудились и вынуждены были отказаться от своих замыслов.

Иосиф, смутитель небес, не мужчина ты и не женщина, ты хочешь, чтобы я жила в пустыне или на вершинах гор и родила от непорочного зачатия —что ж, в нашем славном роду Пиперштейнов случалось и не такое. Вспомнить хотя бы странные обстоятельства Йосиного рождения. До Йоси у дедушки Аркадия с его женой Сарой уже было пятеро детей. После пятых родов Саре сделали перевязку маточных труб, а плодовитому Аркадию тоже что-то такое сделали в этом духе: крепко-накрепко перевязали, а может быть, даже отрезали.

Каково же было изумление Сары и Аркадия, когда после

всех вышеупомянутых процедур на свет появился Иосиф, причем — так гласит семейное предание — родился он со словами:

«Благословен ты, Господь, Бог наш, Владыка Вселенной, сотворивший плод виноградной лозы».

Наутро с разбитым сердцем я получаю письмоот Йоси:

«Здравствуй, Милочка! — писал он мне. — Как прекрасен мир! Проснешься — солнце, тишина, и слышно гуденье: это тысячи и тысячи голосов звучат в унисон с жизнью. Чтоб ты знала, мы с Фирой только питаемся в санатории, живем жеу хозяев. Она сама Маргарита, а муж ее работает на говновозке, поэтому у него очень много знакомых и большие связи. Слышал я, как Маргарита рассказывала соседям: "Она их выгнала, Рая, этих евреев, а мне их жалко!.." Это не про нас, не беспокойся. Возблагодарим Бога нашего, не одни мы евреи на этой земле.

Вчера с самолета колхозники опыляли поля от вредителей божьими коровками. А их ветром отнесло на пляж. Часть попала в море, но большинство на отдыхающих. Так эти божьи коровки набросились на нас, как на злодеев и вероотступников, они нас грызли, Милочка, рвали на части, чуть было живьем не съели со всеми потрохами.

Красив закат на фоне бархатного неба! У меня бархатный стул и прозрачная моча. У Фиры стул более оформленный, но менее регулярный. Доча! Твоя мать Фира сгорела дотла! На ней сейчас можно яичницу жарить. Я перегрелся, перекупался, и вечером меня стошнило. Будь умницей и не чини беспутств. Целую, папа».

Йося — это певчий ястреб Калахари: он охотится, поет на лету и несет голубые яйца.

— Почему ты не едешь на родину отцов? — спрашивает его иногда Фира.

— Потому что мне нравится, — отвечает Иосиф, —эта убогость российского пейзажа. Мне нравятся эти люди в черных пальто приталенных, в этих черных ботинках и черных шапках. И я не буду питаться папайями, потому что я их не люблю, я люблю картошку, капусту, я лучше буду жить здесь богато, чем там считать эти шекели, и я думаю, именно здесь, —отвечает он Фире, — при содействии моих близких я быстрее попаду в Царствие Небесное.

А Фира:

— Если ты ставишь себе такую задачу, то я тебе это обеспечу.

А тут и правда очень хорошо в этом смысле. Зимой, например, множество народу гаснет под льдинами. Идет человек по улице, думает свою тяжелую думу, а ему — бац! — льдиной по голове — и готово!

Некоторые сами стремятся покончить с тяжелою думой своею. Один отдыхающий в доме отдыха от несчастной любви взял с овощного стола и съел целую тарелку соленых помидоров. Его в критическом состоянии доставили в больницу, но как ни старались врачи, помидоры уже всосались в кровь, и вернуть его думы им не удалось.

Или иду я на почту платить за телефон, а около дома толпа зевак. Известно, что жители нашего микрорайона — самый легкомысленный народ вмире. Их, как говорится, хлебом не корми, дай только поглазеть на какое-нибудь происшествие. Шум, гвалт, переполох, «скорая помощь»... Оказывается, в соседнем подъезде на балконе четыре человека повесились. Всей семьей. Муж, жена и два сына.

К ним в квартиру проник милиционер, вышел на балкон, видит, все как положено: висельники в петлях, только у каждого есть еще запасная веревка, замаскированная. Они за эти веревки держатся, пьют вино, закусывают ежеминутно тепленькими пирожками и от души посмеиваются, как славно они всех одурачили.

Наш участковый милиционер Голощапов Александр Давидович снял фуражку, положил ее на бортик балкона, вытер лысую голову носовым платком и принялся старательно вынимать их из петли, одного за другим, рассказывая во всех подробностях, что их за подобные вещи ожидает в загробном мире. Они не сопротивлялись, ничего. Когда их увозили, на лицах у них были написаны небесная радость, счастье и веселье, как будто они уже очутились в раю.

Их увезли в сумасшедший дом. А жители нашего дома на чахлой траве плясали под звуки волынок и свирели, делясь впечатлениями о том, как все-таки разные люди по-разному отводят душу.

— Целая семья сумасшедших! — со смесью ужаса и восхищения воскликнул стоявший рядом со мной узбек или калмык. — Не кто-то один, а все!!! И это неудивительно: шизофрения, — стал он охотно объяснять мне, — великолепно передается по наследству. Вот почему шизофреникам, — он уже весело шагал со мной рядом на почту, — не рекомендуется иметь детей. Но в данном случае один шизофреник полюбил другого. И все. Им так хорошо друг с другом. Они очень увлекающиеся. Один предложил: «Давайте повесимся?» И все обрадовались. Четвертый, наверное, не соглашался. А ему сказали: «Ты что, дурак?» Или ему сказали: «Давай вешайся с нами, а то мы тебя по-настоящему повесим». Он испугался и повесился. А то с ними шутки плохи.

И мы пошли с ним, страшно довольные таким чудным разговором. Мне он понравился, этот калмык, понравилось то, что он так и дышал незаурядностью. Все люди вокруг меня, я заметила, как-то некрепко держатся за жизнь. Он же совсем не производил впечатления человека, ходящего по краю пропасти.

— Вы случайно не калмык? — спросила я. — Или вы калмык?

— И то и другое, — ответил он.

У него было такое лицо — его невозможно забыть. Если смотреть на него слева, лицо было строгое, суровое, пронзительное. Зато правый глаз глядел не на тебя, а куда-то вдаль, в вечность, от этого вся правая сторона смотрелась мягче и сносней.

Звали его Тахтамыш.

— У вас есть «Известия для одинокого мужчины»? — громко спросил он, войдя на почту.

Брюки мешковатые, рубашка на животе расстегнута, живот весь в складочку, сам разморенный.

— Какая красивая девушка! — сказал Тахтамыш, распахивая свои объятия почтальону. — Из моих мест. Как это хорошо, — воскликнул он, — что в Москве много южан. Город живой, когда тут ходят арабы, евреи, негры, кавказцы... Газета сегодняшняя? Завтрашняя? Дайте мне «День».

Даже просто глядеть на него доставляло удовольствие. А уж идти с ним рядом и разговаривать обо всем на свете!.. Правда, разговаривал обо всем на свете он один — это был монолог.

— Вот о чем я мечтаю, — он говорил, дружески обняв меня за плечо, — все время лежать в кровати, пускать мыльные пузыри и любоваться игрой радужного света на их боках.

Подобное заявление могло обескуражить любого, кто спал и видел, как ему в свои неполные тридцать четыре стать наконец женой, женщиной, матерью, заиметь собственный дом, семью и отделиться от Фиры с Йосей! Но Тахтамыш выглядел до того цветущим, в желтой рубашке с оттенком калифорнийского лимона, в новых оранжевых ботинках, так и напрашивался сам собою вопрос: есть ли у него девушка в общепринятом смысле этого слова?..

— Вам никто не говорил, — вдруг спросил он, — что у вас череп очень красивый? Когда видишь такую женщину, тут же хочется овладеть... ее вниманием, мыслями, душой.

Я почувствовала, как я восстаю из пепла.

— Вы очень соблазнительная, — продолжал Тахтамыш. — Пойдемте к вам? Купим чего-нибудь поесть. Вы любите пиво? Нет? Я люблю пиво. Кстати, о любви! Поговорим о сладости поцелуя. Вы любите целоваться? Я очень люблю целоваться. А вы подарите мне поцелуй? Да? А когда вы поняли, что хотите целоваться со мной? Шли-шли, и вдруг раз! — и поняли?.. Волнуетесь? — спросил он, когда мы ехали в лифте. Он держал в руках пиво, грудинку и колбасу.

— Да, — сказала я.

— Не надо, не волнуйтесь. Все очень просто.

Колбаса выкатилась у него из рук и упала на пол.

— Падшая колбаса, — величественно произнес он.

Йося, Фира, ну что вы окаменели с чемоданами на пороге, когда вам открыл Тахтамыш? Говори, Йося, что тебя потрясло? То, что он полукрасный, полусиний и полузеленый? Так спроси, Йося, что это с ним? Ничего, он ответит тебе, мы, калмыки, такие. Или он на артиста похож, который подлюг играет? Да не рассматривай ты его так придирчиво! У него в животе начинает бурчать от чрезмерного внимания. Дай я тебе расскажу о моем Тахтамыше. Рожденный в деревне, он оказался не создан для нее. Родители его, я знаю, Йося, тебе это небезразлично, интеллигентные люди — погонщики верблюдов, и сам он ученый, знаток — носитель татарского эпоса. Он турок-сельджук, Барбад, укрывшийся в ветвях кипариса. Он крупнее лошади, покрыт рыжей шерстью, но морда, уши и две длинные тяжелые косы у него черные. При появлении всадника или пешего он притягивает их к себе своим мощным дыханием и заглатывает, он глотает и камни! Убить его можно стрелами в незащищенные шерстью места,и когда он станет падать — подойти и разрубить его мечом.

Тебя, Йося, интересует, утратила ли я невинность? Нет, не утратила. Поскольку Тахтамыш обещал жениться на мне при одном условии: если я сначала выйду замуж за его брата Тахтабая и мы пропишем его в Москве. Но для Тахтамыша немаловажно, чтобы Тахтабай женился на девушке, так у них там принято, у калмыков, поэтому я блюду девственность — для Тахтабая, хотя этот брак наш с ним будет фиктивным.

— Надеюсь, это шутка? — сказал Иосиф.

— Нет, Йося, это серьезное дело.

— Ну хорошо, — сказал Йося, — а то были бы плохие шутки.

— Отец! — Тахтамыш собрался обнять Иосифа, но тот жестом остановил его порыв.

Йося похудел. Глаза у него ввалились и сверкали каким-то сумасшедшим блеском. И у него очень нос загорел. В руке Иосиф держал тяжелую трость с набалдашником. За Йосей высилась Фира — сияющая, вся в перьях, в соломенной шляпе — с безумной улыбкой на устах.

Не зря меня страшила первая встреча Тахтамыша с моими родителями. Во-первых, разъяренный Иосиф мог запросто кинуться на Тахтамыша и хорошенько его отдубасить. Сцены «Иван Грозный убивает чужого сына» боялась я прежде всего. Вторая моя тревога была: как бы Тахтамыш не составил верного представления о всей нашей семье и я бы не упала в его глазах.

— Что же вы, не хотите меня поцеловать? — спросил Тахтамыш, опечалившись.

— Нет, — ответил Йося.

— Почему?

— Потому что это негигиенично. Я и руки-то больше никому не подаю, боюсь подцепить какую-нибудь заразу.

— Я мужчина чистый, — сказал Тахтамыш. — И я вам покажу документ.

Он стал рыться в своих вещах, бормоча о темной ночи, которая пугает поэта, и тот призывает свою подругу, а та утешает его. Закончил он все это словами:

— Спокойно идущие вепри не знали о том, что Бижан уже оседлал своего коня, — и протянул Йосе желтую картонную карточку с фотографией, довольно потрепанного вида.

Йося молча прошел сквозь него, как сквозь призрак, лишенный плоти.

Тогда Тахтамыш обратился к Фире, видимо, полагая, что Фира у нас по сравнению с Йосей — это храм разума.

— Эсфирь Соломоновна! — сказал он. — Поверьте, у меня к вашей дочери позитивное отношение. Я хочу Милочку и физически и морально. Я даже намерен жениться на ней в конце концов. Но пока мне тут нужно отлучиться ненадолго, чтобы совершить паломничество в Мекку.

А Фира:

— Зачем вам в Мекку? Езжайте в Марьину Рощу, загляните в синагогу, и все уладится.

— В синагоге, Эсфирь Соломоновна, нету Бога, — как можно мягче и доверительней сообщил Фире с Йосей Тахтамыш.

Услышав такие слова, Иосиф затрепетал от гнева. Он бросился бы на Тахтамыша и умертвил бы его с такой жестокостью, что залил бы кровью всю нашу квартиру, но побоялся: весть об этом злодеянии докатится до участкового милиционера Голощапова Александра Давидовича, а тот станет роптать.

— Бог мой! — горестно возопил тогда Иосиф. — Под сенью крыл твоих найдем защиту и прибежище! Убереги язык мой от злословия, разве я не понимаю: весна, отсутствие витаминов и в то же время повышенная возбудимость. Но, Господь, наш оплот и избавитель, скажи, что нашла она в этом лице кавказской национальности?

— Я хочу счастья, Иосиф! — ответила я. — Мне уже сорок лет, а скоро будет пятьдесят. Я отцветаю, тут разве до национальных распрей и религиозных предрассудков?! Дашь ты мне, черт возьми, отлепиться от вас с Фирой и прилепиться к Тахтамышу, ибо он — существо, что светится во мгле, незапятнанный, незатемненный, вон как он отмыл чашки содой и все кастрюли твои подгорелые, а посмотри на плиту?! Все! Я твердо намерена с вот этим Тахтамышем слиться в единое целое, так как в «Огнях Сибири» в ноябрьском номере за прошлый год я прочитала, что секс, чтоб ты знал,

Иосиф, благотворно влияет на организм человека, даря ему чувство глубокого удовлетворения, жизненную силу и душевный огонь. Там также говорится, я точно не припомню, в каких именно выражениях, но, Йося, при гармоническом соитии в момент наивысшего подъема, Иосиф, могут, не удивляйся, исчезнуть время и пространство, предметы со стола и со шкафов сами собою станут падать на пол, а комнату наполнит голубое сияние, особенно интенсивное над позвоночным столбом партнера. Только не надо стремиться к эякуляции! — выдала я последнюю свою козырную информацию, почерпнутую в каком-то, убей не помню каком, органе печати, — поскольку если партнер стремится к эякуляции, в тот момент, когда она имеет место, теряется точка контакта.

— Это еще что такое? — спросил бедный Йося, беспомощно глядя то на меня, то на Фиру, то на Тахтамыша.

— Эякуляция, Иосиф, — ответила Фира, снимая соломенную шляпу и легким движением руки бросая ее на холодильник, — это то, что происходит у тебя сразу, как только наступает эрекция...

— Ты видишь, что моя жена выкамаривает? — воскликнул Иосиф, невольно ища поддержки у Тахтамыша. — Никак не привью ей сознания бренности мира. Вот женщины! От зари до зари твержу я и Милочке и Фире: ищите бессмертное! Чтите заповеди, данные нам Торой. Не тратьте времени на то, что тленно. Вы разве не видите?..

— Чего? — спросил Тахтамыш, простодушно озираясь.

— Того! — грозно ответствовал Иосиф. — Что наступает конец системы. Пока идет проповедь. А потом начнутся страшные дни, и те, кто не штудировал Тору, просто исчезнут, стоял — и нет его.

И Йося злобно воззрился на Тахтамыша, явно надеясь, что тот, проникнувшись Йосиными речами, начнет уже потихонечку исчезать, не дожидаясь, пока грянет гром, засверкают молнии, а главное, вострубят в большой шофар, и придут потерявшиеся в земле Ашшур и заброшенные на землю Египта, и падут они ниц пред Господом на Святой земле в Иерусалиме.

Но Тахтамыш как стоял, так и стоял, даже волоска не слетело с его головы.

— Не надо портить праздник жизни! — вымолвил он наконец. — Ваша дочь — мягкая, теплая и нежная, она женственная и застенчивая и абсолютно доступная для меня, а я такой ранимый — просто ужас. Если мне скажут «пошел вон!» — я уйду. Уеду в Америку и женюсь на певице Уитни Хьюстон. Но, Иосиф Аркадьевич, имейте в виду, холостых сейчас нет. Кто-то в армии, а все остальные погибли на сенокосилке.

И он начал жарить пирожки с капустой, в десятый раз пересказывая мне добрые сказания былых времен на персидском языке.

— Вообще-то я перс, — говорил он о себе.

— Ладно пыжиться, — отзывался Иосиф из ванной комнаты.

Йося, Йося, как ты не понимаешь, вот этот вот Тахтамыш — последний шанс не дать угаснуть веселому и безалаберному роду Пиперштейнов.

— Так он же басурманин, — никак не мог успокоиться Йося, — его долго надо отмачивать в Днепре...

— Вы лучше жуйте, — увещевал его Тахтамыш, потчуя всех пирожками, — хорошо пережеванная пища — наполовину переваренная.

— За мужчин! Наших поклонников и обожателей! — Фира подняла рюмочку крымского портвейна.

Мир и благоволение воцарились после ее слов, а также атмосфера удивительного покоя и тихой грусти. С тех пор, видя, как наш Иосиф с Тахтамышем идут в булочную или овощной, соседи спрашивали с умилением:

— Выдаете дочку замуж?

— Выдаем потихоньку, — со вздохом отвечал Иосиф.

И когда пришла пора Тахтамышу исполнить свой мусульманский долг, отправившись ненадолго в Мекку, Йося даже слегка затосковал.

— Мекка — это по какой дороге? — спрашивал у Тахтамыша Иосиф. — А то у меня в туалете карта, я буду следить за твоим путем.

— Следи через Саудовскую Аравию, — уклончиво отвечал Тахтамыш. — Я быстро, Аркадьич, одна нога там, другая тут, к тому же скоро приедут мой брат с отцом, и вам не будет так одиноко.

— Но это же такие дали... — вздыхал Иосиф.

— Разве на Земле есть дали? — отвечал Тахтамыш. — Что-то хочется сказать тебе хорошее, но ничего в голову не приходит, — он заявил мне на прощанье.

В ответ я взглянула на него столь страстно, что он чуть не упал. Я это умею, просто никогда не пускаю в ход. Но тут дело затягивалось, а мне уже поскорее хотелось начать продолжать род, причем не сумасшедших Пиперштейнов, это я нарочно сказала, чтобы уважить Йосю, а великих богатырей Забулистана.

И вот, не прошло и месяца — я не хочу затягивать повествование, — нам кто-то громко позвонил в дверь.

— Кто там? — спросил Йося.

— Это мы, — ответили из-за двери. — Ваши родственники.

— А по какой линии? — стал допытываться Иосиф.

— По линии Тахтамыша!..

Иосиф открыл. На пороге стояли два горбуна и карлика — приземистые, коренастые, в очень длинных брюках, с огромными сумками и чемоданами. Их вид заставил оцепенеть Йосю с Фирой, да и меня к месту пригвоздило. Добрых пять минут мы пялили друг на друга глаза. Космическое безмолвие повисло у нас в прихожей, пока они заносили к нам свои вещи. Но Афросиаб — так звали отца Тахтамыша — мгновенно разрядил обстановку.

— Дай мне обнять тебя, дружище! — сказал он Йосе с уже знакомым нам по Тахтамышу радушием. — Кум! Кума! Подите ко мне, я вас обниму, чтобы косточки затрещали! А где красавица? — спрашивал он, поочередно заключая Йосю с Фирой в свои объятия. — Где наша белая лилия?

Тут я подхожу к нему, пусть не красавица, но с образованием. Серьезный человек, потрепанный житейскими бурями.

— Царица Тамара! — довольно-таки потрясенно воскликнул Афросиаб, чем вмиг, разумеется, покорил мое сердце.

Надо отметить, что Тахтамыш был наиболее респектабельный из всего их семейства. Он простонизкорослый, плотного сложения, но от него так и веяло солидным достоинством. В то время как брат его и отец являлись самыми натуральными лилипутами. Даже неясно, кто отец, а кто брат, — карлики вообще все молодо выглядят.

— А это мой Тахтабай, — сказал Афросиаб.

— Я — вы нал — кар — мыр — лы, — хрипло произнес Тахтабай.

— Что он сказал? — спросил Иосиф со смесью ужаса и подозрения.

— «Мир вашему дому!» — приветливо перевел Афросиаб. — Он говорит по-русски, но у Тахтабая немного нарушен двигательно-речевой аппарат. По нему даже диссертацию защищали, — с гордостью добавил отец. — И снимок дали в энциклопедию — его ног!

— Вы большие люди! — сказала Фира, с трудом и не сразу обретая дар речи.

— У меня есть еще один, младший, как две капли воды похожий на меня, — сообщил Афросиаб. — Я могу благодарить судьбу за таких сыновей.

Он вел себя естественно, как хомячок. И сразу всюду начал совать нос.

— Хорошая у тебя комната — картошку хранить, — сказал он Йосе. — Светлая, холодная. — Иосиф напрягся и сглотнул. — А что? У нас в Средней Азии, — сказал Афросиаб, — была дома одна комната специально для хранения

яблок. Я помню, яблоки на столе кончатся, отец откроет дверь — и оттуда — не то что дух, а прямо яблочный ветер. И яблоки — красные, большие, целая комната! До февраля держались, потом начинали гнить. Их ведь надо снимать с дерева руками, — втолковывал Иосифу Афросиаб. — И подвешивать за черенки, каждое в отдельности, тогда можно сохранить до лета.

— А ваш папа, — Иосиф принял крайне научно-административный вид, — он тоже был карликом?

— Нет, он был великаном, — ответил Афросиаб без малейшей заминки. — Тут будет склад огурцов, — делился он своими мечтами, — тут лука... Вам, Иосиф Аркадьевич, следует приналечь на овощи. Недостаток овощей может пагубно отразиться на вашем здоровье.

И Афросиаб принялся расписывать на все лады волшебные достоинства белой узбекской редиски, как она хороша, тертая, со сметаной и с луком...

— От нее пердишь здорово, — вдруг сказал Иосиф.

Он ответил, возможно, с излишним высокомерием, но счел своим долгом немного охладить пыл Афросиаба.

Афросиаб в свою очередь посмотрел на Иосифа, как царь на еврея. В этом взгляде не было ни гнева, ни обиды, а только неодолимое желание скорее прописать всех своих сыновей в Москве, и было заметно, что ради этого он готов запродать душу дьяволу.

— Вам надо поправиться, Иосиф, — небрежно произнес он, — а то вы худой и агрессивный. Закусим чем придется?

Они с Тахтабаем сели на стулья, а у них ноги до полу не достают.

— В понедельник венчание, — торжественно объявил Афросиаб, принимаясь за Фирину тушеную капусту. — Все как планировали — фиктивным браком в Елоховском соборе. Я договорился. Их будет венчать сам Питирим.

— Ну нет, — сказал Иосиф. — Я против.

— Почему? — удивился Афросиаб. — Вам не нравится сан Питирима? Или архитектура Елоховского собора?

— Мне не нравится ваш генетический код, — признался Иосиф. — Вы меня извините, — добавил он, — я всегда говорю то, что у меня на сердце. Бесконечно глубоки замыслы Господа, невежде не постичь, глупцу не понять. Но, Милочка, дочь моя, плоть от плоти моей, неужели ты хочешь нарожать кучу горбунов и карликов?

— Нет! — честно ответила я. — Я хотела родить кучу великих богатырей Забулистана.

— Я вам еще раз повторяю, мы не всегда были такими, — сказал Афросиаб. — Я в молодости был высоким и играл в баскетбол. Меня даже приглашали в сборную Йельского университета. Я просто отказался, потому что в этой команде играли одни негры...

— Что-то не верится, — засомневался Иосиф. — Я по телевизору смотрел — там в Америке у всех баскетболистов рост выше двух метров, а у некоторых даже выше трех!

— И у меня было выше трех, — сказал Афросиаб. — Будто я что-то тут сочиняю, — обиженно сказал он, — пытаюсь кого-то обмануть, ввести в заблуждение. А мне скрывать нечего: меня, Иосиф, сглазили. Да-да, не удивляйтесь. У нас в ауле жил один нечестивый курайшит. Звали его Исмаил. То ли он был колдун, то ли одержимый, суть в том, что этот вот Исмаил был поганый язычник. И хотя всем цивилизованным народам давным-давно известно, что на свете есть только один всемогущий Аллах...

— Уже мы под эту песенку плясали, — сказал Иосиф.

— ...он все еще поклонялся Солнцу, весне и Кузаху-громовержцу, — продолжил Афросиаб. — Раз как-то я его прищучил. «Свидетельствуй, — говорю, — что нет никакого Бога, кроме Аллаха и пророка Мухаммеда!» Я думал, что сердце Исмаила смягчится, когда в него проникнет ислам. А он мне возьми и сунь под нос кукиш. С тех пор он меня стал преследовать насмешками и оскорблениями, хуля мою веру и унижая мое дело. Бывали случаи, когда он бросал в меня грязью или украдкой выливал помои и нечистоты у порога моего дома. Однажды я не вытерпел, схватил валявшуюся поблизости челюсть верблюда и ударил Исмаила, ранив его до крови. В ответ Исмаил поклялся меня истребить как последнего самудита. К счастью, Аллах не позволил ему насладиться местью в полной мере: он только наслал на меня чуму, холеру, черную оспу, моровую язву, иссушил и уменьшил ровно в три раза. Видите? Во мне сейчас метр пять сантиметров. Да еще я сутулюсь. — И он показал на свой огромный горб. — А теперь представьте, какой я был раньше.

— Ну хорошо, с вами все ясно, — задумчиво произнес Иосиф. — А ваш сын, Тахтабай? Разве его внешний облик не говорит о явных нарушениях генетического кода в вашем роду?

— Помилуйте! — замахал руками Афросиаб. — Какие там нарушения! У нас самый лучший генетический код в Казахстане и Средней Азии! Тахтабай был в детстве очень красивым мальчиком. Он снялся в трех фильмах известного режиссера Улугбекова. Его даже приглашали в Голливуд, но как раз перед поездкой он упал с качелей и повредил позвоночник. Естественно, ни о каких съемках за океаном не могло быть и речи. — Он тяжело вздохнул и погладил по голове сына.

А Тахтабай сидит — руки свои рассматривает.

— Йося, Йося, — говорю я. — Неужели тебя не растрогала трагическая история этой семьи? Они и так хлебнули горя! То колдуны, то качели... Давай полюбим их, и нам за это воздастся на небесах?

Фира плакала уже чистыми слезами. Но Йося все еще подозревал неладное.

— Зачем ты кружишь голову людям, больным полиомиелитом? — сказал он мне с укоризной. — Вдруг это жулики?..

— Нет, Йося, это не жулики! — говорит Фира. — Я же вижу человека насквозь. А что он слова не выговаривает — так это пустяки. Я помню, когда я училась в университете, у нас в группе училась девушка на романо-германском отделении. Ее спрашивают: как будет «рыба»? Она: «Фиш». — «“Фыш” надо говорить!» — «Фиш!» — «Фыш!» — «Фиш!» — «Скажи: “рыба”!» — «Риба!»...

— Женщина! — говорит Йося. — У вас с Милочкой кот наплакал рассудка, а я ответственный квартиросъемщик.

— Да что бояться?! — воскликнул Афросиаб. — Почему страхи так наполняют ваши души, люди???

— Вспомни Тахтамыша! — кричу я. — Как он поет героические сказания!.. Ведь я дала ему слово! Пусть мой жених спокоен будет в Мекке. Он находится в дальнем походе и должен твердо знать, что мы тут уважаем его желания и сокровенные чаяния. Чтоб он не нервничал, я выйду за всех его братьев и за его папу в придачу. Сто против одного, — заявляю я в страшной запальчивости, — что твои внуки, Иосиф, будут не ниже... метра восьмидесяти шести, ты же слышал, отца Тахтамыша приглашали в сборную американского уни-

верситета, а будь Афросиаб негром — может быть, даже выше, в профессиональную лигу НБА, он играл бы, как Майкл Джордан, а ты знаешь, как играл Майкл Джордан, я видела два раза по телевизору. Йося, Йося, ты можешь себе представить, он прыгает — и не опускается. Все уже опустились, а он висит в воздухе... Жалко, он теперь не играет. Ты знаешь, его отца убили какие-то подонки. Он ехал на машине, а они взяли и пальнули по нему... У них там много оружия на руках. Представляешь? Убить отца Майкла Джордана. Я так плакала... И вот теперь он... бросил баскетбол и занялся бейсболом.

— Милочка, ты что, им поверила? — кричит растрепанный Иосиф.

— Да! — отвечаю я.

— И я им верю! — говорит Фира. — У них очень честные глаза.

— Получается, что я один не верю? — Воцаряется большая пауза. — ...И что самая черствая душа у меня в семье — у меня?

Мы молчали.

— Если б он был хотя бы полуеврей! — снова закричал Иосиф. — Хоть четверть-еврей! Хоть одна восьмая доля!.. А то вообще непонятно кто!

— Мы — новые русские! — ответил Иосифу Афросиаб. — А вы, Иосиф, — нацист.

Они хлопнули дверью и ушли звать на свадьбу своих родных и знакомых. Но перед уходом попросили отмотать им туалетной бумаги.

А мы остались сидеть, взволнованные происшествием.

— Благослови, душа моя, Господа, — проговорил Иосиф. — Если б Господь меня спросил, чего тебе не хватает для счастья, я бы ответил: дай передышку листу, гонимому ветром... Так хочется порой посидеть в окружении людей, не имеющих никакого ко мне отношения.

Ткиа Шварим Труа Ткиа

Ткиа Шварим Ткиа

Ткиа Труа Ткиа...

Выйди, друг мой, навстречу невесте,

мы вместе с тобой

встретим субботу.

Вернее, понедельник.

Собор был полон. Такое столпотворение, не спрашивайте какое. Причем толпились по большей части горбуны и карлики! (Как видно, там у них уйма колдунов и качелей.) Ну и, конечно, вся наша родня по Йосиной линии (Фира была сирота): Иля-старший с семьей, Юлик, Сема, Зиновий, Авраам, муж Илиной сестры Вова, бывший трубач сын полка Тима Блюмкин — он, бедняга, в своем духовом оркестре почти оглох и ушел на пенсию, подросток Будимир, улыбчивый Рома Пиперштейн из Нижнего Тагила — ему недавно сделали специальное покрытие зубов под золотой цвет, и он все время улыбался, чтоб все видели, какая красота, — и школьный товарищ Йоси Миша Пауков, которому, любит вспоминать Йося, всегда не хватало умения оригинально мыслить.

Фира-то, Фира так выглядит великолепно, в кофте с барахолки, щеки пылают. Сам Йося — шарфик цвета южной ночи, костюм в полосочку французский, наверное, за миллион, со стальным отливом.

Не зря он в последнее время увлекся покупкой акций — купил себе сорок штук!

— На мои деньги, — всегда добавляет Фира, как только заходит речь о Йосиных махинациях. — И каждый раз, — жалуется Фира, — когда Иосиф занимает у меня, отдает немного меньше.

— Как?!! Эсфирь? — голосит Иосиф. — Разве твоя жизнь со мной не одно сплошное безоблачное счастье?

Йося, Йося, наконец-то, наконец я стою у алтаря. В белом платье, с фатой, это же какой счастливый случай!

Знаешь ли ты, что такое счастливый случай? Мне еще Кукин рассказывал: хромировали в тридцатые годы самолетную деталь. А она не хромировалась. Один плюнул и пошел. А утром приходит — получилось! Давай опять хромировать — не выходит. И тут он вспомнил, что плюнул. Оказывается, в слюне такие ферменты, без которых ни о каком хромировании речи быть не может.

И пусть наш брак фиктивный, все равно он совершается на небесах.

Я ждала этой минуты всю свою жизнь. Нет, я, конечно, ждала не этой минуты, но и этой тоже. Питирим в роскошном облачении, с длинной черной бородой, в высоченной шапке с золотыми узорами, с огромным золотым крестом на груди, усыпанным драгоценными каменьями (как они его уговорили???), дрожащий свет от зажженных свечей и мудрые усталые глаза Питирима, глядевшие на нас с Тахтабаем...

Тахтабай красный, как помидор, и весь дрожит. Для него это страшно волнительное событие,теперь он станет москвичом. А через месяц мы с ним разведемся.

Дивные песнопения прерывают мои мысли, горний свет, будто крылом ангела, коснулся моего чела. Глаза Питирима смотрят мне прямо в душу:

— Согласна ли ты стать женой Тахта...

— ...бая! — подсказывают ему из толпы,

— Тьфу! — сказал Питирим.

— Согласна, — отвечаю я.

Тахтамыш приедет через неделю. По слухам, он уже возвращается с шелками, бирюзой и изумрудами. Тогда наконец я стану женщиной, ведь не будет никаких препятствий.

— Молодые, обменяйтесь кольцами, — говорит Питирим, не дождавшись от Тахтабая вразумительного ответа и приняв его подергивание головы за согласие.

Я скажу Тахтамышу:

— Пойми, я не могу больше ждать. Соединись уже наконец со мною, ведь сразу невозможно развестись.

Надо подождать, пока Тахтамыш пропишется у нас, а это займет месяца два-три, тут ведь такая бюрократия и волокита, столько я не выдержу, я должна стать женщиной немедленно, или я умру, — и буду рядом с ним, буду наслаждаться его близостью, буду любить его и охранять от всех врагов.

С большим трудом Тахтабай все-таки надел мне кольцо на палец. Я терпеливо ждала, теплея к нему душой.

— Объявляю вас мужем и женой, — сказал Питирим.

Хор, взяв изумительную по высоте ноту, внезапно смолк. И в полной тишине раздались рыдания. Это плакала Фира.

Тем временем Афросиаб кинулся на улицу и приказал трубить во все трубы и звонить в колокола. Началась торжественная процессия с пением псалмов и молитв. Однако все так перепутались: православные, католики, баптисты, грегорианцы и пятидесятники, а также прихожане синагоги, что эта разношерстная публика уже не знала, какому богу молиться.

Одни кричали:

— Святая Варвара!

Другие:

— Святой Георгий!

— Святой Бенедикт! Параскева Пятница!

Даже одна тетенька полоумная моего возраста завопила что есть мочи:

— Святой Себастьян, не насылай на нас чуму!

Царственный Афросиаб вышагивал перед свадебной процессией, взмахивая палкой с кистями, как тамбурмажор на военном параде. Это зрелище, достойное Средневековья, принадлежало теперь не только истории его рода, но и истории всей его нации — правда, мы с Йосей так и не поняли до сих пор, какой именно.

Событие подобного размаха не могло не повлечь за собой народного гулянья с пышным фейерверком. Простому люду выкатывали на площадь громадные бутыли с вином, тут же резали скот, на высоком постаменте без передышки

Царственный Афросиаб и петухи

играл духовой оркестр. В жидкой тени миндаля шла бойкая торговля вениками, жевательной резинкой, пончиками, орехами, слоеными булочками, гусиным паштетом, маисовыми лепешками, зеленью и пельменями. Люди толпились у столов с лотереей, у загонов, где шли петушиные бои, тараканьи бега и даже мелкомасштабная коррида, во всей этой толчее и водовороте возбужденной толпы ловкие перекупщики сбывали альбомы «Даблоиды» и «Живущие в хоботе» известного московского авангардиста Леонида Тишкова.

Когда все уселись за стол — а надо вам сказать, что Афросиаб снял для свадьбы один из лучших ресторанов Москвы, — расплакался Иосиф, пораженный видом неведомых ему ресторанных блюд.

— Да на какие же все это, спрашивается, шиши? — радостно и ошеломленно всхлипывал Йося, как самый-пресамый крошечный тут среди всех человечек и барабанщик, хотя на фоне избранных гостей Афросиаба он казался человеком устрашающей величины.

Они с Фирой хотели скромно отметить это событие, по-домашнему. Фира предлагала фуршет и помидоры просто нарезать, без масла и сметаны. «А если кто-то уронит себе помидор на брюки, — говорила Фира, — так пусть он уже будет без сметаны...»

Йося, Йося, теперь ты понял, чего стоила твоя глупая гордость. Ты думал, что познал все и ничто не может тебя удивить. Скажи теперь, если бы не свадьба, узнал ли бы ты, что такое тарталетки по-мавритански, профитроли с уксусом и красным индонезийским перцем, перепела печеные с яйцами, бланманже с орехами и шоколадом, осетрина заливная южнорусская с хреном и буряком, семга по-копенгагенски и оливы с морковкою внутри... И много, Иосиф, очень много другого не знал ты, не пробовал в этой жизни и, скорее всего, не попробовал бы уже никогда.

И вот начался пир. Весело было глядеть, как наша благоприобретенная родня принялась работать челюстями. Продавцы бананов, коптильщики креветок, купцы, мудрецы, торгаши, негодяи, ловцы жемчуга из поселка Рыбачий Тюменской области, измирские заклинатели змей, циркачи, крючкотворы, бездельники, неприятельские лазутчики, отловщики собак, паломники, пилигримы, наемники, цыгане, беглецы, спасающиеся от голода и войны, странствовавшие тысячелетиями по Азии от Византии до Китая, — все эти новые русские хриплыми голосами переговаривались на неведомых нам наречиях. Видит Бог, этакой мешанины свет не видел с тех самых пор, как царство Иудейское было завоевано Навуходоносором Вторым и он затеял свое грандиозное строительство, включая висячие сады и большой храм Мардука или Венеры, при котором была возведена башня Этеменанки, известная нам под названием Вавилонской башни.

Я выпила шампанского, и душа моя стала теплеть к моим новым родственникам по линии Тахтабая, я только не понимала, кто чей сын и кто на ком женат.

Юлик, Сема, Зиновий, Авраам, сын полка Тима Блюмкин, муж Илиной сестры Вова, Будимир, а также с младых ногтей не склонный мыслить оригинально Миша Пауков изумленно глядели на творящееся. Особенно изумлен был Иля. Благодаренье Богу, он все-таки почтил нас своим присутствием, а то у Или-старшего почтальон, чтобы не разносить по дому почту, выкинул содержимое своей сумки в мусоропровод. Придя на службу, это обнаружил мусорщик — он открыл помойку, а там куча писем и открыток, в том числе наше приглашение на свадьбу.

И хотя прямо в приглашении Йося предупреждал, что свадьба — фиктивная, все наши скопом приволокли нам в подарок один старый добрый полосатый матрац из конского волоса! Этот матрац еще слышал нежный шепот и воркова-

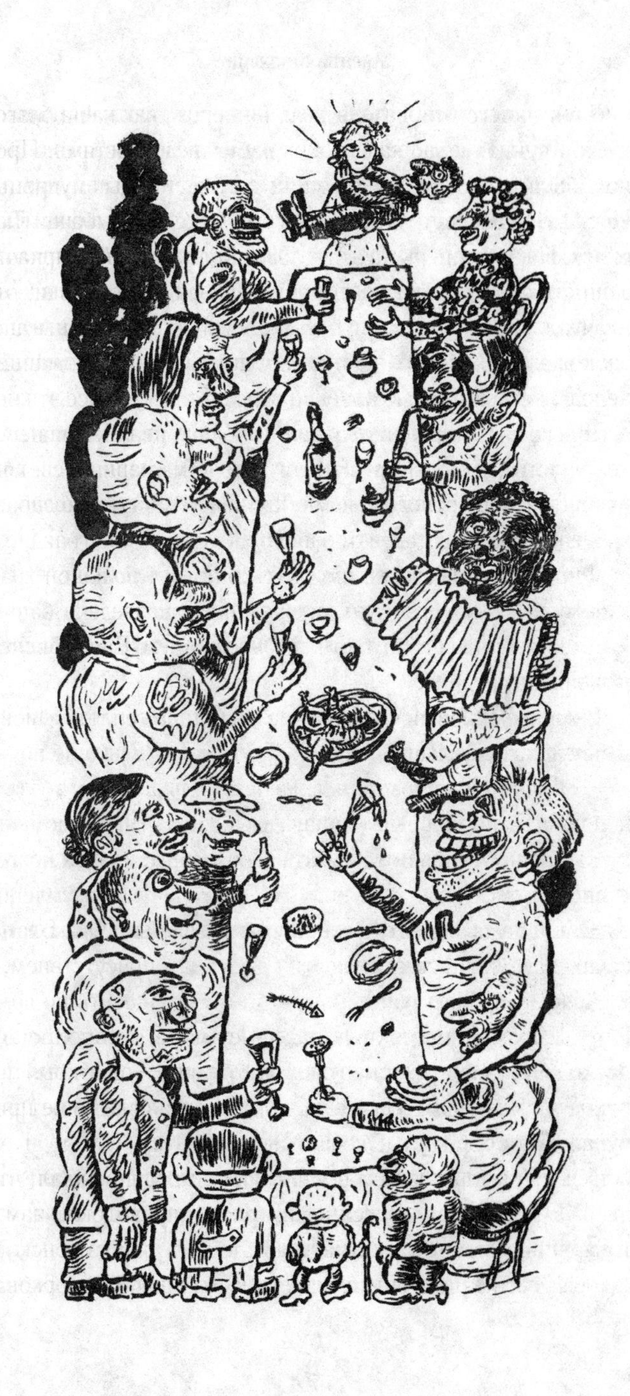

ние токующего основателя рода Пиперштейнов контрабандиста Кары. Именно на нем жил и умер дедушка Аркадий, на нем были зачаты Иля-старший с семьей, Зяма, Авраам, Иосиф, Илина сестра, не говоря уже о более поздних наслоениях. На нем теперь предстоит мне болеть, спать, валяться, заниматься любовью, смотреть телевизор и умереть в кругу плачущих правнуков и внуков. Ведь конский волос вечен. В саркофагах скифских воинов находили скелеты лошадей и неподвластный тленью конский волос.

Только Будимир не выдержал и добавил от себя к матрацу два толстых тома «Карты дорог Южной Америки», а дядя Миша Пауков преподнес нам с Тахтабаем книгу «Способ сохранения молодых садов от зайцев».

Фира как села, давай сморкаться по-раблезиански. Все забеспокоились — не дует ли ей от окна.

— Нет, что вы, — ответила Фира. — Это у меня аллергия на иногородних.

В конце концов Йося на очередной Фирин гвардейский чох заметил во всеуслышанье:

— Фира! Помимо твоих физических недостатков у тебя появилось много вредных привычек.

Карлики — корявые, горбатые, косолапые — так и покатились со смеху.

— Ой, ну вы идиоты! — восхищенно сказала Фира. У нее было отличное настроение.

А Йося — благодушно:

— Раскованно смеяться надо учиться. Я раньше не мог раскованно и громко смеяться. Улыбался —постоянно, по поводу и без повода. На войне, помню, отдали меня под трибунал. А я стою и улыбаюсь. Мне говорят: «Ты что улыбаешься?» А я улыбаюсь, и все. И ничего не могу с собой сделать. Это был показательный трибунал. Вот сидят мои товарищи. Как мне не улыбаться?

— И вас не расстреляли? — спросил Афросиаб.

— Почему не расстреляли? Расстреляли...

Просто непостижимо, до чего любят и умеют веселиться пришельцы из иных краев. Рюмки заходили, ножи застучали, дым, как говорится, коромыслом. Тахтабай плясал со старухой, я — с каким-то стариком. Все были очень рады за своего Тахтабая, особенно отец жениха. Радость и счастье переполняли маленькое тело Афросиаба. Он вскочил на стул и закричал:

— Эта свадьба — самое выдающееся событие за всю историю нашего поколения! Сынок, неужели я дожил до этого часа? Жаль, что твоя бедная мама не видит твоего триумфа. Она с рождения прикована к постели. Но ничего, она приедет к вам и будет жить у вас, дорогие Йося и Фира! А мы будем нянчить внучат. Уж вы не затягивайте с этим! — весело засмеялся Афросиаб и хитро подмигнул нам с Тахтабаем.

— А Тахтамыш? — я спросила. — Когда он приедет?

— Какой Тахтамыш?

— Как это какой? — встрепенулся Иосиф. — Который везет нам индийские шелка, арабскую бирюзу и калмыцкие изумруды.

— Йося, — говорю я. — При чем здесь калмыцкие изумруды? Тахтамыш — мой любимый возлюбленный, брат Тахтабая и старший сын Афросиаба.

— Нету у меня никакого старшего сына, — говорит Афросиаб, — у меня есть один сын, мой единственный Тахтабай, муж прекрасной Милочки...

— Горько! — закричали карлики. Тахтабай поворачивается ко мне и протягивает руки, вид у него взъерошен и дик.

— Если ты только мне и-и-изменишь, — произносит он неожиданно членораздельно, — я тебя искусаю и и-и-и-изгрызу!

— Позвольте, — поднимается из-за стола Иосиф, уже порядком нагрузившийся, — всем известно, что этот брак фиктивный, а настоящий жених — Тахтамыш.

— Фиктивный?! — Афросиаб наливается праведным гневом, как большой красный монгольфьер горячим воздухом. — Фиктивный?! — Он бегает по столу, опрокидывая рюмки и закуски. — В Елоховском соборе? С Питиримом? Где вы еще видели такое венчание?

— Обман!!! — кричит Иосиф. — Эти уроды нас обманули!..

— Ай-яй-яй! — качает головой Афросиаб. — Зачем так говоришь? Они же любят друг друга. Вон как она глядит на него, как Лейла на Меджнуна.

— Ты нам Тахтабая береги, — поднимает бокал старый карлик-горбун, свидетель жениха, — это же такой человек — ему цены нет.

— И не забывай каждый вечер массировать ему ноги, — добавляет его жена, — а то у него ноги отнимаются.

— Ангелы вы мои! — говорит Фира, едва опомнившись, и вслед за Йосей тоже вылезает из-за стола. — Это как понимать? Мы думали, вы почтенные люди... Да вы вообще знаете, с кем имеете дело?.. У нас дед Аркадий — старейший работник МПС, заслуженный железнодорожник, его хоронила вся Москва. Наши племянники — почтенные люди. Вот Будимир — представитель крупного гешефта, «челнок» — он возит из Китая кожаные куртки, вот Тима Блюмкин, сын полка, артист, интеллигент, бывший человек искусства, Иосиф — стахановец, боец трудового фронта, во время войны он делал мины...

— Боже мой! — кричит Иосиф. — Кому она все это говорит??? Я задушу его собственными руками!!!

Иосиф бросается на Афросиаба, приподнимает его над землей, уже представляя себе, как, ослепленный яростью, наносит удар копытами по голове, вгрызается Афросиабу в спину и начинает бить его о землю, пока не разносит в клочья... Но Афросиаб вопит, словно иерихонская труба:

— Иосиф! Не тряси меня! А то я сейчас воздух испорчу!!!

Воспользовавшись Йосиным замешательством, он вырывается на свободу и ловкими нырками уходит от Йосиных захватов, не брезгуя в критические минуты прятаться от Иосифа под стол.

Юлик, Сема, Зиновий, Авраам, Миша Пауков, Иля-старший — все окаменели. Карлики же, как ни в чем не бывало, пили, ели и выступали единым фронтом: то и дело подставляли ножки несчастному Иосифу, потешаясь над ним и веселясь, точно какие-нибудь простые венесуэльцы.

Послышался грохот. Это Фира упала в обморок. Йося, схватившись за сердце, опустился на стулрядом с телом Фиры.

— Обеты наши да не будут обетами, — бормочет он, — зароки — зароками, клятвы — клятвами! Да будут все они отменены, прощены, уничтожены, полностью упразднены, необязывающи и недействительны.

— Ну-ну-ну, — примирительно говорит Афросиаб. — Вот вы, Иосиф Аркадьевич, — иудей. Третье тысячелетие вам, евреям, твердят: с каждым обращайся ласково и почтительно — может, это мессия? А я вообще не люблю, когда кто-то выше, умнее и лучше меня, мне становится нехорошо. За молодых! — кричит он. — И за их родителей. Если бы не родители, не было бы этого прекрасного жениха и этой прекрасной невесты! Горько!

Снова Тахтабай тянет ко мне руки. Видимо, он хочет меня поцеловать. Это мой муж. Настоящий. Я всматриваюсь в его лицо. У него не хватает одного уха, половины хвоста и изрядного куска носа. Так вот кто будет последним утешением в моей горестной судьбе.

А Тахтамыш? Меня обманул? Все меня покидают. Все. Всегда. Те, кого я любила, рассеялись по свету и растворились в воздухе. Никто никогда уже не полюбит меня. Надо ли смириться? Надо ли ждать? Я не хочу жить на этой планете. Лучше утопиться. Или отравиться. Нет, я уйду в монастырь, остригусь наголо и отрекусь от земной славы и суеты в одном из новициатов Апостольской префектуры. Надежд никаких. Ничего не надо просить у Всевышнего, что пошлет он мне, то пусть и будет. Вот сейчас задушу Тахтабая и уйду.

Но кто это?

Я подняла глаза и увидела в дверях человека. Я говорю «увидела», но я не видела его, как видела Тахтабая, Фиру, Йосю и всех остальных. Он здесь и в то же время — не здесь. Он одет в голубое и белое, и у него длинные крылья, коричневые, крапчатые, как у ястреба. Звездный венец и сияющий лик.

Первое, что пришло в голову, — я окончательно свихнулась. Никто больше не видел его, только я, иначе все бы ахнули.

— Афросиаб! Я крупно тебя прищучу! — по-прежнему кричал Йося. Он то вскакивал, то садился, наэлектризован был страшно. — Ты — вор, лгун, тунеядец, — выкрикивал безрассудно Иосиф. — Он ест некошерное, не замечает субботы!.. У него кривые зубы и кривые пальцы ног!..

— Все мы по природе братья, только росли врозь, — громким басом говорит женщина в юбке, но почему-то с усами и с бородой.

— Горько! Горько! — хлопают в ладоши карлики.

Тахтабай залезает на стул и целует меня. Мне все равно. Я смотрю в дверной проем — он снова пуст. Я твердо знаю, что счастья в моей жизни уже не будет никогда.

Вдруг чья-то рука дотронулась до моего плеча. Рука была теплая. От этого прикосновения по телу пробежала волна невыразимого блаженства.

Я встала и пошла.

Куда я иду?

— Скорее возвращайся, — кричит мне вслед Афросиаб, — а то Тахтабай умрет от тоски.

Карлики заливаются лукавым смехом.

Отец мой, Иосиф, куда мне идти?

Теперь я совсем одна в кромешном мраке. Одна в Аравийской пустыне вдали от людей. Я не помню уже, где мой дом. Я забыла дорогу. Йося, Йося, мне снова придется блуждать по долинам, оставляя позади острова и безлюдные перекрестки. Куда мне идти? Куда идти? Как найти землю, где бы не росли пустынные черные ели, а только теплый ствол яблони?

Я в коридоре. Спускаюсь по лестнице. Ноги несут меня в гардероб. Там почему-то никого нет. И — к своему изумлению — чувствую, как две руки обнимают меня.

«Что бы сказал Иосиф...» — мелькает единственная мысль. И — ни одной мысли в моей умной голове.

Какая-то радость захлестывает меня, увлекает, подхватывает, отрывает от земли. Ничто меня больше не страшит, ничто не тревожит. Я просто не в силах сдерживать радость. Она льется через край, увлекает, захлестывает, я едва касаюсь ногами травы.

Мне кажется, у меня изменяется фигура. Я расту, я уже головой достаю до потолка. Это так естественно и выходит само собой. Как же я могла позабыть, разучиться. Ведь это проще простого! Самые безнадежные, самые пропащие, на кого давно все махнули рукой, — это по силам любому! Это как игра, это не труднее, чем прокатиться на лыжах по зимнему лесу или прогуляться по осеннему парку, надо только попасть в восходящий поток. И ты медленно летишь к тому холму, где все огонь, все свет, сквозь все можно руку протянуть.

Проходит время. Потом останавливается. Потом исчезает...

Исчезает и пространство. Вещи на вешалках раскачиваются и падают на пол. Кто это кричит? Это я кричу. Над позвоночным столбом партнера — голубое сияние.

Чей это голос??? О господи, я не узнала голоса отца своего.

— Фира! — он говорит, — уйдем отсюда. Ты знаешь, я ведь решил, что настало светопреставление. Жизнь, Фира, — это фарс.

— Когда я была маленькой, — отвечает Фира, — у меня было зелененькое стеклышко. Какое горе было потерять это стеклышко и какое счастье им обладать. Большего счастья у меня в жизни не было никогда.

Только два пальто оставались на вешалке. Два плаща закрывали нас от целого мира. И вот они сняты.

Прозрачны мы стояли перед ними, перед отцом моим и матерью моею.

— Ты знаешь, Милочка, а Тахтабай-то умер! — говорит Иосиф, отводя взгляд смущенный от обнаженной дочери своей.

— Да, бедняжка, подавился, — кивает Фира, жмурясь от яркого сияния радуги вокруг нас.

— Надо же, — отвечаю я, — подавился. Я так и знала.

— Милочка, — говорит Йося, — а это что за личность?

Я говорю:

— Знакомьтесь.

— Иосиф Аркадьевич, — говорит отец мой.

— Эсфирь Соломоновна, — говорит моя мать.

Он улыбается, сияющий и безмолвный, его глаза устремлены к небесам.

— Вы — наш? — спрашивает Йося.

Нет — он качает головой.

— Половинка? — допытывается Йося.

Нет...

— Тогда душой?

Да... Он излучает спокойствие и тихую ясность, а также абсолютную, безусловную, ошеломляющую любовь.

— Вот и хорошо, — облегченно вздыхаетИосиф. — А то полуевреи энергию очень отсасывают.

Милые мои, ненаглядные. А я-то уж думала, что я вас больше не увижу. Как я хочу прижать вас всех к сердцу: Фиру, Йосю, подоспевшую гардеробщицу, метрдотеля, швейцара, Юлика, Сему, Зиновия, Авраама, мертвецки пьяного Мишу Паукова, нахлынувших в гардероб горбунов и карликов...

Убитый горем Афросиаб спускается по лестнице. К нему подскакивает невесть откуда взявшийся служащий похоронного бюро.

— Хотите заказать погребение? — бойко предлагает он. — У нас все готово. Мы здесь со всеми погребальными принадлежностями.

— В этом нет надобности, — отвечает Афросиаб — карлик-нибелунг, хранитель подземного клада, проклявший золотое кольцо, дарующее власть над миром. — Мой сын завершил земные свои деяния и был вознесен на небеса.

— В том числе и телом? — недоумевает похоронщик.

— Да, — отвечает Афросиаб.

Между тем из уст в уста передают горбуны невероятную историю, суть которой вкратце сводится к тому, что, когда Тахтабай подавился, распахнулось окно, и зал наполнился могучим порывистым ветром с севера или юга. Сначала пирующим показалось, что ветерок безобидный, обычный сквозняк, в нем никто не улавливал скрытой тревоги. Но внезапно почувствовалось и нечто зловещее.

Карлики застонали перед каменным входом, мечтая оказаться в скалах родных. Но тут спустилась огненная колесница, и два существа во всем белом вышли из нее — два огромных санитара, два повелителя мертвых и погибших героев. Они взяли крошечного Тахтабая, положили на носилки — и он унесся с ними на огненной колеснице в жилище великанов.

...Карлики прибывают и прибывают. Стоят в темном и черном, в плащах и с зонтами, готовые нести горестную весть во все стороны бескрайнего Забулистана. Они заполонили все пространство. Оно снова появилось. И время тоже появилось.

...Кто голый?.. Я?!

Через девять месяцев у меня родился сын. Я назвала его Ваня.

Когда он вырос, он стал водителем троллейбуса.

Дочь Маша работает библиотекарем в хорошей библиотеке.

Сыновья Петя и Сережа окончили военное училище. Они танкисты.

Младший, Леонид, — бизнесмен.

А самая младшая, Лариса, ей сейчас семь, скорее всего, пойдет по научной части. Так сказал подростковый психолог Ганушкин.

Фира с Йосей живы. Нянчат внуков, чувствуют себя хорошо. Йося сделал себе обрезание. Он говорит, что так ему будет сподручнее выходить из всех бедствий и катастроф, которые обрушиваются на человечество.

Гений безответной любви

Пока живешь, будь мертвым, совершенно мертвым,
а затем поступай как хочешь, потому что тогда все в порядке.

Ле-цзы

Меня зовут Люся Мишадоттер. По паспорту я русская, хотя все мои родственнички — это какая-то адская смесь из индустанцев, удмуртов, кхмеров, каракалпаков, ненцев, коряков, маньчжуров, германошвейцарцев, парсов, белорусов, юкагиров, один каким-то шальным образом в эту компанию затесался гваделупец, — зато на редкость богато представлен маленький северный народ ыйе и евреи Израиля.

Причем все борются за то, чтоб я принадлежала именно к их ничем, собственно говоря, не выдающейся нации.

Я же считаю себя исключительно потомком гордых викингов. Отсюда это имя — Мишадоттер, что означает «дочь Миши». Это мой литературный псевдоним.

Ни для кого не секрет, что я стану великой писательницей. Я напишу роман, какой никто никогда не писал, да и не мог написать. Я напишу книгу о своей жизни.

Мне только все некогда засесть. Жизнь меня страшно увлекает, вот в чем беда. Лишь когда судьба начинает катиться под откос или небо разверзается над моей головой, я иду к письменному столу, разгребаю завалы, мочу тряпочку, тщательно вытираю пыль со стола, включаю обогреватель, сажусь и на чистом листе бумаги, трепеща, большими печатными буквами вывожу синей шариковой ручкой:

«УТОПЛЕННИК»

А внизу помельче:

«роман»

Потом идет эпиграф:

«И лишь когда он утонул, лицо его приобрело спокойное и дружелюбное выражение...»

Из подслушанного разговора

Катастроф у меня, слава богу, навалом. Неслыханные потрясения, чудовищные неудачи, сокрушительные несчастья, новые и новые аварии то и дело обрушиваются на меня. Другой великий писатель на моем месте был бы раздавлен жизнью, впал в черную меланхолию и на этой почве давно бы разразился «Утопленником» да еще создал одноименную пьесу для радиопостановки.

Я же, бедолага, все время выруливаю. Минуту назад кругом расстилалась выжженная пустыня и громоздились голые бесплодные скалы, ни тени любви, ни намека, телефон молчит, нигде никакого интересного мероприятия, на улице минус двадцать градусов: либо иди вешайся, либо садись пиши книгу.

Это великий миг, когда мир — так мне кажется — смотрит на меня с надеждой. Доктор Фауст бы ахнул, сам Вольфганг Гете закачался бы, узнай, к какому мгновенью обращаюсь я с мольбой остановиться.

Но именно в этот момент, практически полностью в безвоздушном пространстве, на пике тоски жизнь снова начинает подавать признаки жизни, и вот я уже затылком, каждым своим позвонком чувствую ее дыхание, ее сердцебиение, ее кровообращение... Какой идиот станет в этом случае безвылазно сидеть дома, а не жить, жить и еще раз жить на полную катушку?!

Так я сидела однажды за письменным столом, уставившись в окно — там пара ворон одиноко парила в небе. Я мирно ждала, когда меня осенит первая фраза. Ни в коем случае нельзя недооценивать ее значение, когда пишешь роман. Это как вдох, как первый крик ребенка. Если тебе удалось начать — расслабься и радуйся, Бог довершит остальное. Но уж начать-то, черт побери, начни!

А то я тут еду в метро, подходит ко мне человек — очень гладко выбритый — и говорит:

— Вы не поможете мне кончить?

— А вы уже начали? — спросила я его, сдвинув брови.

Он посмотрел на меня как будто я чокнутая. И всю дорогу делал вид, что между нами не произошло столь жизненно важного философского разговора.

А впрочем, было бы неплохо, если бы и Бог тоже начал. Чтоб самому вообще не делать никаких усилий. В общем, мысли у меня были заняты тем, что я опубликую эту вещь в журнале «Дружба народов», поскольку в ней зашумит листвой мое исполинское генеалогическое древо — иными словами, вовсю будет тусоваться моя непутевая, честолюбивая, свихнувшаяся на своих национальных распрях и религиозных предрассудках родня, включая, разумеется, абхаза Колю Гублию, хоть он мне седьмая вода на киселе, — вечно бухого, с завидным здоровьем, живущего по непонятным никому причинам под солнечным небом Гваделупы.

Естественно, мой роман выдвинут на премию Букера и переведут на все языки мира, в том числе на язык маленького народца ыйе! Я стану страшно знаменита. Газеты мира будут перемывать мне кости, раздувать слухи о моих любовных приключениях, я стану секс-символом Европы. Даже мой муж Левик, может быть, обратит на меня внимание. Впрочем, на Букера он вряд ли обратит, если только на двух Букеров и одного Нобеля... Ведь он такой у меня, всецело сосредоточенный на достижениях в области культуры.

Левик — фотокор. Он фотографирует знаменитостей. Только великие деятели искусств, сокровища всех времен и народов могут надеяться на то, что Левик станет с ними возиться. Диззи Гиллеспи своей лучшей фотографией обязан Левику. Без всякого «рыбьего глаза» Левик снял Диззи с такими надутыми щеками, пылающими глазами и раскаленной трубой — никто не верит, что там вообще изображено человеческое существо.

— В наше время сисек и пиписек, — жалуется Левик, — я как фотограф-поэт терплю фиаско. Я покажу одно ухо человека, а перед тобой — вся его судьба. Руки какие на моих фотографиях выразительные! А глаза?! Взгляни в глаза моего Гиллеспи! Кому нужен его старый натруженный член?!

Не знаю, мне кажется, в таком негритосе, как Диззи Гиллеспи, все прекрасно, а Левик — ханжа. Одно появление Диззи в яркой гавайской рубашке, с пузцом — в руках футляр с трубой, блаженная улыбка — производило фурор. Последнее время он мало играл на трубе. Просто выходил на сцену с другими музыкантами. Он просто выходил, смотрел и улыбался. И все тащились от его присутствия.

А то, что Левик делит жизнь на прекрасное и безобразное, душит его как творческую личность и не дает стать гением. Я иногда думаю: если бы он осмелился подарить миру фотографию «член Диззи Гиллеспи» — да, старый член лучезарного Диззи, — в памяти человечества Левик остался бы великим фотографом.

Я Левика, бедолагу, совсем не интересую ни под каким соусом. Даже в наши лучшие времена, когда мы с ним только что познакомились и он ухаживал за мной как бешеный, Левик не сфотографировал меня ни разу.

— Пойми, — объяснял он, — это моя работа, а не хобби.

Иной раз доходит до абсурда. Еду я в метро, ко мне подходит человек — вполне цивильный, в дорогой косухе, не пьяный, вытаскивает пачку денег и говорит:

— Вы фотографируетесь за деньги?

Я отвечаю:

— Фотографируюсь.

— Как? — спрашивает он.

— Как-как? — говорю я. — Иду в фотоателье, плачу деньги и фотографируюсь: на паспорт, на партбилет или на пропуск на завод.

Левик очень злится, когда я вступаю в контакты с незнакомыми людьми на улице или в транспорте. Он говорит, что снаружи я чистоплюй, а в подкорке у меня заложена ужасная тоска по отбросам общества. Левик постоянно игнорирует тот факт, что я романист и нуждаюсь в бездне впечатлений.

Я просто вынуждена целыми днями слоняться по городу! Ибо то, что мы с Левиком считаем местом своего обитания, — это полностью позабытый богом район. К нам приехал родственник из Йошкар-Олы, дядя Теодор — у него был инсульт, он уже пять лет вообще не разговаривает: двигательная функция дяди Теодорина сохранилась, а речевая атрофировалась. Так вот этот дядя Теодор вошел к нам в подъезд и сказал:

— Грязно.

И с тех пор снова больше ничего не говорит.

Что я могу к этому прибавить?

Все такое тут не мое: и дома, и асфальт, и машины. У меня здесь совсем нет знакомых, я почти ни с кем не здороваюсь и не могу причислить себя ни к одной категории людей: ни к детям, ни к старикам, ни к женщинам.

Даже небо тут кажется не моим, хотя небо-то уж я всегда и везде рассматриваю как личную собственность.

Пожалуй, я заслуживаю иного вида из окна — хотя бы на речку Сену и пароходики в огнях, я уж не говорю про тонущий в тумане Нотр-Дам. А на крыше у меня должны бы цвести подсолнухи. Именно подсолнухи — вы слышите или нет?! Потому что я этого заслуживаю! Всей своей самоотверженной жизнью, а также прошлыми рождениями заслуживаю ранним утром или после полудня и в сумерках сидеть на крыше в соломенном кресле с яблочным пирожком и чашечкой кофе. Воздух теплый, из кафе напротив доносятся музыка, смех, доброжелательные разговоры...

А не дрель, молоток и пила моего соседа сверху, который истошными воплями уморил свою старенькую маму и теперь над моей головой уже не первый год в любое время суток пытается раздолбать несущую стену.

Плюс, конечно, картина из моего окна! Как мне пришлось над собой поработать, чтобы полюбить ее всей душою. Но и тут тоже — даже тут! — в сером снежном безжизненном пейзаже вполне можно наблюдать непредсказуемость жизни.

Как-то раз к нам во двор влетела громадная стая птиц. Великое скопление. Они появились в отдалении, испуская крыльями шум, напоминавший завывание вьюги, а когда приблизились, в окне загудели стекла.

Птицы прибывали неисчислимыми полчищами, воздух был буквально полон ими, солнце — совершенно затемнено, как при затмении. Птицы метались между небом и землей, распространяя нежные дрожащие трели, как будто стонали или смеялись. Полет их отличался самыми затейливыми изворотами. Явно перелетные птицы, не оседлые.

Люди на улице останавливались и задирали головы. Во дворе старушка гуляла с таксой. Я часто их вижу, обе такие крошки. Такса таскает старушку на поводке, словно какой-нибудь сенбернар. А у старушки всегда маленькая сумочка под мышкой. И мне всякий раз любопытно: что у нее в этой сумочке?

Я помню, с подобными сумочками по берегу Черного и Балтийского морей поздней осенью и ранней весною бродили тетки из прибрежных санаториев.

Однажды я спросила у Левика: что у них там, интересно, в этих сумочках?

Левик ответил:

— Ракушки, дура, и бутылочные стеклышки, обкатанные волной.

— А кто ракушки делает, а, Левик? — спросил наш мальчик.

— Специальные люди, — ответил Левик, — из курортного управления. Делают и разбрасывают по берегу моря.

Птицы собирались часами, в несколько рядов покрывая карнизы и телевизионные антенны. И вдруг снялись все разом и спикировали на деревья. Не виданные мною птицы, крупнее воробья, аспидно-синие, с черным хохолком, острыми крыльями, тонким клювом, а вдоль крыльев — яркая голубая полоса.

Что с ними приключилось? Сбились ли с пути? Летели-летели, а впереди океан — слишком бескрайний для черных хохолков? Или неперелетаемые горы?

Но ведь их ведет Проводник — Дух Птиц. Это он собирает свои стаи осенью и побуждает двигаться на юг не слишком рано и не слишком поздно, чтоб избежать зимы и холодов. Он возвращает их весной, Он указывает им высоту, на которой именно им, именно над этой землей или водой лучше всего лететь. Дух Птиц — они слушаются его неукоснительно. Что им думать да гадать, смогут ли они преодолеть горы или океан? Дух ведет их, и они летят. Кто-то сможет — этого достаточно.

Или он отвлекся? Или заснул? Или что-то хотел сказать нам этой возбужденной стаей?

Наутро вся рябина склевана, ни одной птицы во дворе. Даже наши вороны куда-то подевались.

И вместе с ними исчезли такса и старушка. Только сумочка осталась лежать на снегу. Сейчас нельзя чужие сумочки трогать — вдруг там взрывное устройство? Вызвали милицию, саперов. Но саперов пришлось очень долго ждать. А когда они приехали, сумочку уже кто-то свистнул.

Зато со мной произошел странный случай. Позвонила мне Каринка, моя подруга:

— Зайди ко мне! — говорит. — У меня в гостях знаменитая ясновидящая из Еревана. Человека видит насквозь! Все скажет — что было, что будет, сто процентов из ста! Диагнозы ставит — как рентген. Кого тебе надо — приворожит, не надо — отвадит, под ее взглядом у одного армянина зарубцевалась язва желудка! Это потрясающе!..

Я сразу вспомнила, как недавно меня обчистили на Чистопрудном бульваре. Я иду из своей газеты с гонораром, а мне навстречу две цыганки. С одной только взглядом встретились, и я мгновенно забилась в ее лапах.

Она подходит и говорит:

— Не бойся, не буду тебе гадать. Одно скажу: хорошая ты девушка, а в любви тебе не везет. Много ты добра делаешь людям, а они этого никто не ценят. Вот я сейчас порчу сниму! Дай мне свой волосок, этот волосок надо в рублик завернуть.

Она вынимает у меня из сумки кошелек и заворачивает волосок в сторублевку:

— Только в руки не бери! Я тебе заверну и обратно положу. — А сама накручивает купюры все крупнее и крупнее.

Помню, сквозь туман в голове забрезжило: все, привет, осталась без пфеннига, и вдруг ловлю себя на том, что жду этого момента, как фокуса.

— На арабском языке молитву не читай!.. На могилу не ходи!.. Фу! Фу! — Она подула на руки и разжала пустые ладони.

Дэвид Копперфилд позавидовал бы ловкости ее немолодых уже, смуглых мозолистых рук.

— Так, — деловито сказала она. — Здоровья тебе, счастья, радости!

— Счастья! Счастья! — вторила ей вторая цыганка.

— И вам счастья, девочки! — я им ответила и потрепала свою по голове.

Я вообще, когда меня обжуливают, всегда это знаю, чувствую и понимаю, но не могу совладать с обаянием момента. Какой-то звон в ушах начинается, я улыбаюсь своей фирменной придурковатой улыбкой и вроде даже любуюсь мошенничеством, как особым и полноправным видом искусства.

— Я не приду, — сказала я Каринке.

— Зря! — Она уговаривала меня: — Тебе это было бы интересно! Как романисту!.. Весь Ереван по ней с ума сходит.

Я и пошла.

Ну что тут скажешь — на кухне у Каринки сидела женщина, которая мне сегодня приснилась в черно-белом изображении. Обычно мне снятся цветные сны, порой такие яркие, что хочется выскочить из этих слепящих красок, особенно когда снится солнце, одно сплошное солнце... во весь экран. Но это был четкий графический сон — так снятся мне люди уже неживые. И там она поцеловала меня, к моему удивлению, — совсем незнакомая женщина.

Я ей сказала об этом.

— ...Бог любит ее, — отозвалась ясновидящая из Еревана, искоса взглянув на меня. — Иисус несет ее на вытянутой руке.

Она села напротив и поглядела на меня в упор. Потом долго молчала. Так долго, что Каринка с тревогой спросила ее на армянском наречии — она, когда волновалась, непроизвольно переходила на язык предков из Кафана:

— Что-нибудь не так?

— Нам этого нельзя говорить, — ответила та на армянском, — но ей я должна сказать... Ты скоро умрешь, — она произнесла по-русски, мягко и спокойно, как нечто само собой разумеющееся.

И я восприняла это так же в первый момент. В полнейшем молчании я выпила чаю и съела печеньице.

— Ну, мне пора, — говорю, посидев чуть-чуть с ними для приличия. Неясно, о чем разговаривать после подобного заявления.

Каринка кинулась за мной к лифту:

— Я тебя умоляю, не бери в голову! Что на нее нашло? Она никогда ни с кем на такие темы не разговаривает. Ее сколько раз об этом спрашивали — она молчит!..

Я скоро умру, подумала я, и сразу включился и заработал какой-то могучий защитный механизм, чтобы эта мысль показалась мне забавной.

Ерунда! Просто ерунда! Черт меня дернул пойти к этой ясновидящей. Мало мне моего психотерапевта Гусева.

Нет, это невозможно. Невозможно, и все! Я! Молодая, здоровая... красивая! Да-да! В фас я вполне даже ничего. И вообще, у меня совсем другие планы.

Я пишу книгу. Большой роман, которого ждет, затаив дыхание, человечество. Я собираюсь его напечатать, получить премию, на эти деньги отправиться в Турцию (Турция, может, будет мне по карману), хотя я давно хотела на Корсику — ведь это родина Бонапарта.

Я еще не посадила дерева! У меня квартира, муж Левик, мы с ним на следующей неделе собирались купить велотренажер!..

Я коллекционирую марки. Мне как раз обещали достать одну очень ценную бывшую французскую колонию в северной Африке.

В конце концов, я ращу сына! Он, собственно, уже вырос, но совершенно не стоит на ногах — нигде не работает, не учится, целыми днями сидит у себя в комнате и сочиняет исключительно древнескандинавские саги...

Со мной ужас что творилось. Но прежде чем окончательно упасть духом, я зашла в парикмахерскую и остриглась почти под лысого. Тут же выяснилось, что у меня очень белые и оттопыренные уши.

Далее на моем пути оказалась почта, где продавалась фотографическая открытка: жук-скарабей катит по дорожке навозный шарик. Я написала на обороте: «Левик! Любовь моя! Это я качу к тебе самое дорогое, что у меня есть!»

И отослала по нашему адресу.

Если все обойдется, получим вместе, а нет — он один. Это будет моя последняя шутка.

Потом я зашла в поликлинику: пускай, думаю, посмотрят — может со мной что-нибудь неладное?

Районный терапевт подробно обследовала меня, прикладывала холодный фонендоскоп к моей груди, потом села за стол и написала (я хорошо читаю тексты вверх ногами):

«Язык чистый
сознание ясное»

Немного успокоенная этим заключением, я спустилась в метро и поехала к себе в редакцию.

— Белиберда! — почти уже беззаботно думала я, катясь по эскалатору.

— Вас ждут седые пирамиды Египта!.. — звучало жизнеутверждающе из всех динамиков.

— Купите хорошие шубы по низкой цене на будущую зиму!..

— Избавим от табачной зависимости...

— Обратитесь к нам сегодня, завтра о вас будут знать миллионы!!!

Мне захотелось все это осуществить: во всем участвовать, приобрести, избавиться, обратиться!.. В памяти всплыла притча, которую рассказал мой мальчик, когда ему было четыре года.

Одних людей в булочной замуровали кирпичами. Они так расстроились, что сразу умерли. А это была шутка.

Мораль истории такова: никогда не надо отчаиваться.

Меня знобило. Сердце бухало так, что я начала опасаться, не беспокоит ли это окружающих пассажиров. У соседа слева я увидела книгу под названием «Секрет хороших поцелуев».

«Секрет хороших поцелуев, — прочитала я, незаметно скосив глаза (я всегда так в метро читаю газеты, журналы и бульварные романы), — заключается в расслаблении мышц рта. Никогда не целуйтесь с запечатанными наглухо губами и стиснутыми зубами. Разве может кому-то понравиться целоваться с человеком, у которого приступ судорог в челюстях?»

Я подняла на него глаза: обормот; как бы он теоретически ни продвинулся в этом направлении, вряд ли с ним кто-нибудь решится на практические занятия. У него есть единственный шанс, и этот шанс — Я! Я так люблю целоваться! Ой, я могу испытать оргазм просто от одного поцелуя.

Но он совершенно не обращал на меня внимания.

Зато подвыпивший сосед справа, похожий на Пабло Пикассо «голубого периода», в берете и шарфе, вдруг наклонился ко мне и произнес, элегантно грассируя:

— Мадам! Я вас приглашаю сожительствовать. Я живу в Долгопрудном. Не прельщает? Напрасно. Вот я сейчас возьму и пошлю вас на хуй. Если б вы знали, как я одинок!..

Неужели я скоро умру? Когда? Завтра? Через три дня? На следующей неделе? Немыслимо! Да и с какой стати? Язык у меня чистый, сознание ясное. Что это будет? Несчастный случай? Насилие? Самоубийство? Дорожно-транспортное происшествие?

Меня прямо чуть не стошнило несколько раз.

Я выбралась из метро и в журнальном киоске увидела портрет гориллы. Такая на физиономии горечь! Трагизм, настоящий серьезный трагизм. Еще эти черные волосатые опущенные плечи. И подпись: «Goodbye, Human Being».

— Люся! Мишадоттер!

Я оглянулась. По улице мягкой поступью азиатского гепарда шагал великий поэт России Тимур Байрамов.

— О, моя аппетитноногая! — воскликнул он. — А?! Как эпитет? Ты знаешь, что я — король эпитета? Ну-ка, ну-ка, в чем дело, почему ты такая грустная? Ой, что-то не получилось — наверное, любовная сцена в романе. Боюсь, тебе не хватает впечатлений. Могу поделиться своими, если хочешь. В меня была страшно влюблена одна девка, — задумчиво сказал он, беря с книжного лотка Омара Хайяма.

У киоска болтался вор. Он ждал, когда кто-нибудь подойдет купить газету, садился на хвост, прижимался к спине... казалось бы, суй в карман руку и, независимо посвистывая, отходи. А он боялся и медлил, и все его попытки ограничивались прелюдией.

Я стала болеть за него. Ну — давай! Рохля! Действуй! Сейчас или никогда! У! Тютя! Мокрая курица!..

И вдруг спохватилась — что ж я делаю?

Я скоро умру.

— ...Волейболистка, — рассказывал Тимур. — Высокая! Всю жизнь она где-то меня встречает, вечно повсюду попадается на глаза, а я как-то не иду с ней на сближение. А тут она окликнула меня на улице и говорит: «Байрамов! Учти! Я все равно увижу тебя голым. Ведь я — патологоанатом»... Кстати, Омар Хайям, — добавил он, — перед смертью просил похоронить его там, где дважды цветут розы.

— Это, наверное, где-то в особенно теплом месте, — предположил продавец.

— Это метафора! — сказал Тимур и посмотрел на книжного торговца, как царь на еврея.

В редакции царило радостное оживление. Наш босс Алекс — ему девяносто лет, глазки синие, пронзительные, пьяный с одиннадцати утра, всегда говорит мне при встрече: «Люся, ты — бриллиант среди галек!» — предупредил народ, что зарплату, наверное, месяца четыре платить не будут, зато штатным сотрудникам — льгота: можно всей редакцией бесплатно прыгнуть с парашютом.

Зазвонил телефон. Это был дядя Боря Ниточкин, мамин давний знакомый, абсолютно слепой человек.

— Ты сейчас, Люся, на плаву, — он заявляет мне, — и я хочу просить тебя: я решил перед смертью повидать Иерусалим, родину моих предков и, между прочим, в какой-то степени твоих, ты в курсе, что моя настоящая фамилия Израиль?..

— Что значит «повидать»? — спрашиваю я грубо, но прямо.

— Ну... прикоснуться ко Гробу Господню, — он уточняет. — И мне нужен поводырь. Может, составишь компанию?

— Мне уже некогда, — я отвечаю.

— Ах так? — грозно произносит дядя Боря. — Тогда я скажу тебе правду: наверно, тебе неприятно об этом слышать, но твой дедушка Соломон — ненастоящий еврей, он хитрый и изворотливый большевик! Он обвел вокруг пальца Ленина, Сталина и Ежова!

И дядя Боря бросил трубку.

Из ящиков стола в редакции я выгребла дорогие моему сердцу бумажки, записки, обрывки рукописи, и когда совсем собралась, чтоб уйти и больше сюда не возвращаться, остановилась у лестницы, на прощанье обернулась на этот наш коридор и, кажется, заплакала, сама не знаю почему.

События сегодняшнего дня полностью лишили меня моих обычных мыслительных способностей. В лифте я встретила пьяного босса, который увидел меня и сказал:

— Люся! Ты — бриллиант среди галек!

Я отвечала невпопад, и когда он сказал мне «До свидания!», я ответила: «И я вас!»

Я шла по Тверскому бульвару, потом по Никитскому, сердце выскакивало из груди, оно где-то билось на полметра впереди, и, как это ни странно, я забрела в Музей Востока. Там у золотых статуй Будд сидели малыши с бумагой и карандашами. За ними каменной стеной стояли родители.

— Всю свою жизнь Гаутама Будда, — рассказывала малышам руководительница кружка, — посвятил тому, чтоб узнать, в чем причина страданий. И он это выяснил! — Она как песню пела. — Не надо ни к кому и ни к чему привязываться и не надо ничего хотеть, не надо ни к чему стремиться и не надо ставить цели, не надо эти цели достигать!..

Она подняла глаза на родителей. У них были у всех одинаковые лица — смесь чисто человеческого недоумения с важной строгостью органов государственной безопасности.

Тогда она спохватилась и добавила:

— Но Будда был неправ!

И тут я громко засмеялась. Все обернулись на меня, а я стою и хохочу, как полоумная, немного приплясывая и хлопая в ладоши — со мной такое бывает, ко мне еще в школе на уроке врача вызывали, дикие приступы смеха сотрясали все мое существо, меня даже водили к психиатру, но он это объяснил половым созреванием, и вот я скоро, наверно, умру и свои припадки заберу с собой в могилу.

Я повернулась и бросилась бежать, боясь лишь, как бы не споткнуться обо что-нибудь и не упасть, и не загреметь прямо с выставки Будд в милицию или психушку.

Нет, я не понимаю: я скоро умру или не умру? Хорошо, отбросим слово «скоро». Что остается? Умру я или не умру?

Умру, конечно! Тогда какая разница, черт побери, когда это случится?!

...А как же те, кого я люблю и кто любит меня, для кого я еще что-то значу? Как же вся моя жизнь??? Я должна ее увековечить. Всем назло, пока не напишу роман — не умру! А уж как напишу — тогда пожалуйста. Это мое последнее слово.

Я вернулась домой, взяла мокрую тряпочку, стерла пыль со стола, включила обогреватель, села и на чистом листе бумаги синей шариковой ручкой написала:

Последний роман Люси Мишадоттер
о ее безалаберной жизни,
написанный с благородной целью
увековечить эту жизнь в веках.
Название «Утопленник»
(условное)
Просьба перевести на все языки мира,
а гонорар передать в фонд спасения китов.

Глава 1.
Опознание младенца

Порой мне снится один и тот же сон, как будто жизнь моя сворачивается, как полотно, и я кувырком лечу в детство. Там столько солнца! Свет разгорается, нарастает... и неожиданно гаснет. В этот момент я обычно просыпаюсь. И мне всегда интересно — а дальше?

Мне кажется, это сон о смерти.

Я помню, когда я родилась, мой дедушка Соля сказал — я отлично помню, как он это произнес, даже не произнес, а изрек:

— Брови намечаются широченные!

Это заявление выдавало в нем человека, способного видеть самую суть вещей, поскольку от первого моего вздоха и лет до двадцати семи бровей у меня вообще не было как таковых, ни волосинки на лысых надбровных дугах, что отображено красноречиво на моей младенческой фотографии, где я лежу в вязаном чепце, устремляя сосредоточенный взор внутрь себя, и в глазах — о Господи! куда это все подевалось? — мое Истинное Я, а именно, горы и реки, великие просторы Земли, солнце, месяц и звезды.

А уж когда я выросла и заматерела, знаком боевой мощи у меня появились низкие, темные брови, сросшиеся на переносице, столь грозного и внушительного вида, что мужчины стали шарахаться от меня, пронзенные мыслью: «Эта уж полюбит — так полюбит!»

Впрочем, какую роль, вы спросите, черт бы тебя побрал, собираются сыграть в нашей безвозвратно потерянной жизни чьи-то брови, этот атавизм, жалкое напоминание о золотом веке, когда человечество сплошь от макушки до пяток бушевало яростной неукротимой растительностью, выродившейся — не прошло и двух-трех тысячелетий — в худосочный волосяной покров подмышек да чахлый куст лобка?!

А я только рассказываю, как было, вот и все. Ведь то, что я пишу сейчас, — это действительно было, и теперь я хочу одного: как можно правдивее изложить факты и вехи моей биографии, простым карандашом набросать легкий контур моей судьбы, ибо я могу умереть в любую минуту.

Однако историческое высказывание моего дорогого дедушки Соли, Соломона Топпера (не Топёра, а Топпера — он всегда подчеркивал — с двумя «п», ударение на первом слоге!) имело для меня колоссальное значение, поскольку дедушка Соля приходился отцом моему родному папе Мише.

А папа в то время был женат. Причем абсолютно не на моей маме. И от того, что скажет дедушка — от папы я или не от папы, — зависело, позволят ли папе его родители, его бесконечные тети и дяди, двоюродные и троюродные сестры, младший брат Фима и разные седьмая вода на киселе — уйти от законной жены, чья фамилия, кстати, была Ломоносова, к любимой женщине — моей маме.

Дедушка артачился. Больше того, он клялся страшной клятвой, он ел землю и давал Ломоносовым голову на отсечение, что вернет им папу, чего бы это ни стоило, или он не Соломон Топпер, чье слово закон для всех Топперов нашей Земли.

Но папа ускользал, просачивался в щели, он уходил, как воздух между пальцев, и когда дедушке Соле все же удавалось поймать его за хвост, лишь хвост у дедушки в руке и оставался.

Именно тогда во всю ширь блистательно развернулся папин характер, о чем моя мама Вася впоследствии отзывалась так:

«Миша — он и отказать не откажет, и сделать не сделает».

Да и если на то пошло, папа был уже не тот Топпер, что прежде. Женившись на Ломоносовой, он взял себе ее фамилию и таким образом стал просто-напросто Михаилом Ломоносовым. По мнению папы, это должно было способствовать его научной карьере.

Дедушка Соля тогда страшно обиделся.

— Тебе твоей фамилии стыдиться нечего, — сказал он папе. — Мы, Топперы, еще не посрамили Земли Русской.

Дедушка Соля имел в виду ставшую легендарной в семействе Топперов историю о том, как в разгар Гражданской войны он арестовал брата контрреволюционера Савенкова. Соля ехал на телеге — изображал крестьянина, а в телеге под сеном прятались красногвардейцы. Поравнявшись с бандой, Соля вскочил и засунул брату Савенкова пистолетное дуло в рот.

Это был единственный случай, когда Соля использовал по назначению свой именной парабеллум под номером 348 562, подаренный, как Соля утверждал, самим Климом Ворошиловым.

А так всю Гражданскую войну он колол им орехи.

— Хороший у меня парабеллум — орехи колоть, — говаривал Соля. — Жалко, товарищ Ворошилов к парабеллуму мешок орехов не присовокупил.

То были золотые деньки, когда у дедушки Соли волосы на голове росли вверх и вширь, словно крона мексиканского кипариса, за что он среди своих товарищей получил партийную кличку Дерево Монтесумы.

— У меня вся голова в шрамах от ударов казачьих сабель. Если я облысею, я застрелюсь, — обещал Соля. — Не вынесу позора, слово коммуниста! Как только появится решительная лысина — все!

Потом он вылетел из партии, облысел (Соля врал — лысина у него оказалась гладкая, блестящая, ни в каких не в шрамах!), но прозвище за ним закрепилось до такой степени, что, забегая вперед, скажу: на его могильной плите, на черном граните, золотыми буквами начертано:

Соломон Топпер
(Дерево Монтесумы)

В ту пору, когда Дерево Монтесумы бойкотировало мою маму, оно полностью сбросило листву. Остались только густые косматые брови цвета воронова крыла. Из-под этих-то вороновых крыльев он метал громы и испускал в мамину сторону злобные флюиды, потому что, повторяю, ему было неудобно перед Ломоносовой, а главное, перед ее мамой, которая работала в ЦК.

Он угрожал, что ноги его не будет в нашем доме, а также других ног родственников со стороны папы. И все же в один прекрасный день первая нога Топперов осторожно ступила на нашу территорию, и нога эта принадлежала дедушкиной младшей сестре тете Эмме.

Она вошла и с порога объявила, чтобы все слышали, в том числе и я:

— Если черненькая, то наша, а если беленькая, то пусть нам не вешают лапшу на уши!

Этим поистине соломоновым решением столь щекотливого вопроса она тогда навеки покорила мое сердце. И хотя я была абсолютно бесцветная личность, тетя, лишь приподняв уголок одеяла, твердо сказала:

— Наша!

Чем породила жуткую внутриусобную борьбу.

Из разных точек Земли для опознания младенца стали съезжаться Топперы всех видов, образцов и мастей, устроив поистине вавилонское столпотворение. Среди них было много судей, рыцарей, отшельников и пилигримов.

Папа жил у нас тайно. И у него была одна рубашка, Вася ему через день ее стирала, поскольку я родилась летом, а он потел. Мы могли бы ему купить еще одну, но мой папа смолоду отличался великой бережливостью. Единственное, что он позволил себе, — сшить у Кудрявцева пальто из бабушкиного серого шевиота. Этот самый Кудрявцев лучше всех шил в Москве пальто!

Когда приходили волхвы или вражеские лазутчики, папа прятался в бабушкином платяном шкафу. И только на четыре коротких звонка тети Эммы папа сам бежал открывать дверь, потому что тетя Эмма приносила ему фаршированную рыбу, которую он очень любил, а из нас троих ее никто не умел готовить.

Однажды к нам в дом явился поразительный тип: бывший Хоня Топпер, а ныне — он так назвал себя — Харальд Синезубый. Хоня имел прописку в Киеве, но считал себя подданным другой страны, которую он придумал. У него был свой собственный флаг, свой герб, деньги, имя Харальд Синезубый — все выдуманное. А житье-бытье в Киеве ему представлялось, что как будто он консул в другой стране. Ему выдали немного денег (Хоня получал персональную пенсию), и он жил там как представитель своего государства.

В молодости он был известный художник-авангардист — его работы хранятся в Париже, в Музее Современного Искусства. Он делал коробочки с дурным запахом и пользовался огромной популярностью среди вольнодумной молодежи. За свою жизнь в искусстве он этих коробочек наделал несметное количество, успешно продавая их на родине и за границу, а когда удача изменила ему, он все раздарил и в мае тридцать седьмого года уехал отдыхать в Крым.

Оттуда он написал письмо жене, в котором просил ее приехать. Она ответила телеграммой:

«А деревья цветут?»

Его вызвали в крымское отделение КГБ. И спросили: что она этим хотела сказать?

Кончилось все очень плохо.

На прощанье он подарил нам живописное изображение президента своей страны — собственный автопортрет под стеклом в овальном фанерном ящике, украшенном искусственными цветами, и добавил, что ему трудно сказать, от папы я или нет, поскольку он моего папу Мишу видел всего один раз, когда тот еще был младенцем, а все младенцы похожи друг на друга как две капли воды.

Что же касается — уходить от законной жены или нет, он склоняется к «ДА», и как можно быстрее, пока она не прислала какую-нибудь идиотскую телеграмму и тебе не вкатили за это пожизненное заключение. И впредь, — воскликнул дядя Хоня, — уж больше ни на ком ни в коем случае не жениться!

После того, как он удалился, даже у меня, грудного ребенка, поехала крыша, не то, что у бабушки и у Васи.

— Я когда опустила голову и увидела его башмаки, — сказала Вася, — абсолютно дырявые, я поняла, что имею дело с сумасшедшим человеком.

А моя бабушка огорченно заметила, что в смысле Харальда Синезубого у меня намечается явно плохая наследственность.

После Харальда на нас обрушилась некая Лиза Топпер из Бердянска и очень долго у нас жила.

— Я же инвалид, — говорила тетя Лиза. — Меня в детстве уронили в колодец. Я родилась, — она рассказывала, сидя около моей колыбели, — на острове Бирючий. Остров, — объясняла Лиза бабушке и маме, — это когда вокруг море. Маму повезли на паруснике в роддом. А ветра нет, июль, мертвый штиль, и парусник встал как вкопанный. Так я и родилась. Однажды мама пошла за водой и уронила меня в колодец. Мне спас жизнь крестный. Он работал на маяке и оттуда увидел, что случилось...

Через пару недель к тете Лизе приехал муж — крошечный курчавый Патрик. В день приезда он купил баян и все время сидел на кухне — наигрывал на баяне, хотя первый раз держал его в руках. Просто по слуху подбирал какие-то грустные песни.

Родом он был из Житомира, первая жена его — цыганка. Из хорошей приличной семьи он ушел за ней в табор. Кочевал. Но она ему изменила. И ребеночка они своего не уберегли. Патрик затосковал, покинул табор, поехал в Бердянск разгулять тоску и, конечно, женился на нашей Лизе, поскольку Лиза до конца дней своих была главной достопримечательностью этого города-курорта, и от нее всегда исходил запах туберозы, оказывающей, как она считала, возбуждающее действие на мужчин.

На закате она в длинной юбке и белом атласном бюстгальтере с наброшенным на плечи красным газовым платком выходила с фанерным стулом на улицу за калитку «подышать». Платок был застегнут на груди на две пластмассовые бельевые прищепки. На свою золотисто-каштановую «бабетту» Лиза набекрень надевала сомбреро — ни дать ни взять бразильская королева самбы! Да еще с тростью, хромая, знойная, во дворе у нее бушуют страсти, все рассказы — на грани жизни и смерти, трость и страсть — в этом вся тетя Лиза Топпер.

А теперь подождите минуту и дайте мне перевести дух, ибо за вышеописанными представителями клана Топперов хлынул такой поток, что эта картина скорее напоминала прощание с каким-нибудь почившим властителем дум — так проходили они, склоняясь над колыбелью, люди великой судьбы, пытаясь угадать — плод ли это их уникального генеалогического древа, или просто моя мама Вася — блудница, которая околпачила высокородного Топпера, коварно взвалив на него отцовские обязательства, а теперь собирается заключить с ним поистине морганатический брак.

Да-да-да! Поскольку самая младшая из семьи Topперов — божественная Диана — уже сделала ошибку, выйдя замуж за сына английской королевы принца Чарлза, хотя дедушка Соля прочил ей партию куда блистательнее.

Против Чарлза была настроена даже тетя Эмма.

— Чарлз — тюня и мокрая курица, — говорила она. — Этот принц Чарлз, — она говорила, — в носу ковыряет постоянно!

И вот чем это закончилось. Англия плакала, когда ее хоронили, хотя англичане известны своею сдержанностью, так провожали там, как нашу тетю Диану (из лиц, не принадлежавших по прямой линии к королевской семье), только адмирала Нельсона, герцога Веллингтона и Уинстона Черчилля.

Лучше б она послушала тогда Соломона и вышла за Бусю Курочкина, язычника и собирателя русского фольклора, который жил на соседней даче в Загорянке и тысячу раз предлагал ей руку и сердце, он ходил за забором в вышитой шелковой рубахе, в красных кожаных сапогах, как петух, и такое хорошее имел наше, открытое, русское лицо...

Тете Эмме ведь тоже в свое время делал предложение рабби Менахем-Мендл, а это вам не хухры-мухры! И дедушка был не против. Но тетя Эмма решила не связывать свою судьбу с движением любавичских хасидов.

Вообще тетя Эмма всегда поступала так, как ей взбрендит. В молодости она ездила по Москве на большом трехко-

Опознание младенца

лесном велосипеде в клетчатой кепке и развозила почтовые переводы. Но у нее был бзик: она не могла довезти до дому собственную зарплату. Стоило ей получить немного денег — она их мгновенно швыряла на ветер, что очень злило дедушку Солю, на руках у которого, кроме тети Эммы, было еще семеро братьев и сестер.

Их отец Моисей — крупный карточный шулер из Бердянска, говорили, как выпьет, великолепно играл «Неаполитанскую песенку» Чайковского на опустошенном граненом стакане. Моисей имел чисто еврейский вид, хотя по матери он был цыган, а по отцу — итальянец. Мифы о его сексуальных подвигах затмевают древнегреческие сказания о сладострастных богах Олимпа.

Не выдержав мук ревности, его жена Марыся, оставив ему семерых детей, прыгнула с обрыва. Случилось это в конце октября прямо на глазах у Моисея, но был туман, погода стояла ужасная в Бердянске той осенью, и Моисею показалось, Марыся как прыгнула — сразу растаяла в воздухе, и тела ее почему-то потом не нашли, к тому же обрыв был совсем невысокий, а дедушка Соля, Марысин первенец, — он ее помнил немного, рассказывал, что Марыся была очень бойкая, певунья, ходила вечерами на танцы, и за ней страстно ухаживал один молдаванин в шляпе с маленькими полями — молдаване любят в шляпах ходить.

Дело получило широкую огласку. Скрываясь от правосудия, Моисей подался в Египет и восемь лет провел в склепе. Потом его видели в пустыне с горсткой весьма подозрительных личностей еврейской национальности. Он шагал, опираясь на посох, в сандалиях на босу ногу по раскаленному песку, желтый, высохший, едва живой, изнывая от жажды. Все искал какую-то Обетованную Землю.

Слухи насчет Моисея не были проверены, однако дедушку Солю по этому поводу не раз вызывали в ГПУ и на всякий случай исключили из партии. Напрасно дедушка Соля тряс там своей медалью за храбрость, проявленную при совании дула в рот брату Савенкова, напрасно умолял ясноглазого ГПУшника не верить злым наветам, но послать запрос в Египет и навести справки насчет его без вести пропавшего отца! И уж совсем напрасно на повышенных тонах и в недозволенных выражениях в конце концов заявил, что они, Топперы, еще не посрамили Земли Русской, а если вдруг случайно посрамили, то сын за отца не ответчик.

Сотрудник ГПУ по фамилии Молибога — «И. Г. Молибога» было написано у него на двери, — велел дедушке Соле положить на стол партбилет.

Соля плакал, когда его клал Молибоге на стол, а дома хотел застрелиться. Вынул из комода свой парабеллум — врученный самим товарищем Ворошиловым! — взвел курок и приблизил к виску.

Но тут в комнату вбежала Эмма.

— Ни здрасьте вам, — дедушка Соля потом возмущался, — ни до свидания, ни «Соленька, брось парабеллум, это не игрушка!» — нет! Прямо с порога: «Соля! Убей меня! Я всю зарплату потратила на антикварную пепельницу!» Ну посудите сами! — до глубокой старости восклицал Соля (а прожил он сто пятьдесят семь лет), когда рассказывал нам в сотый раз эту леденящую кровь историю, — мог ли я распрощаться с жизнью, не учинив Эмме славную головомойку?!

— Эмма, Эмма, — вскричал он тогда, швырнув на кровать парабеллум. — Как можно ветер иметь в голове в такой сложный исторический момент? Тебе же ни до кого нету дела! Что будет с Хоней, Джованни, Лизой, какая злосчастная судьба ожидает Боба, Изю и Диану, если, не дай бог, со мной что-нибудь случится? Что они будут делать, Эмма, в этой проклятой жизни с твоей пепельницей, ведь у нас в семье, тьфу-тьфу-тьфу! никогда никто не курил, а есть постоянно хотят все и каждый!

Разлучившись с партбилетом, Соля сделал все, чтобы не расстаться с парабеллумом. Когда ему велели сдать оружие, он наотрез отказался, ибо поклялся страшной клятвой самому товарищу Ворошилову, что лишь в неравной схватке у него сможет отнять парабеллум враг народа.

Соле намекнули, чтоб он не разводил демагогию и отдал пистолет по-хорошему. А то будет хуже. «Подумаю», — сказал Соля. Как только за его гонителями закрылась дверь, он вышел в огород и закопал парабеллум под кустом картофеля.

На следующий день приехал сам И. Г. Молибога с ордером на арест, но Соле так повезло — он часом раньше был арестован местными властями за взяточничество.

— Меня бы обязательно посадили, — гордо говорил потом Соля, — если бы я уже в это время не сидел!

— А где оружие? — спросил И. Г. Молибога.

— Ищите! — ответила тетя Эмма.

Те всё перевернули вверх дном, но Солиного парабеллума не нашли.

А впрочем, Соля до того надежно припрятал свой парабеллум и так старательно замаскировал, что, как только опасность миновала, сам его тоже не нашел.

Соля плакал, перекапывая весь огород, рыл под каждым кустом картофеля и просил древних богов, чтобы они превратили его пальцы в глаза.

— Если я потерял парабеллум — застрелюсь! — кричал Соля. — Не вынесу позора!

— Да плюнь ты на этот парабеллум! — сказала ему тетя Эмма.

Соля лег на диванчик, она его накрыла пледом, и он затих, патриарх Люй Дун-бинь, один из восьми бессмертных, покровитель литературы и парикмахеров.

Как он любил ее, он ей все прощал! Потому что никто, как моя тетя Эмма — боже мой! я так скучаю сейчас о ней, — никто и никогда в своей клетчатой кепке, заложив большой палец за пройму жилета и оттопырив мизинчик, не танцевал так «семь-сорок» на радость дедушке Соле, с таким огнем и таким азартом — пам-па-па-па-па-па-па-пам!.. А также никто и никогда — па-па-пам! Па-па-пам!.. — не фаршировал столь виртуозно озерную щуку! Па-ри-ра-ри-ра-ри-рам! Парирарирарирам!.. Это был Моцарт, нет, Паганини фаршированной щуки. Чего бы я ни отдала сейчас, чтобы отведать хоть кусочек.

Послушай-ка, тетя Эмма, а может быть, ты отпросишься на часок? Скажи ему: Господи! Ты всемогущий, всеведущий и вездесущий! Что тебе стоит? Ведь у нас с тобой впереди вечность! Не будь крохобором, дай часик — озерную щуку пофаршировать...

Часика тебе, конечно, не хватит, фаршированная рыба — это долгая история. Тебя станут дергать, торопить, белокрылые ангелы закружат над твоей головой. А ты отмахнешься, все руки в рыбе, серебряные чешуйки на волосах, и скажешь сердито, как ты говорила с нами, когда мы мешались у тебя под ногами:

— Ну дайте же дофаршировать!!!

Потом все соберутся, заиграет музыка, ты снимешь фартук и... па-ри-ра-ри-ра-ри-рам! Па-ри-ра-ри-ра-ри-рам!.. Кто тронет человека, когда он танцует «семь-сорок»?! По крайней мере, дождутся, пока он вспотевший, полыхающий, упадет в кресло и откинет голову, блаженно прикрыв глаза. Тогда его можно тихо унести на небо, а все еще долго будут думать: он устал и отдыхает. Вот так нас покинет однажды наша тетя Эмма.

Я перебираю осколки своего прошлого и вижу проплывающие надо мной лица — нет, это были не люди, а бессмертные боги, и я засыпала, убаюканная запахом айвы и их голосами, утопая во тьме, где время от времени вспыхивал огонь маяка, на котором работал крестный Лизы Топпер, откуда он увидал, как она летит в колодец...

К чести Топперов надо сказать: не пришли на мои смотрины только те, кто в это время сидел, например, в тюрьме. Речь идет о достойнейшем дяде Джованни, названном так Моисеем в честь нашего итальянского предка с острова Сицилия.

Двадцать пять лет этот дядя Джованни верой и правдой трубил бухгалтером на чаеразвесочной фабрике «Красный коммунар». Когда пришло время отправляться на пенсию, вдруг он — по сути, святой человек! — вздумал украсть немного чая — запастись на черную старость. Главное, ему только-только присвоили звание ветерана труда.

Осуществил свой наивный замысел дядя Джованни весьма экстравагантным путем: до отказа набив черным чаем пустой прорезиненный комбинезон с капюшоном, он сбросил его с фабричной крыши. А тот повис на ветвях раскидистой липы. Сбежалась огромная толпа, вызвали «скорую помощь», пожарных, милицию, дядя Джованни тут же был пойман, и когда его судили, прокурор так и норовил обвинить его в том, что дядя убил человека.

Не смог также прибыть Бобби Топпер — по очень уважительной причине: бедняга умер незадолго до моего рождения. Это был ученый, что называется, от бога, феноменальной усидчивости, вроде Менделеева, всю жизнь он посвятил работе над какой-то таблицей, не ел, не пил, не спал с женщинами, в конце концов, составил ее и умер. Эту таблицу ему положили в гроб и похоронили на Востряковском кладбище.

Зато, как ни в чем не бывало, вполне в добром здравии явился не запылился Изя Топпер, хотя совсем недавно он чуть не отбросил коньки. У Изи был страшный, неизлечимый недуг, он стремительно угасал — все ожидали конца со дня на день и между собой ласково прозвали его «Изя — умирающий лебедь». Но, к счастью, напоследок ему сказали, что у его жены роман с его лучшим другом.

— ЧТО?! — вскричал дядя Изя, вскочил — и пошло-поехало.

У него был колоссальный прилив энергии, и все очень боялись, что он убьет друга, убьет жену, убьет тещу, убьет детей, убьет внуков, а сам после всего этого повесится, но Изя, побушевав час-другой, на все наплевал и, тьфу-тьфу-тьфу, зажил припеваючи. Вот такое чудесное исцеление. Он просыпается с восходом солнца, гуляет в Ботаническом саду, обнимает дубы и березы, нюхает цветы, любуется облаками, зимой собирается кататься на лыжах, а своим обидчикам, сколько раз их увидит — столько раз презрительно говорит:

— Вы все против меня инфузории-туфельки!

И вот когда Топперы уже были в сборе, смирил-таки гордыню и пришел сам царь Соломон, хозяин преисподней, с тем, чтобы вынести окончательный вердикт. Народ расступился, конечно, а он — с царственной своею осанкой — встал посредине комнаты, распространяя запах тибетских благовоний, — так, я теперь понимаю, пах в свое время «Тройной одеколон».

Тут из платяного шкафа, как все равно из чрева кита, вышел мой голый папа Миша, вынул меня из пеленок, положил на ковер и лег со мной рядом, прикрыв глаза.

Сначала никто не понял, чтó Миша этим хочет сказать, и вдруг все ахнули, поскольку мы с Мишей были усыпаны родинками и веснушками, причем абсолютно в одних и тех же местах. Как две карты звездного неба северного полушария.

Все онемели от этого поразительного сходства, и в наступившей тишине, глядя на нас с папой, распростертых перед ним, дедушка Соля произнес свою — ни к селу ни к городу — историческую фразу.

— Брови намечаются широченные!.. — сказал Соля, и моя участь была решена.

Тут все Топперы стали задирать рубашки, поснимали брюки:

— И у меня тоже родинка в этом месте!..

— И у меня в этом!..

— Ой! И у тебя эта родинка есть?

— Левая подмышка?

— Есть!!!

— А между безымянным и мизинцем?

— Есть!!!

— А около пупка справа???

— Есть такое дело!!! — закричал муж тети Лизы Патрик, спустив трусы.

Ну, тут и его со мной вместе, заодно, неожиданно раздобрившись, приняли Топперы в свой неприступный клан.

Потом стали обниматься и танцевать, протанцевали до самой ночи. Потом посмотрели на небо, и им показалось, что звезды на небе расположены точь-в-точь, как родинки на теле Топперов. Это подтвердило их подозрения насчет того, что небо — тоже Топпер, их бессмертный и вечный родственник, который родил их и послал на Землю, чтоб они продолжали дело своего великого праотца.

Глава 2.
Ричард Львиное Сердце

Соля умер раннею весной, не дожив трех лет до своего сташестидесятилетия — события, которое Топперы Земли собирались праздновать на широкую ногу. Умер Соля в больнице старых большевиков — ископаемый марксист, ворошиловский стрелок, стойкий искровец, последний из могикан. В тот день дул очень сильный ветер. Но теплый уже, весенний, побежали ручьи, хотя снег еще лежал на земле, и все кругом было черно-белым от берез и проталин.

Перед тем как уйти в больницу, откуда, он знал, ему уже

не вернуться, всем внучкам он послал букет чайных роз, зятьям — по авоське огурцов, а всем правнукам — заводную железную дорогу.

Восьмого марта он позвонил невесткам, поздравил с женским днем.

— Я тут ухаживаю за медсестрами, — шутил Соля. — Предпочтение тем, у кого партстажа больше!

Солю хоронили пышно, многие плакали. Он лежал в гробу весь в цветах, в новеньком, с иголочки, костюме. Этот костюм Соля давно купил, но почему-то не надевал, жалел. Зато никак не могли подобрать приличествующее случаю белье — в Солином шкафу вообще не оказалось темных трусов. Все — то в ромашку, то в одуванчик...

В крематории играл орган. Вокруг жерла вулкана стояли горшки с геранью, снизу поднимался теплый воздух, и листья герани шевелились. Воздух над Солей дрожал, и зачем-то горели, хотя было утро, толстые электрические свечи.

— Какого деда потеряли! — сказал, поднявшись на скорбную трибуну, младший сын Соли Фима.

На этом торжественная часть была окончена. Мой папа Миша стоял, положив Соле руку на голову, и плакал, как ребенок.

Солю накрыли крышкой. Женщина в форме, похожая на проводницу, стала молотком забивать гвозди. Заиграла музыка. Гроб начал опускаться. За окном ветер — бешеный! — раскачивал громадные елки. И гудение огня снизу.

В самом деле, это была ужасная, невосполнимая утрата. Не только потому, что в наших долинах, изобилующих демонами, которые так и норовили поймать в свои сети неосторожные души Топперов, внушая им мысль о земных наслаждениях и оскверняя их благочестие, Соля являл собой чистого ангела, стоика и духоборца, но и потому, что с Солиной смертью Топперы вмиг лишились старинного родового гнезда в сосновом бору Загорянки, куда они с детства привыкли ездить и тусоваться, несмотря на ярые Солины протесты. Ведь он писал книгу «Путь к коммунизму», воспоминания о гражданской войне, а эти праздные Топперы — они уже в печенках у него сидели.

— У меня нет ни ночи ни дня, — жаловался Соля, — а только одни сплошные родственники! Они не понимают, что когда человек пишет мемуары, ни единая живая душа не должна маячить у него перед носом, лишь невесомые призраки и тени могут навещать его, и то ненадолго, без трапез и ночевки! Чтоб только вечность была перед тобой, только Ты и Вечность.

Поэтому Миша из любви к Соле много лет подряд возил меня и Васю отдыхать в Феодосию по профсоюзной путевке. Нам с Васей там очень нравилось. Коттеджи на две семьи, все вокруг утопает в розах! Яблони, сливы, кипарисы, заросли ежевики, миндаль, кизил, а какие маки!.. А сколько разных трав и птиц, шиповник, жасмин, горы в цвету, все благоухает, ночами соловьи поют, море: «ш-ш-ш...» Но главное — розы! Розы — с конца апреля и чуть ли не до декабря!

Вася выходила с утра на веранду и любовалась розами в саду.

И в свой день рожденья Вася вышла полюбоваться и вдруг произнесла:

— Я с ума схожу от этих роз!

— Они все твои, дорогая! — быстро ответил Миша, смолоду отличавшийся, как я уже говорила, некоторой бережливостью. Вася утверждала, он даже в ЗАГС ее пригласил расписываться Восьмого марта, чтобы не тратиться на подарки.

«Он был так горд своим предложением и так взволнован, — рассказывала Вася, — что забыл снять пижамные штаны. И когда мы шли в ЗАГС, у него из-под брюк торчали пижамные штанины, и он никак их не мог подтянуть, потому что они были гораздо длиннее, чем брюки».

Вечером к нам на сабантуй явился наш сосед. Он выбрит был гладко и кудряв, эдакий здоровяк в твидовых брюках, и он держал охапку дивных роз. Я не преувеличиваю — именно охапку!

— Я слышал, — он сказал, — что вы неравнодушны к розам?

И он осыпал ими Васю.

Розы нам показались как будто знакомы. Вася вышла на веранду и окаменела: кругом расстилалась пустыня.

Назавтра наш друг уехал, у него кончилась путевка, а мы неделю прятали розы под кроватью, а то бы нас оштрафовали. Зато к нам в коттедж поселилась шикарная женщина, администратор съемочной группы киностудии Горького — неисчислимой орды киношников, прибывших в Крым снимать историческую ленту «Ричард Львиное Сердце». Звали ее Любовь.

Она вошла к нам сразу, как только поставила чемоданы.

— Моими соседями, — сказала она волнующим низким голосом, — обязательно должны быть почтенные люди! Я ведь миллионами ворочаю, и у меня всегда есть что выпить.

Она с пристрастием оглядела по очереди Васю, Мишу, меня, как бы взвешивая — почтенные мы или не очень, и, ни слова не говоря, удалилась.

Видимо, решив, что более или менее почтенные, она вернулась через пять минут с громадным тортом — торт «Киевский», «прямо из Киева», правда, уже не целый, его кто-то из знаменитых артистов не смог доесть, поскольку в нем, в этом киевском торте, устроили муравейник черные мураши.

— Какое полезное соседство, — сказал Миша, гоняя муравьев по торту, — сулящее множество интересных встреч, мероприятий и знакомств!

Далее с ее стола к нам пошли перекочевывать огурцы, помидоры «прямо из Симферополя», черешня, козье молоко, творог. Она же продукты закупала — тоннами! Коньяк там за стенкой лился — армянский — рекой!

— Вася! Миша! Я не киношник! Я человек театра! — она говорила. — Я десять лет была директором в Тамбовском театре! О, это золотые времена! У меня две родные сестры в Тамбове, и обе — почтенные люди. Миша! Возьмите грецких орехов! У меня шесть мешков — колите и кушайте!

Она не могла не осыпать благодеяниями, раз уж ты попался ей под руку. Она плохо себя чувствовала, если ей казалось, что ты еще не достаточно осыпан. Сколько раз увидит, столько осыплет, но при одном условии: ты хоть в какой-то мере должен соответствовать ее представлению о том, что такое почтенный человек.

Делала она это полностью бескорыстно, ей от нас ничего не было нужно, кроме стульев и стаканов.

— Миша! Можно у вас одолжить стул... на одно лицо? — спрашивала Люба, и с этим вопросом она могла заглянуть к нам в любое время суток.

Сама она не пила, но у нее было множество подшефных. Знаменитейшие по тем временам голоса доносились с ее веранды.

— Ну что, стаканчик налить? — это голос Любы.

И в ответ — баритон, постоянно звучавший с экранов телевизоров и кинотеатров:

— Я что, похмеляться, что ли, пришел? Я пришел пообщаться, поговорить. А ЭТО — само собой!

Причем с восходом солнца она всегда свежая, в цветастом платье, под мышкой коричневая картонная папка: «ДЕЛО № 4. Ричард Львиное Сердце», тук-тук-тук — по асфальту на высоченных каблуках.

— Ты что так поздно встаешь? — воспитывала она Васю. — Я с шести часов на ногах! Все дела нужно делать до десяти утра, а после десяти выпивать!

Она никогда не купалась, не загорала, к пляжу она вообще относилась насмешливо и с подозрением.

— Вчера выдала Болтневу полторы тысячи, он их спустил в один вечер — угощал весь пляж, — жаловалась она.

— Вася! Миша! — кричала она, дефилируя по верхней набережной.

— Иди загорать! — звала ее Вася.

— Ты с ума сошла! — отвечала та, потрясая картонной папкой. — Вы не видели мою артистку — исполнительницу прекрасной Эдит?

— Она уехала на экскурсию с какой-то негритянкой на биостанцию — смотреть морских котиков!

— Ангел ты мой! — хваталась за голову Люба. — С какой негритянкой? Это мужчина, нубиец, переодетый шотландский рыцарь Спящего Леопарда! У них по программе ровно через пять минут любовная сцена в шатре у крестоносцев! При чем тут морские котики?!

— Хорошо быть негром — всегда веселый, всегда хорошо выглядишь, не видно синяков под глазами! А только ослепительная улыбка и — пой, танцуй и играй на барабане... — говорил Миша, приподнимая над головой свою белую войлочную шляпу и кланяясь Любе.

Она ведала всем. В этом крымском крестовом походе все находилось под ее контролем. Если над Тихой бухтой, где разбил свои шатры лагерь крестоносцев, нависли тучи, а это противоречило замыслу режиссера, по Любиной наводке разгонять их поднимался из Симферопольского аэропорта отряд вертолетов. Под ее неусыпным оком Тихая коктебельская бухта из последних сил изображала гористые стремнины Иордана, и если бы для съемки режиссеру понадобился натуральный Гроб Господень, Любе доставили бы его «прямо из Иерусалима», чтобы картина выглядела достоверней.

К слову о Гробе Господнем: отвоевать его у сарацин было, наверно, проще, чем выбивать для этого фильма деньги у банкиров. Самоотверженные воины английские, лукавые французы, всем без разбору недовольные австрийцы, нищие, но благородные шотландцы, маркизы, магистры, карлики, бесчисленные сарацины, мальтийские рыцари, злобные тамплиеры в белых плащах с алым крестом на плече, отшельник, архиепископ и палач, король английский Ричард, свита Ричарда, прекрасные дамы, кони, два здоровенных кобеля — ирландские волкодавы, шуты, монахи, менестрели, полторы сотни декораторов и гримеров — всё это с надеждой взирало на нашу Любу, от которой зависел их стол и дом, благосостояние, крымский портвейн и копченая мойвочка.

Похоже, что деньги для фильма она раздобывала неофициально. Она завораживала чиновников дикими историями, в которых были переплетены ее собственная судьба, судьбы ее никому неведомых близких из Тамбова, прославленных актеров, исторических личностей и просто-напросто вымышленных литературных героев.

На этом скользком пути она порой попадала в передряги, о которых в самой что ни на есть артистической манере звучным своим низким голосом с хрипотцой, рыдая и смеясь, рассказывала всем и каждому.

— Он Ларку отослал и говорит: «Сиди здесь, я сейчас принесу тебе пять миллионов». Ну села и сижу. И вдруг он входит — Вася, ты не поверишь! — я на него смотрю и даже не верю своим глазам — он абсолютно, полностью, совершенно голый!!! Мультимиллиардер! Армянин! Вот такого крошечного роста — мне по грудь! Я ему: «Ангел ты мой! Лапка моя! Куда мы с тобой? В передачу "Вокруг смеха"»? А он — цветы! (Вот эти, ты только понюхай — голландские орхидеи.) Коньяк! (Вот этот, какой мы сейчас с тобой пьем, — чувствуешь, какой аромат?!) Три ящика клубники!.. (Люся, детка, возьми, отнеси папе клубнику!) ...У меня нет мужа, Вася, — жаловалась Люба, — у меня есть два человечка — Ричард Львиное Сердце в молодости и Ричард Львиное Сердце в старости перед смертью, я только намекну — они оба — одновременно — будут у моих ног. НО ИХ Я ЛЮБЛЮ! А этот на что мне сдался, моченый груздь? Я говорю ему: «Ангел ты мой! Мне под пятьдесят! У меня маленькая дочка, мать старуха, две сестры, племянник! Что ты себе думаешь? Я совершенно не по этому делу. Я — с папкой для бумаг, вот мои накладные. Да провались эти киношники со своей перловкой и синими котлетами! Не надо мне никаких миллионов!» А он, голый мультимиллиардер, стоит как вкопанный, не пошелохнется. Вася, мне стало плохо с сердцем, меня парализовало!..

— Да что ты, — кричит из соседнего коттеджа ее ассистентка Ларка, — мужика, что ль, голого не видела?

— Я не киношный человек! — с глубоким достоинством отвечает Люба. — Я человек театра. И как со мной обращаются?!

Что интересно, добытые ею миллионы она повсюду таскала с собой в целлофановых сумках — две сумки у нее было, в каждой руке по сумке. В любое время суток ты мог повстречать Любу с этими сумками в темном переулке на узенькой дорожке без всякого телохранителя, хотя обе сумки были абсолютно прозрачные.

— Кому это нужно? — спокойно говорила она. — Тут пять миллионов — украинскими купонами! Сама не знаю, — жаловалась Люба, — что это за нарисованные бумажки и как я буду этими картинками платить людям зарплату?

— Скажи Джигарханяну с Болтневым, — советовал ей Миша, — пускай здесь купят резиновые «вьетнамки», пар по пятьдесят каждый, а в Москве их втридорога продадут!

Кстати о Ричарде Львиное Сердце в молодости — с некоторых пор он тоже зажил у нас в коттедже. Он всегда торопился по утрам и яростно рвался в туалет, так что Мише даже один раз пришлось крикнуть «Занято!». Правда, когда он вышел, был сполна вознагражден тем, что Ричард Львиное Сердце сказал ему «Доброе утро!»

— Здрассьте, — ответил Миша.

И именно в наш стакан Ричард постоянно с детской доверчивостью ставил свою зубную щетку.

Еще он любил посидеть вечерком во дворе нога на ногу, поболтать с тетками на лавке.

— Нет, вы видали? — не уставал изумляться Миша. — Сидят три старушки, кому-то кости перемывают, и с ними Ричард Львиное Сердце, король английский, — как на завалинке!..

Однажды вечером, когда Миша прилег уже и задремал, укрывшись журналом «Вопросы философии», к нам в комнату, дыша духами и туманами, зашли шикарные Люба и Лара.

— Миша! — сказала Люба, слегка приподняв журнал над Мишиным лицом.

— Что вам, Любовь? — отозвался Миша сквозь дрему. — Стулья? Стаканы?

— Я хочу, — произнесла Люба, — чтобы вы у нас поработали артистом массовых сцен.

— Массовка, — важно произнес Миша, спуская ноги с кровати. — Арена борьбы мании величия с комплексом неполноценности.

— Подумайте, прежде чем отказаться, — сказала Люба. — Я договорюсь, чтобы вам обед туда был отправлен. Увидите своими глазами знаменитых артистов. Армен Джигарханян выйдет завтра на съемку, будут фрукты и крупные планы.

— Зачем это мне? — удивился Миша.

— Развлечетесь!

— Как-то уже развлекаться хочется, не выходя из дома, — отрезал Миша.

— Получите новые впечатления! — говорит Лара. — И с познавательной точки зрения хорошо. Что вы знаете о крестоносцах, их радостях и печалях?

— Вы думаете, это мне интеллектуальный уровень повысит? — сказал Миша. — Это мне только репутацию подмочит.

А Люба:

— Вас так оденут и загримируют, вы сами себя потом на экране узнаете с очень большим трудом. Будете пальцем показывать: «Вон, вон — бежит, упал, сломал ногу, видите, кони топчут? Это я!»

Они его соблазняли всеми возможными способами, но Миша артачился, как мог, увиливал, отлынивал и отбрыкивался.

— А это во сколько? — он спрашивал.

— В шесть утра.

— Вот это время я терпеть не могу! — отвечал он им. — Из утреннего времени я люблю — с двенадцати до часу.

— Подзаработаете, — уговаривали они его. — Но только работать так работать — каждый день. ЭТО ЖЕ КИНО!

— К кино я очень серьезно отношусь, — отвечал Миша. — Но у меня кровать, как омут, заманивает. Лег — и душа полетела в рай!

Миша вообще ко всему относился слишком серьезно. Он считал, что легкомыслие свойственно людям неполноценным. Достаточно взглянуть на его детскую фотографию: стоит на стуле, в коротеньких штанах, майке, пухленький такой, а лицо — настоящего взрослого человека.

Раз только в день своего совершеннолетия Миша поступил легкомысленно. Он упросил старушку, соседку по коммунальной квартире, сделать ему брюки клёш. В новой тельняшке и таких вот брюках с клиньями из другого материала Миша куда-то ушел и на свой день рождения не явился.

Напрасно ожидал Мишу Соля и Солин товарищ Кошкин, который, зная, что Мишу беспокоят исключительно судьбы стран и народов, принес ему в подарок трехтомник Карла Маркса.

— К тебе гости пришли! — кричал потом Соля на Мишу. — Карла Маркса подарили!..

С тех пор Миша до того сосредоточился на общественных науках, что во все остальное просто не вникал. Спросишь у него:

— Пап! Это что за дерево?

— НЕ клен.

— Да это ж бузина!

А он не знает. Или смотрит — мужик продает ракушки, подходит и спрашивает:

— А это чье производство?

Однажды он нечаянно рассыпал рис. Увидел сразу столько риса, растерялся, обрадовался, испугался и спрашивает у Васи:

— А как рисинки, интересно, делают, такие одинаковые?

На все у него был свой, незамыленный, свежий взгляд. Вася даже подозревала, что ее муж Миша — американский шпион, такой он наивный!

Ничто не ускользало от его взора:

— Как ни странно! — мог радостно воскликнуть Миша. — Эта ночная бабочка спала и ночью, и весь день уже спит!!!

Или:

— Ты знаешь, Вася, — говорил Миша, — что вода — это минерал, и если б не было воды, не было бы и жизни?!

А до чего он тонко чувствовал красоту окружающего мира!

Как-то слесарь-сантехник из нашего коттеджа выставил во двор унитаз.

И оставил его там стоять до скончания веков.

— Какое безобразие! — заметил наш сосед, который впоследствии осыпал Васю розами. — Унитаз тут выставили! Хоть марлечкой прикрыли бы!

Миша ответил ему высокомерно:

— Друг мой! Унитаз обладает такой совершенной формой, что лишь ханжа может потребовать прикрыть его марлей!

В общем, решающим доводом Любы и Лары в пользу Мишиного участия в съемках «Ричарда» оказалось:

— Прославитесь!

— Но я не стремлюсь к артистической славе! — ответил

Миша. — А впрочем... Стараться избегнуть славы — такая же глупость, как и стремиться к ней.

И он согласился.

Наутро Вася его разбудила и сказала:

— Пора на войну! Хватит бока пролеживать, крестоносец!

Миша вскочил и очень долго и нервно причесывался, брился и чистил зубы.

— Не надо, пап! — я просила. — В массовке лучше выглядеть нечесаным и небритым — страшнее будет!

Но он к тому же еще чрезмерно спрыснулся одеколоном «Шипр».

Как только рассвет позолотил холмы, Вася, Миша и я пешком отправились в Тихую Бухту, снабженные талонами на обед и жетоном на обмундирование саксонского воина двенадцатого века.

Мы шли гуськом по каменистой тропе, и нам среди камней встречались иногда редкие фиолетовые цикламены. Воздух медовый, яблочный, травяной. Море то появлялось из-за гор, то исчезало. В ту ночь было полнолуние, и море выглядело приподнятым, а небо низкое, серое с солнечными полыньями. Оно почти сливалось с морем от горизонта до самого побережья.

Миша вел себя неспокойно, вообще он с ума сходил от волнения, все время норовил повернуть назад и лечь обратно в кровать. Был бы у него один только жетон на обмундирование, он давно бы сбежал, лишь талоны на обед влекли его в лагерь крестоносцев.

Вскоре на холме показались реющие знамена: английское — в самом центре на возвышении, пониже флаги французов и австрийцев. А у подножия холма раскинулись парусиновые шатры крестоносцев.

Первое, что мы увидели, когда входили в лагерь, — два мусорных ящика, наполненных человеческими черепами.

Зрелище этих баков заставило Мишу затрепетать от изумления и страха.

— Чьи это кости?! — в ужасе вскричал Миша. — Не артистов ли массовых сцен???

В одном шатре Мише выдали шерстяное платье, штаны и ботинки.

— Это рукава или чулки? — интересовался Миша.

— Это гетры, — отвечал ему знаменитый артист Болтнев, который с особой тщательностью расчесывал щеткой свой парик. Он играл роль главнокомандующего эрла Солсбери. — Женя, что сегодня будет? — вальяжно спрашивал он у режиссера.

— Ты стоишь на холме вместе с королем английским — и первыми появляются французы, присягая вашему знамени.

— Это значит, — говорит Болтнев, — целый день стоять за спиной у Ричарда?

— Можешь выйти вперед, — отвечает ему режиссер, — тебе все можно.

— Ребята, из массовки! Кто готов, пройдите на грим! Молодой человек! — позвали Мишу. — Вот ваши парик и усы.

Миша сначала никак не хотел надевать парик.

— Я им брезгую, — говорил Миша. — У меня к парику такое отношение, как к скальпу!

Мы сидели с Васей на плахе, ноги свесили, глядим — наш Миша выходит из шатра во всем саксонском, волосы развеваются, юбка полощется на ветру, сбоку меч...

— У вас, это самое, — кричат Мише, — ножны перепутаны! Меч серебряный, а ножны золотые!..

— Надо было бумажник взять с собой, — говорит Миша, — а то украдут.

— А так потерял бы, размахивая мечом, — сказала Вася.

Я попросила:

— Дай мне меч, я буду твой оруженосец. — Взяла и пошла гулять по холму.

А Миша:

— Не уходи далеко с мечом!..

Стал в себе не уверен без меча. Хотя у него еще было копье с мягким резиновым наконечником и деревянный щит.

— Дай оружие! — не унимался Миша. — А то сейчас крикнут, и я побегу!..

Но Мишу долго еще никто не звал, закапал дождь, он лег в дровянике, меч положил на грудь, Люба приехала с обедом, а Миша спит мертвецким сном.

— Вот жизнь солдатская, — бормотал Миша, — ждешь-ждешь, томишься, маешься, потом выходишь в бой, и тебе быстро режут голову, или стрелой тебя пронзают насквозь, или копьем. Такова жизнь английского солдата.

В конце концов до наших ушей донеслись крики «Аллах акбар!» и «Аллах керим!», гудение и грохот, который производили трубы, рожки и барабаны. А среди шлемов крестоносцев возникли белые тюрбаны и длинные пики неверных. В общем, все говорило о том, что в лагерь ворвались сарацины.

Артисты массовки похватали оружие, начали строиться в отряды. Всюду царила сумятица, никто ничего не понимал.

Миша заозирался с безумным видом.

— Мне бы своих найти! — закричал он. — К своим бы присоединиться! Но я своих не вижу! Кстати, кто я? — давай у всех спрашивать Миша: он пока спал — забыл. — КТО Я? — он кричал. — Я всю жизнь думаю над этим вопросом!..

— Ты английский аристократ, последовавший в Палестину за своим королем! — ответил ему эрл Солсбери.

Казалось, он один не потерял присутствия духа среди этого грозного беспорядка.

— Английская армия, — повелительным тоном говорил он, — должна выстроиться в полном вооружении и действовать по команде, без шума и ненужной суеты, которую могли бы породить тревога воинов и их забота о безопасности короля.

— А что, король в опасности? — спросил Миша.

— У него сейчас тяжелейший приступ лихорадки, — мрачно ответил Солсбери. — А тут еще эти сарацины!

— Так что же мы медлим?! — воскликнул Миша.

Он подбежал к нам с Васей, обнял нас и поцеловал, и такая в его глазах была грусть расставания, я помню, что у меня сжалось сердце.

Вася приняла свои меры предосторожности.

— Миша, — строго сказала она, — ты давай не очень-то. Не забывай, что у тебя жена и ребенок.

Мы рассмеялись, но не дали бы руку на отсечение, что ее опасения напрасны. Когда речь шла о нашем папе, ничего нельзя было знать заранее.

Миша молча глядел на нее, глядел, глядел, как будто не мог наглядеться, помедлил еще немного и бросился в самую гущу заварухи. Не обращая внимания на крики и суматоху, он стремительно пролагал себе путь сквозь эту безумную толпу, словно могучий корабль, который, распустив паруса, режет бурные волны, не замечая, что они смыкаются позади него и с бешеным ревом бросаются на корму.

Мы с Васей видели, как он, обнажив картонный меч, замахал им перед носами у сарацин, выкрикивая оскорбления и предпринимая хулиганские выходки в адрес мусульманского пророка.

— Вот он, передовой борец христианства! — воскликнул эрл Солсбери. — Не то, что вы, — окинул он мрачным взором нестройные отряды массовки, — вас только и манят герцогские короны и королевские диадемы. Смотрите! — И он указал на Мишу, который бузил в стане сарацин. — Как это пламенное лезвие сверкает в битве, словно меч Азраила!

Наконец, Мишин наскок явно осточертел сарацинам, Мишу кто-то пнул, он упал и пропал из виду.

— Миша! — крикнула Вася и бросилась к месту происшествия.

— Снято! — сказал режиссер Женя, довольный, потирая ладони. — Где он, этот худой, черный, с длинными волосами, с крестом на груди? Найти его, привести!..

Все стали расходиться, и только Миша лежал неподвижно, упав лицом в траву. Мы стали с Васей звать его, трясти, пока он не очнулся. Ему принесли стакан боржоми. Он поднял его и произнес:

— Пью за бессмертную славу первого крестоносца, который вонзит копье или меч в ворота Иерусалима.

Он осушил стакан до дна, отдал его Васе, огляделся и спросил:

— А что, собственно, происходит?

— Съемочный день окончен, — ответила Вася. — Иди, сдавай реквизит.

— Не понял. — Миша встал, дико озираясь.

Главное, артисты переодеваются, смеются, болтают о разных пустяках, они садятся в машины, автобусы и уезжают, спокойно покидая осажденный лагерь крестоносцев.

Тут Миша как закричит:

— Измена!!! А ну по местам! Предатели! Не то я раскрою вам головы своим боевым топором.

Все, конечно, подумали, что Миша шутит. К нему даже подошел гример и в таком же приподнятом стиле сказал:

— Сэр! Если это не нанесет ущерба вашей отваге и святости, верните нам, пожалуйста, парик и усы...

А Миша:

— Клянусь душой короля Генри и всеми прочими святыми, обитающими в хрустальных небесных чертогах, это уж слишком!

Он повернулся и быстро зашагал в сторону гор.

— Что это с ним? — спросил гример.

— Все, мы пропали, — сказала Вася, глядя, как Миша исчезает за поворотом.

Ночью было затмение Луны и полнолуние — разом. Над морем вспыхивали зарницы, и дальние холмы на мгновение белели. Казалось, все черти выскочат и пойдут танцевать в промежутках между этими вспышками.

Миша ночевать не пришел. Мы с Любой и Васей не спали — сидели и ждали его в саду. Пару раз в трусах и майке к нам выходил узнать, не вернулся ли Миша, сонный Ричард Львиное Сердце.

— Зря ты не сказала, что он у тебя закидошный, — сказала Люба.

— Каждый час без него, — сказала Вася, — приравнивается к суткам.

— К одним? — спросила Люба.

— К пятнадцати, — ответила Вася.

Вообще мы знали, что Миша в Крыму не пропадет. Когда-то в молодости он со своим другом Леней отдыхал в Лисьей бухте — бездомный искатель приключений, без всякой палатки, он спал, завернувшись в плед, под открытым небом.

И всю жизнь потом вспоминал это небо. Что очень меня удивляет. Зачем, я никак не могу понять, нужно вспоминать небо, когда оно все время у тебя над головой?

Хотя это крымское небо и правда какое-то чумовое. Одни сплошные звезды, просто потолок из звезд, звездный купол, там звездного вещества больше, чем прогалин, мы ошалевали от этих звезд — как вечер, так чистое звездное небо, выходишь пописать, и даже присев на корточки, можно спокойно достать рукой до звезд, все созвездия видно, только не где обычно в Москве, а в ином расположении, Млечный путь неизвестно откуда берет начало и уходит в бесконечность, черные кипарисы, ели, сосны и кедры — устремлены в распоясавшиеся, колючие, холодные, лучистые, слепящие звезды... Нет, мы и правда от этих звезд уже не знали, куда деваться.

— Сейчас я беру машину, — сказала Люба, — и поедем его поищем.

Она вошла в дом, растолкала Ричарда, он подогнал «жигули», и мы двинули в лагерь крестоносцев.

Миша был там. В кромешном мраке сидел он, жег костер — длинноволосый, нечёсаный, с приклеенными усами. Рядом с ним лежал обнаженный картонный меч.

— Лапка моя! — Люба вышла из автомобиля и осторожно подошла к Мише с пакетом черешни. — Ангел ты мой! Ну что тебе в голову взбрело сидеть тут в темноте? Оголодал, наверно, замерз, и страшно, поди, одному-то?

— Да! У меня нет ни свиты, ни оруженосца, — задумчиво ответил Миша. — И никакого другого спутника, кроме благочестивых размышлений, лишь только меч — моя надежная защита. Впрочем, я легко переношу дневной зной и пронизывающий ночной холод, усталость и всякого рода лишения. Пригоршня фиников и кусок грубого ячменного хлеба, несколько глотков воды из чистого источника — вот все, что нужно рыцарю типа меня.

— А чай и бутербродики с маслом? — спросила Вася, протягивая ему термос. — Миша, Миша, ты помнишь, что ты мой муж и мы отдыхаем с тобой в санатории «Прибой»?

— Я путник пустыни, друг креста, жезл, поражающий неверных, еретиков и отступников, — отвечал Миша Васе. — Боюсь, мы с вами незнакомы, и расстояние, отделяющее вас от меня, примерно такое же, какое отделяет перса от обожаемого им солнца.

— Любая ерунда, — заплакала Вася, — способна заставить моего мужа забыть о том, что у него есть я! Он же вообще не способен воспринимать жизнь, как она есть. Все люди как люди, сыграли свои роли, переоделись и вернулись в санаторий. А этот вон чего вытворяет.

— Ни слова о предателях! — воскликнул Миша. — После того как рука Ричарда английского перестала наносить удары неверным, воины его нарушили священный обет, пренебрегли своею славой, забыли о Гробе Господнем. Но я этого дела так не оставлю.

— Ой, я с ума сойду, — сказала Люба и вернулась в машину.

— Я тебя прошу, — услышали мы с Васей ее голос. — Ради меня. Да не хочу я вызывать ему «психовозку»... Что значит «ломать комедию»? Это психологический прием. Ну, будь другом, пожалуйста. Только ТЫ сейчас сможешь подействовать на него отрезвляюще. Я тебя отблагодарю!..

И вот после долгих препирательств из потрепанных красных «жигулей» вышел сам король Англии, вождь христианских государей, цвет рыцарства, заслуженный артист РСФСР, человек неоднозначный, взрывной возбудимости, с кудрявой русой бородой, вечными «портвеями», в полном, что называется, королевском облачении.

— Клянусь святой мессой, вы храбрый малый! — произнес Ричард, приблизившись к костру.

Когда Миша увидел его благородную фигуру, его царственное лицо, несколько бледное от недавней болезни, его глаза, которые менестрели называли яркими звездами битв и побед, он вытянулся во фрунт и прошептал:

— Боже, спаси короля Ричарда английского! Да здравствует Ричард Львиное Сердце!

— Спокойно, друг мой, — проговорил Ричард. Он усадил Мишу на бревнышко, устроился рядом, взял Любину черешню и стал ее есть, угощая Мишу. — Я знаю вас, вы храбрый рыцарь, оказавший немало услуг христианскому делу. Будь все мои воины такими, как вы, я без промедленья сразился бы с турками и отнял святую землю плюс Гроб Господень у этого язычника Саладина. Но войдите и в мое положение, — доверительно сказал Ричард, принимаясь за Васины бутербродики, — с кем мне, собственно говоря, идти на Иерусалим? С хитрецом и завистником Филиппом французским, который бы отдал пол-Франции, лишь бы погубить меня или, по крайней мере, унизить? Или с эрцгерцогом австрийским, у которого не больше мужества, чем у злобной осы или робкого чижика? Я вам открою тайну, — он понизил голос, — вся английская армия — сплошь невежественные саксонцы, готовые бросить дело, угодное Богу, из-за того, что каркнул ворон или чихнул кот.

— Значит, вы отказываетесь от всех надежд на освобождение Гроба Господня? — спросил Миша и окинул Ричарда Львиное Сердце убийственным взглядом.

— Клянусь святым Георгом, — ответил Ричард, — своим копьем ты угодил мне прямо в лоб! — Он налил себе сладкого чаю из термоса, выпил и сказал: — Отказываюсь. А всех крестоносцев распускаю по домам... и по санаториям. Вернемся в Европу, соберемся с силами, там видно будет.

Миша вскочил, глаза его засверкали, кровь закипела в жилах, и он вскричал:

— Ах ты, низкий изменник, Ричард, за что только миннезингеры превозносят тебя до небес?! Ну что ж, тогда я сам поведу рыцарство к славным подвигам во имя того, чей гроб я поклялся освободить.

— Да что ему дался этот гроб?! — воскликнул Ричард Львиное Сердце.

— А то, — кричал Миша, чуть не плача, — нельзя оставлять Палестину во власти Саладина! Как ты этого не понимаешь, дурья твоя башка?!

— Вызывайте неотложку, и точка! — сказал Ричард Львиное Сердце Любе. — Пока я ему по морде не надавал.

— Только троньте его! — сказала Вася. — ...Киношники!

— Я человек театра! — заметила Люба. — И если я уйду из кино, я пойду директором в детский дом, он у меня будет образцовым!

А я сказала Мише:

— Пап, да ладно тебе, что с ним разговаривать, только нервы трепать.

Но Миша и не взглянул на меня.

— Клянусь крестом моего меча, — проговорил он, подняв меч и отступая в темноту, — или я водружу крест на башнях Иерусалима, или крест водрузят над моей могилой.

— Так, — сказала Люба, когда Миша полностью растворился в ночи. — Я эту кашу заварила, я ее и расхлебаю. Будет ему Гроб Господень! Если гроб хоть в какой-то степени образумит нашего Мишу. Но это последнее, что я смогу для вас сделать, — грустно добавила она.

Понятия не имею, как ей удалось внушить режиссеру, что этот крестовый поход окончился вовсе не так уж плохо, как всем показалось. Она потом рассказывала, что дело было так.

Она пришла к режиссеру Жене и сказала:

— Сегодня ты инсценируешь эпизод, не предусмотренный Вальтером Скоттом.

— Какой? — удивился режиссер.

— «Освобождение Гроба Господня».

— Ты с ума сошла! — воскликнул Женя. — Ты вообще, Люба, в курсе, что крестовый поход Ричарда потерпел полный крах?! Конечно, когда тебе читать, у тебя в голове одни только деньги!

— Ангел ты мой, — взмолилась Люба, — останется этот эпизод в фильме или не останется — все равно, ты можешь его даже не снимать. Гроб нужен мне, чтоб выручить почтенное семейство, главу которого я сбила с панталыку. Средства на строительство Иерусалимского храма и Гроба Господня я раздобуду. И запомни, — строго сказала она, уходя, — деньги делают историю.

Это были пророческие слова, потому что историческая правда в этом фильме не смогла победить художественную.

Утром лагерь крестоносцев был переоборудован в Иерусалимское королевство, холм святого Георга — в Сион, на вершине которого двое плотников Эдик и Валера из досок —

по договоренности с Любой — выстроили некое сооружение с полумесяцем на крыше. А перед зданием — дощатые ворота, на которых Валера написал красной масляной краской:

«ВОРОТА В ИЕРУСАЛИМ»

Дальше по обе стороны холма были выстроены войска — легкая кавалерия сарацин и тяжелая — рыцарей крестового похода. А в мегафон зычным голосом объявили, что в Тихой бухте сейчас будет предпринято последнее и решительное наступление крестоносцев на Святой город, а также освобождение Гроба Господня, кое, собственно говоря, и являлось целью всей экспедиции.

Мы с Васей и Любой стояли на смотровой площадке и обозревали окрестности. Мы молча стояли втроем и ждали Мишу. И он появился.

— Похудел-то как! — вздохнула Вася.

И правда, он стал похож на духа, что бродит в безводных пустынях.

— Помните о Гробе Господнем! — сказал он, приближаясь к армии крестоносцев.

— Помните о Гробе Господнем! Помните о Гробе... — пронеслось по рядам крестоносцев.

Трубный глас возвестил о начале наступления.

Наша кавалерия двинулась галопом и расположилась так, чтобы сразу оказаться во фронте, во флангах и в тылу немалого отряда Саладина. Следом за кавалерией шагала пешая армия короля Англии. Вышитые флаги и позолоченные украшения сверкали и переливались тысячью оттенков при свете восходящего солнца — ближе к полудню никто из участников этой сцены не выдержал бы палящего крымского зноя. Даже видавшие виды сарацины, которые с воинственными возгласами размахивали пиками, осаживая своих лошадей, лишь когда оказывались на расстоянии одной пики от христиан. Всадники, вооруженные пиками, наносили друг другу удары своим тупым оружием, от чего многие из них повылетали из седел и чуть не поплатились жизнью. Смешались в кучу кони, люди, шум, гам, клубы пыли, и все это сопровождалось оглушительным грохотом каких-то музыкальных инструментов, которыми арабы издревле вдохновляли воинов во время сражения.

Однако, несмотря на всю мусульманскую маневренность, юркость, верткость и то обстоятельство, что Аллах якобы уже отдал сарацинам безвозвратно Иерусалим и всячески укрепил в борьбе за Святой город, крестоносцы теснили их только так, ломили, напирали, короче, дело дошло до того, что шатко сработанные Эдиком и Валерой «ВОРОТА В ИЕРУСАЛИМ» рухнули под натиском крестоносцев, и армия Саладина позорно бежала, разбитая наголову как раз в ту минуту, когда они были полностью уверены в победе.

Миша первым ворвался в дощатое сооружение с полумесяцем на холме Святого Георга и увидел, что посередине на табуретках гроб стоит.

— Гроб наш!!! — воскликнул Миша и осел на дощатый пол.

Все стихло. И в наступившей тишине раздался крик режиссера Жени.

— Гениально! Гениально!.. Кто-нибудь снимал это, черт вас всех подери??? — орал Женя, хотя сам перед началом атаки предупредил операторов, чтоб они это не снимали в целях экономии пленки.

— Я снимал, — сказал пожилой и матерый оператор Сергей Леонидович, который весь фильм раздражал Женю тем, что абсолютно его не слушался.

Женя обнял его и поцеловал.

— Это лучшая сцена «Ричарда», — сказал Женя. — Надеюсь, она будет по достоинству оценена в Каннах!

Мы отвезли Мишу в санаторий, уложили в кровать, Люба налила ему рюмку коньяка, Миша выпил безо всякого сопротивления и уснул. Спал он беспробудно два дня и две ночи. Все это время Вася, не смыкая глаз, провела у его постели.

— Миша, родной мой, любимый, ненаглядный, — говорила она ему, — это я, твоя жена Вася, вернись ко мне, Миша, я жду тебя и люблю, ты помнишь, у нас есть дочь Люся, довольно бестолковая девочка, звезд с неба она, конечно, не хватает, и зря ты, я считаю, устроил ее в музыкальную школу, но я понимаю тебя, ведь ты сам всю жизнь хотел научиться играть на аккордеоне и только в прошлом году смог его приобрести, а теперь играешь одну-единственную песню «Любовь пожарника» по двадцать раз на дню, сводя с ума всех домашних, но, знаешь, я давно хотела тебе сказать... мне нравится, Миша, как ты поешь ее и играешь.

Вначале в его голове все было как в тумане, но постепенно вновь стало обретать очертания. Поэтому когда Люба внесла длинный вычурный свиток, удостоверяющий, что наш Миша снялся в фильме «Ричард Львиное Сердце» и может получить гонорар, Вася сделала ей знак без всякой помпы положить свиток на холодильник.

К счастью, Миша в конце концов вспомнил нас и узнал, он вновь встал на рельсы, и жизнь покатилась по своей колее.

Он жил очень долго и беспечально, в высшей партийной школе преподавал он марксизм-ленинизм, написал монографию о профсоюзном движении в странах социалистического содружества, выпустил брошюру под заголовком «Нейтронной бомбе — нет!», много ездил по стране с лекциями о международном положении от общества пропаганды, разучил на аккордеоне еще одну песню — «Уральская рябинушка». Он дожил до глубокой старости.

А когда пришла его пора, Вася чудом услышала, как он сказал младшему брату Фиме:

— Я скоро умру, — сказал Миша, — и хочу открыть тебе тайну. Я совершенно не тот, за кого вы меня принимаете.

— В каком смысле? — удивился Фима.

— Я много лет прожил с вами, — с трудом уже произнес Миша. — Я с вами делил и стол, и дом, и супружеское ложе. Я растил вас, кормил, обучал и одевал. Но я так и не понял, какое вы ко мне имеете отношение. Я путник пустыни, друг креста, жезл, поражающий еретиков и отступников, гордившийся тем, что в жилах его текла англо-саксонская кровь...

Он умер на заре, гаснущим взором окинул он каменную страну, где оказался по нелепой случайности, где пространство всегда было тесным ему и тополиный пух летел в открытые окна с большого тополя, у которого втайне от нас он просил помощи и чуда.

Мы похоронили его с воинскими почестями, омыли морской водой, обули в привязанные ремнями подошвы, укрыли плащом и положили с ним рядом сложенный зонт, ветки для костра, снежные травы, крыло орла, одно весло, курительную трубку, медные латы, сумрак дня, месяцы войны и свиток, в котором говорилось, о том, что он снялся в фильме «Ричард Львиное Сердце» и может получить гонорар.

Глава 3.
Мой неродной дядя Витя и бабочки

Однажды мне приснилось, что за мной гонится голова на ногах, а я от нее убегаю. Ноги у меня чугунные, я ими еле ворочаю, а эта голова такая прыткая — сама запыхалась, лоб у нее вспотел, уши пылают, однако вот-вот меня догонит, и я не знаю что сделает.

Неизвестность в этом случае пугает больше всего. Что можно ожидать от головы на ногах: или оскорблений, или подскочит как-нибудь, извернется и цапнет.

На свои ночные кошмары я как писатель возлагаю большие надежды. Иногда во сне мне являются гениальные фразы — ужасно глубокомысленные. Я их, не зажигая света, каракулями записываю в блокнот, который специально для этой цели храню под подушкой.

Однажды мне снилось, старательным детским почерком в разлинованной тетради кто-то медленно выводит: «Так, давая всему уйти, чистыми руками трогаем Землю и все, что на ней».

Или снится, что я живу в коммуналке, и вдруг среди ночи в коридоре громко зазвонил телефон. Я босиком бегу, хватаю трубку — я почему-то догадалась, что это мне. А я никак не могла придумать название к одной радиопередаче, все думала об этом, думала и во сне и наяву! Вдруг слышу в трубке до боли знакомый, хорошо поставленный голос артиста Левитана. Со своей легендарной артикуляцией и приподнятой торжественностью он произносит мне прямо в ухо:

— Название такое: «ПРИЕЗЖАЙТЕ К НАМ НА ВЕСТИБЮЛЬ!».

Мой муж Левик не выносит, когда я рассказываю ему свои сны. Он говорит, что люди и так делятся друг с другом только своим бредом.

— Так какого черта, — кричит он мне с кухни, запекая в тостере хлеб с сыром, — ты вываливаешь на меня с утра помои своего подсознания?!

Левик мне рассказывал, что на Западе мужья специально нанимают женам психотерапевтов, и те за большие деньги все это выслушивают. Однако сам Левик признает, что Юнг и Фрейд передрались бы за такого пациента, как я, и порвали бы друг с другом намного раньше, чем они это сделали.

Странно: я, человек практически не знакомый с трудами ни того, ни другого, почему-то на всю жизнь запомнила, как именно расстались эти двое, Ученик и Учитель.

Они ехали в поезде. У Фрейда были проблемы, Юнг решил ему помочь и занялся с Фрейдом психоанализом. Но Фрейд наотрез отказался отвечать на некоторые вопросы.

Юнг страшно удивился и спросил:

— Почему?

— Это касается моей личной жизни, — ответил Фрейд. — Я могу потерять авторитет.

— В таком случае вы уже его потеряли, — сказал Юнг.

И, на мой взгляд, Карл Густав Юнг абсолютно прав. О каком, елки с палкой, авторитете может идти речь, если ты обратился за помощью к психоаналитику?! Одна только истина должна в этом случае тебя манить, одна лишь глубинная подоплека твоих прибамбасов.

У нас в поликлинике принимал психотерапевт — Анатолий Георгиевич Гусев, кандидат медицинских наук. Я к нему ходила, когда ехала крыша. Едва завидев меня — впервые! — он сразу разложил перед собой девственно голубую историю болезни и спросил:

— На что жалуемся?

— Я умираю от жажды, — ответила я, не таясь.

— Чего же вы жаждете? — поинтересовался этот замечательный молодой человек с кайзеровскими усами, но лысый и очень скрупулезный. Он взял ручку и приготовился занести все, что я скажу, в мою медицинскую карту.

— Пишите, — сказала я, — доктор: я жажду любви. С нечеловеческой силой и тоскою алчу я любви, меня пожирает ее холодное белое пламя.

— Бешенство матки? — участливо произнес Анатолий Георгиевич, доктор широкого профиля Толя Гусев. Наверное, в школе товарищи его дразнили Гусь.

— Возможно, вы на правильном пути, — сказала я, — но меня больше беспокоит сердце. Я маньяк любви, это мой гашиш, мой план, моя марихуана. Я на игле любви. Сию секунду я влюблена смертельно и навеки в шестнадцать человек.

— «...шестнадцать человек», — записал Анатолий Георгиевич и поднял голову. — Так в чем загвоздка?

— Загвоздка в том, — говорю я, — что к этой чертовой уйме людей (большинство из которых понятия не имеют о нашей с ними любовной связи), я имею скромное требование:

непоколебимая, неукоснительная, незыблемая, неподвластная выветриванью и тленью патологическая верность мне до гроба. Сколько это у меня отнимает энергии, доктор! И ревность — ревность моя двигает горами!

— «Синдром Отелло», — написал Гусев большими буквами в графе «диагноз». — У вас в роду этим кто-нибудь страдал?

— У нас в роду, — отвечала я, — Анатолий Георгиевич, если кто-нибудь и умер, он умер от любви. Мой дядя из Екатеринбурга — раньше этот город назывался Свердловск, до происшествия, о котором я намереваюсь вам поведать, — был огромный свердловский дьявол, без устали воевавший с соседями и вдребезги разбивавший сердца. Он ел и пил как полагается, ругался как гусар, увлекался охотой, имел под Свердловском псарни и конюшни, такой жеребец бессбруйный, он мне неродной, его зовут Витя, так вот он женат на моей родной тетке Кате, она медицинский работник, и с самого раннего детства у ней было прозвище Анаконда.

Однажды она застала дядю Витю с другой. Объятый сладострастьем, дядя Витя даже не заметил, как тетя Катя в своей неутешной скорби схватила кухонный нож — вниманье, доктор! — разум свой она затмила страстью дикой и... буквально с налету что-то отрезала нашему дяде Вите. Признаться, я до сих пор не пойму, что именно у дяди Вити сочла тетя Катя возможным отрезать без видимого вреда. Сперва ей хотели вкатить срок, а смотрят — Витя жив, здоров, соседи говорят, у него стал помягче характер, невооруженным глазом было заметно, что он явно переменился к лучшему; тогда тети Катино дело притормозили и вместо тюремного заключения дали «Заслуженного медицинского работника».

А тот, кто был виновен в распрях и раздорах, на повороте скорбного пути — мой неродной дядя Витя, покончив с прежней жизнью, страстно увлекся коллекционированием тропических бабочек. Он их покупал, выменивал, даже специально за бабочками отправился в турпоездку на остров Калимантан. Из этого путешествия дядя Витя привез пятьдесят шесть гусениц и положил их в морозилку. То отмораживая, то вновь замораживая, Витя сначала окуклил, а затем впервые в домашних условиях вывел редчайший вид бабочек «Голубая молния».

У нее такие мощные крылья, вы не представляете, в размахе тринадцать сантиметров! Ее окраска, доктор, до того прекрасна, что у человека захватывает дух, когда он смотрит на ее крылья даже в коллекции. А встреча с живой бабочкой — записывайте, Анатолий Георгиевич, записывайте — оставляет незабываемое впечатление — синей молнии. Причем цвет ее крыльев меняется в зависимости от угла падения света: иногда она сине-зеленая, иногда ярко-синяя, сине-фиолетовая, фиолетовая, но всегда ослепляет своей красотой. И она ужасно стремительная. Вжих! Вжих! — молниеносно — по Витиной малогабаритной квартире. Теперь тетка мучительно ревнует его к бабочкам. Он кормит гусеницу, а сам весь светится:

— Катя, Катя, — зовет он, — смотри! Она кушает и растет! Кушает и растет!

Слава его прокатилась по всей планете. Иностранные энтомологические музеи борются, чтобы за свой счет отправить Витю — кто на Соломоновы острова на поиски неуловимой райской орнитоптеры виктория регис или острокрылого орнитоптера, которого можно встретить лишь на сырых дорогах Суматры, Борнео или Малайского полуострова, кто в девственные леса Камеруна за парусником, огромным, как ласточка; кто в леса Бирмы, горы Бутана, в Китай, Армению и Палестину, на остров Целебес или за южноамериканскими длинноусыми особями агриппы, сводящими с ума коллекционеров своим изменчивым отблеском.

— Их если пугнешь, — говорит Витя, — бабочки взлетают, как салют в Москве на Красной площади в День Победы.

А ночью тоже очень красиво.

Сумеречные бабочки днем прячутся в потаенных местах и дремлют, но лишь заходит солнце, они пробуждаются, глаза их, рассказывает Витя, начинают сверкать; Витя смеется, рассказывает и смеется, причем так весело, и пестрых бабочек разноречивый хор клюет золотые зерна из Витиных рук, зерна золотой его печали.

Вы, Анатолий Георгиевич, умный образованный психиатр, вы хорошо знакомы с трудами Фрейда, Райха, Бертрана Рассела, Жан-Поля Сартра, Андрэ Бретона, потом этого... Бёмэ, Иван Петрович Павлов вами проштудирован, но знаете ли вы, как мой дядя Витя ночами ловит бабочек на свет?

В джунглях на полянке он расставляет сети — мощный фонарь направляет на эту сетку, заметьте, а не какой-нибудь там карманный фонарик. И в сумраке тропической ночи под южными созвездиями — доктор, вы знаете хотя б одно созвездье Юга? Какое? Южный Крест? Вот умница! К пылающему фонарю пусть не родного, не единокровного, но бесконечно дорогого дяди Вити, оскопленного бедной Анакондой, тучами, вы слышите, тучами слетаются ночные бабочки. Ненужных Витя веником сметает с сетки, но они кружат упрямо над Витей, и сонмища новых бабочек ночных несутся на его зов из мглы Вселенной.

Он плачет, когда ему приходится — ну... вы понимаете... ведь он коллекционер. А сохранить навеки можно только мертвых бабочек, ибо все, что мы хотим оставить у себя, все, чем намерены обладать, мы должны умертвить, иначе не выйдет, согласны вы со мной или нет?

Хотя был такой случай: Вите в Свердловск позвонил его брат из Новокузнецка и сказал:

— Я пообещал, что у нас на Городской Елке будут летать живые бабочки.

Что делать? Слово надо держать. Витя вынул из холодильника своих любимых гусениц — он, правда, всех бабочек любит одинаково, ему каждая бабочка — будь то моль меховая, огневка мучная среднерусская или гороховая плодожорка — все приятны и радуют Витин глаз, но эти были уже окуклившиеся гусеницы редчайших бражника олеандрового и восхитительной «мертвой головы», украшенной незатейливым орнаментом — черепом с костями.

Да так мой Витя точно все рассчитал, что в миг, когда их посылкой доставили в Новокузнецк, они действительно превратились в бабочек. И на Главной Елке города Новокузнецка, по крыши занесенного снегом — в тот год была очень снежная зима! — летали самые удивительные бабочки Земли.

— А как у вас со стулом? — спросил тут Гусев Анатолий Георгиевич. — При вашем психическом отклонении главное, чтобы стул был чик-чирик.

— Стул у меня чик-чирик, — я ответила. — Я даже вчера созвала близких подивиться его превосходному качеству и количеству. «Ты только взгляни, — орала я сыну, — это может стать удивлением всей твоей жизни! Левик! Многое потеряешь, если не увидишь». Муж отказался, а сын посмотрел. И НЕ ПОЖАЛЕЛ ОБ ЭТОМ!!!

— Мой вам совет, — сказал Анатолий Георгиевич, закрывая медицинскую карту, — возьмите дома тетрадь и записывайте свои мысли. Прямо с утра, как проснетесь. Вам это будет полезно. Вы сможете взглянуть со стороны на ваш — буду с вами откровенен — вышедший из берегов менталитет.

— Спасибо, доктор, — я сказала. — А как вы думаете — ничего, если на обложке этой тетради большими печатными буквами будет написано «Утопленник», а чуть пониже — «роман»?

— Это личное дело каждого больного, — ответил Гусев.

Глава 4.
Полет валькирий

— Что ты всё? Ляжешь и лежишь, сядешь и сидишь, — говорил мне Левик. — Надо как? Полежал — встал, постоял, потом сел, лег, побежал, остановился, лег, заболел, выздоровел, опять заболел, умер, воскрес. Надо вести динамичный образ жизни!..

Как, интересно, Левик прореагирует на то, что я неожиданно умру?

Вообще мы иногда говорили на эту тему. Я приблизительно раз в полгода по странному стечению обстоятельств покупала одну и ту же книгу. Сколько раз увижу название «Тяготение, черные дыры и Вселенная», столько раз куплю. А спроси меня — зачем, я не буду знать, что ответить. Ее даже прочитать невозможно: одни математические формулы. У нас накопилось шесть экземпляров. Левик предложил:

— Давай их свяжем веревочкой и вынесем на помойку. Там эти книги найдут своего читателя.

Я говорю:

— Не надо. Когда я умру, вы их положите мне в гроб.

А Левик:

— Туда, Люся, столько всего придется положить, что тебе буквально негде будет развернуться.

Я своего Левика обожаю. Я тянусь к нему всем своим существом, но моя любовь чем-то смахивает на отчаянье. Я все время боюсь — даже теперь! когда жить осталось одно мгновение, — что Левика соблазнит какая-нибудь другая женщина, и он будет ей ходить в магазин.

— Запомни, — успокаивал меня Левик, — что бы ни случилось в нашей жизни, я всегда буду ходить в магазин только тебе.

Иногда мне кажется, что мой Левик меня даже по-своему любит. Однажды я так прямо и спросила у него:

— Левик, ты меня любишь?

— Я люблю тебя, как все живое, — ответил он.

В сущности, Левику все равно, с кем жить.

— Тут надо как? — говорит он. — С кем живешь, того и любишь.

И я его понимаю. Левик слишком уж увлечен искусством, чтобы персонализировать свои чувства.

— Я так считаю, — говорит Левик, — если ты грамоту разумеешь — пиши стихи, если ноты — пиши песни. Жить как человек — это постоянно творчески преобразовывать мир.

Меня поражает священный трепет, с которым Левик относится к любым своим проявлениям. Тут надо было оформить справку в ЖЭКе, Левик сел ее написать и... не написал ни слова.

— Взял листок, — он мне потом рассказывал, — и такой он чистый, белый, страшно стало его испачкать, и от этого руки вспотели. Надо быть достойным чистого листа бумаги! — воскликнул он. — Кто-то рисовал на нем до тебя или писал, и ты, берясь, должен быть достоин. Там за столом, — говорил он, — сидел чиновник. Ты приходишь с птицей, ты приходишь с корзинкой яиц, ты меняешь облик, приходишь в облике девушки, а он сидит — как слепое дерево, и завтра для него то же, что вчера. Но это не просто чиновник, Люся, — волнуется Левик, — это судьба. И птица — не птица, а сон, душевная утрата.

Однажды Левику приснился сон: могильный камень, а в нем какое-то странное углубление. Он спрашивает у человека, который стоит около могилы:

«Это чтобы птицы пили?»

А тот отвечает:

«Нет, это для стакана. Мы сделали специальный гранитный стакан, если кто придет и захочет выпить. А его украли».

— Сон, Люся, чтоб ты знала, — говорит Левик, — не обладает ни логикой, ни антилогикой. Это новая материя и новая реальность. Мы к ней не можем приспособить никакого закона. Ведь сон и существует для того, чтоб мы могли отдохнуть от логики и антилогики, и от закона. Природа яви устроена иначе. Отсюда идет толкование снов. Но это неверно, Люся! «Кал — к деньгам!» — всплескивает руками Левик. — Оставьте нам щелочку, где мы сможем увидеть другую жизнь, не обсиженную трафаретами ума, ибо мы значительно сложнее, чем эти слова и взаимоотношения, которые нас сформировали. За нами тысячелетия, религия, буддизм... Мы тут представлены в космическом масштабе, мы на многое способны: на всепрощение и телекинез... Мы можем быть просветленными, ясновидящими, летать и ходить по воде... Помнишь, за мной погналась собака, и я перепрыгнул через забор? Мы больше, чем себе кажемся, Люся! В стакане воды океан, но мы этого не видим. Живая клетка огромнее, чем мы сами. А люди, вместо того чтобы ощущать себя, как чудесное, они ведут себя, как камни... Нет, не могу обижать камень, — спохватывается Левик. — Он мудр своим существованием, его тысячелетиями обтачивали ветер и вода. Где ты, — бормочет он, — копальщик червей, свободный, как ниточка, веселый, как узелок, вечный, как дым?..

Иногда мне кажется, Левик мой сын, а иногда — что он мой отец,

Левик — это мой темный город, моя безнадежная улыбка, мой животный и растительный мир, мои пустыни, озера, воды Ганга, запах фейерверка, вечная мерзлота, столбик, разделяющий Азию и Европу, мое абсолютное одиночество в этой Вселенной. Он тонкий и непостижимый, я вижу его насквозь и знаю, как свои пять пальцев.

Однажды мы с Левиком участвовали в телеигре «Гименей-шоу». Еще было несколько пар — жены и мужья, которые дожили до серебряной свадьбы. Задача такая: мужья прячутся за ширму, снимают ботинки с носками, закатывают брюки и замирают. Ширма приподнимается. Жены глядят на картину, открывшуюся их взору. Звучит, как ни странно, Вагнер, тема «Полет валькирий» из оперы «Валькирия» в исполнении Венского филармонического оркестра.

— Угадайте, — спрашивает ведущий, — где ноги вашего мужа, долгие годы делившего с вами хлеб и кров и съевшего вместе с вами пуд соли?

Никто, кроме меня, не угадал. А это как раз было важно. Поскольку все пары, кроме нас с Левиком, были участниками психотренинга по коррекции семейных отношений. Их семинар непритязательно назывался «Куда уходят сильные чувства?»

Причем мужчины пальцами ног всячески подавали знаки своим женщинам, но вы, наверно, замечали, Анатолий Георгиевич, что наш народ ужасно невнимательный. Им их собственную ногу покажи — они ее не узнают, не то, что ногу другого человека.

Левик мне знаков не подавал. Но я сразу же молча припала к его стопам под арию Брунгильды. Я отгадала все, что высовывал Левик из-за ширмы, даже когда он просунул в дырочку кончик носа. Что бы он ни высунул, я бы моментально узнала его, потому что мой Левик — и по отдельно взятым частям и в целом — имеет ряд отличительных особенностей.

Мне кажется, я бы его узнала, если б он был в маске и карнавальном костюме, не двигался бы, не издавал ни звука; я его узнала бы, даже не трогая, с закрытыми глазами. Я так люблю его тело. Я готова скорей умереть, чем выпустить его из своих лап.

Если вдруг Левик умрет раньше меня, я сделаю ему мавзолей, как жена хирурга Пирогова. Это немного дикая, но пронзительная история.

Когда умер Пирогов, жена каким-то образом его забальзамировала и положила в стеклянный гроб, а гроб подвесила на золотых цепях в специально по этому случаю выстроенном мавзолее. Она часто приходила туда к нему, подолгу сидела, смотрела на него, разговаривала...

В годы Великой Отечественной войны фашисты разрушили мавзолей, а мумию Пирогова выбросили на помойку. Однако или он был святой, или его так искусно забальзамировали — хирург Пирогов не поддался тленью. В мирное время, когда мумию Пирогова нашли в деревне Вишенки Гомельской области, он выглядел если не таким же точно цветущим, как и прежде, во всяком случае — прекрасно сохранившимся.

Я же, будь мне отпущено побольше времени, открыла бы музей Левиковых фотографий, и там была бы запланирована, как экспонат, мумия самого фотокора. Вход платный, но недорогой, хорошее подспорье нашему мальчику, который с детства решил посвятить свою жизнь позвякиванию в колокольчик.

Не знаю, приходилось ли вам, Анатолий Георгиевич, слышать о том, что у бегунов на длинные дистанции есть такой специальный человек: пробежит мимо бегун — человек звонит в колокольчик.

— Какая чудесная работа! — воскликнул мальчик, ему тогда было лет пять или шесть. — Вот бы мне поработать этим человеком с колокольчиком!

Теперь он окончил школу, но мысль о том, чтобы посвятить всего себя периодическому позвякиванию в колокольчик по-прежнему его манит. И мои мольбы хотя бы попробовать поступить в институт — любой, горный, стали и сплавов, тонкой химической промышленности и каких-то там волокон, или вот этот... как его? где изучают мертвые языки, на которых разговаривали во времена победы под Фермопилами, — вдребезги разбиваются о его непоколебимую решимость.

— Может, у него призвание? — говорил Левик.

— В таком случае, пусть окончит Консерваторию или училище Гнесиных, — отвечала я. — По крайней мере, будет звенеть со знанием дела.

— Что бы я ни окончил и чем бы ни занимался в дальнейшем, — обещал мне мальчик, — я все равно всю жизнь буду висеть у тебя на шее.

Я отвечала ему величественно:

— Виси! Но я бы предпочла, чтобы на моей шее висел культурный человек с высшим образованием или со специальным средним.

— Жребий брошен, — говорил мальчик обреченно. — А если вы будете мне вставлять палки в колеса, я лягу и буду плевать в потолок и вообще не участвовать в жизни общества.

— Что ты, что ты! — пугался Левик. — Я видел такого одного — он с небесным взором лежал в камышах и кувшинках, человек, запеленутый в лодке. Я совсем не хочу, чтобы ты, образец моего привольного семени, плод нашей с Люсей немеркнущей любви, плавно вписался в картину всеобщего поражения. Все, о чем я мечтаю, — говорил Левик, — чтобы мой сын продолжал традицию свободного фантазирования отцов. Сам я никогда ничему не учился, иной раз (быть может, я, Люся, некстати это говорю?) заглянешь в какое-нибудь учебное заведение, а там гипсовые головы Сократа, Юлия Цезаря, Тертуллиана с белыми пустыми глазницами, шорох осыпающихся гербариев, мертвые птички, изумрудные, лазурные и золотые, лежат под стеклом, убитые преподавателями института в молодости. Курс лекций по фотоделу известнейшего художника-педагога Чистякова имел я неосторожность послушать под сводами Московского университета — и что я услышал? Оказывается, основное требование, предъявляемое к фотографическому портрету, сводится к тому, чтобы портрет имел полное сходство с портретируемым!!! Как твой, Люся, родственник Коля из Гваделупы рассказывал, был у них в Сухуме фотограф-армянин. Его звали Кара. Когда ему женщины выражали недовольство своими фотографиями, Кара им отвечал:

«Лягушка посадишь — лягушка выйдет!»

Раз в жизни они готовились, один раз фотографировались — и так у него выходили.

— Фотограф Кара, — говорил Левик, — расхохотался бы в лицо профессору Чистякову, и все сухумские фотографы, в мирные времена бродившие в шортах и сомбреро, с распахнутой грудью, по переполненному пляжу, седые волосы на груди, загорелые, с обезьянкой на плече или с питоном на шее, узнай они о том, что композиционное построение портрета может быть исключительно:

а) во весь рост

б) поколенный

в) поясной

г) погрудный и

д) головной!

Причем, внимательно приглядываясь к фигуре человека, учил нас Чистяков, вы должны проявить недюжинную тактичность. Подумайте, к примеру, удачен ли будет портрет во весь рост, если портретируемый одноног?! Так выстраивается череда фантомов, — резюмировал Левик, — свойственных человеку, пронзенному векторами наставлений. Землемер не сможет остановить рулевое колесо, покинутое смыслом, мешки, полные слез, пылятся в сараях прошлого, призраки протягивают руку помощи утонувшему в спасательном круге реальности. Мои же фотографии вступают на дорогу, ведущую к мифу. Здесь стреляют в сирену. Здесь человека пронзает крыло, здесь переплетены социальные коридоры, личные отношения, смерть, судьба, утраты, повседневность, несбыточное и Устав, по которому мы дышим и летаем.

— Все это попахивает сумасшествием, — сказал мальчик.

— Сумасшествие — главный аромат нашего бытия, — заметил Левик. — Наравне с трудом и учебой. Три столпа. Какое бы поприще ты ни выбрал в жизни, сынок, везде нужно учиться, работать и постепенно сходить с ума. Художник, например: выучился, а ты еще не художник. Ходишь, смотришь, прикидываешь, рисуешь — а ты еще не художник; седой весь — а ты еще не художник. Вон у меня знакомая — у нее очень гады хорошо получаются: ящерицы, жабы, тритончики. Противные, яркие, блестящие, мрачные. Так она этой теме лучшие годы жизни отдала! Замуж не вышла, детей не стала родить, чтобы не отвлекаться. Или поэт Василиск Гнедов. Сколько он дум передумал, какой прошел жизненный путь, чтоб написать свою гениальную «Поэму конца» — без единого слова! Я слышал рассказ очевидца, как Василиск выступал с нею в Доме культуры железнодорожника. «"Поэма конца"! — объявил и молчит, — рассказывал потрясенный очевидец. Молчал, молчал, молчал, минут пятнадцать, потом поклонился и ушел — не скажу, чтоб под гром аплодисментов». Или флейтист! — запальчиво продолжал Левик. — Это же труд неимоверный! До какого седьмого пота надо работать, чтобы, когда из кувшина вылезет змея...

— Разве флейтисту тоже надо работать? — удивляется мальчик.

— А ты что думал???

— Флейтисту не надо работать.

— А что же, по-твоему, надо флейтисту? — свирепея уже, спрашивает Левик.

— Флейтисту, — мальчик уходит, — флейтисту, к твоему сведенью, Левик, — и голос его тише с каждым шагом, — флейтисту надо... дуть, и больше ничего!

Глава 5.
Коля Гублия легкокрылый

Однажды в три часа ночи зазвонил телефон. Он трезвонил, как ненормальный, и спросонья мне показалось, что опять звонит диктор Левитан.

— Здорово!.. — Это был Коля Гублия из Гваделупы.

Я вам рассказывала, Анатолий Георгиевич, у меня есть троюродный брат, он абхаз, живет в Гваделупе, бежал туда, горемыка, от ужасов войны, его зовут Коля Гублия, он безумно тоскует по Сухуму, в котором родился и ходил в белой шляпе и белом костюме в одноименный приморский ресторан. Он нам с Левиком раньше всегда покровительствовал в Сухуме. Коля был заведующим складом, где хранились копченые барабульки. Я помню, про одну особу, которая ему понравилась, Коля сказал, провожая ее горячим взглядом:

— Какая девушка! Весь склад бы отдал!

Когда Коля был маленький, с ним случилась поразительная история. Он увязался за бродячим цыганом по имени Бомбора, Бомбора Кукунович.

Никто его не крал, не уводил — Коля сам пошел за ним, сел в электричку и поехал в неведомые дали с твердым намерением увидеть хвост Земли.

Колина мама тетя Натэла перевернула с ног на голову весь Сухум. Каждый день в сухумских газетах и по радио объявляли об исчезновении Коли. Все наши родственники были в курсе, роились, грудились, стояли на ушах, все наши парсы, удмурты, коряки, маньчжуры, германошвейцарцы, один юкагир и евреи Израиля, не говоря уже о маленьком народце ыйе, бомбили тетю Натэлу телеграммами и телефонными звонками.

Цыган Бомбора на сей раз к хвосту Земли не собирался. Он вышел через две остановки и продал Колю в табор, причем не кому-нибудь, а самому цыганскому барону Манушу Саструне.

Существовал ли уже Интерпол в те далекие времена? Если да, эта организация была задействована моими родственниками, можете не сомневаться. Однако обнаружил Колю в таборе простой сухумский милиционер, молодой, не умудренный опытом, но исполнительный и вдумчивый сержант Нар Зантария, до того еще не оперившийся сотрудник милиции, что товарищи по отделению, к которому сержант Зантария был прикреплен, звали его детским прозвищем Саска.

Саска дежурил на железнодорожной станции, когда барон Мануш Саструна повел свой табор на электричку — видимо, пришла-таки пора всем табором отправиться к хвосту Земли. Мужчины шагали налегке, женщины тащили детей и тюки, гвалт стоял невообразимый, Саска повысил бдительность, чтоб они походя не обчистили публику, и вдруг заметил, что один цыганенок светленький.

— Я смотрю — цыганенок, а светленький! — рассказывал неусыпный милиционер, когда его представляли к награде.

И хотя Коля Габлия в самом деле пресветлая личность, «светленьким» его можно назвать только с очень большой натяжкой. Однако по сравнению с цыганами из табора Мануша Саструны Коля выглядел вполне белым человеком.

В таборе он прожил около месяца, но отныне считал себя чистокровным цыганом. Он, во-первых, носил серьгу в ухе, а во-вторых, здорово гадал по руке и на кофейной гуще. Иной раз просто до абсурда доходило — заглянет тебе в кофейную чашку, обидится на что-нибудь, потом неделю не звонит и не заходит.

— Чем ты ранила его аравийскую душу? — спрашивал у меня Левик, и я не находила ответа.

Коля был завскладом, но душа его в иных сферах обитала. Он писал стихи:

> Я цыган с тоскою в сердце и с серьгою в ухе,
> Перестали песни петься что ли с бормотухи.
> Хоть за то, что славим Бога в стольких поколеньях,
> Примостись, моя тревога, на моих коленях...[1]

Свои стихи Коля публиковал в газете «Вечерний Сухум».

---

[1] Стихотворение Даура Зантарии.

Дальше начинается поистине голливудская история. Его заметил гостивший в Абхазии русский маститый поэт, близкий друг Бродского, не помню точно, Рейн или Кушнер, и пригласил Колю Гублию учиться в Москву в Литературный институт.

Тетя Натэла дала им с собой литровую банку аджики. Коля поехал, но в институт поступать не стал, побоялся наделать ошибок в сочинении, хотя читал «Что делать» Чернышевского и «Как закалялась сталь» на абхазском. Его приняли сразу на Высшие сценарные курсы, как представителя национального абхазского меньшинства.

Там Коля пересмотрел всего Хичкока, Жан-Люка Годара, Бунюэля, Сергея Герасимова, Тарковского, Станислава Говорухина, стал очень изысканным, часто приходил к нам обедать, всегда в костюме, при галстуке, со своей банкой аджики, а после обеда, отложив мне и Левику немного в стаканчик, уносил аджику обратно в общагу ВГИКа, где Коля жил и пользовался очень большим успехом у девушек, поскольку наш Коля Гублия, по его собственным словам, знал восемьсот способов — откуда он их столько выудил? — восемьсот способов, ни больше ни меньше, я обалдела, когда он сказал однажды:

— Я знаю восемьсот способов, как усладить женский цветок.

Или произносил мимоходом, не акцентируя внимания — однако в нашей среднерусской полосе это звучало, конечно, весомо:

— Я никогда не засыпал в объятьях женщины, всегда они засыпали в моих.

Вслед за тем Коля Гублия раскрывал книгу абхазских сказок и легенд — он взял ее в Детской республиканской библиотеке и, видимо, не собирался возвращать, хотя с него грозили взыскать стоимость издания в десятикратном размере, — и вслух зачитывал дивную историю о том, как на свете жила одна невероятно Большая Мать, могущественная и плодовитая, которая к тому времени уже родила сто богатырей, умела управлять движением небесных тел, повелевать стихиями и так далее. Этой великанше делает предложение простой, невысокого роста, ничем не примечательный абхаз. После некоторых препирательств ему разрешают провести с ней ночь. Никто не рассчитывал, что он на нее произведет хоть какое-то впечатление, злые языки поговаривали, что, скорее всего, она даже внимания не обратит на его присутствие в постели, но в конце концов Большая Мать, умевшая повелевать стихиями, была вынуждена в эту ночь попросить Солнце, *чтоб оно поднялось на пятнадцать минут раньше!*

Тут мой троюродный брат Коля Габлия обычно закрывал книгу, за несвоевременную сдачу коей в детскую библиотеку ему грозила ужасная кара, и поднимал на случайных слушателей столь умопомрачительный и красноречивый взор, что всем становилось ясно: окажись на месте того абхаза Коля, Большая Мать попросила бы Солнце подняться не на пятнадцать минут раньше, а на все двадцать, а то и на полчаса.

Впрочем, когда Коля чувствовал, что на него кто-то в этом смысле намеревается возложить надежды, он как бы невзначай заявлял:

— Я бедный абхазский дворянин, причем слово «бедный» на первом месте. Слух о моей сексуальности сильно преувеличен. Я не импотент, хотя и не страстный. И у меня было совсем немного женщин — всего человек шестьсот.

Глядя на него, я решала проблему собственного бытия. Я завидовала его маневренности и артистизму, с которым Коля Габлия на бреющем полете проносился над людьми.

Моя маневренность обычно заключалась в том, чтобы с пылающим бензобаком просто и прямо, никуда не сворачивая, идти на таран. Если человек, завороженный этим диким подлетом, оставался на месте — мы гибли оба. Если же он, почуяв неладное, отгребал в сторонку — это как раз наилучший вариант — гибла я одна.

Коля Гублия был не таков. По той легкой стремительности, с какой Коля подлетал к людям и с таким же беспечным изяществом отлетал, не оставляя ничего, кроме приятного головокружения и позванивания валдайского колокольчика в ушах, он напоминал мне тропическую бабочку Синюю Молнию, выведенную дядей Витей в городе Свердловске.

Кстати, у Вити во время Колиной учебы в Москве в Зоологическом музее открылась выставка бабочек, и он торжественно пригласил туда нас с Левиком и Колей.

— Можно я не пойду? — спросил у меня Коля. — Или мы туда придем с закрытыми глазами и в таком состоянии пробудем до фуршета. Как ты думаешь, энтомологи вообще устраивают фуршет?

Он был горяч, как ахалтекинец, мой троюродный Коля, в его руках всегда таял шоколад.

Он был неотразим — правда, уже не в белом костюме, как раньше, но в длинном зеленом пальто швейной фабрики «Сокол», которое я ему на второй день принесла в общежитие.

— Шикарно на мне сидит! Почти как раз! — восхищался Коля. — Я так люблю новые вещи! А чье оно? Откуда оно у тебя? Расскажи мне историю этого пальто!

Я же только гладила в ответ его рукава утюгом — они были длинноваты, — молчала и таинственно улыбалась. Не хотелось говорить, что это пальто Левика. Он купил его сто лет тому назад, ни разу не надел и очень возмущался, когда я его уносила.

— Ты постоянно ищешь в жизни человека, — кричал он, — которому ты могла бы отдать все мои вещи.

— Это специальное пальто для лиц кавказской национальности, — объясняла я Левику, — чтобы московским милиционерам, которые их шмонают, они казались новыми русскими.

А Коле я сказала:

— В этом пальто тебя никто не остановит, как бегущего бизона.

— А если остановит, — ответил Коля, — я плюну им под ноги, чтоб они видели, какой я культурный — даже не хочу с ними разговаривать.

Кстати, он мне потом сказал:

— Из-за твоего пальто меня теперь на улице никто не принимает за молодого азербайджанца, как раньше, а все — за старого еврея.

— Сюда нужен шарф, — заметил Коля, любуясь собой в зеркало.

— Пожалуйста! — говорю я и достаю старый добрый шарф из козьего пуха, который провалялся у нас в сундуке не один десяток лет.

Он элегантно обмотал им шею.

— У меня шея — уязвимое место, — пожаловался Коля. — Не смотри, что я такой плотный, меня очень легко удушить. *ПЕРЧАТКИ!* — царственно произнес он и, не оборачиваясь, протянул руку.

— Прошу! — сказала я и выдала ему вообще неизвестно какими судьбами попавшие ко мне кожаные перчатки, которые имели один только бог знает чьи очертанья руки с ужасно короткими толстенькими пальцами.

— Какие пальцы короткие, — удивился Коля. — Даже не верится вообще, что такие бывают на свете.

Померил, а они ему тютелька в тютельку.

К этому комплекту в голос напрашивалась шляпа. Коля Гублия был бы тогда совсем как Челентано. Напрашиваться она, конечно, напрашивалась, но шляпы-то у меня как раз и не было. Зато была вязаная шапочка Левика с красным колокольчиком на макушке. Причем все так здорово продумано — он идет, а колокольчик звенит, и довольно громко. Левик ее очень редко надевал, поскольку вязанные мной шапочки мало кто решается носить, кроме меня, — очень уж это авангардное сооружение. Если человек идет по городу в моей шапке, будьте уверены, его видно — а в данном случае слышно — за версту. Все на него смотрят, оборачиваются, некоторые смеются и показывают пальцем. Как-то я свою шапку дала поносить одному французику, а его на улице в центре Москвы случайно встречает моя мама. Узнала мою шапку, схватила за рукав и кричит:

— Что вы сделали с моей дочерью???

— Ты, наверно, думаешь, что я голодранец? — забеспокоился Коля.

— Ни на одну секунду! — сказала я. — Просто у меня в доме такое безумное количество вещей, что я могла бы одеть с ног до головы, включая трусы и лифчики, небольшой какой-нибудь тихий приморский городок типа Сухума.

— Роскошное пальто, — еще раз повторил Коля уже на улице, с удовлетворением ловя на себе удивленные взгляды прохожих. — Мне только не нравится название фабрики, на которой оно изготовлено. Так грузины все любят называть: Сокол! Чайка! Орел! Буревестник!

— А абхазы бы как назвали?

— Абхазы бы так назвали: швейная фабрика «Козоёб». — Он порылся в карманах нового зеленого пальто, надеясь найти там денег на метро. — Послушай, — спросил он, — ты не могла бы меня субсидировать? Я буду рад любой сумме — от копейки и выше... Ты мой ангел-хранитель, Люся, — сказал он мне на прощанье. — Если б ты знала, как я тебе предан! Как предан бывает туземец. Ты знаешь, что туземцы не тронули ни одного гвоздочка в доме Миклухо-Маклая? Самого его они, правда, съели...

Когда я слушала Колю, меня прямо пот прошибал — такой он красноречивый. Он у меня из дома постоянно звонил кому-нибудь по телефону и произносил столь умопомрачительные монологи — о, если б мне такое заявили, *я бросила бы все*, взяла бы Левика и устремилась вслед за этим человеком очертя голову куда-нибудь в Баден-Баден или, уж ладно, к хвосту Земли.

Со свойственным ему зловещим обаянием Коля говорил по телефону:

— Ты боишься, что слишком увлечешься мной и потеряешь свой покой? Что ж, я тебе в этом помогу!

— Возьми меня, — просил кого-то Коля, и я не уверена, что того же самого, кому он грозился помочь потерять покой, — возьми меня куда-нибудь, это будет последним местом, куда я приеду.

— Есть три счастья, — рокотал он. — Одно — хребет коня, второе — грудь женщины и третье — мудрые книги. Первое и третье я познал. Осталось второе.

— Алло! Алло!.. Я услышал твое дыхание и разволновался. Где я был этой ночью? Где бы я ни был, везде плохо, потому что там нет тебя.

— Завтра? — он договаривался. — В метро? У матроса с пистолетом? Не знаю, как — доживу или нет до этого момента.

— Сегодня? В шесть? У памятника Пушкину? Только не перепутай меня с ним! У него на голове голуби, а у меня лебедь.

— Какие глаза! У моей покойной тети были такие глаза. Я смотрел на нее в период своего полового созревания. Как я должен реагировать на эти глаза теперь?

И я испытывала поистине стилистическое наслаждение — которое в моем случае приравнивается к сексуальному, — глядя, как наш Коля виртуозно переходит с эпитетов «бестия» или «плутовка» на «шикарная баба», «шлюха», «сука» и «дура». Причем это органично вплеталось в общий контекст превозношения до небес.

Например, я ему пожаловалась однажды:

— У меня такая проблема, Коля... я слишком умная.

На что мой брат Коля ответил, не раздумывая:

— Я хочу тебя обрадовать и успокоить: у тебя, Люся, нет такой проблемы. Ты обыкновенная дура, да к тому же умалишенная. Может быть, поэтому я и хожу к тебе обедать. Так надоели эти умные, от которых хочется *схватить свое пальто* и убежать.

— Секрет комплимента заключается в том, — учил Коля Гублия моего Левика, — что ты говоришь правду о человеке, но сильно подслащенную и преувеличенную. Причем эти слова должны вырываться из потаенных глубин твоего сердца!

Он оглушал, ошарашивал, обрушивал на тебя раскаленную лаву любви и легко шагал дальше, не оборачиваясь, но за его спиной никогда не дымились пепелища. Кроме одного — его собственного дома в Абхазии, их родового гнезда, которое во время последней войны Коля Гублия сожжет своею рукой, чтоб оно не досталось Эдуарду Амвросьевичу Шеварднадзе. И от огромного дома, почти замка, останется только наружная чугунная лестница, ведущая в небо, — на этих ступеньках в детстве любил Коля посидеть, посмотреть на звезды, зная, что в любой момент можно будет вернуться в теплый дом и теплую постель.

Одна у Коли была привязанность, одна тоска — уже тогда, в его первый к нам приезд, как будто он предчувствовал разлуку, — его Сухум.

— Ой, как это похоже на Сухум, — он говорил всякий раз, когда на него накатывало внезапно блаженство, будь этому причиной даже скромная рюмочка коньяка.

Идем мы как-то по Бронной, а Коля махнул рукой в сторону площади Пушкина и сказал:

— Вон там могло бы быть и море.

Однажды мы с ним пошли гулять в Коломенское. По дороге Коля купил себе синюю джинсовую кепку, на которой белыми нитками было вышито: «A boy of London».

В кепке «A boy of London» Коля Гублия шагал по высокому обрыву над Москвой-рекой и говорил:

— Эти холмы, деревья — все это напомнило мне родной ландшафт, и я понял, как соскучился по Сухуму.

Впереди у него маячили нескончаемые скитания, в Экваториальной Африке он станет удовлетворять спрос на огромные плиты соли из северо-сахарских копей, а с юга перекачивать золото, разноцветные перья невиданных на севере птиц, слоновую кость, черных рабов, которые очень ценились на рынках Мавритании.

Он овладеет испанским стилем «фламенко», устроится в Лувр экспертом по живописи малых голландцев, он первый провозгласит, что, хотя голландцы они и малые, зато живопись у них о-го-го! И это не какие-то там эстетские изыски, а жизненно необходимая человеку вещь, как красное вино или мимолетная любовь.

Он напишет роман, который станет мировым бестселлером, гигантскую эпопею вроде «Войны и мира» или «Саги о Форсайтах», на материале абхазской жизни. Но это не все.

Мой троюродный брат Коля Гублия, дни и ночи тоскующий по Сухуму, возглавит Яванский театр объемных деревянных кукол и пригласит на Яву Резо Габриадзе для постановки пьесы про Сталинградскую битву «Песнь о Волге».

Единственное, что Коле в жизни совершенно не удастся, это сбыть Стамбулу панкреатин — универсальное американское средство от импотенции, поскольку город Стамбул, являясь колыбелью всех проблем человечества, вообще не имеет одной-единственной проблемы — этой.

На некоторое время Коля осядет в Гваделупе. Школьный друг Левика Юрка Тягунов расскажет нам, вернувшись из тех краев, что видел Колю в окружении жен, наложниц и еще каких-то девушек неясного предназначения общим числом — Юрка не поленился и подсчитал — больше тридцати тысяч!

— И что интересно, — рассказывал Юрка, — этот Гублия в сорокаградусную жару — я был поражен, когда увидел! —

на страшном солнцепеке сидел под пальмою кокосовой в пальто! Такое у него пальто, — вспоминал Юрка, — где он его только отхватил? Ядовито-зеленого цвета. Черные кожаные перчатки и синяя кепка...

— «A boy of London»?! — вскричала я.

— Там было просто написано: «O London»...

«A boy» и букву «f» Коля Габлия, как видно, спорол. В этом был весь Коля. Он не любил ничего однозначного. Он только такие любил изречения, в которых было не семь, а семьдесят семь смыслов. Например, он мне часто рассказывал, как просветлился Миларепа.

— Знаешь, как просветлился Миларепа? — спрашивал он у меня в сто двадцать пятый раз.

Я говорила с неизменным интересом:

— Как?

Я никогда бы не посмела напомнить Коле, в который раз я слышу историю этого чудесного просветления. Во-первых, потому что он мог огорчиться от мысли, не впал ли он, случаем, в маразм. А во-вторых, среди предрассудков, которые я лелею, нет одного — как проблемы импотенции в Стамбуле, — а именно: требовать от собеседника того, чего он в жизни не говорил и больше уже не скажет. Меня только мучает вопрос, знал Коля или не знал — ведь он был настоящий провидец, — что это рассказ о его собственной судьбе.

— Миларепа просветлился на костях своей матери, много лет ожидавшей его из долгих странствий, — неторопливо начинал Коля. — Рядом были кости собаки, которая все время сидела около нее. Он с презрением посмотрел на эту суету ожидания, лег на кости матери и просветлился.

...А на его собственном могильном камне, когда Коля умрет неполных ста двенадцати лет от роду, наверно, будет так написано:

— Нет, я все-таки не понимаю, что это у тебя за роман? Никакого сюжетного хода! — возмущается Левик, случайно заглянув ко мне в рукопись. Он-то думал, я что-то сочиняю. Он не знал, что я просто, без околичностей, излагаю чистую правду и больше ничего. Ведь я пишу мою последнюю вещь, и у меня нет ни времени, ни желания чего-то там выдумывать перед лицом смерти.

— Внеси туда хотя бы детективный элемент, — советует Левик.

— Какой детективный элемент?

— Украли что-нибудь, а на Колю подумали. Он с цыганами был. А это не он. Все ищут, милиция, начинают версии строить, напали на след... И вдруг на следующий день снег выпадает, их завалило, все цвета, формы — все белое и все покато, но люди живут дальше уже под снегом. Как они живут, как передвигаются под снегом, как там летают бабочки? А может, никого больше ничего не интересует, и все кончается. Нельзя быть настолько законченным реалистом. А то бывают такие писатели — даже под дулом пистолета не могут написать того, чего не видели: уж если он написал «из трубы вылетела ведьма на метле», значит, он действительно это видел, иначе бы не написал.

Глава 6.
Слепки больной природы

Мысль о том, чтобы привнести в «Утопленника» детективный элемент, на мой взгляд, была кощунственной. Что мне вносить от фонаря, а потом заваливать это дело снегом, когда моя жизнь явственно продвигается от зенита к надиру. Будет ли это смерть или внезапное просветление — не знаю.

Но я нутром чую: какой-то цветок чампак, цветущий раз в тысячу лет, собрался расцвести во мне, и тому есть тайное предзнаменование.

Как-то раз на перроне станции «Авиамоторная» все поехало у меня перед глазами, очертания людей и предметов начали расплываться, пока не превратились в сплошной фиолетовый туман.

И тут я увидела себя изнутри. Четко и подробно, во всех деталях: череп, ребра, позвоночник, мышцы, сухожилия, сердце, вены, артерии, капилляры, легкие, желудок, печень, почки, мочевой пузырь, матка — все это работало, пульсировало, билось, вибрировало, сокращалось. Особенно меня поразило, что кровь действительно текла по жилам и ослепительно светилась. Все органы светились, но ярче всех горели матка и сердце, как звезды первой величины.

Внешний мир опять обрел свои контуры. Я вошла в вагон и взглянула на пассажиров.

Передо мной сидели и стояли прозрачные люди: разные одежды, разные лица, у каждого свой поток мыслей — *и они были абсолютно одинаковые внутри!* Тонкий дерн индивидуальности покрывал их, он имел прямые и жесткие ледяные края. Если бы не это, мы с ними, как капли воды, слились бы в единое основополагающее безграничное тело и вышли бы за пределы своих страданий.

Мне надо скорее писать роман о жизни, почти достигшей своего пика, о бездне, которая вот-вот откроется взору и уже заранее отражается в зрачках, потому что *когда ЭТО случится со мной,* писать уже, естественно, не будет никакой возможности.

Но пока, стоит мне закрыть глаза, я вижу его, мой роман, эту песнь, которую мне предстоит пропеть и умереть, он уже существует в природе, но такой — как горячий, бесформенный поток. И к нему очень страшно прикоснуться. Мне кажется, именно он внесет меня в необъятное сердце, где нет ни иллюзий, ни грез, где свою всепроникающую тоску я встречу без страха и надежды.

Кстати, доктор Гусев Анатолий Георгиевич также воспротивился внесению детективного элемента в замысел «Утопленника»!

— Я художественную литературу, — сказал он мне, — просто ненавижу. Это такая гадость. Каждый так и норовит навесить тебе свою шизофрению. Несите уже бред в чистом виде, валите в кучу рухнувшие мечты, болтовню ума, суету, ярость, которые вы накапливали веками, скуку, зависть, ненависть, жестокость, тихое отчаяние, страх смерти, боль утрат, сопротивление жизни, смятение, беспомощность, тревогу, сны и сексуальную неудовлетворенность. Одно дело я по долгу службы сижу и читаю обычный дневник психопатки: откроешь на какой-нибудь странице — мгновенно ясен диагноз и схема, по которой с ней работать. А тут еще будет путаться под ногами какой-то детективный элемент. Вы замужем?

— Да! Я же вам писала.

— Мало ли, что вы писали, — говорил Анатолий Георгиевич. — Все живут в своих образах, и никто — в текущем моменте. Ваше восприятие только искажает действительность. И ум не отыщет ошибки. В нем нет вешек, отмечающих, где твоя картина мира дает сбой и не соответствует реальности. У меня, например, все время такое впечатление, будто у меня на голове кепка! «Да нет у меня на голове никакой кепки», — говорю я сам себе, пресекая побег своего ума от Истины.

Я отвечала ему:

— Пример с вашей кепкой, доктор, убедителен и ярок, а образ мира я искажаю до неузнаваемости, но все же не в такой степени, чтобы не давать себе отчет, замужем я, черт побери, или нет.

— А я на вашем месте, — сказал Анатолий Георгиевич, — не заявлял бы ничего с такой уверенностью. У вас сейчас в жизни хороший период, когда вы потеряли почву под ногами. Но в этот момент очень важно не повеситься. Ваш муж психически здоров? Его не мучает синдром Отелло?

— У Левика синдром Дездемоны, — призналась я. — Ибо самой нерушимой, закостенелой, гранитной преданности мне я требую именно от Левика, и на всякий случай все время его подозреваю. Правда, порой небезосновательно, но это не важно. Мой Левик — он как непорочная дева Мария. Если что-нибудь приключается в этом роде, то явно не без участия Святого Духа. «Ведь для чего мы рождены? — декларирует Левик. — Для свободы! Где есть свобода — там есть и любовь. А где ее нет — это ни в какие ворота не лезет».

Мой Левик — безынициативный Дон Жуан. Сам он, как правило, не пускается во все тяжкие, ясно видя, сколько на этом пути поджидает хлопот, но стоит какой-нибудь вертихвостке обратить на него внимание, Левик плавно начинает скользить в ее сторону, а если его попробовать удержать, он брыкается всеми своими пятьюдесятью прозрачными ножками.

Всякий раз для меня это — страшный удар. В подобных случаях я спрашиваю у него напрямик:

— Левик, отвечай, ты занимаешься с ней любовью?

— Так, время от времени, — задумчиво отвечает он.

Я оседаю на пол и принимаюсь обильно посыпать голову пеплом. А Левик, бледный и трепещущий, делает все возможное, чтобы поскорее забрать свои слова обратно.

— Я мыслю, как сюрреалист, спонтанно! — бормочет он. —Что в голову придет — то и говорю, сегодня одно, завтра другое. Да, женщины вьются около меня, но мне это необходимо как поэту. Иначе откуда, по-твоему, я должен черпать вдохновение?

— Пигмеи, — презрительно бросаю я, лежа на полу, лицом к паркету. — Каких-то несколько десятков лет не могут воспринимать одну и ту же женщину, как тайну.

Теперь самое время привести дословно тексты моего Левика, чтобы, по крайней мере, ясно было, о чем речь.

**Стихи Левика,
навеянные ему его романтическими увлечениями,
принесшими неисчислимые бедствия мне
и страдания:**

Ночью почувствуешь кто-то ползет
По плоскости твоего лица
Это ухо проснулось и ищет
Брата своего близнеца.

Или:

Иметь бы сердце волосатое,
Вот моя мечта крылатая.

А вот еще:

У меня сестра — медсестра
У меня брат — солдат
Я родился в Гастрономе на улице Герцена
Я великий бухгалтер князь
Я меч судьбы поднимаю смеясь.

А есть и восточная лирика — газели, на них у моего Левика уходит особенно много вдохновения:

Ыыыааамынааымымы
нынымынылыааамы

ыааамылылыныааа
амынынынааааанымы

аааааааалынынынам
лыныынылымынымы[1]

---

[1] Стихи уральского просветителя Леонида Тишкова.

Однако — волшебная сила искусства! Когда я слушаю *это* в его исполнении, я наполняюсь тихой радостью и пониманием абсолютного совершенства вещей. Левик бесспорно поэт, это признает даже Коля Гублия, для которого ни Пастернак, ни Ахматова не авторитеты.

— «Не спи, не спи, художник, не предавайся сну!» — возмущается Коля. — Чувствуешь, какой ложный пафос? «Ты вечности заложник у времени в плену!» — хохочет он. И добавляет сурово: — Нет плохого поэта или хорошего, или немножко получше и похуже. Есть ПОЭТ и *НЕ* поэт. Пастернак — это не поэт. Это антиквариат. А Эдуард Лимонов — поэт. И твой, Люся, Левик — поэт. Одна его строка чего стоит: «Аыыыыыыыыыыынынынныыыаааыыы...» Она будет вписана в скрижали вечности, храни его бог от мании величия!

А Левик, равный к хвале, порицанию, светлый, свободный, нам отвечает с моим братом Колей, что лучшее средство от мании величия — не иметь никаких достижений, а его жизненное кредо на сегодня, на шесть часов вечера — стремиться к безвестному странствию по безлюдной дороге.

С этими словами он удаляется на очередную тусовку, потому что мой Левик — профессиональный тусовщик и неотъемлемый атрибут художественной жизни Москвы. Он ходит на все подряд выставки, но меня с собой никогда не берет.

— Я оберегаю тебя, — говорит он, — от неприятных впечатлений. Это современное искусство — его нельзя так воспринимать, как ты. Меня, например, ничем нельзя восхитить или шокировать. Тебе же это потом будет сниться ночами.

— А «слепки больной природы»? — спрашиваю я.

И Левик умолкает. Это отдельная история; когда я буду умирать, я об этом вспомню.

Когда-то я работала в газете, и у меня была своя колонка на третьей полосе, где я рассказывала, что тут есть интересного, в этом лучшем из миров. И я иногда спрашивала у Левика, ведь он такой всеведущий и вездесущий:

— Куда пойти, как ты думаешь, Левик, о чем написать?

А он мне:

— Пойди в Первый медицинский институт имени Сеченова. Там есть удивительный музей восковых фигур, но, в отличие от музея мадам Тюссо, фигуры представлены не целиком, а фрагментами.

Я, сильно заинтригованная, иду туда, меня встречает хранитель этой уникальнейшей, предупреждает он меня, коллекции, подобного собрания вы не найдете ни в одном музее мира, мы поднимаемся по лестнице, и у него такой голос — любой русский писатель, имеющий за плечами традицию, назвал бы его надтреснутым. Хранитель в белом халате, белой шапочке, с белой бородкой, в *пенсне*! Он польщен вниманием. Откуда я только про них узнала? Уж так исторически сложилось, их музей предназначен для специалистов, хотя, будь его воля, он показал бы эту экспозицию самому широкому кругу, в том числе иностранным туристам, а также учащимся средних школ, ибо скульптуры, вы сами сейчас убедитесь, выполнены с таким благородным мастерством, безупречным вкусом, что, несомненно, являются достоянием сокровищницы русского искусства и мировой культуры. Все это сделано из воска и разукрашено отцом и сыном Фивейскими — известными скульпторами конца девятнадцатого — начала двадцатого века, входите, пока осмотри́тесь, я скоро вернусь и расскажу забавный случай из жизни этих самобытнейших мастеров.

Я осталась одна в огромной аудитории, совсем пустой, но на голых стенах висели какие-то шкафчики, занавешенные веселым ситцем. Отодвигаю занавеску и долго не понимаю, что это такое. Передо мной — отдельно взятый мужской член, пораженный серьезным венерическим заболеванием в запущенной стадии.

Я в ужасе задернула шторку и сунулась в другой шкаф — на этот раз моему взору открылся великолепно сработанный отцом и сыном женский половой орган в точно таком же плачевном состоянии.

Если б там стоял стул, я бы рухнула на него и больше не сделала ни шагу. А просто лечь на пол и закрыть глаза, как предлагал сделать Коля Гублия на выставке Витиных бабочек, «и в таком состоянии пробыть до фуршета», мне не позволила профессиональная гордость. Поэтому я стала шарахаться от шкафчика к шкафчику, буквально в каждом обнаруживая член или вагину, сраженных возбудителем сифилиса с печальным и нежным именем «бледная трепонема», бациллой мягкого шанкра и другими эсхатологическими недугами.

Надо воздать должное отцу и сыну Фивейским: экспонаты выглядели до того натурально — их было представлено штук, наверно, сорок, — настолько естественно переданы цвета и оттенки, так тщательно проработаны детали, что у любого неискушенного созерцателя подобной экспозиции помутился бы рассудок.

— Впечатляюще, не правда ли? — слышу я голос хранителя.

— Очень, — говорю я, бросаясь бежать, и уже вдогонку получаю обещанный забавный случай, который ляжет потом в основу моей статьи.

Я назову ее «Слепки больной природы».

Однажды Фивейские устроили званый обед. Стол ломился от яств — заливная осетрина, блины, зелень, жареный поросенок в апельсинах, икра черная, красная, рис рассыпчатый, расстегаи, бульон! А когда все расселись и принялись за угощение — лишь тогда обнаружили, что все это сделано из воска.

Ну и ближе к финалу статьи вскользь было упомянуто об «уникальнейшей коллекции века, достоянии сокровищницы мировой культуры»... Чего именно слепки, а также какой, собственно, больной природы, мне запретил вдаваться в объяснения шеф-редактор.

— Я тебя уволю, — пообещал он. — В прошлом квартале ты в таких радужных тонах и с такими физиологическими подробностями описала быт и нравы энцефалитных клещей, что твоя колонка у целого ряда наших подписчиков вызвала неодолимую рвоту, а у одного пенсионера, бывшего разнорабочего завода «Динамо», началось непроизвольное мочеиспускание, которое длится по сей день, хотя с тех пор прошло два с половиной месяца! Неделю назад ты совершенно официально заявила с газетной полосы, что человек произошел от кистеперой рыбы! Мне пришлось лично выдержать шквал звонков от возмущенных дарвинистов! Статью о безобразиях, творящихся на фабрике игрушек, ты нагло назвала «Что наша жизнь — игра!», чем разъярила пушкинистов. Хотя к ним это не имело никакого отношения. Это ведь опера! Газете пришлось печатать их контратаку под выспренним заголовком «Не бейте Пушкиным, ибо бью вас им я!» Ты помнишь, какая там была финальная фраза?

— А я и не читала.

— Неплохо устроилась! — обиженно сказал шеф-редактор. — Живешь за мной как за каменной стеной. А мне даже не дала, когда я поднял об этом вопрос.

— Вы разве поднимали?

— Поднимал, — скромно ответил шеф, — но так, ненавязчиво. А теперь, — с новым запалом закричал он, — по твоей милости на головы читателей нашей газеты посыплются восковые члены каких-то сифилитиков. Ты отвратишь от нас все слои подписчиков!..

— И какая же там была финальная фраза? — медленно произношу я, устремляя на шеф-редактора самый роковой взгляд из всех моих роковых, довольно небогато представленных, но шеф среагировал мгновенно.

Он распахнул мне объятия и произнес:

— «Если ты оказался на короткой ноге с Пушкиным — не отдави ее!».

Да мне и самой не хотелось распространяться на эту тему. Я месяца два потом боялась глаза закрыть. Закрою – а перед глазами шкафчики.

Левик прав, я всегда была чрезмерно впечатлительна. Пускай он, в конце концов, шел бы, куда хотел, не мне, свободной как ветер, посягать на его свободу. Зато он потом возвращался и все мне рассказывал.

— Тебе повезло, что ты не пошла! — радовался за меня Левик. — Сегодня Кулик на Кузнецком мосту в Доме художника в качестве перформанса (даже не знаю — говорить тебе или нет?) зарезал настоящую, живую свинью. Концепт был такой: она стояла-стояла сначала, все нормально, потом ее зарезали и съели... А при входе на полу, — рассказывал Левик, — лежала голая лысая девушка с лисой на шее — знаешь, такие воротники бывают с головой и ногами? Мимо пройти было невозможно, во-первых, чисто технически: она загораживала вход в Дом художника. Это на Кузнецком мосту, Люся, Кузнецкий мост, дом двадцать четыре, напротив книжной лавки писателей. И все через нее перешагивали, не глядя, а я, Люся... — Левик, взволнованный, умолк, тщательно подбирая слова, чтобы точнее выразиться. — Люся, прости, делай со мной, что хочешь, не смог я взять и хладнокровно переступить, я спросил у нее, как ее зовут, учится она или работает, москвичка или приезжая, кто ее родители и кем она мечтает стать, когда вырастет. Оказывается, эта девушка — мим! Как Марсель Марсо! Из театра пластической драмы. И у меня моментально — поздравь меня, Люся! — зародился совместный с ней фотографический проект. Они так концертируют, мимы: приедут куда-нибудь и лежат в людном месте, не шевельнутся, не кашлянут, *голый лежу на снегу но не*

стынут колени
и пятки ибо
сердце твое меня
согревает

Они в это время, мне кажется, и не дышат, Люся, Люся, *смой слезами*

следы убиенного
зайца отвори
калитку
и отца позови
теперь уже водолаза

Я даже специально приник к ее груди, чтобы понять, она дышит или не дышит, *незамеченный сплю кукушку*

не слышу
как простуда
пройдет
тоска
забудет зонтик
на вешалке

Так вот, однажды я возвращаюсь домой, а в прихожей на вешалке — сверху, там, где шапки и шарфы, лежит настоящая мертвая лиса. Лапы с когтями распластала, свесила хвост, уши у нее с белыми кисточками, глядит на меня, не мигая, стеклянными глазами.

И тут я закричала. Этот крик поразительно был похож на звериный вой. Собственно, я после этого случая и обратилась к доктору Гусеву. Крик был безудержным, диким, протяжным, я даже удивилась, насколько он был протяжным, я слушала его со стороны, как будто кричу не я. Крик поднимался из таких глубин, которых я в себе не знала и не подозревала.

Лиса испугалась, прыгнула с вешалки и заметалась по квартире. Я сразу открыла ей дверь, чтоб она выскочила на лестницу и нам когтями не царапала паркет.

А вслед за мертвой лисой выбежала девушка. Лысая, голая, она убежала от нас прямо в тапочках Левика, черных кожаных шлепанцах несгибаемых, сорок второго размера, фабрики «Скороход», я купила на «Войковской», продавщица сказала, им сносу не будет, а Левик, получив их в подарок на Рождество вкупе с черными хлопчатобумажными носками, заметил: «Ты, Люся, такие подарочки делаешь — не обрадуешься».

Девушка и лиса бежали по твердой потрескавшейся земле, жесткому асфальту, грубой сентябрьской траве, они проносились, не разбирая дороги, сквозь дома, трансформаторные будки, сквозь деревья и идущих навстречу людей, потом они, кажется, взлетели, если мне не изменило зрение, девушка тут же исчезла, а красная лиса еще долго парила над красными рябинами, пока не растянулась в кровавую полосу заката.

Я и Левик, окаменелые, глядели им вслед из окна. Левик мне говорит:

— Это грезы, сны окружают тебя, спинка кровати как высоко вознеслась над твоей головой, —

эту рыбу спасти невозможно,
можно плача продлить трепет жабр
когда слезы упали на жабры
рыба открыла глаза.

— Не было тут никого, — он говорил, — и на улице тоже никто не бежит, тебе это кажется, слышишь? Даже тебя тут нет, даже меня!.. Что же ты хочешь от лысой и голой девушки? Здесь никого, Люся, нет! Но ТАМ на холмах

За простертой водой
Деву младую полюбил водолаз
и приглашает с собой.

Мы пьем чай, уже поздно. Мы ложимся спать. Да, Левик прав, нервы у меня совсем расшатались. Но этих тапочек фабрики «Скороход» я у нас в доме больше никогда не видела.

Глава 7.
Почему на Ван Вэя не садились птицы

Вообще я маньяк по части писем. Мне никто не пишет и не звонит, а я шесть раз в день хожу с собакой туда-сюда и обязательно сую палец в почтовый ящик, проверяю — нет ли письма. И обычно спрашиваю, когда возвращаюсь, даже если меня дома не было ровно одну минуту:

— Мне никто не звонил?

А спроси меня, от кого ты все ждешь письма или звонка, я бы не знала, что ответить. Друзья мои, где вы, и зачем мне теперь телефон? — спросил Виктор Шкловский, когда ему было девяносто лет.

Это же абсурд — мне звонит один Коля Гублия из Гваделупы.

— Алло! — Колин голос летит ко мне с Южного полушария. — Бери ручку, записывай анекдот. Я набираю твой номер, ожидая услышать твой голос, а к телефону подходит усталая, пьяная, пожилая женщина и говорит: «Еб твою мать, черномазый, ты когда, перестанешь мне звонить?» *ОТКУДА ОНА ЗНАЕТ, ЧТО Я ЧЕРНОМАЗЫЙ?* — удивляется Коля, но отвечает ей ласково: «Матушка! Какой у вас телефон?..» — Я четыре раза к ней попадал, — жалуется Коля. — Она даже деда позвала, у нее мата не хватило. А я хотел тебе позвонить с утра, чтобы с тебя начался день. Это хорошая примета. А то, как коршун с неба на цыплят — только тень стремительно падает, так падает на меня тоска!

Помнишь ли ты историю, Люся, как на Ван Вэя не садились птицы? У Ван Вэя с птицами был уговор...

Нас разъединяют, но я жду, он мне сейчас перезвонит. Он должен рассказать, что хотел, чего бы этот разговор ему ни стоил. Так Коля Гублия отводил душу.

И телефон зазвонил, но это был не Коля, а наш приятель Игорек. Я помню, я ему страшно обрадовалась. Я так ему обрадовалась, что даже не обратила внимания на его непривычно севший голос.

— Ну, как ты? — спросил он. — Время-то идет...

— Разве? Разве? — я говорю ему. — Разве не вечная весна и семнадцать лет?

— Да нет, — сказал Игорь. — Паша Фиников в больнице. В реанимации под капельницей. И ему все хуже и хуже.

— ...Где это? — спрашиваю я, хотя понимаю, что в реанимацию не пустят. Просто прийти туда и стоять под окнами.

— Шестая больница, метро «Бауманская». Выход из первого вагона от центра. Дальше пешком, это недалеко...

«Господи! — я сказала, повесив трубку, — ты меня знаешь, я к тебе зря обращаться не буду. Слушай меня и запоминай: метро "Бауманская", шестая больница, выход из первого вагона от центра. Дальше пешком, там недалеко. Фиников Паша. Запиши, а то забудешь! Паша Фиников».

Я его вчера только видела — а я, вся в мыле, опаздывала к детям на лекцию, а он ехал в редакцию на своих «жигулях». Так у нас бывало уже не раз, Паша едет развозить рисунки по журналам — он великий карикатурист, а я бегу вся в мыле, опаздываю, он меня окликнет, о, я хорошо знаю эти «жигули», меня на этой машине Паша возил расписываться с Левиком.

Так вот вчера мы с Пашей ехали мимо Кремля, вдоль кремлевской стены бежал мужик трусцой в одних солнечно-желтых атласных трусах.

Я говорю:

— Тут разве можно бегать в желтых трусах?

Паша ответил:

— А ты думала, здесь можно бегать только в красных?

И больше ни слова — ни я, ни он. Я даже когда выходила, толком не попрощалась, поцеловала его и все. А он мне улыбнулся — так улыбаются два человека в мире: он и артист Евгений Леонов. Они с Пашей Финиковым похожи как две капли воды.

Я жутко спешила, но все равно остановилась у подъезда, обернулась, вижу — смерть у него за плечом. Я окаменела. Наверное, надо было вернуться и что-то сказать ей, о чем-то попросить, но я еще никогда не разговаривала со смертью.

К тому же, мне было некогда, ведь я все время опаздываю! Анатолий Георгиевич говорит, это потому, что у меня колоссальная потребность испытывать сильные чувства. Но контакт с сильными чувствами, говорит он, очень опасен для человека. Поэтому вы, Люся, всячески их подавляете, заменяя безграничный бушующий океан жизни сомнительным водоемом искусственного происхождения.

— Вы, Люся, виртуозно, — говорил Анатолий Георгиевич мне с укором, — создаете иллюзию полнокровного существования! Да, ваша гиперактивность рождает ощущение некоей реальности: обилие встреч, постоянные несовпадения, опоздания, нестыковки, а что-то главное, как говорится в песне, пропало. Есть такой Сай-Баба, так он чтó сказал? Наша жизнь похожа на горстку мелких монет, звенящую мелочь, которой мы потихоньку набиваем карман, и со временем становится невыносимо тяжело идти. Не проще ли разменять эту мелочь на одну легкую большую купюру? Найти то, что стоит всей этой мелочи, и шагать дальше налегке?

Кстати, если на то пошло, именно Фиников совершил в моей жизни подобный обмен, всучив мне большую и легкую купюру в виде Левика. Тот как раз оканчивал институт, вовсю готовился к завоеванию мира, и ему надо было срочно на ком-нибудь жениться, чтобы прописаться в Москве.

К счастью, я была абсолютно свободна. Меня только-только бросил жених — форменный суфий, бродячий дервиш, неуклонно шагавший по призрачному пути достижения оргазма со Вселенной. Он был славный парень, начитанный таджик из Душанбе, заносчиво утверждавший, что он перс. Думаю, этот перс тоже в конце концов на мне бы женился, поскольку и в его планы первым пунктом входило завоевание мира, а без московской прописки это не такая пара пустяков, как с московской.

На будильнике у него скотчем была прилеплена памятка:

«ВЫПЕЙ ДЕКАМЕВИТ!!!»

Эти три восклицательных знака ясно давали понять, насколько человеку, вступившему на путь познания, тому, кто непрестанно творит намаз, не ест свинины и участвует в разного рода радениях, в нашей среднерусской полосе не хватает витаминов.

К тому же, у него был хронический гайморит. И я его дважды водила к своей тете Нелле на рентген. Она потом уехала с сыном в Америку. И к дяде Яше Лубчину — знаменитому на весь мир гомеопату. Он вскоре тоже уехал в Америку, хотя не хотел и всячески упирался. Ему говорили:

— Езжайте в свой Израиль!

А он отвечал:

— В какой свой Израиль? Здесь мои могилы!

Я вообще обычно своих возлюбленных первым делом вела к тете Нелле и дяде Яше, и, что интересно, *У ВСЕХ* рентгеновские снимки показывали затемнение гайморовых пазух, я уж не говорю про аденоиды.

Дядя Яша даже заметил по этому поводу незадолго до отъезда в Калифорнию, когда я под марш Мендельсона торжественно привела в поликлинику моего Левика, что у меня патологическая склонность к аденоидным типам астенического телосложения.

Тот суфий, он тоже худой был, лицом темный, в бордовой пижаме ляжет на постель и долгими зимними ночами читает мне «Шах-Наме» Фирдоуси на персидском языке. Ночи напролет он нараспев произносил гортанные звуки, напоминавшие орлиный клекот, пенье цикад, грудные голоса речных сомов, цокот копыт по выжженной солнцем дороге, шелест ветра в зарослях камыша, молчание камней и стоны сладострастья. Причем никогда не снисходил до перевода на русский. Я так и не знаю, о чем ведет речь Фирдоуси в своей нескончаемой поэме, но это и не важно, до того, Анатолий Георгиевич, меня зачаровывала его декламация.

У нас из-за «Шах-Наме», по сути, ничего и не было, хотя мы вели общее хозяйство и как бы состояли в гражданском браке, а когда все-таки случалось — даже в эти редкие мгновенья, — *ОН НЕ ПРЕРЫВАЛ ЧТЕНИЯ ВЕЛИКОЙ ПОЭМЫ!*..

Двадцать пять лет спустя я случайно встретила его на улице — бритоголового, в черной тюбетейке, с корявой палкою в руке, довольно увесистой, и с длинной, чуть ли не до пояса, бородой.

Невооруженным глазом было заметно, что единственная радость у этого человека — отречение от всего земного во имя Аллаха. И этот человек мне сказал:

— Много у меня было, Люся, — сказал он, — в жизни баб — роскошных, светских, умопомрачительных, не чета тебе. Даже настоящая персиянка. Но больше никто и никогда не слушал «Шах-Наме», как ты, часами, в оригинале на персидском языке.

Убей не помню, из-за чего мы разошлись. Просто-напросто этот суфий чертовски не хотел, видимо, на мне жениться. Вообще на мне охотников жениться особенно не было. То ли дело моя подруга Нинка: все всегда стремились жениться на ней — именно жениться! Вот это было да.

Первый Нинкин муж корреспондент Петров — мы с ума

сходили от зависти — приезжал за ней в университет на мотоцикле «Ява».

Когда Нинка вышла за Петрова, я провела с ними вместе весь их медовый месяц. Мы жили втроем в двухместном номере шикарной гостиницы в Гурзуфе, явно предназначенной для работников партийного аппарата. Они спали на одной кровати, я на другой. Впрочем, я до того уставала за день, что как ложилась — вмиг засыпала мертвецким сном.

Петров сначала негодовал, потом недоумевал, и наконец, по-своему ко мне привык, а впоследствии на суде, когда они разводились, заявил, что без меня у него уже не так вставало, как со мной, мирно спящей на соседней койке.

Но даже если б у Петрова напрочь атрофировались все члены — я Нинку знаю, она всю жизнь ухаживала бы за ним и жалела, хранила бы верность и все такое прочее.

Однако беда Петрова заключалась в том, что он был кошмарный эгоист. Таких эгоистов, как он, свет не видывал, жуткий эгоист, говорила Нинка; эгоизм ее первого мужа Петрова зашкаливал, намного превышая дозволенные нормы, какое-то половодье эгоизма, стороннего наблюдателя оно даже завораживало, как всякая разгулявшаяся стихия, как вышедшие из берегов Нил, Ганг и Тигр с Евфратом, жители же прибрежных долин съезжали долой с катушек, им затопляло рисовые поля, рушило жилые постройки, назревали человеческие жертвы.

Тут-то и появился Паша Фиников. Он был художником в журнале, где Нинка сидела в отделе писем.

— Фиников — это человек, не имеющий ничего общего с людьми нашей прекрасной планеты, в нем нет ни намека, ни капли, ни тени, он начисто, — изумлялась Нинка, — ты не поверишь — начисто лишен эгоизма!

Одно роднило Пашу Финикова с обитателями Земли: он тоже хотел жениться на Нинке, хотя был женат на красавице Зое.

Финикову в редакции начали клеить «аморалку». На пути у высоких чувств замаячила партийная организация.

— Браки свершаются на небесах! — сказал Паше председатель парткома. — Вы же, товарищ Фиников, из-за какой-то случайной прихоти намереваетесь поломать две сформированные ячейки общества. А я всегда приводил вас в пример как хорошего семьянина.

— Это кого угодно можно приводить в пример, — отвечал ему Паша. — Сказать: во-он, видишь, мужик идет с рюкзаком? Это он колбасу несет своей семье.

И хотя между Пашей с Нинкой еще не было в помине того, что им инкриминировали, Паша ничего не отрицал, а только отшучивался, и все.

Как-то раз Нинка с Финиковым оказались в ее пустой квартире. Они пили чай, разговаривали, слушали Майлса Девиса. Потом Паша сказал:

— Мне пора, — собрался и уехал.

Проходит час. Вдруг звонок в дверь. Нинка открывает — Фиников, уже выпивший, стоит на лестничной клетке с какой-то корзиночкой.

— Я забыл, что купил тебе клубнику, — говорит и протягивает корзиночку.

«Он пошел в комнату, а я в ванную, — рассказывала она потом всем, все годы, что они прожили вместе, двадцать с лишним лет, это ее любимая история, — и тысячи мыслей роились в моей голове, смысл которых сводился к одному: дать Финикову или не дать. Вода течет, я умываюсь, расчесываюсь и думаю, думаю, ведь это очень ответственный момент в моей жизни, и я должна принять серьезное решение. Вдруг слышу — храп. Кто это, думаю, откуда? От соседей, что ли? Захожу в комнату — Фиников лежит на ковре около кровати, ботинки снял, возле него корзиночка, и храпит!»

В пять утра он проснулся и сказал:

— Я з-замерз.

И тогда она разделила с ним ложе.

Они всем все оставили, сняли квартиру недалеко от Савеловского вокзала, Паша Фиников — солидный человек, художник журнала, в преклонном, как нам тогда казалось, возрасте тридцати восьми лет — был гол как сокол. Его сменную пару штанов, совсем новые ярко-малиновые вельветовые брюки, Нинка продала мне практически за бесценок, присовокупив свое пончо из шерсти перуанских лам.

Они были бедны, преследуемы парткомом, но давали такую вибрацию счастья, что в огромном радиусе от них все дико наэлектризовывались и буквально сходили с ума от любви.

Вокруг спаривались кузнечики, жуки-плавунцы, бабочки-капустницы, клесты, летучие мыши, зайцы, дикие звери джунглей, олени, тапиры, почтовые голуби совокуплялись в полете, лосось шел на нерест наперекор реке, Леда и лебедь становились близки друг другу под музыку Би Би Кинга, а все друзья Финикова — по большей части железнодорожники, ведь сам Паша бывший железнодорожник — женились на Нинкиных подругах.

Я же терпеливо ждала, что выпадет на мою долю. Причем я ни разу не видела Финикова и даже понятия не имела, какой он из себя. Хотя на мне превосходно сидели его вельветовые брюки, имевшие две отличительные особенности — они специфически посвистывали при ходьбе и слепили глаз безумной малиновой расцветкой. В таких штанах человек имел полное право забыть, на каком свете он находится и что ему давно пора уже выйти за кого-нибудь замуж.

Наконец, в самую последнюю очередь Нинка вспомнила обо мне.

— Есть жених, — сказала она коротко.

И я не стала задавать лишних вопросов. Только спросила:

— Железнодорожник?

Просто из любопытства. Я не имела бы ничего против и железнодорожника.

— Фотокорреспондент, — сказала Нинка. — Фиников считает, что он гений. Его зовут Левик.

И вот — никогда не забуду того погожего мартовского денька — они явились ко мне на обед: Нинка и два ее спутника, один из которых — меня к нему это мигом расположило — был копия артист Евгений Леонов. Он казался толстяком среди нас, лысый, но именно такой лысый, какие мне нравятся, а то бывают лысые, которые зачесывают волосы сбоку, чтобы прикрыть лысину, или ни при каких обстоятельствах не снимают кепку (у меня есть знакомый, он спит в кепке с женщинами!).

А этот — нет, и он был не только лыс, но с волосами до плеч! Он прямо с порога протянул мне руку и представился:

— Левик!

Я ужасно разволновалась, стала трясти его руку, бледная от возбуждения и онемевшая от восторга. Вообразите, к вам домой приводят в гости живого Евгения Леонова — мягкого, умницу, Тевье-молочника — и говорят, что он, в сущности, не против на вас жениться. Господи боже мой! Зачем бы ему это ни понадобилось: прописка, желание перевернуть мир или обрести последнее пристанище на склоне лет — какая разница? В общем, Леонов, артист Евгений Леонов, которому я просто и без промедления всегда сказала бы «да».

Видимо, на моем лице проступило столь яростное согласие как можно скорее уже стать женой этого человека, что все покатились со смеху.

И тут выясняется, что Левик не он, а другой, сутулый, долговязый, угловатый, с немного искривленной носовой перегородкой, готовый пациент для тети Нелли с дядей Яшей — от судьбы, как говорится, не уйдешь, — сильно смахивающий на артиста Николая Бурляева.

Паша Фиников, чтоб Левик предстал передо мной в самом выигрышном свете, чуть ли не в прихожей попросил его рассказать какой-нибудь анекдот. Левик не заставил себя долго упрашивать.

— Два гомосексуалиста занимаются любовью, — бодро начал он. — Один другому говорит:

«Больно!»

А тот ему отвечает:

«Терпи, ты же мужчина!»

Это был единственный анекдот, который я за всю жизнь вообще слышала от Левика.

Свадебное платье мне дала Нинка, она в нем выходила за Петрова; фату принесла моя соседка Наташка — эстрадная певица из ансамбля «Поющие сердца».

— Это счастливая фата, — предупредила Наташка. — Я в ней пять раз выходила замуж, и все пять — счастливо!

Сыграли свадьбу. Гулянье с музыкой и пальбой продолжалось три дня. Со свадьбы на «жигулях» меня с Левиком привез домой Паша.

— Что дальше делать — знаете? — солидно спросил он, как старый заводской наставник.

Через пару месяцев он приехал в гости. Тогда у нас еще всюду в стеклянных банках стояли цветы.

— Левик, ты прописался? — спросил Фиников.

— Да, — ответил Левик.

— Тогда вот что: *ХВАТИТ ЦВЕТОВ!!!*

А сам невинный как младенец. Его мог обжулить любой прохвост. Я помню, в Крыму, в Новом Свете, пошел он за вином. Взял деньги, Нинкину французскую сумку и как сквозь землю провалился. Час проходит, второй...

Мы заволновались, отправились его искать.

Фиников стоял у магазина — один, без сумки, все высматривал кого-то на горизонте.

— В чем дело? — строго спросила Нинка.

— Мам, — он стал ей объяснять, — понимаешь, винный закрылся на обед. И мне мужик предложил: «Давай деньги, я тебе вина принесу, «Изабеллу».

Паша дал. Денег было больше, чем надо, но тот все равно согласился.

«Ладно, — говорит, — ничего, я у них разменяю».

Главное, ушел уже, потом возвращается и говорит: «А сумку? В чем я тебе вино-то понесу?»

Нинка — в ужасе:

— И ты отдал мою сумку???

— Мам, — уговаривал ее Паша. — Не пускай волну. Он должен вернуться с минуты на минуту. Это рядом, он сам сказал, а его нет уже очень давно.

Фиников упирался, когда Нинка уводила его оттуда.

— Зачем так плохо думать о людях? — ругал он ее по дороге. — Ты всегда готова заподозрить человека во всех смертных грехах.

Она отвечала ему:

— Зато это спасает меня от разочарований!..

В их жизни начиналась пора международных круизов. Паша, во всем себе отказывая, не доедая, не досыпая, накопил Нинке на далекое заграничное морское плавание.

Она приехала, собрала гостей, рассказывает:

— Неаполь — это кошмар. Узкие улицы, мотоциклисты сумочки из рук вырывают, и запах какой-то больничный, там солнце ультрафиолетом пахнет. В метро душно, электрички обшарпанные, народу много, мужик пнул меня, весь вспотел и воскликнул «О Мадонна!.. »

Потом Афины, — рассказывала Нинка. — Все достопримечательности — одни руины да мифы. Нас привезли в три часа дня, греки вымерли, жуткая жара, только наши соотечественники хватают тебя прямо с самолета и кричат: «Пойдемте покупать шубы!»

Экскурсовод — нелюдимая греческая девица. Музыка и песни Греции навевают уныние и тоску. Так они веселятся. У них там самый зажигательный танец «сиртаки», но ведь и он какой-то скорбный. Вот уж где бы я не смогла жить, такой город неинтересный, ну Черемушки после землетрясения! Греки — черноволосые, черноглазые, чернобровые, при этом у них кожа оливковая — они зеленые, и такие люди носатые! В общем, греки мне не понравились.

Мы плыли-плыли, потом доплыли до Стамбула, где я не могла ходить по брусчатке, подошвы к жвачке прилипают. Эти турчанки в чулках, плащи, платки, вы даже представить не можете, как там женщины одеты, поэтому турки и кидаются на всех.

Испанцы коротконогие, худосочные, в Барселоне один к нам прицепился: девочки, мы сегодня пойдем на корриду! Ну, пошли на корриду, ужасное зрелище, кошмар. Еда невкусная, несъедобная. Корабль допотопный, ровесник флота, в поезде туалеты немыты с прошлого года, сюда приехали, а тут еще и дождь.

Паша ни слова не вымолвил за целый вечер. Он молча менял гостям тарелки, варил кофе, но праздник был завершен его репликой, ставшей после этого крылатой:

— Плохой пизде — плохо везде.

Он был Артист, Паша Фиников, и великолепный карикатурист.

— Мне сегодня позвонили из журнала «Новое время», — он говорил, — просили рисунки. И заявляют: нас интересуют *Общечеловеческие* проблемы. Я им отвечаю: а меня просто *человеческие*. С маленькой буквы. Проблемы одного маленького человека, индивида. Чтобы в моем рисунке проявить его избранность, а не бросовость.

Печально перебирал он присланные к нему в журнал карикатуры.

— Все как-то мелко, — говорил он, — нет судьбы. Как люди не понимают, карикатурист — это не занятие, а судьба. Вообще, у человека, — он говорил, — который решил посвятить себя карикатуре, должно быть хоть одно очень мощное переживание в жизни.

У Паши такое переживание было. Ему в зоопарке белый медведь откусил руку по плечо.

Паша купил медведю свежемороженую треску, а когда кормил, видимо, они оба чего-то не рассчитали.

Но Пашину руку служители так быстро вытащили из вольера и упаковали в пакет, а самого Пашу столь молниеносно доставили в больницу, что руку ему приделали обратно.

Он долго ходил, вытянув ее вперед, как будто хотел сказать:

— Хайль Гитлер!

Однажды ему позвонили в дверь — на пороге стояли трое в черных куртках. Увидели Пашу, обрадовались и говорят:

— Вот кто будет голосовать за партию «Фашисты России»!

— Нет, — отвечает Паша, салютуя. — Я буду — за «Демоны Далеких Галактик»!

Пашина рука прижилась, а день, когда он ее наконец опустил, был отпразднован на такую широкую ногу, что его тетя, профессиональный повар с тремя Орденами Трудовой Славы, рассказывала:

— Павел шестьдесят чебуреков съел моего приготовления. Шестьдесят чебуреков!!!

Привольно жестикулируя откушенной рукой, Паша девять раз исполнил на бис любимую свою песню «До свиданья, гуси, возвращайтеся назад!..» Он любил петь эту песню по утрам в клозете, чем сильно огорчал своих соседей по стояку.

Он был как яблочко наливное, крепкий, румяный, как пирожок. Один старый скульптор Свинкин, который поменял фамилию на Алексеев, хотя на вид был в точности Рабиндранат Тагор, в Доме творчества художников на Балтийском взморье даже лепил Пашины чресла с натуры. Отчего Паша очень бесился: Свинкин работал медленно и важно, как все уважающие себя древние мастера, сначала в гипсе, потом переходил на мрамор; художник старой закваски, он норовил достичь одновременно и совершенства, и полного сходства, отсечь все лишнее, как говорил Микеланджело.

А Паша стоял по четыре, по пять часов в сутки, ярился, поглядывал на часы и справедливо считал, что напрасно теряет время: занятой человек, он ценил каждый миг, а тут уже начали пролетать столетия.

Зато он мог теперь свободно давать консультации другим художникам из Дома творчества, своим товарищам по кисти, перу и резцу. Пашу уважали, к его мнению прислушивались. В мастерской у Свинкина, ваявшего Пашины чресла, стал собираться народ, показывать Паше, пока он позировал, свои работы, делиться планами и проектами.

А он рассматривал все очень внимательно и, например, говорил:

— Хоть я обычно не критикую, но такой бескрылой вещи я не видал со времен моей молодости!..

Или:

— Вот вы, четверо! Я бы вам сказал, но вы страшно обидитесь: ребята! Вы слишком художники!..

Вам, Анжелика Леонардовна, при всей моей любви, я просто запретил бы заниматься искусством. А только печь булочки. Никакого просвета!..

В твоих портретах, Марк, я вижу сочетание нахальства и робости. Это невозможно. Либо ты забываешь эту робость и оставляешь одно нахальство, либо одна только безумная робость, и на ней стоять. Чтобы всех своей робостью доконать и уложить на лопатки.

В вас, Фрунзик, — он говорил Народному Художнику Армении, — еще не родился художник. Вы представляете собой яйцо. Но ваша гордость и ранимая душа не позволяют вам сделать прорыв в неизвестное. Вы такой нежный армянин с огромным эго. Я не знаю, как с вами быть, это самый сложный случай.

Надо, чтоб все как можно активнее занимались искусством! — говорил Паша собравшимся. — Выпиливали, клеили, вязали, лепили, вышивали! Потому что — чем больше художников, тем меньше преступников.

А через пять минут, беседуя с борцом за приватизацию мастерских, который предложил сжечь свои картины во дворе Союза Художников в знак протеста — ну, такие, плохие — и выпустить каталог, Паша ответил:

— Один художник уже сжигал свои полотна, штук двадцать полотен, около ЦДХ — принес и запалил. О нем «Огонек» писал, но он так и не прославился. Прямо не знаю, некоторым сжигать или не сжигать свои полотна: славы это им не прибавит, а риск, что всем будет наплевать, — очень велик. Тебе лучше всего, — он посоветовал этому художнику, — прославиться криминальными историями. Я слышал, один втирался в доверие к своим подружкам и растворял их потом в кислоте. Лет десять творил эти безобразия. Никак не могли понять, куда пропадают его друзья. Но он на вдове попался. Одной старушке. Нашли ее зубы и камни из желчного пузыря. Это был скандал века. На суде он отгадывал кроссворды. Его приговорили к повешению. Тогда он подарил мадам Тюссо свои пиджак и брюки, и высказал последнее желание — сделать его восковую куклу. Мистер Хэйг его звали. Он добился своего — глаза голубые стеклянные, тоненькие усики... Вот идея, достойная царя, — стать восковой куклой в Музее.

А у тебя, Женя, — он говорил своему хорошему другу, художнику журнала «Дирижабль» из Нижнего Новгорода, — только тогда состоится судьба, когда ты построишь дирижабль, сядешь на него, полетишь и исчезнешь навсегда. У вас там все в излучине Волги посвящено таким романтическим делам. Памятник Чкалову — он стоит, смотрит в небо, варежку надевает, а если сбоку посмотреть — как будто член у него такой большой. Тебе надо быть достойным героя-земляка! Что ты пустые парашюты в выставочном зале развешиваешь? Какие-то колеса с крыльями, брошюрки, почеркушки... И это называется «Человек летающий»???

Довольно грезить и десятилетиями выпускать журнал «Дирижабль»!

— А как? Что делать? Посоветуй! — спрашивал Женя.

— Иди к спонсору, — говорил Паша, — скажи, что после испытания летательный аппарат будет им возвращен и поставлен на службу туризму. Пообещай, что слетаешь и отдашь обратно. А сам улетишь и не вернешься. Тогда все соберут твои произведения, журналы все твои, сразу пресса появится, смысл и окончательная точка.

— А я? — спрашивал знаменитый компьютерный график Григорий Берштейн.

— Ты, Гриша, сделай так: продай компьютер, квартиру, вообще все продай, возьми и купи яхту. А что? Может, повезет тебе, не пропадешь. Напишешь картин, а через год устроишь выставку в музее каком-нибудь морском.

— Один, наверно, не решусь, — ошалело бормотал Гриша. — А за компанию бы, наверно, поплыл.

— Восходы писал бы, закаты, матросов, море! — уговаривал его Паша. — Чего тебе ждать? Пока стариком совсем не стал. В общем, плыть тебе надо! — Голос Финикова звучал все тверже. — Ты, может, сплаваешь и забросишь искусство ко всем чертям. Станешь знаменитым путешественником, яхтсменом и уже без остановки начнешь штурмовать океаны. Мне кажется, все, что с тобой случается (недавно Гриша в троллейбусе забыл дипломат с ключами, деньгами и какими-то важными документами), подает знаки. Узнай, что нужно предпринять, чтобы купить яхту или взять в аренду! Иначе кто за тебя поплывет — Сундаков? Он и так за нас за всех отдувается. А у нас единственное приключение — чемоданчик забыли в троллейбусе «Б» на кольце.

— Я только плавать не умею, — тихо сказал Гриша.

— Для мореплавателя это лучше всего, — заносчиво отвечал Фиников. — Не будет лишней самоуверенности. Такие люди всегда на воде осторожны, это уже доказано.

— А почему ты сам не летишь, не плывешь, не сжигаешь полотна? — спрашивали у Финикова.

— Я уже сделал все в жизни, — скромно отвечал Паша. — Теперь я сяду, сложив руки, и буду ждать, когда ко мне потекут деньги, слава и почести.

А все слушают и любуются, какие у него чистые уши, промытые волнами!

— Однажды я ночью работал, — рассказывал Паша, — и вдруг увидел *ВСЕ*, осененное высшим смыслом. Я закричал, разбудил жену: «Сфотографируй меня!!!»

А Нинка тогда занималась фотографией.

Она встала и сфотографировала Пашу. Он был в какой-то шапке дурацкой. Но видно, что человек переживает полноту экзистенции.

— Теперь я смотрю на эту фотографию, — он говорил, — и испытываю то же самое. Ты мне ее, — он Нинку просил, — когда я умру, установи на могильном камне.

Пятьдесят лет Финикову мы отмечали у него на даче. Все выпили, закусили, пошли купаться. Паша залез на трамплин, прыгнул и перед тем как нырнуть, сделал сальто-мортале. Когда он вышел на берег, ему стало плохо.

Его предупредили: высокое давление, сосуды, наследственность — Пашин отец в тридцать семь лет умер от инсульта.

Откуда-то Паша знал, что с ним случится то же самое. Только не знал когда. Он начал ждать.

Стоит, например, у окна в редакции, глядит на Пушкинскую площадь и говорит:

— Вот пойду по площади, упаду, народу набежит...

В честь московских карикатуристов японский посол устроил торжественный прием. Паша по этому случаю долго выбирал и купил себе велюровый пиджак.

Сперва держал речь сановитый японец. Потом наш министр культуры. Когда они обменивались рукопожатиями, карикатурист Вася Дубов крикнул: «ГОРЬКО!!!»

На стене банкетного зала висела Васина картинка: железнодорожная станция, падает снег, подъезжает поезд, на перроне стоит женщина с вуалью. Из громкоговорителя доносятся слова: «Анна Каренина! Отойдите от края платформы!»

Что они там поняли, японцы? Чем она согрела японские сердца?

Паша пришел домой очень пьяный.

— Все, — сказал он Нинке.

— Что — *все???*

— Я больше никогда не надену пиджак. Вася Дубов сказал, что я в нем похож на Муслима Магомаева. И хоронить меня не смей в пиджаке! — добавил он. — Только в свитере.

— В каком свитере? — спрашивает Нинка. — Ярком?

— Нет, сдержанном, — отвечает Паша. — Вот в этом.

Он всегда ходил в свитере одном и том же. У него их много, а он только этот надевал.

— А то, — говорил, — я боюсь, выйду без него, а меня никто не узнает.

Ни с того ни с сего взял — купил Нинке пончо, похожее на то, какое было.

— Я тебе еще лыжи с ботинками куплю, — пообещал Фиников. — Продам картинки и куплю. Новый год поедем встречать с Воробьем в доме отдыха с бассейном. А летом — с Тюниными в Египет!..

У него открылась выставка в клубе «Арлекино». Богатая публика. Паша был окрылен надеждой.

— Да кто там купит? — сомневалась Нинка.

Вдруг Фиников приходит, довольный — страшно, и говорит:

— Купили!!! Твой мрачный прогноз не оправдался!

— Откуда узнал? — спрашивает Нинка.

— Откуда — откуда? — важно отвечает Паша. — Веревки болтаются, картинок нет.

— Украли, наверное, — говорит Нинка.

— Ты, как всегда, в своем репертуаре, — обиделся Паша. — Давай большую сумку — поеду за деньгами!

Приехал, а перед ним извиняются:

— Так, мол, и так, срезали и унесли. Прямо со стеклами. Кто, при каких обстоятельствах — ничего не известно. Администрация клуба за это ответственности не несет...

Когда-то Фиников сказал Нинке: «Только так не надо говорить: я устал, мне все безразлично, я больше ничего не хочу».

А пришел домой, рассказывала Нинка, сел и говорит:

— Я устал. Мне все безразлично. Я больше ничего не хочу.

Не из-за картинок — об этом он скоро забыл. Просто так.

— Что ты, Паша, — сказала Нинка, еще улыбаясь. — А как же наша любовь?

В ту ночь ей приснилось, что Фиников с фотокором собирается на съемку. Нинка ему:

— Пап! Ты куда? Ведь мы в воскресенье хотели на дачу поехать?

А он:

— Я не смогу поехать с тобой. Вот, видишь, у меня приглашение. — И протягивает ей чистый глянцевый лист бумаги.

Воробей:

— Мне Швед звонит: «Фиников умер». Я говорю: «Врешь». А один раз уже было. Он звонит и говорит мне: «Фиников умер». Год примерно назад. Я по стенке полез. И теперь думаю: наверно, шутит. А мы уже Новый год с ними договорились встречать в доме отдыха с бассейном!..

Рано утром, затемно еще, я вышла из дома. Левика Фиников отправил в командировку — снимать на обложку журнала артистку Алису Фрейндлих.

В метро я купила розу.

Ехать долго и далеко — с «Бауманской» Пашу перевезли в Крылатское — ритуальный зал ЦКБ. Встречаться я ни с кем не рискнула — не тот случай, чтобы со мной встречаться.

Я вышла из метро и сразу потерялась.

Снег, ветер ледяной, роза... Кто-то рукой:

— Туда! Туда!..

А кто-то наоборот:

— Ой, нет, не туда!..

— Вам надо было другое метро!..

— Лучше сесть на автобус!..

А Нинка мне объясняла вчера: пять минут ходьбы.

Для меня это обычное дело, Анатолий Георгиевич: в критической ситуации я выпадаю из нормального человеческого пространства. Да, вы мне говорили: «Зачем ходить по холодным кладбищам? Дома у себя сказала Аллаху или кому-нибудь на свой выбор: вот это дружок мой Паша Фиников, а это, Паша, — Аллах, познакомься. Представила их друг другу, ручкой помахала... А то куда это годится? Тем более, эпидемия гриппа...» Но, Анатолий Георгиевич, во-первых, я уже вряд ли заразила бы Финикова гриппом, как и он меня, а во-вторых, мне обязательно хотелось проводить его до самого конца.

— ...Что вам там надо, в ЦКБ? — спрашивали прохожие. — Саму больницу или приемное отделение? Ах, ритуальный зал! Тогда идите по лесу, потом будет мост через реку. За речкой — поле, перейдете поле — увидите шоссе...

И вот я бегу, не дыша уже, мимо чистых деревьев, по снежной дороге, темному льду и прошлогодней листве, и говорю, обращаясь к деревьям, и снегу, и розе:

— Паша! Я здесь, видишь? Совсем уже рядом. Как обычно, я немного опаздываю. Но это ничего, ты-то понимаешь?..

Вдруг вижу сквозь деревья, знакомые «жигули» посигналили на шоссе и остановились. Я рванула к машине, забыв, на каком я свете:

— Фиников!

Ну, все, думаю, теперь я успею, уж с Пашей Финиковым я не пропаду.

И тут вспоминаю, куда опаздываю.

Рано встала сегодня
Но все-таки опоздала
На похороны любимого.

Говорят, что Нинка на крышке гроба написала карандашиком — вынула из кармана карандашик и написала «Нина + Паша».

А Игорек Смирнов, когда люди вернулись с кладбища, рассказывал, как они с Финиковым в группе от Союза журналистов ездили в Пизу.

— Все в Пизе ринулись на Пизанскую башню. А там экскурсия — пять долларов. Паша говорит: «Да ну!» Взял на пять долларов пива, лег на травку... Мы премся на эту башню, все в поту, пешком, и с каждого пролета видим не простирающуюся перед нами Пизу, а Пашу, как он блаженно лежит на траве, пьет холодное пиво. И его фигура — меньше, меньше... Так Паше нас теперь, наверно, видно.

Тризна по Финикову происходила в маленьком кафе для работников Белорусского вокзала, которое сняли его друзья железнодорожники. Падал снег, мимо окон медленно ехали поезда, так близко, что от стука вагонных колес дрожал поминальный стол и звенела посуда.

Я сижу за столом рядом с Нинкой, и мне кажется, будто мы с ней тоже едем куда-то в вагоне с горящими окнами, сами не знаем куда.

Я вернулась домой и, не зажигая света, легла в пальто на кровать. Зазвонил телефон.

— Алло! — Это был Коля Гублия из Гваделупы. — Бедные кагэбэшники никак не могут научиться подслушивать незаметно. Только влезут — разъединяется.

— У тебя мания преследования, — говорю. — Я даже не знаю, есть ли сейчас на свете эта организация.

— Свято место пусто не бывает! — заметил Коля. — Сколько они меня прослушивают, — он продолжал ворчливо, — все в архивах ЦГАЛИ останется! А они, сволочи, даже не могут обеспечить качество записи, поганцы.

В трубке что-то щелкнуло. И, как ни странно, послышалась мелодия из «Лебединого озера».

— Готово! — Коля глубоко вздохнул и начал: — *Помнишь ли ты историю, Люся, как на Ван Вэя не садились птицы? Он днями просиживал на холме у речной долины, где жег костер из сухих трав, помогал селянам, давно усмирил плоть и очистил помыслы, он замирал, как дерево, и простирал к птицам свое плечо, но птицы не доверяли ему до тех пор, пока он не понял: Истина не в том, чтобы достичь цели дороги, а в том, чтобы самому стать дорогой. Соизмеряя свое очищение с недоверчивостью голубей, он еще не выбросил последний остаток тщеславия — самих голубей.*

— Бред какой-то, — раздался в трубке незнакомый голос.

Пошли частые гудки.

— *Ван Вэй сидел на пригорке в позе покоя,* — продолжал Коля; голос его внезапно приблизился и зазвучал не моно, а стерео. — *Голуби весело притворялись, будто попрежнему не доверяют ему. Это забавляло детскую душу мудреца. Его фарфоровая фигурка вроде говорила птицам: только сядет один из вас мне на плечо, как я тут же вопьюсь ему зубами в бок. Голуби в ответ давали понять, что понимают древнекитайский юмор, но и человеческой природы не забывают. Такую игру затеяли с человеком любящие его птицы...*

Голос Коли, казалось мне, шел уже не с двух сторон, а сверху, снизу, что превращало меня всего лишь в точку, еле заметную точку скрещения векторов этого рассказа.

— Ван Вэй улыбался, и длинные лучи его улыбки заполняли матовое пространство у изгиба реки. Включаясь в игру светотени, голуби раскачивались на этих лучах, радостным воркованием сообщая друг другу: нашу природу человеку не обмануть! Голуби знали, что человек понимает их язык. Он сейчас весь ушел в себя, он ушел в себя глубже, чем когда-либо, но в покое его плеча им виделся призыв.

А когда еще ярче, еще упруже стали лучи его улыбки, голуби увлеклись катаньем на этих лучах и не догадывались, что природа их все-таки обманула, что они не почувствовали того, что должны были почувствовать. Улыбка, которой изошел поэт, была последней — Ван Вэй умер[1].

Глава 8.
Слепец и поводырь

Нет, пожалуй, я вру: когда мальчик был маленький, Левик рассказал нам еще анекдот. Завелся у одного типа солитер. И этот тип захотел от него избавиться. Ну, стал он есть ежедневно булочку с маслом. Ел-ел по булке с маслом в день, вдруг раз — и съел булочку без масла! Солитер тогда выглянул и спрашивает: «А где масло?» Человек схватил его и вытащил.

— А кто это — солитер? — спросил мальчик.

---

[1] Эту историю — слово в слово — моему брату Коле поведал Даур Зантария, который услышал ее самолично от учеников Ван Вэя — Ли Бо и Ду Фу.

— Солитер значит «одинокий» по-французски, — объяснил ему Левик.

Левик — моя единственная, бессмертная, всепоглощающая любовь, и это для него очень обременительно. Левик просто не выдержит, если я всю мою любовь целиком обрушу на него одного. Поэтому я вынуждена обрушивать ее на всех без разбору по принципу первого встречного и поперечного.

Когда мне кажется, будто кто-то хотя бы взглянул в мою сторону, просто взглянул мимолетно, и в этом взоре я уловила тень теплоты, я вот что делаю: я вяжу ему свитер. Сколько километров пряжи я извязала за мою жизнь — это же страшно подумать!

— Синдром Пиаф, — заметил мой доктор Анатолий Георгиевич и аккуратно записал это в графе «диагноз» вторым номером после синдрома Отелло. — Точь-в-точь такое же психическое отклонение, — сказал он мне, — было у прославленной Эдит Пиаф.

Оказывается, она своим возлюбленным — скорей-скорей, пока они не исчезали, не растворялись в воздухе, не улетали, не уплывали от нее, не уезжали, короче, не проваливались в тартарары, — по-быстрому на толстых спицах вязала свитер такой дичайшей вызывающей расцветки, что эти сорок-пятьдесят человек если и надевали свитера Эдит Пиаф, то просто чтобы сделать ей приятное.

Но, Гусев Анатолий Георгиевич, вы не видали моих свитеров. Это же форменное произведение искусства. Как правило, я вяжу их в туалете.

Первый свитер был связан мной на заре туманной юности, когда я полюбила служителя зоопарка Вову Бурю — он чистил там куриные загоны. В кирзовых сапогах, ватнике, в опилках и курином помете с ног до головы, он весело громыхал ведрами и голосил на всю старую территорию:

— Ой, вы куры! Куры — звери!
Ку-ры — зве-ри — эх!..

Голосина у него был — будь здоров. До того, как прийти в зоопарк, он пел в церковном хоре на Ваганьковском кладбище.

Не мудрствуя лукаво, я связала ему вещь очень простую по композиции. Четыре руки обнимали его со всех сторон, четыре мои огромные руки: две белые на коричневом фоне — спереди, и две коричневые на белом фоне сзади.

По рукавам его в изумрудной траве гуляли черные куры с алыми гребнями. На левом предплечье в синюю даль уходило море, по морю плыл корабль, на котором я бисером вышила «ВОВА», а на палубе стоял сам Вова Буря собственной персоной, куриный бог, покровитель недовысиженных яиц, человек особенный в моей жизни, тот, кто впервые меня по-настоящему поцеловал — с грохотом поставил пустые ведра, снял резиновые перчатки, очень аккуратно повесил их на металлический бортик, обнял меня и поцеловал.

Для свитера Вове я использовала реликтовую американскую шерсть, которую моя бабушка хранила со времен австро-германской войны — бабусе выдали ее с тушенкой и папиросами в качестве гуманитарной помощи от Америки.

Я вязала этот свитер, не останавливаясь, много дней и ночей — ровно год и четыре месяца. Вова свитер одобрил и парочку раз в холода поддевал его под ватник. Через неделю Вовина мама отдала мой свитер цыганам.

Цыгане ходили по квартирам, просили что-нибудь из ненужных вещей, и Вовина мама свитер им отдала. Вова беззаботно мне об этом рассказал. А я сразу представила себе: кибитка кочевая. Цыганский табор спит. Степь. Звезды. Тишина. У костра бородатый цыган с серьгой в ухе задумчиво перебирает струны вот в этом свитере с надписью «ВОВА», и четыре мои огромные руки обнимают его — белые спереди, коричневые сзади.

Вову Бурю я давным-давно позабыла, а тот цыган не идет у меня из головы. Хотя с тех пор я связала уйму свитеров, куда более закрученных по сюжету.

Помню, Леше Паскину, сыну тети Оли, на даче в Уваровке — он бросил пить, купил в комиссионке проигрыватель, виниловые грампластинки, и на всю деревню «рубил попсу», — за то, что он то кабачок принесет мне, то перезревших, ненужных тете Оле огурчиков, был связан такой свитер: на груди — Иаков борется с Ангелом, на спине — переход Суворова через Альпы, а на рукавах скалистые ландшафты островов Франца-Иосифа, птичий базар и полярное сияние.

Какая-нибудь ничего не значащая фраза, не имевшая ни для кого никаких последствий, типа: «Заходите! Вы всегда тут желанный гость», вдохновляла меня на свитера с картинами «Утро стрелецкой казни» и «Запорожские казаки пишут письмо турецкому султану».

Антонов Андрюха в заздравной речи по случаю моего дня рождения при великом скоплении народа торжественно произнес:

«Больше всего мне нравится в тебе, Люся, не шнобель твой кривой, не глаза, не зубы, не уши, а жопа и улыбка!»

И в благодарность за свои теплые слова получил от меня абсолютно музейную вещь с эпизодами путешествия Данте и Вергилия по Аду и Чистилищу.

В этом смысле я страшный крохобор: я пытаюсь сберечь каждый жест, хоть каким-нибудь боком касающийся любви, каждый взгляд, слово, прикосновение и отблагодарить — это самое трудное, Анатолий Георгиевич, чтоб вы знали, вязать такой свитер — долгая история, а чувства моих избранников ко мне всегда были очень скоротечны, поэтому задача одна: успеть вручить связанную вещь *ДО* того, как возлюбленный бесследно исчезнет с горизонта.

Иной раз не успевала. Тогда моя мама звонила этому человеку по телефону и говорила:

— Друг мой! Зайди к нам на одну минуту. Мы хотим вернуть тебе твои книги.

Этот испытанный маневр срабатывал даже в тех случаях, когда в наших отношениях *книги* вообще не фигурировали.

«Друг мой» приходил и глядел недоверчиво, нутром чуя подвох, опасаясь упреков, слез и подозрений. И тут ему в наипомпезнейшей обстановке вручался свитер с детальной проработкой композиции «Воскрешение Лазаря», где белым бисером по золотому вышиты исторические слова Иисуса «Лазарь, иди вон!»

Конечно, стать носителем подобных экстремальных сюжетов мог себе позволить не каждый. Некоторые заранее начинали об этом беспокоиться, задолго до того, как я обращала на них внимание.

Приятель моей негасимейшей любви Сени Белкина философ Ваня Щедровицкий говорил ему:

— Скажи Люсе, пускай мне что-нибудь свяжет. Только попроще.

— *Попроще* она не может, — отвечал Белкин, шагая по Тверскому бульвару весь в эпизодах жития Франциска Ассизского. Левый рукав — Франциск проходит сквозь огонь; правый — разговор Франциска Ассизского с волком. Перед: святой Франциск Ассизский катается по снегу — борется с вожделением. Снег тает, вокруг него расцветают лилии, на деревьях поют соловьи. А во всю спину гобелен: голый человек на голой земле — так умер Франциск Ассизский.

Так будет умирать и сам Белкин. Мы гуляли с ним в парке — листопад, ветер теплый, безмолвие неба сливается с вечерней тишиной, он шел-шел, вдруг лег на траву, руки раскинул, глаза полузакрыл, листья падают на него, и безумная улыбка бродит по лицу.

— Я бы хотел так умереть, — сказал он. — Почувствовать, что пора, уйти в лес, идти, идти и упасть, и — все. Только записку написать, что меня никто не убил. Пусть милиционеры закопают, раз это принято. Или, — он попросил, — еще лучше — предайте мое тело огню, а пепел развеешь над этими ромашками.

— Черта с два твоя мама отдаст мне твой пепел! — сказала я.

— Ну, половину, — он говорит. — Половину отсыплешь себе, а половину оставишь маме.

А я бы хотела, чтобы когда я умру, все эти люди, которым я вязала свитера, а также варежки, шапки, шарфики и носочки, пришли проводить меня в последний путь — вот будет сильное зрелище! И тот цыган пусть явится обязательно, и его конь копытом тихонько откроет дверь...

Мне Левик обещал:

— Не беспокойся, я их всех сгоню, заставлю, велю им встать за гробом и скажу: «А ну встаньте, я вас сниму, у меня заряжено!.. » Там, откуда я родом, у нас это принято! — рассказывал Левик. — Как только я начал ходить, я стал фотографироваться за гробом. Сначала дяди Саши, постарше — тети Кати, потом уж тети Лели, дяди Вани, деда Бирбасова с внуком, их в поле во время грозы под дубом убило молнией. У нас на Урале любят и умеют хоронить, — заметил мой Левик. — Вот так и живу, — сказал он, — *доживаю свой век,*

отлученный от груди
сорокадвухлетний малыш,
теперь лишь подушка
моя мягкая теплая мать

— Удивительно, — сказал Анатолий Георгиевич, когда все это внимательно выслушал. Он поднялся из-за стола, открыл шкафчик и налил себе рюмку коньяка. — С такой креативной сублимацией сексуальной энергии, как ваша, признаться, я сталкиваюсь впервые. Вам нужно больше бывать на свежем воздухе. И, главное, не стоять в стороне от спорта. Ваше здоровье! — Он выпил коньяк и съел кусочек шоколада. — Вы бы записались на стадионе «Динамо» в секцию ОФП.

— Я записалась, — говорю, — в Доме Ученых — школа Айседоры Дункан. Это пластика, основанная на греческих скульптурах. Там руководитель — настоящая ученица Айседоры Дункан. Она очень старенькая, и она говорила нам: «В истинном балете не должно быть никакого духа соревнований. Что могут одни балерины, могут и другие».

Но вопреки этой революционной теории, сильно вдохновлявшей меня своим демократизмом, как она ни билась, ей не удалось вылепить из меня ни одной древнегреческой скульптуры, проникнутой дыханьем вечной юности, воплощения разумности и ясности, величия, отрешенности, неземной красоты и лучших черт гражданина.

Все, на что я была способна, это шедевры поздних монументалистов — Мухиной, Шемякина, Зураба Церетели.

Отчаявшись, она послала меня в Пушкинский музей.

— Только в Греческом зале, — сказала она, — вы сможете преодолеть оцепенелость и схематизм вашей фигуры!

По своему невежеству я, не дойдя до Греческого зала, осела возле статуи Давида, довольно стоеросового юноши с пращой, который, по задумке Микеланджело, этого возрожденца и макаронника, а никакого не древнего грека, того гляди, пристукнет Голиафа.

Я час, наверно, ходила вокруг, хотела понять — как он расположен в пространстве, где у него центр тяжести, на какую он опирается ногу, какие мышцы напряжены, какие расслаблены и в чем именно проявляется его устрашающая сила.

Все на меня смотрят, а я то одну позу приму, то другую, я пробовала его раскусить, добраться до самой сути, как вдруг — Анатолий Георгиевич, вы не поверите! — мне показалось, что член Давида начал увеличиваться в размерах.

Я жутко смутилась, ну, вы представляете, дети, экскурсоводы, они могут увидеть, что я послужила причиной... Член треснет и отвалится, не приведи господь, пускай не мрамор, не оригинал, однако вполне приличная гипсовая копия! Это частое, видимо, явление, потому что многие статуи, я заметила, стоят в музеях с отбитыми снастями.

— Стоп! — сказал Анатолий Георгиевич. — Я давно хотел у вас спросить: вы вообще половую жизнь ведете?

— ПОЛОВУЮ ЖИЗНЬ??? О господи, Анатолий Георгиевич, объясните, что вы подразумеваете под этим идиоматическим оборотом? Есть ли кто-нибудь в целой Ойкумене, кто желал бы соединиться со мной, и закрыть глаза, и чувствовать меня, и увидеть меня, и утешить, и дать моим благословениям осыпать его? Тот, кто полностью готов и настолько мужественен, чтобы разделить со мной мой экстаз, мою радость, мое блаженство? Кто не спешит, когда рушатся стены, тает лед, стираются границы, развеиваются преграды, когда пустота поглощается пустотой, а секс превращается в молитву? И в жуткой бездне, куда я в последнее время каждую ночь с криком лечу во сне, возникнет светящаяся тропа, и в кромешной тишине я услышу тоненький голосок своего сердца?

С моим Левиком было так, да, Левик знал это и понимал, но однажды он торопливо, на ходу, поцеловал меня в губы и ускакал на войну.

Левик не оставлял на мне пояса верности, нет, но тем не менее, Левику я изменяла крайне редко. Первый раз — как бы точнее выразиться? — это приключилось со мной, когда Левик буквально в моем присутствии впервые по-настоящему влюбился в одну прекрасную девушку. Мы с ним поехали в санаторий на Сходню — и там, в столовой прямо на моих глазах Левика пронзила стрела Амура. Ой, какая это была прекрасная девушка, знаете, бывают такие — с тонким профилем, кротким взором и очень тихим голосом. Она подарила ему стеклянную рыбку, совсем прозрачную, и Левик тут же позабыл обо мне.

В то время еще ничего ужасного со мной не случилось, я без труда обзаводилась друзьями, я была баловнем судьбы. И я попросила: Господи! Пускай и со мной тоже что-нибудь произойдет в этом роде, ибо я не в силах перенести такую боль.

А надо вам сказать, Анатолий Георгиевич, я ничего не могу пожелать и ни о чем не могу попросить, чтобы тотчас это все не повалилось мне на голову, правда, слегка неуклюже сработанное, зато без малейшего промедления и в десятикратном размере.

Поэтому тот человек, который меня изнасиловал, был не виноват. Это стряслось в Самарканде, куда я сразу после злосчастной Сходни отправилась в командировку от общества пропаганды выступать перед узбекским народом.

Он даже спас меня, как потом доверительно сообщил, от группового изнасилования, но не удержался от индивидуального. Хотя поклялся сыном, мол, все будет честь по чести, чтоб я не боялась идти к нему ночевать. И вытащил в доказательство из бумажника фотокарточку — хороший такой мальчуган — они с матерью и сестрой жили в Намангане.

Он выполнил волю небес, нет сомненья, иначе откуда взялось у нашего обычного современника, хоть он и узбек, столь торжественное и величественное выражение лица — такое, наверное, бывает у служителей культа, когда приносят в жертву человека.

Вновь и вновь прокручивая эту киноленту, я вижу два раскаленных провода, две горячие линии, по которым шли токи моего сознания: *выжить и наблюдать*.

Тогда я еще не знала, что выжить в подобных случаях труднее всего потом, однако при общем оптимистическом настрое и некотором жизнелюбии стресс от насилия длится совсем недолго — лет пять или шесть.

Короче, мне было явлено лицо человека, свершающего насилие. Ей-богу, в таком состоянии лучше лежать в гробу, а не заниматься любовью: сомкнутые веки, зубы стиснуты, губы сжаты, закрытое сердце — полная непроницаемость.

Я разглядывала все вокруг с тем холодным и ясным вниманием, которое появляется, когда что-то главное безвозвратно уходит из твоей жизни. Но только не сама жизнь. Жить! Уйти отсюда живой! К моей поруганной чести надо сказать: иной мысли у меня не было.

В ярком свете самаркандской ночи я старалась все разглядеть, насколько возможно. Какая там яркая ночь, сейчас только вспомнила — я ведь никогда никому про это не говорила. Я замолчала событие, будто его и не было, я задавила его молчанием, но иногда ночами оно выбирается из подвалов, где я его держу, и встает передо мной, и смотрит в глаза, и обжигает своим дыханием.

Однажды я не выдержала и рассказала Левику. Но Левику стало так страшно, что он ничего не услышал.

А тот человек, которого отныне ждала участь скитальца, лишенного загробного пристанища, клянусь, он и сам был растерян, что так получилось. И в связи с этим сделал мне ряд предложений.

Перво-наперво с кухни он притащил довольно увесистый молоток, вложил мне в руку и говорит:

— Я отвернусь, а ты меня стукни по голове, хорошо?

Он встал ко мне спиной и замер.

— Покорно благодарю, — ответила я, возвращая молоток. — Вообще я, пожалуй, пойду...

— Ты в своем уме?! — закричал он. — Ты знаешь, что тут на улице ночью с тобой могут сделать? Наш Самарканд, — он заявил не без гордости, — в криминальном отношении оставил далеко позади себя Чикаго.

— По этому случаю, — сказала я, — вам надо бы сделаться городами-побратимами.

— Шутки в сторону. — Его азиатское лицо снова стало торжественным и величавым. Замечу вскользь, этот человек располагал очень небогатой эмоциональной палитрой — всего две краски, пафос и растерянность. — Дай твой билет на самолет, — он произнес, протягивая руку. — Я его разорву, и ты останешься со мной в Самарканде.

— Не дам, — дружелюбно ответила я.

Тут он опять растерялся. Казалось, он перебрал все возможные варианты. И вдруг ему пришла отличная идея — устроить меня на автобусную экскурсию по городу.

— Самарканд, — он снова впал в амбицию, — один из древнейших городов мира. Недавно общественность отметила его две тысячи пятисотлетний юбилей! Ты не пожалеешь, — горячо уговаривал он, — тут такие мемориальные ансамбли!!!

Вот это я одобрила, проявив свою ни при каких обстоятельствах не меркнущую любознательность и живой интерес к шедеврам старинного зодчества.

В семь часов утра, когда весь трудовой Самарканд выходил из дома на работу, он — в синем стеганом халате и шлепанцах вел меня на автобусную остановку, воодушевленно приветствуя каждого на своем пути. Его окликали с балконов, салютовали из окон домов — ведь он так рано утром шагает в халате и шлепанцах с неместной девушкой. И сам герой, повелитель пресмыкающихся и насекомых — имел настолько победоносный вид, что даже я возгордилась им.

— Послушайте, это правда было или выдумываете? — спросил Анатолий Георгиевич.

— Не знаю, — ответила я. — Вот этого я не знаю.

— Вы понимаете — странно, — он говорит. — У вас такой взлелеянный вид. И вообще давайте сразу договоримся: друг другу не врать.

Я отвечала ему:

— Во-первых, в моем случае это невозможно. А во-вторых, я никогда не вру. И если вас начал грызть червь сомнения, пока речь идет о пустяках моей жизни, то как мне поведать о самом главном? О том, что болтаясь без всякой надежды по городу, я думала о своем прошлом, я думала о словах, которые могла бы сказать, но не сказала, о поступках, которые могла бы совершить, но не совершила в те горькие минуты, когда у совсем чужих людей выпрашивала монетку любви.

Вдруг возле какой-то мечети я услышала: «Купол ее был бы единственным, если б небо не было его повторением, единственной была бы арка, если бы Млечный Путь не был ей парой».

Собственно, тут нет ничего такого, нормальная восточная напыщенность, но эти слова произнесли на совершенно незнакомом мне языке. Боюсь, на подобном наречии разговаривал еще царь Агамемнон со своим верным конем и неверной Клитемнестрой.

Но я его понимала!

Я приближалась то к одной экскурсии, то к другой — под купольной сенью старинных усыпальниц их бродило штук пятнадцать. Вместе они являли собой вавилонское столпотворение, население всех континентов Земли было представлено, плюс Океания — а я понимала что они говорят!..

С того утра, доктор, этот разноязыкий мир прозрачен для меня. Не все, конечно, нюансы, но смысл произнесенного на любом человеческом наречии кристально ясен мне, особенно зарубежные песни по радио.

А между тем Левик стал лучшим фотографом в мире, невиданная слава обрушилась на него, море лиц улыбалось моему Левику, океан рук ласкал его, бездна объятий распахивалась ему навстречу, и Левик опять исчез в полосе неразличимости.

— Люся, как ты? — звонил он мне ночью из Парижа, из Александрии, с Мадагаскара... Венесуэла, Китай, Род-Айленд, Карибское море, Земля Королевы Мод... — Люся, ты заметила, — спрашивал он, — что я еще не вернулся?

— Левик, радость моя, возвращайся! — кричала я. — Без тебя я чувствую себя под водой!..

— И я себя чувствую под водой, — говорил Левик, — но рыбой или водолазом. Люся, Люся, — он успокаивал меня, — чтó наши неприятности в сравнении с неприятностями афганского президента Наджибуллы, которого повесили?..

— Наш Левик — самый лучший из всех Левиков на свете, — рассказывала я мальчику, — он нам сегодня звонил и говорил, что скоро вернется, да еще с заграничными подарками!

— ...сказала Люся и посмотрела на Луну, — подхватывал мальчик, — где ее муж Левик три года пропадает в командировке, изучает лунный грунт.

«Снег был еще,
Когда я на гору поднялся,
Но съехать я уже не смог», —

— сообщал Левик в редких письмах домой.

«*Когда-то я спал рядом с плацентой,* — писал он, —
сейчас только солнце по утрам
напоминает мне
о том удивительном времени».

О, как я была одинока! Даже мой брат Коля у себя в Гваделупе гадал мне на кофейной гуще. И он сказал: «Утешься. И готовься. К тебе идет Мошиах».

В тот день мой старинный приятель Монька Квас спустился со снежных гор. Худой, одетый в звериные шкуры, но в глазах его сиял свет. Он стоял, опираясь на посох, и над головой его дрожал золотистый нимб.

Вообще это феноменальный тип. Когда-то он жил у нас по соседству со своей мамочкой и играл на барабане, сводя с ума все Новые Черемушки. Моня страстно ухаживал за мной, и всегда в нагрудном кармане у него, как знак боевой мощи, просвечивал презерватив, на котором — и это тоже просвечивало сквозь карман его шелковой рубахи — большими печатными буквами было написано клокочущее слово «ВУЛКАН».

Потом я переехала, мы несколько лет не виделись, но однажды я плавала по Москве-реке на теплоходе, а там, в ресторанчике играли цыгане. Каково же мое изумление, когда в яростном ударнике, выкрикивающем надо и не надо *«чавела!»*, я узнаю Моньку Кваса, и он узнает меня, и тут я начинаю приглядываться к физиономиям остальных «цыган»... Короче, неудивительно, что вскоре всем табором они снялись с теплохода и эмигрировали в Израиль.

Прошло три года. И вот Монька легким шагом идет по Крымскому мосту, улыбаясь горожанам, собравшимся поглазеть на пришельца, и притрагиваясь посохом к головкам детей.

Первое, что он мне сообщил, — он сделал обрезание!

Я спросила, можно ли его с этим поздравить. Он ответил: учение, которое он теперь исповедует, гласит, что поздравлять человека нужно со всем, что бы с ним ни случилось.

И хотя был конец ноября, Монька оголил плечо — все в родинках и веснушках.

— Попробуй, какой я соленый, — попросил он. — Я в трех морях купался, ни разу не мылся, специально, чтобы ты меня лизнула!

Я наотрез отказалась.

— А может, ты просто вспотел? — сказала я. — И вообще это негигиенично!

Мы шли по набережной к Нескучному Саду. В те дни быстро темнело, дул холодный ветер, и Монька сказал:

— Когда придешь ко мне в гости, я тебе все-все расскажу. И у меня есть вино «Ахашени». Пойдем сейчас, я хочу с тобой выпить.

— Поздновато, — сказала я.

— Ну и что?! — вскричал Монька. — Мы так давно не встречались. Я даже забыл, какая ты — маленькая или большая, толстенькая или тоненькая, черненькая или беленькая? Все спрашивают, а я не помню... Я твой, только твой, возьми меня! — зашептал Монька. — Хочешь, я прыгну в реку? Не хочешь? А хочешь — я вспрыгну на парапет? Ну, тогда я крикну, что я люблю тебя, на весь Парк Культуры!.. Не забывай, — говорил он, ведя меня вверх по лестнице в свою предусмотрительно не проданную московскую квартиру, — кому-то ты мать, кому-то жена, а кому-то — любимая женщина.

— Слава богу, что я не всем мать, — сказала я и вдруг с легкостью пошла за ним, будто камень какой-то свалился с души.

Помню, мой брат Коля Гублия рассказывал мне, что у восточных народов есть такое понятие «хал-ал». Это когда ты ходил с караваном, честно в поте лица заработал денег, и всем все роздал — это церкви, это семье, это нищим, — а что-то все равно осталось. Тогда ты остаток спускаешь на свое крошечное удовольствие. Аллах, говорят они, смотрит на это благосклонно.

Монька сразу, как только вошел, начал рыться в комоде, искать припасенную перед отъездом на всякий пожарный упаковку «Вулкана».

— Для меня гигиена, — сказал он, — прежде всего. Мне только в страшном сне может присниться, что я трахаю кого-то без презерватива.

Пока он искал, мы с ним вспомнили, как у нас в подъезде жил метеоролог Шура, который вместо презерватива, по свидетельству очевидцев, использовал метеорологический зонд — шар-пилот.

В поисках «Вулкана» Монька вывалил на пол все вещи из комода, но нашел только руководство по применению презерватива, отличавшееся поразительной ясностью и непреодолимой силой доводов в пользу именно этого вида предохранения. Там было отмечено, что он должен обитать в сухом прохладном месте, как можно дальше от источников тепла, прямого солнечного света, тщательно избегать механического воздействия и контакта с маслами. Это руководство в конце концов навело Моньку на след самого «Вулкана». Исполненный торжества и ликования, Моня Квас выудил из ящика пожелтевшую упаковку и сдул с нее пыль веков.

— Так, — сказал он, — теперь вот о чем я хочу тебя предупредить. Или сыграло роль обрезание, или тоска по родине, или климатическая и психологическая адаптация, или неуверенность в завтрашнем дне... Короче, я уже не с пол-оборота завожусь, как раньше, *более того*...

Он замолчал и стал раздеваться. Снял рубашку, брюки, майку, трусы, ну и стоит передо мною голый, как на приеме у врача.

— Вот, — говорит, — полюбуйся. — Он опустил голову и безнадежно развел руками.

Будь я простой русской женщиной, теки в моих жилах ясная славянская кровь без примесей гуннов и иноверцев, я бы, наверно, заголосила:

— Ой, Моня-я-я! Что ж они, супоста-а-аты с тобою сделали-и-и, чтобы им окая-анным в День Страшного Суда ответить за твое оснащение-е-е!!!

Но эти чертовы примеси не дают ни на что однозначно реагировать. Вечная моя беда — никогда не знаю, плакать мне или смеяться.

— Видишь? Видишь? — бормотал Монька. — Слушай, придумай что-нибудь. На тебя моя последняя надежда.

— Ладно, — пообещала я, — что-нибудь придумаю. Только давай не будем пороть горячку. Тут надо все как следует обмозговать. А пока надевай штаны и тащи свое «Ахашени»! Я хочу выпить за твою потенцию.

В эту ночь, как ни странно, позвонил Левик. Он давно уже не звонил.

— Как твое настроение? — кричал он мне в трубку сквозь космическое потрескивание.

— Хорошее! — кричала я ему. — Когда тебя нет со мной рядом, мой любимый, у меня всегда хорошее настроение!..

Следующую свою триумфальную любовную линию, чтоб вас не утомлять, я намечу пунктиром. Это был очень нежный человек, абсолютно преданный мне, который и слыхом не слыхивал о проблеме бедного Мони Кваса. Когда человек этот приближался, в ушах у меня вибрировал голос горлицы в лесу, но даже утолив любовную жажду и обессилев от чувственного наслаждения, он продолжал созидать храм любви, рассказывая о мгновенно вспыхнувшей страсти, едва он меня увидел, и безграничной печали, не покидающей его, когда мы в разлуке.

Он говорил, что я первая женщина в его жизни, а то, что он заразил меня всеми мыслимыми венерическими заболеваниями, кроме — слава Аллаху! — сифилиса и СПИДа, — это просто-напросто сам он заразился в бане от шайки.

Этот человек, пошли ему, Господи, здоровья, преподал мне великий урок зоологии, ибо никогда я не знала и не подозревала, что существует такое количество мелких, почти неизлечимых недугов, передающихся половым путем.

Мой Левик уже летел в Москву.

Счастливый, как Бекенбауэр, глядел он в иллюминатор на жизнь облаков, столь близкую его жизни. Я слышала шум мотора его самолета, когда в венерическом диспансере мне перечислили весь набор инфекций, нашедших приют в моем гостеприимном лоне. Такую сумму денег, которую я должна была выложить за лечение, я даже никогда не держала в руках, хотя на все про все, они меня приободрили, уйдет не так много времени — каких-нибудь года полтора, правда, лечиться надо всей семьей.

(Боже мой! Как меня полюбили в кожно-венерологическом диспансере! Нигде меня так больше никогда не любили: ни в психоневрологическом, в туберкулезном — бог миловал, не знаю, полюбили бы меня так или нет...)

Я не собираюсь ворошить прошлое. Я только скажу, чего я больше всего боялась. Я боялась, мой Левик посмотрит на меня удивленно и спросит:

— *У тебя что, Люся, были случайные связи?*

Тогда я ответила бы ему:

— Что ты, Левик, разве ты не знаешь, у такой женщины, как я, не может быть случайных связей, ибо все мои связи предопределены на небесах.

Но мой Левик, мой лучший в мире Левик, не спросил ничего. Он просто начал пить со мной таблетки и делать нам с ним уколы — он этому вмиг научился. Хотя произнес-таки свою коронную фразу:

— Как я люблю наблюдать непредсказуемость жизни!..

— Я вижу, у вас есть претензии к Богу? — спросил Анатолий Георгиевич.

Я отвечала:

— Во всяком случае, к людям у меня претензий нет.

— Зажмурьтесь, — он сказал, — а теперь идите! Смелее, не бойтесь, я трону вас за плечо, если возникнет опасность. Это упражнение называется «Слепец и поводырь». Идите!!! — крикнул он.

Как ни странно, я зашагала быстро и легко. Границы тела, дома, мира исчезли без следа. Вокруг простирались зеленые холмы, передо мной лежала залитая солнцем дорога, солнечные лучи пронизывали меня от макушки до пяток, ветер дул сквозь меня, вся Земля была моим телом, душа спокойно вмещала небо, мир был разумен и справедлив, лишь иногда рука Бога касалась моего плеча, едва заметно направляя, и это будило во мне забытое детское ощущение, что на кого-то вполне можно положиться.

...Я поворачивала ключ в замке, а у меня в квартире на всю катушку трезвонил телефон.

— Послушай! — Коля Гублия звонил мне из Гваделупы. — Как я был бы наг и сир, если бы не ты! Вчера в редакцию журнала «Боливар», где собралась вся местная поэтическая элита, входит некто в длинном пальто благородного табачного цвета, в перчатках и вязаной шапочке с колокольчиком. Он смело сдает вещи в гардероб... (ты слушаешь? Я так счастлив, что могу иногда говорить с тобой, что мне кажется, это сон), и остается в свитере, от которого все ахают. На груди — архангелы с трубами, живот и ниже — города в огне, на рукавах тонущие в море корабли. Когда он поворачивается, все вообще обалдевают: по его спине проносится туча саранчи, нападающей на каждого, кто не отмечен Божьею Печатью. «КТО ВАМ СВЯЗАЛ ТАКОЙ СВИТЕР???» — спрашивают его наперебой. И, хотя имеющий халву не кричит на каждом перекрестке, что у него есть халва, ясно и по аромату, который от него исходит, я им ответил гордо:

«Это мне связала Люся Мишадоттер, *еб вашу мать!*»

Глава 9.
Матрац летчика

Левик, радость моя! Помнишь, как ты сидел целый день и писал письмо в Лондон сэру Элиоту? Дэвид Элиот — директор фешенебельнейшего в мире Музея современного искусства.

— Только он поймет меня, — ты говорил. — Хотя мы с ним виделись всего один раз. Но в тот единственный раз он нарядился Маяковским! Такие же ботинки, бритый, лысый, он поймет, что это величайшее творение всех времен и народов, оно переживет многое и станет как Тадж-Махал.

«Дорогой Дэвид! — писал в своем послании Левик. — Надеюсь, у тебя все хорошо и ты ожидаешь лучшего. В Москве нежарко, но дня через три, я слышал, будет архижарко, так говорил Ленин.

Кстати, о Владимире Ильиче. Недрогнувшей рукой Борис Ельцин хочет разрушить Мавзолей и выбросить оттуда тело

Ленина. Поскольку «интерес к Ленину обнулился». А?! «Обнулился»!!! Слово-то какое! Правильно, как к явлению божественному обнулился, а к произведению искусства — нет!

Можно ли сегодня игнорировать тот факт, — писал мой Левик, — что мумия вождя русской революции является неотъемлемой частью общечеловеческой культуры, как сокровища Тутанхамона, Кааба Мекки или Гроб Господень в Иерусалиме! Ленин — изюминка Красной площади, без него она сирота, Дэвид, круглая сирота, и зачем тогда, я тебя спрашиваю, голубые ели?

Ленин, видишь ли, завещал похоронить его вместе с мамой. Где это завещание? Покажите! Он вообще умирать не собирался. Ему было пятьдесят четыре года — молодой человек! Моя теща знакома с его племянницей, та говорит, он с детства мечтал покоиться в Мавзолее. Звоните, говорит, я дам любую консультацию, но если к телефону подойдет моя внучка и что-нибудь скажет оскорбительное, не обижайтесь, она у нас очень грубая.

Я обращаюсь ко всем людям доброй воли, кому небезразлична судьба культурных ценностей нашей цивилизации:

Остановим новых русских варваров!
Спасем Мавзолей на Красной площади с мумией внутри!
(как объектом культуры)

P. S. Посылаю копию этого письма Яну Омену в Стокгольм, чтобы он его разослал в разные журналы и все прочее. В Музей Гэтти надо послать, в Америку. Может, они купят весь Мавзолей с Лениным вместе?

Твой *Лев*.

Левик долго еще не мог успокоиться.

— Люся, Люся, — говорил он, — я хочу посвятить свою

жизнь спасению коммунистических памятников. Я не могу спокойно смотреть, как индусы оккупировали главную гордость России — павильон «Космос». Я поеду на ВДНХ изгонять их из этого павильона, как Иисус выгонял торговцев из храма! Это самый страшный позор: они там сидят, лузгают семечки, продают аудио- и видеоаппаратуру, и на все это со своей лучезарной улыбкой взирает Юрий Гагарин. Ужас! Навесили желтые рекламные плакаты, наверно, тараканы бегают, азиатские кукарачи, ракеты «Восток» и «Восход-1», за полетом которых с трепетом следила планета Земля, отодвинуты к стенке, под ракетой автостоянка, безобразие! Кто ж так обращается со святынями? Хотя именно так и обращаются со святынями! Лучше бы, Люся, мы не относились к ним, как к святыням. А то потом нагадить — милое дело... Вообразите! — кричит на всю квартиру Левик. — Где-нибудь в Калифорнии стоит Мавзолей Ленина у частного лица на даче! Попомните мои слова — сейчас его за бесценок продадут, а потом будут выкупать за большие деньги на аукционе.

— Кто будет продавать Ленина? Это символ веры, — вступает в разговор мальчик. — И никакое это не произведение искусства, ты чушь мелешь, Левик.

— Что?! — кричит Левик. — Пойди в Лувр! Там лежит Нефертити. Косточки, тряпочки, мы идем и смотрим!

— Плохо, что вы смотрите, — говорит мальчик. — Тряпочки и косточки надо положить обратно.

— Это все равно, что взять, — клокочет Левик, — и похоронить картину!

— Как я не люблю пустомель, — отвечает мальчик. — Мне вообще все равно. Я сторонник того, чтобы все везде было как раньше, когда только лес был и животные.

— Но это же занимательно! — горячится Левик. — Я так люблю гулять на Новодевичьем кладбище. Там есть надгробие: Иван Семенов, гигиенист-писатель. И черная чугунная книга. На ней написано «Гигиена». Он жил в девятнадцатом столетии в одно время с Пушкиным, но умер в тысяча восемьсот семидесятом году. И мне интересно — что он за человек?

— Мало тебе, Левик, — спрашивает мальчик, — живых людей? Но раз это, по-твоему, так интересно, я тебе по кладбищам не рекомендую ходить, а то можешь не удержаться и заглянуть.

— Меня привлекают не останки, а духовные достижения! Плоть наша бренная, где лег, там и нормально.

— Я буду иметь это в виду, — отзывается мальчик.

— Имей! — не дрогнул Левик. — Я вообще не понимаю, зачем так сложно хоронить людей? Зимой, гроб, в мерзлую землю — просто ужас какой-то. А можно сделать душевно и легко: сжег тело, взял кувшин, поставил у телевизора, пришло лето, поехал в Уваровку, закопал под елочкой, и все!

— Меня, во всяком случае, — говорю я, — как буддиста, прошу подвергнуть сожжению на ритуальном костре.

— Хорошо, — соглашается мальчик. — У нас во дворе. Найму крепких мужиков, разведем погребальный костер...

...О уэй а хо хэй най йанахо
Йанахо уэй ха о хэй най йанахо уэй

А что? Между прочим, у нас во дворе однажды мартовским утром мне довелось увидеть нечто очень странное. Я вам говорила уже, Анатолий Георгиевич, наш дом на окраине Москвы — бетонный, бело-голубой, многоквартирный, как тихоокеанский лайнер, — хотя мы поселились в нем лет семь тому назад, не стал мне родным. Здесь мало кто знает друг друга, никто никого не любит, все тут всем кажутся посторонними; соседи сверху, например, законченные аутисты, вид из окон — канавы, трубы, гаражи, энергетические распределители. Одна радость — лечь на пол, и тогда в окне видно только сплошное небо.

Кто там за стенкой? Славные язычники? Некрещеные младенцы? Прорицатели, звездочеты, алхимики, фальшивомонетчики, сладострастники, поэты древности, чревоугодники, скупцы и расточители, провансальские флейтисты, небесные посланники, еретики, насильники, минотавры, ростовщики, обольстители, зачинщики раздоров, сам пророк Магомет, покинувший театр военных действий, которые ведут на всех фронтах поборники исламской идеи, многодетный архангел Гавриил, царь Соломон, втихаря подкармливающий дворовых кошек, аскеты, саламандры, одинокая женщина-паук, доктор Фауст с черным пуделем, Блаженный Августин? Я понятия не имею!

Но все это движется, дышит, живет, мне явственно слышится их разноязыкий говор, их крики, ругань, дикие песнопенья, звон разбитой посуды, мирные беседы, их жалобы на старческую немочь, страдания от денежных невзгод и разные другие неурядицы, когда по лестнице, громко топая, поднимаются и спускаются какие-то невидимки.

И вот во дворе такого чужого для меня дома, внизу под окнами — прощание. Лавочку отодвинули, завтра на ней снова будут сидеть старушки, а сейчас — гроб стоит.

— Все-таки наши городские дизайнеры, — говорит Левик, — судя по этим лавочкам, молодцы! Ни спинки, ни углубления, со всех сторон можно подойти и попрощаться.

Дети вынесли ордена. Друг фронтовой стоит — весь покрыт орденами. Духовой оркестр — кто в кепке, кто в шляпе, венки, на асфальте еловые лапы.

— Незнакомый нам. — Левик смотрит в бинокль из окна. — Хотя, может, когда и встречались в подъезде.

Старый летчик в мундире. Вдова обнимает его в последний раз — у нас во дворе! где вся эта сцена могла вызвать только любопытство...

— Ну почему? — отзывается Левик. — Ты же плачешь. Значит, сделан какой-то шаг к беззащитности и доверию. Чем-то этот дом станет всем родней. Не плачь! Его душа уже где-нибудь на Сириусе. Тем более, он летчик.

Несколько дней спустя на двери подъезда я увидела объявление:

Продается двуспальный волосяной матрац.
(волос конский)
(задешево)

— Давай купим? — предложил Левик. — Надо ж матрац какой-нибудь. Матраца-то нет. А тут близко, дешево и добротно. Конский волос — это тебе не вата и не поролон. Кстати, от радикулита хорошо помогает.

Мы поднялись на лифте и позвонили, и вдруг открывает вдова того летчика.

— Вас интересует матрац? Вот, пожалуйста. Он, конечно, не новый, но хорошо сохранившийся. Конский волос — ему вообще сносу нет, он нетленный. На нем у вас дышат поры, он пружинит хорошо. Это же цыгане продают конский волос, он очень дорогой! Из него раньше делали шиньоны. Натали и все ее сестры, сидевшие у Пушкина Александра Сергеевича на шее, когда он жил на Мойке, специально писали домой на Полотняный завод, чтоб им прислали на шиньоны конский волос, а Натали даже просила, чтоб ей прислали от какой-то конкретной лошади! Ведь эти все у них букли не свои, а конские...

— А у самого Пушкина, — спросил Левик, — чьи были букли?

— Вы шутите, — улыбнулась она печально, — а у меня большое горе. С Владимиром Семеновичем мы прожили пятьдесят лет. Матрац нам подарили на свадьбу его родители. Жили, строили планы, теперь все потеряло смысл.

В первую же ночь на этом матраце нам с Левиком приснился один и тот же сон: небо, небо, облака, заходящее солнце, руки на штурвале — нам снилось, что мы управляем самолетом.

Потом нам снился ночной полет, ночь была темная, лишь мерцали редкие огоньки, рассеянные по равнине, точно угли потухшего костра.

На следующую ночь: будто я — за штурвалом самолета, а Левик — радист, протягивает мне записку: «Вокруг бушуют грозы, у меня в наушниках сплошные разряды, может, заночуем?»

Нам снилась Земля с высоты Эвереста, ползущие тени облаков, точки-дома, каналы, дороги, машины, деревца вдоль дорог и белые кораблики на море, как будто сложенные из бумаги.

Мы мерялись силами со стихиями: жара, снег, туман, видимость ноль, однажды во сне у Левика самолет вошел в бурю, стена дождя стояла перед Левиком — такая непроницаемая, что он отчаялся прорваться сквозь эту завесу и сто раз уже попрощался с жизнью.

— Мотор в порядке! — кричала я в беспамятстве.

— Самолет кренит вправо! О черт, не видно ни зги!!! — проклинал Левик тот день и час, когда попал в авиацию.

Со временем мы приноровились и прямо во сне, прежде чем взлетать, бегали к синоптикам за сводкой погоды. Но тут новые напасти — нас с Левиком начали атаковать вражеские истребители.

Они проявлялись в воздухе, как бледное изображение на фотобумаге, и тающие прерывистые очертания самолетов мы обнаруживали только по светящемуся снопу их пуль.

Отряд истребителей обычно не торопился. Он маневрировал, ориентировался, занимал выгодное положение — и вдруг обрушивался на нас с Левиком точно по вертикали.

Потом небо вновь становилось пустым и спокойным. А из капота левого мотора пробивалось первое пламя, которое через минуту начинало бушевать, как огонь в печке у нас в деревне Уваровке.

Иногда «мессершмиты» шли на таран, брали «в клещи», пробивали обшивку, и мы с Левиком видели злое лицо фашиста. А на фюзеляже фашист изобразил советские самолеты, которые он подбил, и уже заранее этот фашистский гад, скотина, ублюдок, нарисовал наш с Левиком самолет, что нас очень деморализовывало.

Мы оба просыпались утром усталые, разбитые, вконец измочаленные, и даже на завтрак не могли запекать бутерброды с сыром, поскольку едва держались на ногах. Это была усталость летчика, вернувшегося из мучительно трудного полета.

Ночь за ночью я и Левик с горем пополам еле-еле дотягивали до посадочных огней, пока не поняли, что видим чужие сны.

— Сны старого летчика запутались в конских волосах, — сказал Левик. — Матрац абсорбирует сны.

— Что же нам делать? — спросила я.

— Надо промыть конский волос! — ответил Левик.

Мы вспороли материю. Облако пыли взметнулось перед нами — вернее, не облако, а тучи пыли как будто заклубились по степи, где только что проскакал табун лошадей. Конский запах распространился по нашей квартире, запах опилок, навоза и лошадиного пота.

Я высыпала в ванну пачку «Лотоса», налила горячей воды, и мы осторожно погрузили туда содержимое матраца.

Дальше я не могу рассказывать. Замечу лишь одно: это оказалось чудовищным испытанием для всех пяти человеческих чувств — о шестом я вообще не говорю, но самая настоящая катастрофа разразилась для обоняния и осязания. Промыв конский волос душем, я трое суток пучками вытаскивала его из ванны и раскладывала сушиться на полу.

Он сох полгода. За это время мы с Левиком практически утратили интерес к жизни. Мы и хотели, чтоб он высох наконец — так он нам, сволочь, осточертел, — и в то же время боялись, поскольку понятия не имели, что с ним, вообще говоря, делать дальше.

В разгар этой вакханалии мне позвонила Танька Пономарева, единственный человек, который понимает меня в нашей пустой и холодной Вселенной.

— Я понимаю тебя, как никто! — воскликнула она, когда я призналась ей, что уже хотела бы свести счеты с жизнью. И поведала мне аналогичную историю о том, как она постирала пух из подушек. — Я заложила в ванну перья, — рассказывала она. — Ты не представляешь, какой это кошмар — мокрые перья! Запускаешь туда руку, и тебя охватывает ужас.

— А как страшно и красиво смотрится в ванне конский волос! — вторила я.

— Короче, я сдохла над этими перьями, — сказала Пономарева. — Я высушила их и решила выбросить. Взяла чемодан, все туда сложила и, дождавшись темноты, с этим чемоданом отправила на улицу своего Евгения. Евгений спускался, такой представительный, в сером плаще, с чемоданом, в шляпе, где-то между пятым и четвертым этажом чемодан раскрылся, все оттуда вывалилось и полетело. Испуганный Евгений стал запихивать перья обратно, что смог запихнул и убежал. — И много лет соседи жаловались Пономаревой, что какой-то идиот, видно, потрошил подушки, и перья летят и летят, и нет им конца, ни пуху этого идиота, ни перьям.

— А я, например, — сказала мне моя мама Вася, — чтобы не связываться со всем этим вторсырьем, сплю исключительно на поролоновом матрасике. Зато я подушку набиваю своими волосами. У меня уже во сколько... И знаешь, когда я сказала своей подруге Ленке, что собираю волосы для подушки, Ленка ответила мне: «А у меня есть подушечка из маминых волос!» Так что вас еще ожидает такая подушечка! — весело закончила Вася.

Левик молча положил вилку, встал и вышел из-за стола.

— ПОЧЕМУ??? — Вася крикнула ему вслед. — У тебя, Левик, у первого на такой подушечке не будет потеть шея!

Кстати, именно Вася спасла нас от конского волоса, призвав на помощь свою стародавнюю домработницу Сушкину. Та явилась с мешком из парусины — огромным, какой, видимо, в свое время носил на плече один только страшный викинг Олаф Трюгггвасон. Она могла дом поднять, эта Сушкина, при своей, на первый взгляд, чахлости.

Сушкина собирала макулатуру. Тонны макулатуры она закатывала в рулет и заключала в обычный целлофановый пакетик — такой она была гений упаковки. При этом она брала на улице пустые бутылки и шла все это сдавать грациозно, как газель.

Когда-то Сушкина жила в интеллигентной семье, родители ее работали в Министерстве путей сообщения. То ли они умерли, то ли их посадили — короче, шикарную отдельную квартиру, в которой осталась Сушкина, превратили в крутой коммунал, подселив к ней четыре семьи.

Сушкина работала на разных работах, бог знает на каких, мечтала накопить денег и купить кооперативную квартиру. Например, она продавала розы на Каширке. Выручку сдавала, а те розы, что оставались, дарила Васе или кому другому по своему усмотрению. Во всяком случае, за макулатурой она всегда приходила с букетом прекрасных роз.

Сушкина подрабатывала консьержкой в доме на Малой Грузинской, где живут артисты, так что всегда приносила вести про Марину Влади, какая та выходит помойку выносить — совсем не такая красавица, как нам кажется.

В домах она убиралась только у знаменитостей, например, у Никиты Михалкова или Льва Дурова. Все ей дарили роскошные вещи — «second hand», но никто никогда ничего этого на ней не видел. Она любила поношенные шерстяные кофты с большими пуговицами и жилеты. Откуда Надя их брала и куда девала то, что ей дарили, — никому неизвестно.

Вообще, она ходила без чулок, даже зимой в трескучий мороз, и без трусов, и очень не любила закрытую шею. Все расстегивала, у нее была шуба с декольте.

— Сушкина, ты простудишься, — говорила ей Вася.

— Нет, мне душно, — та отвечала.

Еще носила она парик и шляпу. Собственно говоря, у нее было красивое лицо и правильные черты, но этот парик идиотский и шляпка — она носила маленькую шляпку, чуть ли не с вуалеткой. И никогда ее не снимала, потому что Надежда Карповна Сушкина была совершенно лысая.

Вася рассказывала: то ли Сушкину, когда она шла по улице, сзади лопатой ударил бандит, то ли сосед огрел шваброй во время скандала в коммуналке — в общем, после этого случая Сушкина стала ходить в парике, приделанном к шляпе. Хотя, если придержать парик, шляпу можно было снять, но это требовало посторонней помощи.

— У Нади Сушкиной парик — непрофессиональный, — неодобрительно говорила Вася. — Он ездит по всей голове. И так скулёман! Не сделан в постижерной. Ты знаешь, что такое *постижерная?*

Надя приходила к Васе раз в неделю и четыре часа пылесосила книги в небольшом Васином стеллаже. Она их вынимала, смотрела, листала, иногда усаживалась в кресло и читала.

Если ей попадалось кольцо Васино или серьги, она тоже садилась и очень подолгу ими любовалась. У нее было сильно развито чувство прекрасного.

Сама Сушкина являлась обладателем несметного количества книг, причем все по тем временам редкие: Вересаев о Пушкине, Брэдбери, Шукшин, «Анжелика — маркиза ангелов»... И нам тоже кое-что от нее перепадало.

Откуда-то она брала... этот... «кубик Рубика» — тогда его было не достать. Она чудом раздобывала всяческие изысканные вещи, перепродавала, но один экземпляр обязательно оставляла себе.

Надя Сушкина была коллекционер.

Она собирала монеты. Следит по газетам: о! вышел рубль с профилем Гагарина. И быстро покупает его по номинальной цене. Потом их можно было купить на Птичьем рынке втридорога. Она и сама там лишние продавала.

Однако любые ее доходы неуклонно лили воду на мельницу новой кооперативной квартиры, где, надеялась Сушкина, она заживет иной удивительной жизнью, изящной, аристократичной; она мечтала жить на высшем уровне, и все ее существование служило подготовкой к этому головокружительному взлету.

В картонных коробках была упакована уже готовая к переезду антикварная посуда. Эрмитаж, не глядя, мог бы приобретать чайный сервиз Нади Сушкиной. Все чашки просвечивали, тончайший фарфор. Но чай Сушкина не пила, и не пила воду из-под крана, а только воду из целебного источника.

У Нади было великолепное льняное белье, подушки с лебяжьим пухом, льняные полотенца, рубашки маркизетовые, но она ими никогда не пользовалась, спала на какой-то рухляди, а в уголочках на белоснежных простынях вышивала вычурные вензеля и монограммы — «Н. С. » — Надя Сушкина собственной персоной, покровительница поморов и девственниц.

Сушкина родилась в двадцать первом году и до шестьдесят четвертого хранила девственность. А в шестьдесят четвертом году ей сделал предложение ее будущий муж, который тогда работал слесарем на заводе, а потом стал рабочим на кладбище. Он, правда, выпивал, она ему к обеду четвертушку ставила — сама, чтоб он не искал на стороне.

Он был очень удивлен, что она девственница, но обрадован. Ваня его звали, Иван. Фамилию она оставила свою, потому что очень любила родителей, особенно отца, Карпа Сушкина.

Когда она вышла замуж, у нее появился определенный источник дохода — зарплата мужа. И процесс накопления пошел веселей. Даже свою единственную комнату она сдавала студенту, а сама спала на кухне на полу с мужем — все мечтала скорей купить квартиру, чтоб они с Иваном уехали из коммуналки.

И она мечтала обставить эту квартиру по собственному проекту, придумала интерьер, дизайн весь продумала до мелочей. Ведь у нее были горы книг, и она разработала оригинальную идею всепоглощающего раздвижного настенного шкафа, который мог бы вместить весь ее затейливый скарб, вплоть до постельных принадлежностей с дивана.

Сушкина паковала вещи. Она паковала их в одинаковые коробки из магазина, чтоб они стояли точно одна на другой, как пирамида. И в каждой коробке записочка — подробная опись предметов, где какие книги и прочее. Уже даже студенту пришлось уехать, потому что вся комната была заставлена до потолка.

Наконец подошел срок, когда ее кооперативная квартира была готова — отдельная однокомнатная квартира, на ее имя, за ее деньги, и Сушкина туда переехала. Они с Ваней оба туда переехали и опять все заставили этими коробками, устроив лабиринты Минотавра. А сами по привычке спали на кухне.

Ей говорили:

— Сушкина! Что же ты зажала новоселье?

— Вот я все уберу!.. — отвечала она.

Год живет — коробки стоят.

Дело упиралось в этот стеллаж на заказ, и никак она не могла найти мастера, чтобы он выполнил ее задумки. И уже нашла, кто его сделает, а тут у нее Ваня умер.

Это ее подкосило ужасно. И у нее отпало желание находиться в этой квартире.

Летом нас не было в Москве. Приезжаем, Вася спрашивает у подруги:

— А как там Сушкина?

— Ты знаешь, она умерла.

Она все делала сама, все могла — это ее и погубило. Стала чинить электропроводку, разобрала розетку, оттуда рвануло пламя, и загорелось ее добро.

Но я не об этом, я о том, как Сушкина с парусиновым мешком пришла к нам за конским волосом. И пока мы с Левиком напихивали волос в мешок, она подошла к нашему мальчику. Тот лежал в кроватке. Мальчик терпеть не мог, когда к нему подходили незнакомые люди. Он такую кроил физиономию, что у всех складывалось впечатление, будто он косой. Но Сушкина не дала ему опомниться. Она склонилась и протянула большую перламутровую пуговицу от своей кофты.

— На пуговичку, поиграй! — сказала она.

И она купила его этой пуговицей раз и навсегда. Дети любят, когда им говорят: «НА». Как Ходжа Насреддин: когда он тонул, ему все кричали: «Дай руку! Дай!» Он все тонул и тонул. А когда ему крикнули: «НА веревку!» — он тут же вылез.

Потом Сушкина отнесла мешок с конским волосом в мастерскую, где добавили ваты и сшили новый матрац.

В первую же ночь на этом матраце нам приснилось, что мы на нем спим между стенами двух домов. Эти стены так близко, и так нависают над нами края чужих крыш, — может показаться, словно и у нас есть свой дом и собственная крыша, но достаточно просто открыть глаза — и увидишь ночное небо.

Нам снилось, что мы летаем на матраце. Мы летали над облаками, так высоко, где даже не встретишь птиц.

И с нами долго еще летела — немного поодаль — душа старого летчика из нашего подъезда. Потом она стала отставать, отставать, потом помахала нам и свернула к Сириусу.

Глава 10.
Улыбка Фредерика

Все-таки насколько жизнь человека, знающего, что он скоро умрет, отличается от жизни людей, которые собираются жить вечно. Само собой приходит понимание — что главное, а что второстепенно, все как бы высвечивается иным светом и совершенно под иным углом.

Я, например, внезапно с некоторой обидой на природу обнаружила, что у меня первый номер лифчика. Мне уже немало лет, в моем возрасте женщины могут позволить себе размеры куда внушительнее, хотя и я тоже в этом смысле претерпела определенный рост — лишь на пятом десятке достигла я первого номера, а всю половозрелую жизнь имела нулевой.

Между тем в университете, когда я училась, у всех наших была вполне приличная грудь: у Нинки — второй номер с перспективой, у Дрыковой с Подорвановой — третий и четвертый, ну и так далее. Я же за свой минимализм благополучно снискала на факультете прозвище «нулевка».

Боже мой! Стала бы я так усердно стремиться к писательским лаврам, сквозь тернии рваться к звездам, вещать по радио, протыриваться на телевидение, раскапывать кости мамонта, летать на воздушном шаре, пытаться в одиночку на утлой лодчонке обогнуть земной шар, вовсю выдвигать свою кандидатуру от Союза журналистов на космический полет наедине с монгольским космонавтом, делать головокружительную педагогическую карьеру, если б у меня был чуть-чуть покороче нос, на два сантиметра длиннее ноги и хоть немного крупнее грудь?!

Однако все титанические усилия перевести стрелку пошли прахом, когда на церемонии вручения мне порядочной денежной премии «За совокупность» Антонов Андрюха в своей заздравной речи со сцены торжественно произнес:

— Что меня поражает в Люсе Мишадоттер, — заметил он при огромном скоплении народа, — то, что грудь у нее маленькая, а премия большая.

Впрочем, кто сказал, что речь идет о счастии или несчастьи моей жизни? Слаба ли я до такой степени, что доверяю свое счастье судьбе? Короче, дело бы мое совсем было швах, не вздумай я на заре туманной юности отправиться в универмаг, чтобы купить там раз и навсегда немецкий лифчик «Триумф» на толстом-толстом поролоне.

Все-таки память — это какая-то адская костюмерная. Заденешь вешалку — и оживают костюм, герой, эпоха, мизансцена, завязка, фабула, пылища декораций, твой монолог и реплики партнеров, буфет и туалет, черный рояль в фойе, балясины на фронтоне театра, зима, освещенные улицы, темные подворотни, огромнейший город с горящими окнами и вороньем на деревьях, океаны, материки, в конце концов, вся Земля, летящая в тот вечер в пространстве.

Входи, Роальд, не стесняйся, явись пред моим мысленным взором, я хочу вновь напомнить тебе о нашей любви!

Да, надо вам сказать, в универмаге — на возвышении — в центральном зале стояли потрясающие манекены. Когда-то их принес в дар магазину прославленный и щедрый Пьер Карден. Натуральные дьявольские отродья с яркими лицами и рельефными телами, все живое, теплое, я их потрогала — и губы, и носы, и уши, в глаза им вообще лучше было не заглядывать, а то мурашки бежали по коже, и я, едва завидя их, подолгу стояла в полнейшем оцепенении.

Я вам говорила, Анатолий Георгиевич, во времена моей бурной молодости я часто впадала в столбняк, напрочь вываливаясь из нормальной человеческой жизни. Со мной и сейчас бывает: гляжу, например, на черную воду в реке — о! начинается! Или вдруг пенье меня чье-нибудь заворожит, или огонь, или темнота, еще когда обнимаешь дерево, или босиком стоишь на земле, или гладишь камень, потом ночь полнолуния точно так же действует на меня, моросящий дождь, ветер в листьях, вой волков — я однажды слышала! — или тишина, она отдается у меня в ушах гулом надвигающегося поезда или финальными аккордами каких-то бурных сонат в исполнении Большого симфонического оркестра.

В общем — люди, только неподвижные и молчаливые, поэтому со смесью ужаса и любопытства, услышала я объявление на весь магазин:

— Товарищи манекены! Пройдите в дирекцию универмага!

Я не сомневалась, что все они разом, как стая грачей, сейчас снимутся с места и, тихо переговариваясь о чем-то своем, поднимутся на второй этаж в дирекцию.

Но манекены были не такие дураки, они не пошевелились, ничем не выдали себя — и правильно сделали, иначе страшно подумать, сколько разных проблем, забот и хлопот легло бы им на плечи.

И все же я уловила движенье в их рядах, кто-то прошмыгнул между ними, смахивающий на кота, я так и подумала сначала: «Кот!», но он еще раз возник на мгновенье, и мне показалось, что это кролик.

С самого начала все предвещало несчастья и чудеса, рушились привычные декорации, путь, по которому легко было идти день за днем, заметала пурга, но я еще не подозревала об этом, я мирно стояла в очереди, и вдруг кто-то неожиданно произнес мне в самое ухо:

— Сзади вы похожи на актрису Монику Витти!

— Мы все сзади очень похожи друг на друга, — сказала я, обернулась и похолодела.

За мной стоял кролик, обычный кролик с усами, зубами, ушами — правда, какая-то феноменальная крупная особь.

— И это ОН сказал??? КРОЛИК??? — Мой доктор Анатолий Георгиевич вообще ничего не мог понять, когда я рассказывала ему об этой полосе моей жизни.

— Что?

— То, что вы похожи на Монику Витти?..

— Ой, ну какие мелочи! ОН, ОН это сказал, не перебивайте меня, я забуду, на чем остановилась...

— Давайте познакомимся! — предложил он и, недолго думая, представился: — Роальд! — Вид у него был вполне бесшабашный. — Милочка моя! — закричал он, когда увидел, что́ я совершаю за покупку. — Да вы же в этом лифчике запаритесь! Вы в нем упреете! Голубушка! — Он голосил на весь магазин. — В таких толстых лифчиках только на Шпицбергене щеголять, Земля Франца-Иосифа по вам плачет, зимовка на станции «Мирный»!

Все смотрят на меня, обращают внимание, я говорю:

— Какое ваше дело?! Еще мне кролики будут указывать!

А он мне заявляет:

— Я и не скрываю, что я кролик. Я этим даже бравирую. Берите уже вашу водолазную деталь для погружения в холодную пучину Баренцева моря, и можно я понесу вас отсюда на руках?

— Идите к черту, — говорю я.

— Давайте вместе куда-нибудь пойдем? — он предложил миролюбиво. — Пропустим рюмочку? Трезвость для меня крайне противоестественна, — сообщал он, ведя меня через дорогу в какую-то забегаловку. — Пока я не выпил, я чувствую себя смущенно и неуверенно.

И вот мы сидим, пьем рислинг, и с каждым стаканчиком этот Роальд нравится мне все больше и больше.

— Некоторые писатели пишут, — глубокомысленно рассуждал он, закинув ногу на ногу и закуривая сигарету, — что жизнь — мгновение по сравнению с вечностью. А я открыл, что жизнь — мгновение по сравнению с мгновением!

Там было так тепло, я выпила, согрелась, народ пельмени ел в ушанках и пальто. Не знаю, мне всегда были бесконечно милы тепло одетые посетители пельменных. Мне с ними нечего терять и нечего делить, я вся светилась от счастья! Я вдруг почувствовала, что по уши влюбляюсь в этого кретина Роальда, в весь этот сумасшедший карнавал, на котором он буйно веселился.

Мне казалось, что это сон. Потому что мне часто снятся зайцы.

— А я никогда не помню свои сны, — сказал Роальд. — Только неприличные. Зато неприличные помню очень хорошо. И надолго их запоминаю....И помню с кем. Можно я тебя поцелую?

— Конечно, поцелуй! — говорю я.

— Вообще мне на женщин везет, — сказал Роальд, не двинувшись с места. — Вчера я в метро поздно вечером увидел девушку. У ней ноги длинны — «как дороги Гражданской войны». Я спросил: «У тебя ноги личные или государственные?» Она отвечает: «Личные». Тогда я ей говорю: «Сударыня! Мы оба с вами случайно оказались в метро. Вы шлюха, я богач. Давайте выйдем и сядем в мой “мерседес”?» Она отказалась выходить, и мы стали близки в метрополитене. Она диктор на телевидении. Сообщения синоптиков. Вот ее визитная карточка.

Я говорю (а я уже к тому времени нагрузилась):

— Я смотрю, у тебя, Роальд, п-повышенные з-запросы!..

— Если б у меня были повышенные запросы, — он отвечал, — я бы тут сидел сейчас не с тобой, а с Наоми Кэмпбелл!

— Какая Наоми Кэмпбелл, что вы городите?! — воскликнул Анатолий Георгиевич. — Вы взрослая женщина, можно сказать, пожилая. Наоми Кэмпбелл вам в дочери годится!

— Ну, нет, — говорю, — Анатолий Георгиевич, в дочери она мне совершенно не годится! Куда мне такие дочери? Вы соображаете? Она один раз поздно бы пришла, не позвонила, второй, а если бы вообще всякую совесть потеряла — явилась бы под утро, что тогда?! Кому звонить и где мне ее такую искать?

Тем более, я про нее читала — она приревновала какого-то типа к другой женщине и по этому поводу, не моргнув глазом, выпила баночку седуксена. Ее теперь мало, наверно, что волнует, но куда это все годится и какие надо иметь железные нервы, чтобы чучкаться с подобными не готовыми к суровой жизненной борьбе дочерями? И где бы я, скажите на милость — вы оглянитесь вокруг себя! — нашла верного ей человека? А главное, сразу бы мировая общественность отметила: это она в свою ненормальную ревнивую мамашу, у них вся родня такая, их родственник — это мой дядя по материнской линии — приревновал жену, она интересная такая особа, блондинка, работает директором модного ателье, так вот он решил повеситься и написал записку: «Прошу винить в моей смерти Червякова!» Тетка входит — он вешается, она: «Ах!.. » Он ей, стоя уже на обеденном столе с петлей на шее: «Говори, кто такой Червяков?! И в каких ты с ним состоишь отношениях?» Она плачет: «Не знаю я никакого Червякова!» И вдруг вспоминает — у нее в ежедневнике (а эта дура вела ежедневник) на каждой странице:

«ЧЕРВЯКОВ!»
«ЧЕРВЯКОВ!»
«ЧЕРВЯКОВ!»

«Так это я напоминание себе пишу, — кричит она, — чтобы в зоомагазине рыбкам купить червяков. Вот мое алиби!» И показывает своему Шерлоку Холмсу промокший бумажный кулек с червями.

Чем он мне нравился, этот сукин сын, — ему было начхать на весь свет. Милиционеры по сто раз на дню проверяли у него документы. Не верили своим глазам, что по центральным улицам Москвы, беззаботно посвистывая, фланирует на свободе и культурно проводит время в обществе приличной девушки настоящий кролик, причем такой монстр. И у него значок на груди — он все время носил: «Я — Шекспир!»

Мы с ним шлялись везде, всюду целовались, он звонил мне по телефону круглые сутки и говорил:

— Люся! Какое счастье, что я живу с тобой в одном тысячелетии. Как ты такая за пятьдесят лет нашего тоталитарного режима сумела сохраниться? Я хочу сказать тебе, кроме шуток: давай встречаться почаще? Я обожаю тебя. Пойди скажи своим родителям: Роальд любит меня и не может этого скрывать.

В конце концов он к нам приехал знакомиться с Мишей и Васей — без звонка, в двенадцатом часу ночи, с бутылкой красного вина, как фраер, и снулым карпом, завернутым в газету.

В гости Роальд надел свою парадную фирменную футболку, на которой большими буквами спереди было написано «COITUS».

Я ожидала, что Вася с Мишей придут от этого зрелища в содрогание, но, к счастью, мои целомудренные родители, будучи воспитанными на старых порядках, понятия не имели, что такое «coitus».

Меня всегда изумляла неискушенность и, я бы сказала, отсутствие научно-художественного интереса наших сограждан советского периода к подобным вопросам.

В одном издательстве, куда я частенько захаживала, я всякий раз поражалась удивительному цветку тропического происхождения, росшему на подоконнике в обычном глиняном горшке под присмотром пяти интеллигентных редакторш.

Именно интеллигентность этих редакторш удерживала меня и других авторов издательства, кто хоть в малейшей степени располагал образным мышлением, от комментариев по поводу разнузданной и непристойной формы этого растения. Хотя он вялый был какой-то, дряблый и, как они его ни удобряли, ни поливали и ни вытирали с него раз в неделю пыль тряпочкой, имел крайне осовелый, унылый и отнюдь не победоносный вид.

Ну, я возьми и спроси однажды:

— Как, интересно, этот ваш потрепанный жизнью питомец называется?

— Аморфофаллос, — ответила мне невинная девушка пятидесяти пяти лет, редактор с огромным стажем, выпустившая в свет не один десяток книг различных наименований.

По ее незамутненному взору я поняла, что даже и любопытствовать не стоит, знает хотя бы кто-нибудь из этой рафинированной интеллигенции, что значит слово «фаллос». Я уж не говорю, про латинские выверты, типа загадочной и непереводимой приставки «аморфо».

Ей-богу, среди подобных чистых душ я чувствую себя растленной, скабрезной личностью.

К ним из Ботанического сада приезжали — и тоже самое: не знали, как подступиться. Они уж и так и этак:

— Отдайте, — просили, — его нам в оранжерею, мы вас, — говорили, — предупреждаем, что это ОЧЕНЬ экзотическое растение, его образ жизни учеными до конца не изучен, он может быть непредсказуем и даже опасен для общества, когда у него начнется пора цветения!

Но, несмотря на мои грязные лингвистические намеки и их научные ботанические предупреждения, редакторши так и не потрудились вникнуть, о чем, собственно говоря, идет речь. Только опомнились, когда этот аморфофаллос во время цветения и плодоношения техничку изнасиловал, явив наконец свое истинное лицо не изнеженного растения, коим он прикидывался многие годы на подоконнике, а грубого и плотоядного животного.

Я веду к тому, что Роальд своей вычурной майкой не смог потрясти основ моих родителей, ибо их чистота и невинность всегда были им надежной защитой и опорой. Васю просто ошеломило, что Роальд кролик, вот и все. А Миша и на это не обратил внимания. Он вообще уже лег спать, но из уважения к гостю встал и надел штаны. Так что мы трое были немного квелые.

Роальд, наоборот, в тот незабываемый вечер много шутил, сыпал каламбурами, плел какую-то ахинею, особенно напирая на то, что прочитал в газете, слова никому не давал вставить, даже Васе.

— Вчера в «Известиях» печатали, — говорил он, — один американец женился на египетской мумии! У них там мумия — одушевленное лицо. А именно эта, конкретно, отличалась выдающейся миловидностью. Он вывез ее из Египта в Калифорнию и зажил с ней счастливо в своем родовом поместье. Все дарят им свадебные подарки. Сейчас у них медовый месяц. А скоро, наверно, дети пойдут!

— Народ совсем одурел, — сказала Вася. — Могу себе представить, как приняли невестку его родители.

— Родители свое отжили, — дипломатично заметил Миша. — А молодым еще жить и жить. Главное, чтобы они по характеру подходили друг другу.

— Вы, Михаил Соломоныч, — прямо Соломон. — Роальд наполнил бокалы. — Я в жизни встречался со многими людьми, — произнес он в приподнятом тоне. — Но теперь сижу *именно с теми*, с кем и хотел всегда.

— Мы тоже рады этому знакомству, — растроганно сказал Миша.

— Мне осталось жить восемьдесят лет, — продолжал Роальд, — и все восемьдесят я намерен посвятить вашей Люсе. Клянусь, даже ни на кого не посмотрю! Вы помните, — обратился он к Васе, — как витязь в тигровой шкуре убил от страсти к женщине семьдесят пять человек? Так и я во имя своей любви готов лишить жизни весь этот микрорайон!

Я грешным делом подумала, что Роальд сейчас попросит моей руки. И Васе с Мишей, видимо, пришла в голову эта шальная мысль. Они как-то приосанились и расправили плечи.

Но он воскликнул, подняв бокал:

— За Москву белокаменную! Чтобы в ней процветали искусства и ремесла!.. Люся, я выхожу из твоего дома, как благоверный в пятницу из мечети! — сказал он совсем уже на пороге, приканчивая бутылку.

Пил этот кролик, как сукин сын. И время от времени употреблял наркотики. И очень мало доступен был перевоспитанию.

Я раз попробовала с ним провести душеспасительную беседу, сказав ему коротко и ясно:

— Если ты, сукин сын, будешь продолжать в этом духе, ты вскоре нарушишь нормальный ход организма, утратишь цветущий вид и околеешь молодым.

На это он мне спокойно ответил:

— Люся! У тебя есть одна черта, которую тебе надо вытравлять из себя по капле. Ты немножко зануда, Люся, и любишь всех поучать. Никогда, никогда, никогда, никогда коммунары не будут рабами!

Он странник был, обитатель коридоров, живший в вывороченном мире, кругом нездешний, откуда он вышел — дверь закрылась, куда пришел — еще не открылась, но то был кайф его жизни: находиться ни там, ни тут, а по дороге.

Недаром в его жилище единственной личной собственностью был прибор-комбайн: градусник, который показывал все время сорок градусов жары, барометр, застывший на отметке «приближается буря», и часы, намертво стоявшие на двенадцати.

Роальд снимал комнату в центре Москвы в доме работников Большого театра у одного субъекта, Яков Михайлович его звали. Тот имел голос — шикарный, а был аферист. Инвалид с костылем. Но очень искусный оратор. Все вопросы решал по телефону, и такие обороты при этом употреблял: «Пора и честь знать!.. » — или: «Херсонская уехала в Измаил...»

А представлялся он обычно так:

— Это референт Воронцова. *НУ? КАК МЫ БУДЕМ?*

И все решал.

Если б Якова Михайловича увидел кто-нибудь из его абонентов, какой он облезлый старый гусь, они бы не мешкая подали на него в суд за надувательство. И всякое правосудие — любой страны, даже папуасов или бушменов, — приговорило бы Якова Михайловича к лишению его великолепного, насыщенного богатыми модуляциями голоса, внушающего слепое доверие влиятельным и должностным лицам.

Он не гнушался никаким заработком, так и норовил чего-нибудь такое заполучить лишнее, причем из любой области человеческой жизнедеятельности.

— Звонил отец, — говорил он (что удивительно, у этого человека был *отец!*), — сказал, на Рижском рынке с грузовика продают японские моторчики для швейных машинок, с охлаждением. Болтались бы поблизости мои ребята, весь грузовик бы закупили. Хочется чего-то несбыточного... Ля-ля-ля-ля-бум-бум! Ля-ля-ля-ля-бум-бум!..

Пел он, конечно, замечательно. В любой момент ни с того ни с сего мог вдруг раз! — и запеть что-нибудь из шаляпинского репертуара. Больше всего он любил песню про блоху. Она постоянно блуждала у него на устах с короткими перерывами на сон. Причем Яков Михайлович никогда не забывал, на каком месте остановился. Если вечером, засыпая, он успевал пропеть:

Жил-был Анри Четвертый,
Он славный был король...

То рано утром Роальд просыпался от громогласного:

Любил вино до черта,
Но трезв бывал порой!

И всегда при встрече Яков Михайлович пытался мне продать наручные часы, которые не ходили, недорого — за три рубля. Роальду, он знал, предлагать бесполезно: во-первых, из-за хронического безденежья, а во-вторых, у того уже были часы, встроенные в комбайн, источником которого явился все тот же Яков Михайлович.

Сейчас он умер, к сожалению. Но это был не человек, а фейерверк. Он ехал в метро на эскалаторе, вдруг поднимал костыль и громко говорил шикарным своим голосом:

— ЛАМПУПИК ГАД!

И пассажиры со встречного эскалатора глядели на него в оцепенении.

— Я прихожу домой, — жаловался мне Роальд, — хочу принять ванну, а в ванне плавают живые карпы!

Яков Михайлович накупал их в рыбном, а потом выносил в коридор в газете и продавал по другой уже цене работникам Большого театра. К нему и ночью приходили по этому вопросу, а некоторые — не будем называть имена — являлись ранним утром с удочками.

Так наш Яков Михайлович, даром, что инвалид с костылем, нашел способ внести свою лепту в развитие русской оперы и балета.

В ванне Якова Михайловича карпы жили годами. Он создал им условия, максимально приближенные к естественным. Они у него даже размножались.

Роальд бесился, но понимал, что плетью обуха не перешибешь. Тогда он плюнул на все и стал принимать ванну с карпами — правда, по обоюдному согласию с Яковом Михайловичем, без мыла. «Чтоб им глаза не щипало», — объяснял мне Роальд.

Он был великий гуманист, хотя, отправляясь в гости, заимел пагубную страсть прихватывать с собой в газете карпа, исчезновение коего Яков Михайлович мигом обнаруживал и, как говорится, прописывал за это Роальду клистир.

Мне кажется, они по-своему любили друг друга. Но многое их, конечно, друг в друге не устраивало. Яков Михайлович, например, доканывал Роальда тем, что имел обыкновение вваливаться к нему в комнату без стука.

— Стучаться надо! — воспитывал его Роальд. — Мало ли что я делаю?! Может, я онанизмом занимаюсь?

Но Яков Михайлович никак не мог взять в толк, почему он должен стучаться к какому-то кролику. Тем более, тот квартплату всегда задерживал и без спросу разговаривал по телефону с другими городами. У Роальда мама жила на Кубани в станице Брюховецкой — он пекся о ее здоровье за счет Якова Михайловича, — два братана в Ростове-на-Дону и сеструха в Новочеркасске.

— Лампупик гад! — орал на него Яков Михайлович. — Ты бы уж с моего телефона всем кроликам земного шара позвонил! Особенно в Австралии вас, говорят, как собак нерезаных!.. Твой кролик, — жаловался мне Яков Михайлович, — не успокоится, пока меня по миру с голым задом не пустит. Хотя я спекулянт, — с гордостью добавлял он, — и нажил себе темными аферами небольшое состояние.

Разумеется, вся эта ситуация порождала в нежной душе Роальда некоторый антисемитизм.

— Если бы ты знала, — признавался он мне в минуты близости, — как я горд, что во мне нет ни капли еврейской крови!

Наверное, вы удивитесь, Анатолий Георгиевич, узнав, что это и был мой первый мужчина.

— Не понял, — сказал Анатолий Георгиевич, некоторое время хранивший гробовое молчание. — Он правда *был кролик* или вы его так ласково звали? Или просто он такая страхолюдина с заячьей губой?

— Чистая правда!

— Нет, ну все-таки!..

Да, он был кролик, но такой кролик, который, мне казалось, достоин быть пригретым на моей груди.

Он говорил:

— Имей в виду, Люся, меня не интересует секс в том смысле, в каком его все понимают. Мне почти все равно, дашь ты мне или не дашь. Запомни: секс — это такая зона отдыха, где ничего не надо делать. Все, что само происходит, — прекрасно, а остальное отвратительно.

Первый раз, когда я легла к нему в постель, он не шелохнулся. Он тихо лежал, так тихо — я думала, он уснул.

— Ты спишь? — я спросила.

— Я смотрю в окно.

— А разве я не окно?

Он ничего не ответил.

Тогда я оделась и вышла на улицу. Все было в снегу. Сгущались сумерки, потом наступила темнота, я плыла во тьме, как водолаз, заблудившийся в неведомых водах, а Роальд бежал за мной и кричал:

— Люся! Подожди!

У него всегда в самый неподходящий момент развязывались шнурки на ботинках.

Потом его неделю не было дома. Он где-то шлялся, сопровождаемый грохотом музыки и взрывами петард. Вдруг он звонит:

— Люся! Радость моя! Любовь моя!..

— Где ты? — кричу я. — Черт тебя подери!

— Я в Тамани! — он отвечает. — Провожу археологические раскопки по местам Михаила Юрьевича Лермонтова.

— Как ты там оказался???

— Можно я тебя перебью? Я люблю тебя! Я люблю тебя в Тамани. Я люблю тебя в Москве. Я люблю тебя в Подмосковье. Ты не возражаешь, если я наймусь к твоему отцу батраком на семь лет за рябиновую настойку и харч?

— Вернешься, — я ору, — обязательно позвони!

— Я не только позвоню, — он ответил мне, — я тебя обниму и прижму к своему сердцу.

Нет, это был не кролик, а золото.

Когда мы с ним встретились вновь, я сказала:

— Смотри, небо гаснет прямо на глазах.

Он ответил:

— В твоих глазах ничего не должно гаснуть, а только разгораться.

Дальше я ничего не помню. Это было глубокое пение. Глубже бездн и морей, глубже сердцебиения, почти бездонное, это была песня или молитва, или смертельный плач, какой-то реликтовый голос древнее всего нашего мира звучал во мне, я почувствовала, что у меня останавливается сердце.

— Ничего, — сказал Роальд, — пускай оно отдохнет, нам с тобой пока хватит моего.

А я нежно шептала ему:

— У тебя, Роальд, уши — как у Будды!

— Я и есть Будда! — ответил Роальд.

В общем, это был ливень священной любви, звездный час моей жизни, прекраснейшее событие во Вселенной, которого ждали все люди и даже бессмертные боги.

Что интересно, Яков Михайлович не ввалился к нам ни разу.

— Ничего удивительного! — сказал Роальд. — Яков Михайлович очень деликатный и порядочный человек. Всего четыре раза сидел.

Мы готовили к этому событию праздничные фейерверки, сочиняли радостную музыку, собирались торжественно звонить в колокола, но мы не подозревали, конечно, что праздник зайдет так далеко, раскрутится, распространится — не зря барометр у изголовья упорно показывал нам приближение бури! — циклоном пройдет за пределы нашего края, замораживая траву и обрушивая жуткие снегопады на жителей Средиземноморья, жителей Галапагосских островов, Мавритании и Берега Слоновой Кости, оставляя за собой мертвую листву, тоскливые птичьи крики, звездную пыль и глыбы обледенелых лун.

— Иными словами, вы забеременели, — сказал мой догадливый доктор Гусев.

— Точно! — ответила я ему.

Я рассказала Роальду. Ну, я не была уверена, что он умрет от счастья. Но мне хотелось услышать от него что-то философское, типа: здравствуй племя младое, незнакомое! Не я увижу твой могучий поздний возраст, когда перерастешь моих знакомцев и старую главу их заслонишь от глаз прохожего. Но пусть мой внук услышит ваш приветный шум, когда с приятельской беседы возвращаясь, веселых и приятных мыслей полон, пройдет он мимо вас во мраке ночи, и обо мне вспомянет...

Ничего похожего. Он так странно прореагировал. Повалился на кровать и зарыдал.

Он безмолвно рыдал некоторое время, а потом вскочил и заорал:

— Михалыч! Вынимай карпов! Люська залетела, я ее буду в ванне варить.

— Пускай ро́дит, — строго сказал Яков Михайлович, видимо, для торжественности сделав ударение на первом слоге. — Вы, кролики, затем и появляетесь на свет, чтобы плодиться и размножаться.

— Я сам еще дитя, — отвечал Роальд. И такое скорбное было у него лицо, такая тоска во взоре, такое сиротское одиночество, просто поразили меня тогда его безмерная тоска и одиночество, я пожалела его бедное сердце, сердце кролика. И во всем послушалась его. — Вот только на ноги встану, — говорил он, укладывая меня чуть ли не в кипяток, — тогда будем размножаться. А сейчас — нищету плодить!.. В нашей семье, — говорил он, подливая горяченькой водички, — одиннадцать детей. Мы так бедно жили, недоедали, пиджаки со штанами донашивали друг за другом. А отец у нас знаешь какой? Он всю жизнь копил деньги. А посмертно передал их в Фонд мира!.. Михалыч! — закричал он. — Неси полотенце! И бегом за водкой.

— Я б тебе, Роальд, яйца оторвал и на них попрыгал! — переживал за меня Яков Михайлович, видя, какой разваренной меня вытащили из ванной комнаты.

Надо сказать, этот метод не сработал.

Но мой Роальд не сдался, не сложил оружия. Он чудом раздобыл какие-то импортные таблетки в больнице Четвертого управления.

— Сказали, гарантия — сто процентов. Пей, — он велел мне.

Я выпила и уснула.

И снится мне сон: я вхожу в прозрачное горное озеро — чистое-чистое, прямо хрустальное, на глубине каждый камешек видно, каждую песчинку. И вдруг эта чистая прозрачная вода окрашивается темной кровью.

— На, выпей еще, — разбудил меня Роальд.

Я выпила и уснула.

И снится мне сон: я вхожу в белоснежный зимний лес. Всюду снег лежит — белый-белый. И вдруг этот свежий белый снег окрашивается темной кровью.

Весь день я пила таблетки и, не успевая голову донести до подушки, засыпала.

И мне снился сон: я иду по облакам, облака такие легкие, воздушные, солнечные, сияющие, серебристо-белые кучевые облака. И вдруг эти белые облака окрашиваются темной кровью.

— Чем ты ее пичкаешь? — сквозь сон услышала я тревожный голос Якова Михайловича. Он, кажется, немного побаивался, что Роальд меня отравит.

— Это «нулевые» таблетки, — объяснял Роальд. — Чисто психологические с успокаивающим эффектом. Ведь она такая внушаемая! Ей скажешь: «Четвертое управление! импортное средство! стопроцентная гарантия!..» На нее что хочешь подействует.

О, это был великий экспериментатор! Никто и никогда больше столь свято и безгранично не верил в мою дурь, как этот бешеный кролик.

В конце концов нам пришлось обратиться к профессионалу. Он был платный, подпольный, анонимный, то есть не спрашивал, как тебя зовут, где ты учишься, кем работают родители. Его звали Антонина Кирилловна.

И нам до зарезу нужны были деньги.

— Надо сдать книги, — сказал предприимчивый Роальд. — Ты, Люся, принеси, чего тебе не жалко, а я отдам самое дорогое, что у меня есть.

Справедливости ради заметим, Роальд приготовил на сдачу свою любимую, зачитанную до дыр, выученную назубок, детально проработанную с карандашом — кое-где на полях виднелись его отметки «nota bene!» — настольную книгу кролика «Секс в жизни мужчины», решив сорвать крупный куш.

Я же, в отличие от благородного и самоотверженного Роальда, немного слукавила, изъяв из своей библиотеки альбом по искусству на украинском языке «Мир современного украинского художника».

И тут наш Яков Михайлович продемонстрировал невиданную доселе ширь души, пожертвовав на это дело собрание сочинений Генриха Гейне: каждый том в твердом кожаном переплете с золотым тиснением, семь томов, аккуратно перевязанных бечевой.

— Пойдите к Абрам Семенычу в Пушкинскую лавку, скажите, что от меня, он возьмет, — напутствовал нас Яков Михайлович. — Хотел сам сдать, да вам, молодым, нужнее...

Роальд обнял его.

Эх, когда-то я не хотела брать часы Якова Михайловича — сейчас я купила бы их за любые деньги.

В лавке у него работал приятель — старый еврей Абрам Семеныч, знаток антикварных книг, ценитель, известный коллекционер, высокомерный, как Папа Римский; он был такой — три раза спросишь, один раз ответит.

Я помню скрюченные узловатые пальцы, которые тянулись к тебе из-за прилавка, когда ты, угодив в очередные форс-мажорные обстоятельства, приносил ему сеточку книг.

Казалось, пальцы Абрама Семеныча от самого его рождения касались, брали, осязали, держали, трогали, ласкали одни лишь книги, исключительно книги, ничего, кроме книг. А ведь он был почти слепой, он работал в таких толстых линзах, что очки сползали под тяжестью этих линз, не в силах удержаться на переносице, даже на крутой горбинке!

Но чтобы видеть книгу, ему уже не нужны были глаза.

Я однажды слышала, как он сказал:

— Книгу надо нюхать, каждую страницу целовать... а читать умеют все.

Он был незаменим — там, на углу Пушкинской, никто не пытался отправить его на пенсию, хотя ему было за восемьдесят; говорят, со временем он просто усох и превратился в древний фолиант каббалистического содержания.

Он сразу принял на комиссию собрание сочинений Гейне, выдав нам наличными семьдесят рублей, а «Мир украинского художника» и «Секс в жизни мужчины» выразительно отодвинул от себя одним пальцем и сказал:

— Это дрянь какая-то, а не книги!

— Не хочется говорить, но еврей — он и в Африке еврей, — кипел от негодования Роальд, пока мы ехали к Антонине Кирилловне, целый час, трясясь в холодном трамвае. — У нашего народа, — он возмущался, — вообще смещена шкала ценностей. Что ему этот Гейне? Полностью инородное тело на нашей русской земле! — И тут он, к моему удивлению, прочитал: — *«О, моя Лорелея! Моя Лорелея!..»*

О, моя Лорелея, моя Лорелея! — повторяла я про себя, как молитву, восходя по грязной лестнице дома, где меня поджидала неведомая, но уже заранее кошмарная Антонина Кирилловна. О, моя Лорелея! — она повела меня узким захламленным коридором в комнату, до потолка заваленную барахлом. Стоит ли говорить, что Антонина Кирилловна была хрычовка в банном халате с совиною головою, гиппопотам в стоптанных тапочках, горбатый зебу — остановись, перо, эта бедная женщина не виновата, что колесу твоей судьбы в тот миг впервые пробил час переехать тебя со всею осторожностью.

Вся Антонина Кирилловна состояла из трех элементов — попа, грудь и живот. Но, проплывая мимо зеркала, она взглянула горделиво на свое отражение и произнесла:

— Красота — это страшная сила.

Видимо решив, что в сложившейся ситуации поговорить о мужчинах — то же, что во всех остальных случаях — побеседовать о погоде, она одарила меня еще одной сакраментальной фразой:

— Мужчина — он поздно умнеет и рано дуреет.

И Антонина Кирилловна стала искусно развивать свою идею, иллюстрировать на примере личной жизни, как, имея мягкий и беззащитный характер, сама она ни разу не изловчилась угодить в этот краткий, практически неуловимый промежуток.

Я чуть не позабыла, зачем пришла. Это была такая умора. Вообще мне хотелось бы поскорее просвистеть этот эпизод, не люблю я о нем вспоминать, однако жаль вас лишать, Анатолий Георгиевич, ее дивной истории.

— Был у меня мужчина, — рассказывала Антонина Кирилловна, беря шприц и засасывая туда какую-то жижу. — Не мог без меня прожить ни дня. Как он меня любил! Ну прямо *боготворил*... Он был хронический алкоголик. Пить начинал рано утром — через час после пробуждения. Таким образом у него на жизнь оставалось очень мало времени: с семи до восьми утра, пока он трезвый, как стекло, а начиная с завтрака — все! Так вот: он навострился приглашать меня к себе ДО работы!.. Ложитесь, — сказала она и указала мне шприцем на свою кровать.

Я оглянулась и увидела то, что снилось мне потом всю жизнь, как моему папе Мише — бездонное крымское звездное небо.

Нет, то была не постель — то был колоссальный могильный курган. На этой постели покоились тени погибших городов, шли в лунном свете караваны верблюдов, охваченные неотступной тоской, встречались обломки кораблекрушений, плавучие льдины, кристаллы кварца, куски асбеста, бедро жирафа, кости больших сомов и мелкие останки газели, тут можно было обнаружить несколько скелетов, черепа коих унесены ветром, насчитать восемь некрополей и около семи тысяч могил, лягушки плавали, барахтались дикие утки, останавливались перелетные птицы — синие голуби и пепельные цапли, здесь был убит последний крокодил Тассили, а древние носители берберских языков, пришедшие сюда задолго до христианской эры, из-за коровьей чумы потеряли свои стада.

Я поняла, что лягу сюда и бесследно исчезну, как исчез до меня не один человек, лег — и нет его, испарился, покончив разом со всеми своими проблемами.

О, Лорелея, одна ты поймешь, как мне захотелось оттуда смыться!

Удрать, пока не поздно, унести ноги, ведь я всегда бросаюсь бежать сломя голову отовсюду, это мой принцип, мое жизненное кредо — все хорошо, хорошо, вдруг какой-то колокольчик звенит: беги! И тогда я бегу, не успев даже попрощаться, и я вам наврала, Анатолий Георгиевич, мол, меня, видите ли, все бросают: меня все бросают *официально*, когда уже некого и бросать. Потом я часто жалею, но удержаться не могу никогда.

Не приближайся ко мне, женщина, там, наверху, на тебя за это дело будет наложено страшное взыскание. Да знаешь ли ты, кто я такая? Ты знаешь, кто я??? НИКТО!

Ох, до чего же мне было плохо. Такая тоска — ужасно. Я лежала на чужой кровати и все пыталась вспомнить что-нибудь хорошее — Черное море, где я отдыхала когда-то, или березовую рощу.

Потом я встала и подошла к окну. И вдруг вспомнила, как я учила Роальда плакать. Он мне сказал, дурачок, что плакать не умеет.

А я говорю:

— Это очень просто. Встань у окна, прижмись лбом к стеклу. Теперь делаешь глубокий вдох, и слезы сами начинают литься, видишь? видишь? и ты стоишь и горько плачешь о своей погубленной жизни.

— Ну, вот и все, — сказала Антонина Кирилловна. — *Кровь будет большая*, — предупредила меня эта постаревшая Кассандра, почему-то не умершая молодой, чудом увильнувшая от расплаты за свой ужасный пророческий дар.

К вечеру ее предсказание сбылось.

Это были реки крови, море крови, целый океан, это было крови не спрашивайте сколько, я истекала кровью, как туша оленя, подвешенная вниз головой, где бы я ни появлялась, все вокруг моментально окрашивалось кровью, белые перья почтовых голубей, белизна цветущих яблонь, молочные туманы, белоснежные арки, прозрачная роса, ледяные цикламены, ветер, листья, стволы, луна и солнечные заливы. Как бык заколотый, сказал бы Лорка, шаталась я по городу, оставляя везде и повсюду лужи дымящейся крови. Я никогда и не подозревала, что, в сущности, некрупный человек, вроде меня, может являть собой резервуар такой тьмы-тьмущей крови.

Это длилось бесконечно и продолжалось до тех пор, пока земля не стала уходить у меня из-под ног, тогда я опустилась на асфальт и закрыла свое лицо пропитавшимся кровью пончо.

Тут откуда-то сверху приблизился ко мне красивый молодой человек со старомодно зачесанными назад волосами. На нем была ослепительно белая накрахмаленная рубашка. Я испугалась, что обагрю ее кровью. Но он сказал мне очень ласково:

— О, моя Лорелея! — взял за руку, и я поняла — сам поэт Генрих Гейне спустился за мной с небес и уводит по взлетной полосе ангелов.

Очнулась я в больнице в операционном отделении. Меня положили в коридоре прямо напротив операционной, потому что в палатах не было места.

Спустя дня два или три Роальд передал мне авоську с апельсинами и записку. Черт меня знает, зачем я всю жизнь храню эту дурацкую записку.

«Люся! Ешь апельсинчики! От них, говорят, кровь сворачивается».

Я иногда звонила ему оттуда. У него была страшная хандра.

— Сейчас я в депрессии, — он говорил. — Но через месяц я снова буду балагур и весельчак.

Он спал двадцать четыре часа в сутки. Видимо, это помогало ему преодолеть смутную тревогу и обрести спокойствие перед лицом очередных превратностей судьбы.

— Как твое здоровье? — он бормотал сквозь сон. — Возьми мое здоровье себе, потому что ты нужнее человечеству.

— Я тебя не разбудила? — я спрашивала.

— В худшем случае, — он отвечал, — только солнце может разбудить меня.

Однажды к телефону подошел Яков Михайлович.

— Зря ты с ним спуталась, с этим прохвостом, — сказал он. — Ты хорошая девушка, а он блатной.

— А вы, Яков Михайлович, жупан! — ответил Роальд в параллельную трубку. — Ты представляешь, Люся? Я просыпаюсь, а у моего изголовья лежат две книги: «Кротость: как ее достичь?» и «Сладострастие: как от него избавиться?»... Сегодня я встал, — он рассказывал, — поблагодарил Господа за то, что на Земле мир, пропел магические мантры и снова начал пить. Свой запой я хочу завершить в воскресенье вечером, и с понедельника снова примусь навещать тебя и осыпать цветами. Только среда у нас, у кроликов, заветный день, как для евреев суббота. Мы не зажигаем огня, мы думаем о небе.

С каждым моим звонком его голос звучал все глуше и дальше, пока совсем не стих. Я искала его на суше и на море, и в воздухе, в беспредельной мертвой пустыне, где добывают селитру, искала, не находя даже следов.

А впрочем, никто и не надеялся, что этот кролик будет со мной всегда.

— Я очень не люблю слова «всегда», — он мне сказал однажды. — Как будто обнял кого-то, а рука закостенела.

И он вовсе не собирался становиться отцом моих детей. Это было заметно невооруженным взглядом.

— Я к детям, — он мне признавался, — вообще испытываю одно отвращение. Сами бледные, глазки буравчики, зубы в разные стороны, ходят с черными воздушными шарами, выворачивая пятки, и смеются злым смехом.

К тому же не будем забывать, что его настольной книгой являлась не «Педагогическая поэма» Макаренко, а «Секс в жизни мужчины»!

Это был король секса, гений дефлорации, это был мне подарок, которого я ничем не заслужила, и я не держу на него обиды за то, что в один прекрасный день он решил смыться подчистую и начать новую великолепную жизнь, не заплатив за квартиру, оставив записку на столе у барометра: «Яков Михайлович! Поймите меня и простите... Только огонь нам судья на погребальном костре».

Вечная стремнина бытия уносила его к ничейной земле всепрощения и забвения, сказал бы Габриэль Гарсиа Маркес, а мне сказали, выписывая из больницы, что у меня уже больше не будет детей.

— Слушайте, Люся, да что же у вас за напасти? — вскричал Анатолий Георгиевич, всплеснув руками. — Раз ваша любовь с юных лет обретает настолько причудливые формы и неразрывно связана с катастрофическими крушениями, что вы вообще за нее так крепко держитесь? Лучше бы посвятили себя благотворительности, как мать Тереза!

— Возможно, вы правы, Анатолий Георгиевич, — я отвечала, — возможно, правы. Но я его так любила, кролика, вы не представляете! Я простодушно поведала эту историю Левику, когда мы с ним собирались пожениться. Но он ответил: «Меня не интересует, как ты его любила. Только анамнез, история болезни, твой скорбный лист интересует меня, — он сказал. — Чтобы мне знать от чего тебя лечить».

В этом — мой муж Левик! С первой нашей встречи он меня сразу воспринял, как врач больную. Даже когда я бываю абсолютно здорова, он, уходя по утрам на работу, вместо «До свидания» говорит мне «Выздоравливай!».

Мы прожили несколько лет, а ребеночка у нас не было и не было. Это нас очень сильно удручало.

Тогда я и Левик решили усыновить кита.

Как-то мы прочитали в журнале «Мир географии» статью одного американского зоолога, специалиста по китообразным из Института морских ресурсов при Калифорнийском университете, что в водах мирового океана киты вымирают гораздо быстрее, чем размножаются. За тридцать последних лет, писал он с горечью, мировая популяция синих китов уменьшилась в сто раз! На грани вымирания не только синие киты: вот-вот исчезнут с нашей планеты горбач, финвал и кашалот.

Он предлагал в целях увеличения поголовья китов тем, кому небезразлична судьба этих уникальных живых организмов, «усыновить» любого кита из океанариума на выбор, сделав некоторый денежный взнос.

«Вы нам деньги, — писал этот предприимчивый китовод, — а мы вам — информацию про вашего кита, подробный отчет о его здоровье, настроении, образе жизни, чертах характера, как он кушает, чем занимается, какие у него интересы, увлечения и успехи».

А незадолго до этого Левик получил премию в Нью-Йорке в газете «Таймс» за лучшую фотографию. Он снял Дюка Эллингтона. Тот приезжал в Москву на гастроли со своими музыкантами. Старик играл «Караван» в Лужниках. И Левик сфотографировал его затылок — белый-белый, как соляная глыба, которую любят лизать верблюды.

Вот эти деньги Левик каким-то чудом перевел в Калифорнийский океанариум, и через некоторое время нам оттуда пришло письмо.

Дорогие Лион и Люся!

Рады вам сообщить, что отныне вы являетесь счастливыми родителями кашалота Фредерика. Он еще совсем маленький, весит всего одну тонну, а длина его составляет три метра восемьдесят пять сантиметров.

И фотокарточка. Там был изображен Фредерик в воде, с открытой пастью, абсолютно беззубой. Казалось, будто он улыбается во весь рот.

— На тебя похож, Люся, — с нежностью сказал Левик, глядя на улыбку Фредерика.

Эту фотографию мы повесили у себя над кроватью и подолгу смотрели на нее с гордостью и надеждой, просыпаясь и отходя ко сну. При этом мы с Левиком мечтали, кем он станет, когда вырастет, каковы будут его неведомые нам пути и как он, интересно, умудрится баюкать нашу одинокую старость.

Вскоре нам пришло второе письмо.

Лион и Люся!

У Фредерика громадные успехи — он стал быстро плавать, пускать фонтаны и подавать голос. Посылаем вам аудиокассету «Голоса китов». Эта уникальная запись сделана сотрудниками нашего океанариума. Прослушайте ее и угадайте, где «высказался» ваш Фредерик?

Мы сто раз с моим Левиком слушали эту пленку, обе стороны, по сорок пять минут каждая — многоголосый подводный гул, свист, писк, щелканье, треск... На сотый раз мы начали различать уверенные и громкие щелчки и потрескиванья, которые, по всей видимости, издавала китиха, и слабые, пробные звуки, которые, как мы с Левиком поняли, производил Фредерик.

Потом писем долго не было. Я места себе не находила, все думала, как наш малыш? Я по нему так скучала, так тосковала, мне мало было коротких редких писем, я все ночи напролет во снах плыла бок о бок со своим Фредериком, желая одного — чтоб это стало явью.

И пришло третье письмо.

Дорогие Лион и Люся!

Хау ар ю? Фредерик из ол райт! За последние два месяца он прибавил полтонны веса и метр с хвостиком в длину. Он даже начал охотиться на кальмаров. Хотя китиха по-прежнему кормит его своим молоком.

Оба соска китихи, — читал мне вслух Левик, — спрятаны в глубокие складки на ее брюхе. Раздвинув складку, малыш давит на мягкий сосок, и мать посылает ему в глотку сильную струю молока. Мы иногда наблюдаем такую картину: кормящая китиха плавает на боку, подобно стволу гигантского черного дерева, почти выставив сосок в воздух, а Фредерик держит его в пасти, подняв морду над водой!..

Я почувствовала ком в горле. Я смертельно завидовала китихе, которая кормит молоком нашего с ней Фредерика. У меня заломило грудь, и заныли соски. Я хотела сама кормить своего кита.

Левик замолчал.

— Тебе надо лечиться, — сказал он, убирая письмо в конверт. — Ложиться в больницу и лечиться от бесплодия.

Три года и три месяца провалялась я на больничной койке. Три Первомая встретила я там, три, черт вас всех побери, Новых Года! На третий Новый Год к нам из реанимации спустился знакомый уже дед Мороз с мешком подарков и торжественно произнес:

— Дорогое гинекологическое отделение! Позвольте от лица реанимации поздравить вас с Новым Годом и пожелать вам всем забеременеть в наступающем году!!! А если опять не выйдет, — он грозно предупредил, — *МЫ* встанем, соберем последние силы и трахнем вас так, что эта проблема отпадет сама собой.

В тот год у нас с Левиком родился мальчик.

Глава 11.
«Бесаме мучо!..»

Начало истории, которую я хочу вам сейчас рассказать, погрызли крысы, тараканы и другие вредные твари, не в меру расплодившиеся на нашей Земле, что, конечно, не может не сеять среди ее обитателей некоторые эсхатологические предчувствия. Как этот парень сказал когда-то, я помню его лицо, хотя прошло две тысячи лет, хороший ходил паренек — жаль, то, что он нам говорил, мы дружно прохлопали ушами:

— Я вам сказываю, братия, время уже коротко, так что имеющие жен должны быть, как не имеющие, и плачущие, как не плачущие, и радующиеся, как не радующиеся, и покупающие, как не приобретающие, и пользующиеся миром сим, как не пользующиеся, ибо проходит образ мира сего. А я хочу, чтоб вы были без забот.

Господи, сумрак в душе моей.

Психотерапевт Гусев мне в свое время посоветовал:

— Вообразите: в ясный погожий денек вы сидите под яблоней в цвету! И белые лепестки осыпаются на вашу голову.

Но мне сейчас ближе осень, когда потемневшее, плотное, сумрачно-зеленое становится золотым и багряным, один порыв ветра холодного с дождем — и листья покинут это дерево.

Я скоро умру.

Зря я не спросила, как именно скоро. Тогда было бы полегче сориентироваться, что сделать вперед, а что потом. Надо постирать Левику джинсы, что-то приготовить на обед, послать мальчика в прачечную, может быть, переставить мебель.

А то мне приснилось, будто я взглядом двигаю предметы. Стоило мне посмотреть на что-нибудь, и оно сразу приходило в движение. Сперва мне требовалось какое-то усилие, а после пошло-поехало! Правда, многое из того, что передвигалось, падало, разваливалось на куски, ломалось и разбивалось.

Грохот стоял невообразимый. Теперь уже требовалось усилие, чтоб НЕ передвигать взглядом предметы. Не передвигать оказалось труднее, чем передвигать. Взгляд обладает чудовищной силой, независимо от того, кому он принадлежит. Это и ребенку понятно.

Как Левик прочитал в газете:

— Замерзший человек найден во льдах Арктики. А рядом записка: «Не смог открыть консервы».

— Я бы все равно открыл! — отозвался из своей комнаты мальчик. — Взглядом бы пробуравил!

Однажды я вдруг почувствовала на себе чей-то пристальный взгляд. Оборачиваюсь и вижу, что на меня смотрит таракан. Рыжий таракан глядел на меня черными глазами, и этот взгляд я не забуду никогда. Блуждающему взору человечества, кое погружено в бессознательность и неврастению, смиренно ожидает конца света и даже поторапливает это дело по мере сил, был противопоставлен тараканий взгляд — сосредоточенный, ясный и глубокий. С одной стороны, в нем чувствовалась бдительность и готовность в любую минуту смыться, с другой — абсолютная уравновешенность и неуязвимость, пускай не личная, но в целом — своего гордого и неистребимого народа.

Левик, встретившись с этим взглядом, быстренько оделся, выбежал во двор и приобрел десять импортных коробочек с отравой. Он аккуратно расклеил их в местах общего пользования и начал ждать, когда таракан клюнет на приманку. Дело в том, что мой Левик органически не в состоянии кого-либо пришлепнуть.

Я говорю:

— Пришлепнул бы, и все! Тапочкой! Зачем такие маневры? Это таракан одинокий, приблудный, вряд ли кто-нибудь станет его оплакивать.

У нас давно, Анатолий Георгиевич, не было тараканов — с тех самых пор, как один поселился в нашей мясорубке. Левик вынес его на улицу и выбросил вместе с хорошей мясорубкой, о чем я горюю по сей день, я в ней один раз в году проворачивала клюкву со свеклой — готовила витаминную смесь.

А Левик:

— Я не могу убивать насекомых. Я боюсь, что их души будут являться ко мне ночами и требовать возмездия.

Вопреки ожиданиям Левика, наш таракан держался с огромным достоинством и посетить импортную коробочку не спешил. Хотя явно ею заинтересовался. Его манило туда, тянуло, душой он был уже там, но тщательно все обмозговывал, взвешивал «за» и «против», пока, наконец, не решился и не вошел.

Левик, затаив дыхание, стоял на кухне в одних трусах — бледный, хмурый, худой, ни волосика на груди! — ожидая трагической развязки. Однако то, что случилось, превзошло наши самые смелые ожидания.

Внутрь таракан входил скованный, собранный, напряженный, с видом пытливого ученого. Зато когда он оттуда выполз, на лице его играла счастливая улыбка, взгляд был туманный и расфокусированный; нетвердой походкой он прошествовал через кухню в коридор и терпеливо подождал, пока Левик выпустит его на лестничную клетку.

Каково же было наше изумление, когда спустя минут десять-пятнадцать к этим коробочкам невесть откуда потянулись длинные вереницы тараканов. Группами и поодиночке они забирались внутрь, как в часовенку или пивнушку, а появлялись оттуда сильно навеселе, покачиваясь, и в облике их сквозило блаженство.

— Черт бы тебя побрал с твоими коробочками! — говорила я. — Не зря на них написано: «Только для экспорта в Россию!»

— Что они этим хотели сказать? — удивлялся Левик.

— То, что в России, — я отвечала ему, — потребитель всегда готов к результату, прямо противоположному тому, на который он рассчитывал!

— Дай только время, — Левик меня уговаривал. — Ты, Люся, ахнуть не успеешь, как у них нарушится ДНК и с хромосомами начнется жуткая заваруха. К тому же у отца с матерью, — Левик объяснял, — не совпадет резус-фактор, увидишь, все это вкупе должно отрицательно отразиться на их потомстве... в третьем поколении.

И вот, пока он ожидал исполнения своих пророчеств, мой дорогой муж Левик, мышиный король, император всех крыс и морских свинок, в целом нашем пятнадцатиэтажном доме исчезли тараканы — они собрались у нас!

Весть о коробочках Левика разнеслась по всему Южному округу Москвы. Наш сосед профессор Калашников своими глазами видел, как по дороге двигались колонны здоровых усатых тараканов — косая сажень в плечах! — и между ними такой был разговор: «Слыхал, в сорок седьмом, на девятом, квартира двести, лох из-за бугра причухал дурь!»

В состоянии наркотического опьянения и абсолютной невменяемости они большими гроздьями валились на нас с Левиком со стен и потолка. Это — днем. А ночами слышались их пьяные крики, ругань, нецензурные выражения, звон разбитого стекла, утром мы обнаруживали на кухне следы бурно проведенного застолья. Короче, наша квартира, благодаря этому заокеанскому «кораблю» превратилась то ли в притон, то ли в место святого паломничества: ибо отдельные тараканы после коробочек имели столь молитвенно одухотворенный вид, будто познали там Вышнюю Истину, в отличие от большинства простых осовелых лиц; однако и те и другие бурно совокуплялись, поэтому в стоны любви вплетались плач младенцев и веселый детский смех.

Полное бессмертие царило кругом.

Левик томился в такой обстановке, изнывал; он понес фотографию в журнал «Театр» — артиста Сергея Юрского, так у него из дипломата на стол главного редактора выскочило пять взрослых тараканов.

Главный редактор испугался и закричал:

— Уйди, Левик! Ты что, не видишь? Я занят! У меня редколлегия!

Хотя сидел совсем один.

Левик обиделся и по дороге домой придумал оригинальный способ отмщения: плюнуть тараканом в лицо обидчику.

— Через два года, Люся, — доверительно говорил он мне, — будет конец света. Останутся одни тараканы. Они повысят умственные способности, увеличатся в размерах — все будут метр на метр, письменность свою придумают, летоисчисление с начала мира (это с нашего конца света). Наши души начнут воплощаться в тараканов. Мы будем учить их медитации и юриспруденции, научим выращивать крупы и бананы, осваивать космос, ездить на велосипеде и развивать военную промышленность.

Мы были на краю отчаянья. Ведь Левик сделал все, что мог, но принцип ненасилия, который Левик яростно исповедовал, мешал ему развязать кровопролитную братоубийственную войну с тараканами.

Он замыкался, уходил в себя. Попросишь его:

— Левик! Посиди с нами!

А он отвечает:

— Мне некогда сидеть. Я пойду лягу.

Левик ложился на диван, прикрыв глаза рукою, и говорил:

— Хочется раскрыть мою любимую книгу про маяки и прочитать: «осыхающие камни», «проблесковый маяк»... Или любую книжку по астрономии, где каждое слово обозначает что-то грандиозное... Там, откуда я родом, — он говорил, тоскуя, — небо и земля соприкасались, создавая беспредельное пространство. Нет лучше места, скажу я, моих Нижних Серег. Чистая сухая трава, колокольчики, часики, коровы, скитающиеся под облаками, иногда лепешки коровьи. Хотя рядом Верхние Серги, но — не то, нет ландшафта, понимаешь? Ландшафта нет! Может быть, где-то в Швейцарии... Но не уверен. Если посмотреть на карту Евразии, — он говорил мне, — мы увидим, что Урал — это шов, соединяющий Европу и Азию. И действительно, неподалеку от моего городка стоит неприметный деревянный столбик, на котором две стрелки — «Европа» и «Азия». Часто я собирал там ягоды или грибы и думал о том, что можно, к примеру, встать в Азии и пописать в Европу.

Из-за этих паршивых тараканов наша жизнь стала ему совершенно безразлична. Вспоминать и разговаривать он хотел только о своем детстве, проведенном на Урале, и о людях его деревни, каких-то колоссальных великанах среди людей.

— Место это смурное, Люся, — он мне говорил, — иной раз такие откроются глубины и бездны. Ночью раков ловили черных в пупырышках на лучину. Они просидят в ведре до утра, или расползутся по сенкам, а утром их варили. А на том берегу, — он рассказывал нам, — общежитие домноремонтников. Лихие мужики, про них ходят разные слухи. Нас в детстве пугали: «Не ходи туда, Левик, там ДОМНОРЕМОНТНИК!.. » Влияние Земли так было велико на людей Урала, — говорил Левик, — что многие сходили с ума с самого раннего детства. По городку бродили странные люди: Катя Селябина с шалью на голове и в огромных галошах, через плечо мешок — она собирала подаяния для своих животных: девять кошек, двенадцать собак и одна коза обитали у нее в земляной хижине на Горе. И вечно за Катей Селябиной бегут дети и дразнятся, и хотя она в жизни чужого без спросу не брала, кричат вслед: «Катя Селябина курицу украла!» Она схватит камень и гоняется за ними. А никто не трогает — идет тихо, но все что-то бормочет. Ваня Конкин — немногословный рыбак, носил ордена, считал себя генералом. Два моих друга детства Леня Бандурин и Сережа Колмаков сейчас живут в сумасшедшем доме, и моя душа болит за них, потерявшихся во времени.

Левик почти перестал выходить из дому, прекратил общественную деятельность, все боялся — явится куда-нибудь, а у него из карманов повылезут тараканы. Лишь на рассвете он совершал прогулку на крутые песчаные и глиняные отлогие берега Борисовских прудов.

— Я люблю вставать в шесть утра, — говорил он, — пока мир еще не разморозился и сновидения не успели юркнуть в свое логово... Я как прогуляюсь, — он мне говорил, — целый день потом выдерживаю лежать на диване и телевизор смотреть.

Постепенно Левик забросил и свои прогулки. Я даже представить не могу, откуда он теперь черпал силы все время лежать на диване.

Раньше Левик был исключительным отцом!

Помню, мальчик куда-то задевал свою соску. Левик испугался, что мальчик ее проглотил. Тогда Левик сам попытался проглотить такую большую резиновую соску. Но у него ничего не вышло, и он успокоился.

А их чудесная переписка?! Читаешь и понимаешь, как все-таки мальчику нужен отец. «Гитлер! — пишет мальчик с ошибками в каждом слове. — Надо нам побольше солдат. Целую Геринг».

«Жду тебя на Лысой Горе, — отвечает печатными буквами Левик. — Солдат навалом, вооружены до зубов, победа будет за нами.

P. S. Не забудь надеть шарф и шапку. Тут в России собачий холод, а у тебя, Геринг, гланды и аденоиды.

Твой Гитлер».

Когда-то мы вместе плечом к плечу — неужели это действительно было? — дружно красили яйца луковой кожурой в кастрюльке с кипятком. Мы опускали их туда белыми, похожими на зиму и снег, а вытаскивали рыжими.

— Рыжие яйца, — говорил Левик, — олицетворяют жизнь и весну!

— ...Ой, Люся, — перебивал меня психотерапевт Анатолий Георгиевич Гусев, — как писатель — вы все-таки законченный графоман. Вообще сюжета не держите! А между тем, это хорошее было бы для вас упражнение на концентрацию. Вы начали рассказ о тараканах — так и продолжайте о тараканах!!! К тому же, мне интересно, как вы от них избавились. А то у меня, признаться, тоже такая проблема. Зачем валить в эту легонькую лодочку весь хлам и мусор, и все пустяки вашей жизни?.. Вы что, хотите, чтоб это все осталось жить в веках?

А я и правда хочу! Как разворачивались, собственно, события, кто что сказал и кто на это что ответил, как посмотрел, какую скорчил рожу — все важно в моей жизни, все бесценно, любая мелочь.

Ведь я скоро умру.

И я хочу понять — *ЧТО ЭТО БЫЛО???*

И дело тут не в том, роман пишу я или бред сумасшедшего, дело вовсе не в этом. Мне совсем и не нужно быть писателем. Какой я, к черту, писатель? Уильям Фолкнер — писатель, Майн Рид, Александр Дюма, Тургенев — писатели, Чехов, Набоков, О'Генри, Шекспир, Марсель Пруст, Карел Чапек, Бальзак с Жюлем Верном, Кортасар и Борхес, Курт Воннегут, Андрей Платонов, ну, я не знаю, Эсхил, Еврипид, Шолом Алейхем, потом — наши братья Стругацкие, Проспер Мериме, Даур Зантария, Чейз, Гюго, Лесков, Ярослав Гашек, Генри Миллер, Томас Вулф и Владик Отрошенко.

А я-то кто? Маленькая клетчатая тетечка, которая решилась на отчаянный шаг: почувствовать, что пришла пора, и, перед тем как покинуть этот мир — со всеми ее сомнениями, страхом, неверием, угрюмостью, пришибленностью и безразличием, — оглядеть свою жизнь с высоты птичьего полета благодарным взглядом...

Да, я хочу запечатлеть каждую деталь, успеть спеть (ну вот, я заговорила в рифму!) песнь любви небольшой толпе людей, которые повстречались мне на пути, и мы прошагали вместе полдюйма или четыреста миль, чтобы все они обрели бессмертие под моим пером.

И не лишайте меня удовольствия говорить в моем собственном романе обо всем, что мне взбрендит: о башмаках, о кораблях, о сургучных печатях, о капусте и о королях. Клянусь, мы еще вернемся к тараканам, я знаю, что в этой теме кроется некая привлекательность.

Так вот, Левик очень сильно хотел, чтобы мальчик выучил в совершенстве хотя бы какой-нибудь иностранный язык. Левик лично всеми правдами и неправдами устроил мальчика в немецкую школу. Но разными окольными путями выяснилось, что на немецком языке сейчас на нашей планете никто не разговаривает.

Левик перевел мальчика в английскую. Но у англичанки Зинаиды Рафаиловны он обнаружил индийский акцент.

— Лучше вообще не владеть никаким языком, — горестно простонал Левик, — чем иметь такое произношение.

Стали они прощаться и с этой учительницей.

Та обняла мальчика, прижала его к груди и говорит:

— Пусть наш первый «Е» навсегда останется в твоем сердце! Неси мои идеи сквозь всю жизнь. Помни свой «Е», даже если окажешься в «Ж».

Мальчик чуть не разревелся от этих ее слов.

На третий раз они устроились в элитную школу с гуманитарным уклоном — там русский и литературу вел знаменитый на всю Москву педагог Виталий Манский.

— Учитель, что называется, от бога, — почтительно отозвался о нем Левик. — Весь в черных волосиках с головы до пят. Обещает возить их каждый год на экскурсию на Лобное место, чтобы ребята любили и помнили историю родной страны и своего народа.

Кстати, мы были ошеломлены нетрадиционным подходом учителя Манского к внедрению алфавита в сознание первоклассника. При большом скоплении народа под марш Дунаевского дети вышли на сцену — и у каждого ребенка на шее висела фанерная дощечка с той или иной буквой. У нашего на груди красовалась табличка с буквой «Х».

Пока все читали стихи, где фигурировали их буквы, наш делал так рукой, будто бы он курит. Когда дошла очередь до «Х», повисла мимолетная пауза, во время которой мы с Левиком чуть не умерли. Но мальчик опомнился и так хорошо читал, мы даже хотели захлопать, но неудобно было аплодировать одному «Х». У нас отлегло от сердца, а Левик даже прослезился.

— Я только не понимаю, — говорил он, когда мы возвращались домой, — тебе что, другой буквы не могли подобрать?!

Вот какой он был раньше внимательный, до нашествия тараканов, как интересовался педагогическим процессом. Все волновало его, до мельчайших деталей!..

Учился мальчик из рук вон плохо. Сам знаменитый Виталий Манский вынужден был признать, что наш мальчик ему не по зубам.

— У вашего сына *врожденная* неграмотность, — сказал он.

Левик обиделся, долго выбирал и выбрал простую школу без всякого уклона, но там в программе тонкую душу Левика привлек этикет.

— Пусть мой сын будет двоечник, но не жлоб, — важно сказал Левик.

К нашему огорчению, как только мы туда устроились, ввели плату за обучение, а этикет отменили.

Мальчик балбесничал, под разным соусом уклонялся от получения начального образования и утверждал, что в школе все учительницы глупее его. Один трудовик Витя Паничкин башковитый. Всегда при галстуке, в черном костюме, длинные рукава прикрывают мозолистые кисти.

Две пламенные страсти сжигали Витю — труд и дисциплина. Чуть что не так, Витя заводился, багровел и с обезоруживающей искренностью высказывался за высшую меру наказания.

— Школьники, которые бегают на перемене, — говорил Витя, — я бы их ставил к стенке и расстреливал!

Жуткий был сталинист, но отходчивый. Всю свою жизнь он учил детей полировать указки. Чтобы они сами и вытачивали, и обтачивали, и шлифовали. О его жизни мы знали очень мало. Только одно: когда Вите проверили ультразвуком сердце, у него сердце оказалось, как высохший лимон.

Раньше Левик часто захаживал к Вите — тот имел дурную привычку по любым пустякам вызывать родителей и подолгу нудеть, заготавливая болванки.

Однажды после уроков Левик зашел в кабинет труда — Витя сидел один в синем спецхалате, и перед ним стоял полусколоченный гроб из слоеной фанеры.

— Вот, взял халтурку, — застенчиво сказал Витя. — Зарплата маленькая, приходится подрабатывать.

— А может, хватит полировать указки? — спросил тогда Левик, воспользовавшись Витиным замешательством. — Вы, я вижу, Виктор, разнообразите свою деятельность, а детям прививаете любовь к монотонному труду.

— Мы в четвертом классе, — пообещал Витя, — начнем делать табуретки.

— Представляю себе их будущие табуретки! — воскликнул Левик, узнав про эти наполеоновские планы. — Как Витя будет лететь с них на землю, ставить ученикам двойки и радоваться, что не доверил им гробы!..

До того, как со всех сторон тараканы стали глядеть на нас с Левиком глазами Саладина, исполненными тоски, Левик был активист, член родительского комитета — где те золотые времена? Витя вызывает его в школу, а Левик не идет. Тогда Витя пишет в дневнике: «У вашего сына нет спецхалата!!!» Витя не мыслил себе человека без спецхалата. Сам он за свою не слишком долгую жизнь износил четырнадцать спецхалатов — десять черных и четыре синих.

Левик откликнулся запиской:

Уважаемый трудовик!

Нашему сыну стал мал его черный халат, а на следующей неделе халат станет еще меньше, а через месяц исчезнет совсем. Скажите, зачем ему черный халат? Вам что, нравится, как тридцать маленьких человечков в черных халатах отпиливают гайку? Или без черного халата люди кажутся вам белыми воронами?

А ведь было время, наш Левик не формальными отписками, а самым непосредственным образом защищал нас от ударов судьбы.

Когда мальчику по литературе хотели вывести двойку в четверти — он вообще ничего не хотел читать из школьной программы, объясняя это тем, что его любимый писатель какой-то *ТОЛПУШКИН*, — Левик лично явился на педсовет и во всеуслышанье заявил, присягая на Библии, дескать, есть такой писатель Толпушкин, равный по таланту Толстому и Пушкину, только его никто не знает.

Раньше у моего Левика был хороший аппетит, и так живо интересовали его проблемы питания! Теперь он вообще старался не появляться на кухне — опасался, что тараканы вступят с ним в открытый бой за место под солнцем. Я уезжала на два дня, оставила ему плов в утятнице. Левик к ней не притронулся.

— Я тебе откровенно скажу, — он мне заявляет, — эта утятница такая черная, у меня рука не поднялась открыть ее, меня не предупредили, что там, и я боялся увидеть что-то страшное.

— А если б ты переступил свой страх? Осмелился? Открыл? — говорю я ему. — Ты бы увидел ослепительно белый рис с оранжевой морковью!

— А вдруг нет? — все же сомневается Левик. — Вдруг там лежало бы маленькое черное обугленное тельце? Одним словом, лежала бы там... тушка? Обсиженная тараканами? Что бы я тогда делал? Я бы уронил крышку, и эта картина всю жизнь стояла бы перед моими глазами.

Я, видя такую ситуацию, ужасно огорчалась, страдала и не понимала, как выбраться из беды. Наконец, со смятенным сердцем я обнаружила у нас в подъезде объявление с отрывным номером телефона, причем на каждом шариковой ручкой было написано грозное: «СМЕРТЬ ТАРАКАНУ!»

Я позвонила по этому телефону, трубку взял какой-то тип.

— Насекомые беспокоят? — спросил он сходу, не размениваясь на приветствия.

Речь его была до крайности нечленораздельна.

— Да, — говорю я, — а вы кто?

— Я дис-пе-тчер, — ответил он. При такой ослабленной дикции он пользовался чересчур усложненной терминологией.

— Вы что, пьяный? — я спрашиваю.

— Я выпил немного пива.

— И какой у вас препарат?

— Английский! Побрызгал — и все, привет!

— Ну, вряд ли англичане, — говорю я, — нашли такое средство. Они и сами погибают от тараканов.

— Все уже почти погибли, — ответили мне на том конце провода.

Мы помолчали.

— Ладно, запишите адрес, — я говорю. — И приходите завтра.

— Да я сейчас приду! — он очень обрадовался. — Я ведь через час протрезвею!

— Это бандит! — сказал Левик. — Придет — и всех нас убьет. Знаю я таких морильщиков! Пойди на третий этаж к бывшему полковнику КГБ, возьми у него газовый пистолет.

Хотя нет, не надо, мы его — газовым пистолетом, а он нас тараканьей травилкой. Отправь мальчика к маме, — командовал Левик, — чтобы хоть кто-то из нашей семьи остался в живых. Люся, Люся, — он всплескивал руками, — ты не могла найти объявление, где значилось бы интеллигентное: «Уничтожаем бытовых насекомых»? Эта формулировка тебе не подходит. Вот «СМЕРТЬ ТАРАКАНУ!» — это да!

Мы так волновались с Левиком, так тревожились, однако на всякий случай перевернули квартиру вверх дном — ну, как это бывает, когда ожидаешь подобную публику.

Час проходит, другой... пятый. За целый день ожидания Левик меня съел со всеми потрохами: что я открываю дверь кому ни попадя, пускаю в квартиру проходимцев, припомнил цыган, которые мне — в моем собственном доме! — всучили жженый сахар под видом дорогостоящего памирского меда, вспомнил шизика со счетчиком Гейгера, явного наводчика, тот якобы явился измерить уровень радиации у нас в квартире, бездомного тунеядца, артиста с Арбата, который притащился со мной домой, и мы с Левиком неделю не могли от него избавиться.

Короче, в двенадцать ночи раздался телефонный звонок, и уже совсем невнятно нам сообщили, что *он не успеет*.

— Все, все, все! — радостно прокричала я. — Мы отказываемся от ваших услуг.

— Зря, — он ужасно расстроился. — Шикарный препарат. Без запаха и вкуса. Я нюхал. И пробовал.

— Гуд бай! — И я с легким сердцем повесила трубку.

— Наверное, он больной, — неожиданно грустно заметил Левик. — Аутист. Или даун. Не может быть такая речь у нормального человека, хотя бы и выпившего. Напрасно ты его оттолкнула. Вдруг мы для него единственный шанс контакта с миром?

В этом весь Левик! Каждый мой шаг им расценивается, как ошибочный.

Говорят, в классе насекомых есть отряд привидениевых. Мой Левик на глазах становился представителем этого отряда. Мне так не хватало его, я уже забыла, когда держала его в своих объятиях. Я только слышала голос, родной голос Левика — он говорил мальчику:

— Когда ты узнаешь женщину, ты увидишь столько карманов и ячеек, где можно совсем пропасть и потеряться.

— А есть там такое место, — спрашивал мальчик, — где можно встретить смерть?

— Я ни разу не встречал... — честно признавался Левик, давая понять, что он в этом деле собаку съел.

А сам принес мне в ванну — я крикнула, чтоб он принес мне тапочки, — ДВЕ ПАРЫ ТАПОЧЕК.

Я говорю:

— Левик! Ты, наверное, забыл, что у меня всего две ноги, а не четыре?..

В ответ он развел руками, показывая свое бессилие пред тайной мира людей.

Он так засиделся дома, что стал вылитый цыган, бродяга, ослиный погонщик, ходил черт знает в каких штанах — такое могло у соседей сложиться впечатление, будто Левик превратился в йети, живет в шалашах, ест крыс, занимается колдовством и вообще является подозрительной личностью.

Даже не верилось, что совсем недавно он был ловелас и джентльмен, ездил по всей Земле, в теплых цивилизованных странах жил красивой жизнью. Видимо, психика не выдерживает таких контрастов.

Я-то все время тут! Ждешь его, ждешь месяцами, осень, грязь, дожди, собаку выводишь на улицу, из магазина приносишь рюкзак продуктов — мальчик обычно в день съедает по рюкзаку! В комьях земли картошка из Калужской области — вся помороженная. Кран тек-тек, наконец его прорвало, водопроводчик: «А что вы думаете? У вас смесителю двадцать лет! Если хотите не видеть меня года полтора — пойдете через овраг (только смотрите, не сломайте шею — там очень крутой глиняный обрыв!), зато это будет быстрее, чем на автобусе. (У нас автобуса не дождешься!) Магазин «ДомЪ». Смеситель — сто, постановка — сто». (Все время хочется назвать его Саша, хотя на руке у него ясно написано ВОВА.) Телевизор сломался, мастер его починил — цветной телевизор стал черно-белым. Мастер его разобрал, опять собрал, телевизор стал... бело-красный. «Это максимум, что я могу для вас сделать», — говорит мастер мне. А я ему: «Друг, послушай, ты лучше сделай его черно-красным! Это самые древние первоцвета! Истоки живописи!» Он ушел, я смотрю на него с балкона, он около «Пончиков» потоптался со своим чемоданом, вдруг как побежит! Ну, думаю, пробежится немножко, чтобы размяться. А он бежал, и бежал, и бежал, пока в точку не превратился. Куда он так бежал? Не знаю. «Он бежал к своей маме, — решил мальчик. — Она у него там живет». Неужели он так по ней соскучился? Из окон дует, за окнами вечная мерзлота, соседи сверху не переставая дотла жгут котлеты. В подъезде у нас вонища. Как изволил выразиться один аристократ с одиннадцатого этажа: «Здесь положительно кто-то обоссался!»

Естественно, меня не так просто вышибить из седла!

А Левик забросил свой фотоаппарат, утратил интерес к жизни, вообще перестал принимать пищу, только в неограниченном количестве пил из двухлитрового термоса с белыми журавлями успокоительный чай. Левик решил тихо и незаметно угаснуть, чтоб ничего не предпринимать ни в каком направлении.

В один прекрасный день его перестало отражать зеркало у нас в прихожей. И я поняла, что морить тараканов мне суждено совсем одной.

Тем более, мальчик высказал такое подозрение, что именно я являюсь автором этих тараканов, их инициатором и покровителем.

— Я понял, откуда берутся тараканы, — сказал он, — они, Люся, выскакивают из твоей головы. Ты думаешь о них постоянно, и они выскакивают, так что трави не трави...

В общем, я нашла новое объявление — правда, не столь победоносное, как предыдущее, но тоже многообещающее. И к нам явился морильщик Сережа. Он внешне был Кюхельбекер, а внутренне — Стивен Кинг, ходячая энциклопедия о разных бытовых монстрах. Причем он был не один, а с учеником. Тот не сводил с Сережи глаз, ловил каждое слово — короче, они являли собой классическую пару, пришедшую к нам из тьмы веков.

Войдя, мастер бросил на наших тараканов устрашающий взгляд, от которого те попятились и задрожали.

— Устойчивая популяция, — заметил он, раскладывая на нашем обеденном столе пакеты с ядовитым порошком и закаленный в боях пульверизатор. — Тут смена поколений не такая частая, как у мух, четыре-пять раз в год. Тараканы обладают завидным здоровьем и способностью буквально восставать из руин. Дайте мне чашечку кофе, — он попросил. — Я чай не пью. Меня от чая подташнивает. Я чифирь пил... Но у меня от него руки дрожали. От водки — нет, а от чифиря — да.

Все, что он говорил о себе, он сообщал с завидным самоуважением, которым нельзя было не проникнуться. Я даже подала ему печенье на итальянской тарелке с изображением осла. Сережа сидел нога на ногу, пил кофе и рассказывал:

— Подвергая обработке квартиры, особенно познаешь жизнь, познаешь людей и особенно познаешь женщин. Мужчины не очень-то нас вызывают — ну, увидел таракана, и что? А женщина существо тонкое. Моя, например, если таракан — бежит на улицу и кричит: «Сережа!!!» Я дезинфектор особенный, — он говорил, — не простой, пять авторских свидетельств у меня и одновременно большая практика. Я этой вот рукой, — он поставил чашечку и показал нам всем свою правую руку, — девять крыс убил. Я способен на то, что, по сути дела, вообще неподвластно человеку — устраняю стабильные муравьиные дорожки. Я у одной женщины двух маток выловил, двух фараоновых маток!!!

Что интересно, ученик не стал садиться на стул, а устроился на полу у ног Учителя, и трепетно внимал его речам, пока тот рекламировал свою систему предупредительных мер борьбы с мышами, хомяками, сурками, сусликами и другими вредными грызунами.

— Однажды мы поехали в дом отдыха на Икшу, — рассказывал Мастер, — оттуда поступили жалобы на сверчков. Там домики-коттеджи. Мы с одной стороны потравили домик, идем с другой. Выходит женщина. «У вас сверчки есть?» — «А вам сколько нужно сверчков?» — она меня спрашивает. Она была в ужасе, когда узнала, что я собираюсь их травить. Оказывается, она певица и разводит сверчков, ей нравится, как они сверчат.

— Давайте лучше о тараканах, — говорит Левик. — Вы знаете, вот эти тараканы всю кровь из меня выпили.

— Вам это показалось, — вступился за тараканов Сережа. — Они не пьют кровь, они только слущивают эпителий.

— Уже одного этого достаточно, — говорит Левик.

— Они некусачие! Но энергичные. От них энергией так и пышет! — солидно заметил Сережа и зарядил свой пульверизатор.

Тут он как пошел сыпать всюду отраву, причем сам был без скафандра и без противогаза.

— Это очень полезный порошок, — сказал он из тумана, щедро посыпая кастрюли, антресоли, нашу с Левиком супружескую постель, залез на кресло у меня в углу, где я сижу, писатель за рабочим столом, — все сверху оглядел и говорит: — Да эти бумаги вы не перебирали тысячу лет! Вам нужно собрать все это и выкинуть. Запомните, тараканы любят две вещи — дерево и бумагу, потому что от них идет тепло.

Все было засыпано, как пеплом Везувия. А наши тараканы прямо остолбенели, точь-в-точь картина Карла Брюллова «Последний день Помпеи».

— Значит, какие гарантии, — сказал Сережа, пока его ученик сдувал с него пылинки. — Ночью, когда зверюги вновь соберутся на свой шабаш, они уже не обрадуются, я вам гарантирую.

Я хотела тоже сдуть яд с Левика, но Левик не позволил.

— Не надо, Люся, — сказал он, — а то они могут найти на мне пристанище. Чтобы у них земля под ногами горела!..

На следующий день у нас повсюду валялись скелеты тараканов.

А спустя несколько дней — сама я этого не видела, я с мальчиком уехала погостить к маме, — Левик утверждал, что *эти скелеты снова обросли мясом, ожили, встали и пошли колобродить по всей квартире!*

— Это не тараканы, — в ужасе говорил Левик, он сидел и смотрел вдаль, полузарыв в песке звериные лапы. — Это какие-то птицы Феникс!

Ночью горел фейерверк, — он говорил, —

Я все проспал,
А утром на земле
покойника нашли

Такой, Анатолий Георгиевич, экстраординарный случай.

— Как мне надоели все формы жизни, которые обитают в этой квартире! — воскликнул мальчик. — Дайте мне денег, я хочу поехать на Птичий рынок и кого-нибудь купить такого, чтобы у меня на нем взор отдыхал.

Он взял у нас денег, вытряс все подчистую из своей копилки и уехал, а мы угрюмо ждали его с «Птички», не в силах угадать, какой сюрприз нас ожидает с минуты на минуту.

Так вот, он возвращается и приносит в клеточке большого-большого таракана величиной с ладонь! Почти как пачка «L&M»! Левик даже слезу уронил, когда его увидел.

— Ты что, с ума сошел? — закричал Левик. — Это же... лишний рот!

— Ты, Левик, позорно нелюбопытен, — спокойно отвечал мальчик. — Тебя он не объест. Он мух ест и зеленые листья салата, теперь мы будем с тобой целыми днями ему ловить мух, причем, Левик, мертвую муху он есть не будет. Зверь этот очень проворен, — продолжал мальчик. — Он в диком состоянии живет в Латинской Америке, на открытых местах, на стволах деревьев — короче, исполинский таракан, известный у туземцев под именем Бразильский Блаберус.

По требованию Левика бразилец был прямо в клеточке выдворен на кухню, и тут начинается удивительная история, в которую ни я, ни Левик не в силах поверить, поскольку мы выпили с ним по стакану джина с тоником и заснули, но мальчик утверждает, что слышал своими ушами, как ночью Блаберус выступил с обращением к нашим тараканам. В обращении, в частности, говорилось:

— Братья и сестры! От имени всех тараканов солнечной Бразилии, родины знаменитого футболиста Пеле, приветствую вас и надеюсь, что нам легко удастся найти точки соприкосновения, ибо таракан — он и есть таракан, независимо от цвета кожи, длины усов, крылатый он или бескрылый, имеет ли жесткий каркас или мягкую консистенцию. Братья, откройте мне клетку, выпустите меня на свободу, и я расскажу вам о Бразилии, воспламеню ваши сердца, после чего мы вместе отправимся туда, на землю бразильского кофе, бразильского карнавала, знойных женщин, мангровых зарослей, сельвы и джунглей, жаркой Бразилии, где течет удивительная река Амазонка. Кто знает, как называется столица Бразилии? Ответ предельно прост: это город Бразилиа, построенный архитектором Ле Корбюзье. О, мне доводилось бегать по улицам этого города: бежишь, вдруг навстречу — какой-то великан... Мышь? Нет! Кукарача! Слыхали по радио песню? «Я кукарача, я кукарача!.. » Это про таракана. У нас в Бразилии два героя — кукарача и Боливар. Боливару на каждом шагу установлены памятники, и у него всегда на голове шляпа! Шляпа Боливара! Он боролся против испанского колониализма. А Боливар в своей шляпе отвоевал независимость Латинской Америки! Рыбные блюда очень вкусные, море недалеко. Вам там страшно понравится! Что? Аккуратные ли бразильцы? Не очень. Все-таки латиноамериканцы немножко безалаберные. Главный экспорт — сахар, какао, бананы, индиго и кустарные промыслы. Что еще? Католичество очень развито. Католики говорят на испанском и португальском языках.

— Ну, мы же на русском говорим, — послышались голоса из публики, — мы же православные...

— Во-первых, — отвечал им Блаберус, — католичество и православие — это ветви одной религии христианской. Они же не мусульмане какие-нибудь. Я же вас не в Иран зову, и не в Египет. А что языка не понимаете — так научитесь. Грасия — спасибо, буэнос диас — добрый день, буэнос ночес — доброй ночи. Luna — луна. Трабахо — работать. Заблудился — пердидо. Что еще надо-то? Корасон — сердце мое. Такая песня есть: «Корасон, корасон!...» Амор — любовь. Йотэ кьеро — я тебя хочу. Любимая песня бразильца — «Бесаме мучо». Долгое время никто не знал, кто ее написал, думали, что эта песня народная. А ее женщина сочинила, всего одну песню, и так прославилась!.. Уверен, вам тоже она известна! — И он запел хриплым голосом: — «Бесаме... Бесаме мучо...» Что в переводе означает: «Целуй меня! Целуй! Целуй много раз!!!» Любимый танец бразильцев — босcанова. А любят они музыку «салса соус» — сборная солянка, в автобусах играет, в кафе, в магазинах, вообще невозможно, затрахала — везде! И что еще здорово: всегда тепло. Холода вообще нет, нет зимы. Никто не вымораживает тараканов, как в Москве — окна нараспашку, там такой фокус не пройдет. Бразилия! Везде крошки, мусор, жара, гниет все быстро, запах разлагающейся пищи, Латинская Америка — рай для насекомых. Кстати, знаменитый гонщик Сенна — самый быстрый в мире — мой соотечественник. Словом, Россию с Бразилией не сравнить! — блистательно закончил он свою речь уже на свободе под гром аплодисментов и крики:

— В Бразилию!!!

— Все в Бразилию!!!

Один лишь тоненький голосок возвысился над бушующей окрыленной толпой:

— Назад! Предатели Родины!..

Но он потонул в море восклицаний:

— Плевать мы на все хотели!

И других, похожих по содержанию, но очень грубых по форме.

Еще не рассвело, когда тараканы разом снялись с насиженного места и всей компанией двинули к Южному порту Москвы. Редкие прохожие были свидетелями их беспримерного исхода, но люди не поверили своим глазам, решили, что это мираж, белая горячка, галлюцинация! Тараканы лавиной текли по тротуарам, газонам, по мостовой, их было такое бессчетное множество, что при переходе Каширского шоссе по их вине произошло четыре дорожно-транспортных происшествия — впрочем, тараканы почти не пострадали. На проспекте Андропова ГАИ во избежание аварий остановило движение, пока они спускались к реке.

А на пристани уже разводил пары, готовился к отплытию старый теплоход «Федор Достоевский». Под марш «Прощание славянки» тараканы по трапу взошли на палубу, мимо портрета Федора Михайловича, мимо капитана в белой фуражке; корабль им понравился, он ведь деревянный, много клея, краски, добротная кухня, разнообразная, в отличие от той, какая у них была в последнее время, уютные каюты, теплый мотор, музыка днем и ночью, вечером дискотека...

— Черта с два на «Федоре Достоевском» они попадут в Бразилию! — не верил своему счастью Левик. — Пройдутся по малой кругосветке, увидят Кострому, Иваново, Ярославль, Нижний Новгород, село Константиново — родину Есенина, — и домой, как миленькие.

Но они не вернулись. «Федор Достоевский» пропал, исчез с маршрута, последнее сообщение от радиста пришло какое-то отрывочное, неясного содержания: «...Тараканы... террористический акт... сворачиваю на Амазонку...» — и больше ни слова.

Теперь это главная тайна двадцатого столетия.

Левик встал с дивана, расправил плечи, выпил еще один стакан джина с тоником и говорит:

— Как же мы будем без тараканов-то?.. Давайте изрисуем все тараканами?! Обои, двери, пол и потолок! А белое белье постельное — клопами!..

— Дурак, я не пустился за Блаберусом! — в отчаяньи говорил мальчик. — Уже был бы в Бразилии. А что теперь?

И он угрюмо отправился в школу на праздник Первое сентября. И с ним Левик, впервые за все эти месяцы решил его проводить.

Они вышли на улицу, оба — немного пошатываясь, их тела излучали свет, они были почти невесомы, и вознеслись бы над землей, нет сомнений, но просто они бы тогда опоздали к звонку на первый урок.

А возле школы — море цветов! Приветственные речи!..

— Дорогие дети! Пусть школа станет для вас родным домом!

— Дорогие родители! Ваши дети в надежных руках!

— Дорогие первоклассники! Сейчас звонок зальется, смолкнут голоса, и у вас, малыши, начнется жизни новая полоса!..

— Дорогие взрослые! Вы знаете, какое сейчас напряжение с вещами! Могут войти посторонние и украсть вещи ваших детей.

— Счастья вам, дорогие друзья!..

— Хорошо, да? — спрашивает Левик у мальчика.

— Не вижу ничего хорошего, — отвечает мальчик.

— Но вообще-то ты рад, — спрашивает Левик, — что мы тебя родили?

— В целом, Левик, — ответил мальчик, — ...пожалуй, да.

— Не стоит благодарности, — великодушно произнес Левик.

Я рассказываю вам, как все это было, и я хочу вот так же продолжать рассказ. Мы знаем, что говорить-то в сущности нечего, разве не правда? Так не все ли тогда равно? Мы жили, и разве это было не здорово? Мальчик и Левик шагали по улице, а я из окна смотрела им вслед, и разве это мгновение не было нашей вечностью? И, наконец, еще один последний взгляд, потому что все схватывается и постигается именно этим последним взглядом. Я есть, я была, но послушай, о, брат мой, где же теперь мои ноги и где мои руки?

Как сказал Уильям Сароян.

Глава 12.
Восемь даосских драгоценностей

Когда уезжала от меня моя Динка, она подарила мне на прощание голову негра. Голову негра в натуральную величину, выполненную в реалистической манере из терракоты.

— Еле добралась до тебя, — сказала Динка своим басом, явившись ко мне среди бела дня, чего с ней никогда не бывало, ведь она — писатель, каких уже мало осталось на нашей земле, днем она обычно работает. — Я шла по улице с этой непокрытой головой, нежно прижимая ее к груди, — рассказывала Динка, — и хотела пройти так в метро сквозь контролера. Вытаскиваю из кармана проездной, а она мне и говорит:

«Гражданочка! Одну минуточку! Вы вот часть тела несете, за часть тела — как вообще?.. »

Я говорю:

«Это же скульптура!»

А она — знаешь, как они это делают? — свисток в зубы и грудью на тебя.

«За часть тела, — мне говорит угрожающе, — собираетесь оплачивать проезд?»

Я отвечаю терпеливо:

«Поймите, это фрагмент скульптуры Родена, был такой замечательный французский скульптор, может быть, вы слышали — его выдающиеся работы "Поцелуй", "Весна", "Мыслитель"...»

Та немного смягчилась, но говорит очень строго:

«Зачем же вы ее несете тогда просто так? Ведь неприятно же смотреть! Голова без тулова?»

«А что мне с ней делать? — я спрашиваю. — Куда мне ее?»

Она говорит:

«Ну в сумку положите!»

Я говорю:

«Вот, авоська в кармане плаща».

«Ну, в авоську...»

Я положила голову этого негра в авоську, — рассказывала Динка, — и голова, качаясь, поплыла со мной рядом по перрону.

Эх, как бы я хотела в тот миг — ведь расставались-то навеки! — взамен Динкиной головы негра всучить ей свою голову из шамота, выполненную в такой же реалистической манере одним туркменом. Дело было в Прибалтике, звали этого туркмена Туркман.

Стоял апрель. Художники с метлами и граблями собирали возле Дома творчества прошлогодние листья. Горел костер. На берегу холодного Балтийского моря в костре из палой листвы, зимнего мусора, веточек и сухих сосновых шишек туркмен Туркман обжигал своих верблюдов.

Туркман лепил только верблюдов, одних верблюдов, исключительно верблюдов. Учитывая его чудовищное трудолюбие и немалый рабочий стаж, выходило, что верблюдами Туркмана можно три раза опоясать земной шар. Хотя его верблюды, если откровенно, совсем ничего не говорили ни твоему сердцу, ни уму, изюминки в этих верблюдах не было, вот что. Ни жизни, ни поэзии, все одинаковые, с двумя горбами, никакого полета фантазии, да и размер жлобский — два на два дециметра. Короче, пластал он этих верблюдов от зари до зари.

Все над ним, конечно, подтрунивали. А он безобидный такой, беззлобный, полностью одинокий, он этим бесконечным караваном явно пытался заполнить пустыню своей жизни.

Ну, я возьми да и похвали его — за верность раз и навсегда избранной тематике, это раз. И, я сказала, как ваши верблюды эффектно смотрятся в костре.

Он, бедолага, так обрадовался!

— А вы не могли бы, — он вдруг предложил, — мне немного попозировать?

Я очень удивилась и говорю:

— Но я же не верблюд...

А он:

— Вы неправильно поняли! Я бы хотел слепить ваш бюст.

И быстро добавил:

— Бюст — это значит *ГОЛОВА*.

Его предложение мне польстило. Я не красавица в общепринятом смысле, но это ведь как посмотреть. Я, например, считаю, что у меня значительное лицо, которое раз увидишь и уж не забудешь никогда. Черты колоритные, выпуклые, крупный лоб, экспрессивный нос, глаза большие, слегка навыкате; брови широкие, низкие; резко очерчены скулы, характерный подбородок и рельефные, тщательно проработанные Создателем ушные раковины.

Я согласилась и стала после обеда ходить к Туркману в мастерскую, сидеть у него на столе и болтать о том о сем, а он недели за две слепил мой бюст — помесь бюстов Эзопа, Шолома Алейхема и Назыма Хикмета.

Я была первый неверблюд в его жизни, и Туркман сдувал с моей головы пылинки. Вообще он как художник оказался на перепутье. К верблюдам возврата не было, а начать пластать бюсты Туркман пока не решался. Немного поразмыслив, он сделал то, что сделал бы на его месте любой туркменский художник, — он запил.

Однажды я встретила его на пляже. Он шел с двумя тетками в одинаковых пальто из соседнего санатория и проникновенно исполнял арию Мистера Икс.

— ...«И никого со мною рядом нет!.. » — не замечая меня, спел Туркман и суетливо добавил, обращаясь к своим спутницам: — Кроме вас, конечно! ...«Устал я греться у чужого огня! — на все побережье пел женщинам Туркман, прямой дорогой ведя их в Дом творчества художников, где он предварительно договорился со своим соседом по номеру живописцем Гаврилычем, чтобы тот освободил помещение часа на три с половиной. — Но где же сердце, что полюбит меня?!»

— Кажется, ваш бюст не пошел ему на пользу, — покачал головой Гаврилыч. — Совсем наш туркмен съехал долой с катушек. Сидел, света божьего не видел, не пил, не курил, одни верблюды были на уме. А как сваял ваш бюст — оргия за оргией, боюсь, как бы наркотиками не увлекся. Такой народ эти туркмены — чуть подтолкнешь, и покатился по наклонной плоскости.

— Не то что мы, русские, — сказала я, бредя дальше по берегу и собирая ракушки.

В воде стояла чайка с куском хлеба в клюве, рычала, как собака, и никого к себе не подпускала.

— Русский человек — он более сбалансированный, чем туркмен, — заметил Гаврилыч, опасливо обходя свирепую чайку. — Например, меня, — сказал он, — ничем не сбить с истинного пути, потому что я твердо знаю, что главное в жизни — это рисунок с натуры.

— Кстати, не ваш ли портрет Ленина несли сегодня на отчетную выставку? — спросила я с некоторым вызовом, почуяв зыбкое намерение Гаврилыча все три с половиной часа допекать меня разговорами об искусстве.

— Не Ленина, а Окуджавы! — обиделся Гаврилыч. — Мой кумир — Коровин, море — моя стихия, мой учитель — Саврасов! Я когда учился, — доверительно сообщил он мне, — очень любил делать подмалевок краплачком. А Саврасов подошел и говорит: «...Ну что ж, Володя, можно и краплачком».

— Разве Саврасов еще живой?

— Живой! Только это не тот Саврасов, а другой. Вы куда??? — удивился Гаврилыч, потому что я побежала от него бегом, раскинув руки, я так всегда делаю, когда мне хочется, чтобы внезапно наступила тишина. В Москве, я знаю, это выглядит не слишком прилично, и то иной раз не могу побороть искушение, а когда рядом море, можно все.

Бюст долго сох. И вот наступил день обжига. В одной печи стояли объятые пламенем два бюста: мой и Марка Аврелия, у которого на постаменте было написано просто «МАРК», а кто-то не выдержал пафоса и нацарапал букву «с», причем в скобочках, так что получилось МАРК(с). Потом птица киви, опрысканная флюсом. Триста штук свистков. И грандиозная фигура свиньи, с Владимиром Леонидовичем Дуровым, сидящим на ней верхом.

Мусульманская часть скульпторов была возмущена этим соседством, а бедный Туркман прямо обезумел от тревоги, как бы моя голова не прижарилась к Дуровской свинье.

Впрочем, все обошлось, и он подарил обжигательнице красивую открытку с видом родного Ашхабада и надписью «Пламенной Инаре от обожженного Туркмана».

Когда он торжественно нес перед собой мой бюст обратно в мастерскую, я догнала его и спросила, сможет ли мой муж Левик приобрести эту вещь, если мне понадобится на могилу?

Туркман ответил строго, не останавливаясь: пускай Левик установит обычный камень, гранит, и на кладбище в керамичке закажет фотографию.

— По этому случаю я вам советую сняться серьезной, а то вы чего, — он спросил, — все время лыбитесь?

Я сказала:

— Туркман, раз уж речь зашла о фотосъемке, дай мне мою голову, я с ней схожу на пляж к фотографу и сфотографируюсь на память? Одна нога тут, другая там?

— Нет, — отрезал Туркман, — мне пора паковаться.

В последний вечер художникам устроили отходную: прощальный ужин, выпивка, танцы.

— Я маску Лаокоона с натуры сто раз рисовал, — рассказывал кому-то Гаврилыч. — Сто раз, я не преувеличиваю, и все сто — по зову сердца.

— А Ленина — тоже по зову сердца нарисовали, или как? — спрашивали его.

— Для тех, кто не понял, — с ангельским терпением объяснял всем и каждому Гаврилыч, — это не Ленин...

Я вышла к морю и постояла там немного. Страшно было отходить в черноту — хотя звезды иногда возникали в разрывах туч. Тучи плыли над самым морем, чуть ли не задевая воду, наваливаясь на горизонт. Кругом ни души, ни чаек, ни лебедей, ни собак. Я всегда боюсь в таких случаях, что перед моим носом плавно, как лист осенний, опустятся инопланетяне и заберут меня к себе для изучения.

Тонкая непроявленная природа, стоит мне оказаться одной, подступает ко мне со всех сторон: шорох, шелест и тени, какие-то неясные звуки, тем более у меня нарушена слуховая дистанция. Я не понимаю, то ли у меня бурчит в животе, то ли это в небе летит самолет.

Во всех мастерских был погашен свет. Только у Туркмана горела лампа. Я тихо подошла и заглянула к нему в окно. С бутылочкой на столе он сидел один-одинешенек и смотрел на бюст, перед которым — я никогда не забуду эту картину! — стояла до краев налитая рюмка.

Где она сейчас, моя голова, — в Лувре? В Пушкинском? В Эрмитаже? В туркменском краеведческом музее? О! С каким удовольствием, повторяю, я преподнесла бы ее Динке! Голова стояла бы у нее на шкафу, обозревая те дальние дали, куда Динка уехала от меня, и напоминала бы ей, и стыдила, ведь ровно через три года она забудет обо мне.

(То, чего я всегда боюсь больше всего, с малых лет, совершенно панически, вы уже поняли, Анатолий Георгиевич, — я боюсь, те, кого я люблю, меня бросят и позабудут.)

Помню, в Якорной Щели — мне было пять лет — мой брат Юрик — ему тогда было двенадцать — прыгал в море с высоких железных свай. Я стояла с ним рядом на самом краю, и он мне говорил:

— Ну, прощай, мы уже никогда не увидимся. Я нырну, а выныривать, наверно, не буду!

И он прыгал. А я мучительно ждала, когда его белобрысая макушка покажется наконец из моря. Тем временем Юрик под водой уплывал за сваи, выныривал и прятался. А я, окаменев, сосредоточенно вглядывалась в это место, куда он нырнул, до тех пор, пока в глазах не темнело, и море медленно надвигалось на меня, как небо, когда на него слишком долго смотришь.

Многие люди пугали меня приблизительно таким же образом. Мой друг Белкин, с которым я вёсны, снежные зимы и все золотые осени напролет гуляла в Сокольниках и Ботаническом саду, бессребреник Белкин, который мне на сорок лет накопил денег и купил в спортивном магазине ролики, — с той поры (это на пятом-то десятке!) мы повсюду — я качусь на роликах, а он за мной *просто бегает*, — Сеня Белкин, без него я вообще не мыслю себя, говорил:

— Уеду в Америку, уеду и всех забуду! Всех-всех-всех! — радостно говорил он. — А Люсю Мишадоттер в первую очередь. Люся маленькая. Ее легче всего забыть.

Но Динка — Динка даже в шутку мне никогда не сказала бы ничего подобного. Откуда-то она знала об этом моем бзике, она его сразу, мне кажется, прочитала у меня на лбу, поэтому с первой же встречи ясно дала понять: именно она не позволит исполниться тайной моей и сладостной надежде, что в конце концов *ВСЕ* меня бросят и позабудут.

Мы познакомились в Чеховской библиотеке. Я и Динка там выступали перед читателями. Еще с нами выступал почему-то поэт — милиционер. Он был в милицейской форме, фуражке, довольно пожилой человек, застегнутый на все пуговицы. Произведение, которое он огласил перед собравшимися, начиналось словами:

«Мы русские, и с нами шутки плохи!.. »

Поскольку рядом с ним сидели две яркие экзотические девушки, как говорится, его товарищи по перу, он наклонился к нам с Динкой, тогда еще незнакомым друг другу, и доверительно сообщил:

— А ведь и у меня когда-то были еврейские имя-отчество и фамилия!

После этого он выпрямился и сделал вид, будто ничего похожего не слетало с его милиционерских уст.

— Куда ж он их дел? Износил и выбросил? — удивленно произнесла Динка — *пока не мне*, в открытое пространство.

— Как змея свою старую шкуру,— сказала я, и мы с ней захохотали.

Мы с ней потом в жизни столько хохотали, ни с кем я, наверно, доктор, не хохотала столько, сколько с ней. А я со многими хохотала, я, знаете, до сих пор, встретив человека, смотрю первым делом — удастся ли мне с ним похохотать? И если да, то я готова ему ноги мыть, а эту воду пить — вот как он дорог для меня.

Хотя по крупному счету у Динки всегда было трагическое мироощущение. Все в ней дышало трагедией — и форма и содержание.

Иной раз гляжу на нее, как она в буфете Дома литераторов приобретает своей семье пирожки с капустой или идет по улице в красном плаще, купленном поза-позавчера в «Детском мире» — ну так и хочется провозгласить: «Не верю!» — до того ее стать, нрав, природа откуда-то не отсюда.

Катастрофы Вселенной лежали на ее плечах, драмы всех времен и народов терзали ей сердце, горечь встречного-поперечного ранила ее душу.

— Как подумаю, что в Индии и Пакистане люди убивают друг друга, — жаловалась Динка, — все! Эта мысль наваливается на меня ночами, душит и не дает спокойно спать.

— Вот Динка — человек! — ставил мне ее в пример Левик. — Любая неприятность — *ЕЕ* неприятность. А у тебя? Даже твоя неприятность — не твоя.

Левик преувеличивал. Как раз я в то время ужасно страдала, что у моего Левика на столе обнаружились чьи-то очки, как мне показалось, забытые тайной возлюбленной Левика, о чем я незамедлительно поведала Динке.

Динка взяла у меня из рук очки, приблизила к глазам и величественно произнесла:

— Ты посмотри, сколько тут диоптрий! Это же книжный червь, синий чулок, дни и ночи проводит в библиотеке! Академик Федоров по ней плачет. Мы должны срочно устроить ее к нему на прием.

На следующий день она принесла талончик.

— Возьмите, — строго сказала Динка. — Только пусть не откладывает. Предложат операцию — ни в коем случае не отказываться! У нее же вся жизнь впереди.

— Я что-то не понимаю, — спросил мой Левик, — о ком идет речь?

— Речь идет о той твоей девушке, — ответила я ему, — которая впопыхах оставила у тебя на столе очки.

— Какие очки? — спрашивает Левик.

— Вот эти, — говорим мы.

— А ну дайте сюда!!! — закричал Левик. — Это очки моего уральского дедушки Александра Ивановича Тягунова, родившегося и умершего в горнозаводском поселке городского типа Нижние Серги Свердловской области. Он жил на берегу пруда у подножия гор недалеко от металлургического завода, Мандул-Мандул, переставший быть человеком, — бормочет Левик, — спящий с открытыми глазами рыбак, выуживающий из проруби сновидений с черной как ночь водой и белым как одеяло снегом странные и прекрасные существа. Они замирают испуганно, запорошенные и окоченевшие, полоски на коже пульсируют в ритме сарабанды, глаза, обращенные внутрь, излучают тепло и приветливость, живущие вечно, несуществующие в действительности необиологические структуры. Ты, Люся, скоро загремишь в психбольницу, — он добавляет устало, — а Дина будет тебе носить апельсины.

Однажды вообще ни с того ни с сего она вдруг сказала:

— Не вздумай покинуть Левика. Это *небросовый* человек.

— Но Динка, — тогда я спросила у нее, — возможно ли жить в атмосфере угасших чувств?

— Возможно, — немного подумав, ответила Динка — пра-пра-правнучка, между прочим, великого философа Спинозы. — Ты знаешь, что я потомок Спинозы? Девичья фамилия моей бабушки Спиноза! Я просто вылитый Спиноза, если мне волосы на щеках отпустить.

Она переживала за умерших и живущих, за тех, кто когда-нибудь еще будет рожден, и за тех, кто по тем или иным причинам не будет, даже за незачатых она умудрялась себе все нервы истрепать.

— Еду я в троллейбусе на переднем сиденье для детей и инвалидов, — рассказывает Динка, — смотрю, на стене кабины водителя в жестяном кармане Книга жалоб и предложений. Беру ее, раскрываю и что я вижу? Единственная запись:

«Благодарю за мягкую езду.

А. Рабинович».

— Куда ты с такой фамилией??? — хватается за голову Динка. — Все едут, никому и в голову не приходит. Ему же больше всех надо, он поблагодарил!

— Да что он тебе дался? — говорю я.

— Как что? — отвечала Динка. — Над ним все пассажиры смеяться будут. Особенно в час пик! Вот, скажут, Рабинович, жидовская морда, смотрите, какой нашелся отзывчивый ценитель мягкой езды!..

Она говорила мне:

— Я, знаешь, в очереди когда стою, собачусь с кем-нибудь: «вы стояли, вы не стояли», потом посмотрю на его лицо — щека, на щеке морщина, отвернется, а я подумаю: мог бы он быть моим папой? И понимаю: МОГ БЫ! Это у меня с большинством людей. Я представляю — он мог бы или нет быть моим родным. И понимаю, что да.

...Да! У него нет потенции! — царственной своей интонацией говорила о ком-то Динка. — Но у него есть пронзительный взгляд на вещи и хорошее знание литературы.

Я буду учить тебя *всему*, — она говорила мне. — Запомни: только всему учить можно, и больше ничему. Я научу тебя готовить узбекский плов. У вас дома есть казан?

— Нет, — отвечала я.

— А чугун?

— Чугун есть.

— Большой?

— С матку нерожавшей женщины, — вмешивается Левик.

— Тогда не буду, — говорит Динка. — Узбекский плов в принципе рассчитан на ораву.

Зато она потом уже авиапочтой прислала мне рецепт коктейля «кровавая Мэри». Он начинался так:

«...Берешь Мэри...»

Все, все, что известно мне об этом мире, — известно, собственно, от Динки.

А как она меня натаскивала на сюжет?! Как натаскивают английского сеттера на утку!

— Не торопись, — говорила мне Динка. — Надо со вкусом пощупать партитуру. Не упустив ни ноты, ни голоса!.. Ты что, не чувствуешь — тут не хватает эпизода? Между «мы чуть не умерли от горя» и «как здорово мы зажили». Я даже скажу тебе, какой длины — пять сантиметров. Один такт. Как в музыкальном произведении. Я столько музыки намотала за свою жизнь!

«Та — ра — \ПА-РИ-ПА-ПА\ — па — па!»...

Понимаешь?

А не «Та — ра — па — па!»

И в литературе нужен этот такт. Но в литературе, — она понизила голос, — самое страшное: абсолютно все равно, чем его заполнить. Заполни хотя бы чем-нибудь, а то у меня ноги до полу не достают!

Когда-то в учебнике астрономии я прочитала, что у горячих гигантов есть одна характерная особенность — они ужасно расточительны. Звезда Ригель, например, в Орионе ежесекундно превращает в излучение около восьмидесяти миллиардов тонн своего вещества.

Динка тоже подобный горячий гигант, своей щедрою рукою она подарила мне пять интригующих начал, пару-тройку бесценных кульминационных моментов, и штук шесть удачных концов. (У меня с финалом обычно неразрешимая проблема.)

Но один сюжет самым решительным образом Динка у меня отобрала: как я в Малеевке поздней осенью по дороге на ужин встретила эксгибициониста.

— Сначала он хоронился за деревьями, — взволнованная, запыхавшись, я ей рассказывала о нем в столовой. — Ну а потом ушел в сирень или растаял в снегопаде.

— Так ушел в сирень или растаял в снегопаде? Это важно! — спросил у меня Динкин сын Димка, доедая сырник.

— Балбес! И то и другое! — вскричала Динка, почуяв *рассказ*. — Так значит, он хоронился за деревьями, — она взяла след. — А может, это был не член эксгибициониста, а всего-навсего древесный сучок?

— Ну, знаешь, — ответила я с обидой, — хотя обстоятельства моей жизни складываются таким образом, что я вполне могла бы забыть, как и что выглядит, хуй от сучка, черт вас всех побери, я пока еще отличу!

— Дай я напишу эту вещь! — воскликнула Динка. Она уже держала ее за хвост.

Да я и сама, слава богу, прекрасно отдавала себе отчет, что такой сюжет мог бы вытянуть лишь человек, имеющий абсолютный музыкальный слух и высшее консерваторское образование.

— Кстати, можно я возьму эпизод из твоей жизни, — спросила она, — когда Левик тебе изменил, и ты уходила из дома, взяв с собой самое дорогое, что у тебя было: зуб акулы и челюсть древнего осла?..

Как-то мы отправились на день рождения. Ленка Шерстобитова праздновала свой тридцатипятилетний юбилей. Ну — толпа народу, дым коромыслом, звон бокалов, тут кто-то заявляет:

— Слышали, по телевизору передавали — из Ленинакана везут в Москву детей после землетрясения. И прямо по телевизору сказали: «Мамы Москвы! Помогите! Возьмите к себе детей разрушенного Ленинакана».

Повисло молчание. Все затихло. Даже смолк магнитофон. И в этой тишине раздался голос Шерстобитовой:

— Нет никаких проблем. Будем брать. А что, собственно, такого? Мой вон валяется целыми днями, и этот пусть отлежится, отдохнет. В конце концов, одним больше или одним меньше — какая разница?

Мы с Динкой обмерли.

— А как же их родной язык и культурные традиции? — спросила Динка, у которой уже было двое детей, муж Боря — свободный художник, живописец, и однокомнатная квартира у черта на куличках на Милашенкова в старинной блочной пятиэтажке.

— Это ерунда! — махнула рукой Шерстобитова. — Будем ходить все вместе в Армянский центр. Встречаться друг с другом. *Они* будут часто видеться.

Это был неотразимый довод. И мы, скрепя сердце, согласились.

Я даже решила в подарок Левику — он снова был в далекой заграничной командировке — взять трех или четырех ребят. Вернется же он когда-нибудь, а у меня буквально везде кто-то лежит и отлеживается.

Когда было окончательно решено, что мы трое берем себе детей, поэт Владимир Друк, автор нашумевшего стихотворения «После этого срама ты мне больше не мама», он потом уехал в Америку и основал там Научно-исследовательский институт русских снов, поднял бокал и воскликнул:

— За вас, девчонки!

Все за нас дружно выпили, и веселье покатилось дальше. Шерстобитова была по-прежнему беспечна, танцевала и вообще так себя вела, как будто ничего не случилось.

Мы же с Динкой в тот праздничный вечер сидели немного задумчивые.

Не знаю, к счастью или нет, детей Ленинакана матерям Москвы раздавать передумали. А между тем, матери явились:

в назначенный час — это же святые женщины! — они заполонили Старую площадь и стали ждать и надеяться, а когда им объявили, что детей не дадут (нет бы им, бедолагам, вздохнуть с облегчением и разойтись по домам!), они начали требовать, возмущаться, роиться, всячески поносить правительство и даже угрожать.

Лидером этой безумной борьбы, естественно, стала Шерстобитова, которая звонила нам с Динкой из автомата каждые полчаса и возбужденно докладывала обстановку. На сборный пункт матерей мы с Динкой не явились, но, готовые ко всему, пассивно наблюдали за разворотом событий.

Оказывается, как только поезд пришел из Ленинакана, всю эту публику посадили на автобусы и увезли в подмосковный санаторий.

Ну, в самом деле, раздай они нам своих детей, произошла бы полная ассимиляция, а им, маленьким, но гордым народам, надо держаться купно, артелью, любой ценой сохраняя суверенитет, наперекор цунами, извержениям вулканов, землетрясениям, злым туркам и даже концу света.

А ведь никто не подумал об этом из нас, кроме Динки. Поскольку одна она — я в жизни не встречала больше таких людей — тип Альберта Швейцера! — мгновенно могла проникнуться самой немыслимой и специфической идеей любого народа нашей Земли.

В отличие от меня, представителя бездушного мегаполиса, лишенного корней и не помнящего родства, исповедующей чистой воды экзистенцию, выраженную коротко и сочно одним пьяным человеком в метро поющей, точно стихотворная строка, фразой: «Живым бы быть, остальное все хуйня».

Не потеряла ли я нить своего рассуждения? Если б вы знали, Анатолий Георгиевич, как важно для меня не потерять эту нить!

— Прошу вас, успокойтесь, — сказал Анатолий Георгиевич. — Вы столько сил тратите на то, чтобы не потерять свою дурацкую нить. Да плюньте вы на нее, ей-богу! Когда-то я отдыхал в Тасмании, в заповеднике. Мы там ходили по асфальтовым дорожкам, и нам нельзя было с них сходить. А знаете почему? Чтобы не повредить пингвиньи тропы! Оказывается, пингвины всегда ходят по одним и тем же тропам. До того одним и тем же, что на этих тропах сточены камни. Так же однообразны и примитивны тропы человеческого безумия.

Пусть эти люди, по которым вы ежечасно сходите с ума, которые, как вам кажется, бросили вас, уехали и позабыли, умерли, состарились, улетели на другие планеты, растворились во времени и пространстве, навеки разлюбили и не поминают вас в своих молитвах, — пусть они снова подойдут к вам. А вы переживите эту встречу, но не поверхностно, а очень глубоко, так полно и с таким присутствием, чтобы туда больше не возвращаться.

Переживите еще раз свою ранимость и мимолетность.

Скажите все, что вы хотите им сказать, прижмите их к себе и отпустите — ведь вы же в жизни никого не отпустили! Войдите в свои сны прозрачной и открытой. Если это причиняет вам боль — пусть будет боль. Хотите плакать — плачьте. Скажите этим людям в вашем сердце:

«Прости меня за все, что причинило тебе страдания — будь то мысли мои или слова, я уж не говорю про действия! Даже за то, в чем, мне кажется, я не виновата, — прости меня. За все, что произошло по моей забывчивости или из страха, из-за моей ограниченности или невежества, я прошу у тебя прощения».

И позвольте себе быть прощенной.

...Сейчас, сейчас, Анатолий Георгиевич, сейчас, я попробую. Я плотно прижата к стенке, мне отступать некуда и нельзя откладывать. Ведь можно не успеть, и тогда все пропало. Динка! Поди ко мне, я хочу на тебя посмотреть. Помнишь, как ты учила меня давать взятки в профкоме работников культпросвета, чтобы мне тоже досталась путевка на море?

— Ты приносишь им баночку растворимого кофе, но не даешь ее сразу, а говоришь: «Вы заметили, что в последнее время у нас на Земле бушуют магнитные бури? У каждой чувствительной тонкой души от этого падает кровеносное давление, стучит в висках и ломит затылок. — И тут — не раньше и не позже! — ты извлекаешь из сумочки свою несчастную банку, ставишь на стол и триумфально заключаешь: — Но одна только чашка бразильского кофе — и вам на целый день обеспечено отменное самочувствие и великолепное настроение!.. »

Однажды она привела меня в издательство, где меня никто не ждал, не знал и знать не хотел. Кой черт принес нас туда? А впрочем, мы явились к ним не от хорошей жизни.

— Знакомьтесь: Люся Мишадоттер! — торжественно сказала Динка. — Восходящая звезда литературы для юношества. А это ее замечательная исповедальная проза!!!

Она объявила меня, как шпрехтшталмейстер — воздушного акробата, работающего без лонжи, надеясь, что с моей стороны последует сальто-мортале.

Но они так холодно на меня смотрели, что акробата под куполом цирка просто разбил паралич.

Я вообще не выдерживаю равнодушного взгляда, я только выдерживаю горячие взоры, исполненные любви.

Я так себя препаршиво почувствовала, так ощутила свою никчемность! И я подумала: как бы хорошо стать вдруг невидимой, зато самой все видеть, слышать и уметь летать.

Я была не в силах даже отбить чечетку, даже исполнить какой-нибудь захудалый сатирический куплет, чтобы растопить лед этой встречи.

Динка мгновенно оценила ситуацию.

— Да, кстати! — произнесла она своим самым светским тоном. — Вы заметили, что в последнее время у нас на Земле участились магнитные бури?..

Далее с легкостью магистра иллюзиона Динка выудила из сумочки растворимый кофе и плотно припечатала мою рукопись, закрепив экспрессивный жест крылатыми словами:

— Но одна только чашка бразильского кофе...

Мы вышли из этой конторы оплеванными, решительно настроенными, немного сбитыми с толку, но сохраняя чувство собственного достоинства.

— Кто ж в казенном доме, — громко ругалась на меня Динка, — так явно демонстрирует свой невезучий габитус?

Однако ее кофе сыграл свою роль: рукопись отдали на рецензию доброму Косте Сергиенко, но таки намекнули на мою бесперспективность.

Костя не дрогнул и написал положительную рецензию. Он целиком и полностью одобрил мою повесть с одною только оговоркой:

«В палитре Люси Мишадоттер, — заметил он, — мне не хватило шума дождя».

Динка встретила его в Коктебеле, они разговорились.

— В этом издательстве ее не опубликуют, — сказал Костя, — по одной простой, хорошо тебе известной причине.

— Как? — удивилась Динка. — У нее до шестого колена в родне одни хиндустанцы, удмурты, каракалпаки, маньчжуры, коряки, германошвейцарцы, парсы и юкагиры.

— Это до шестого, — вздохнул Костя. — А у них все до восьмого просчитано.

Вскоре мою рукопись потеряли. Костину рецензию тоже.

Я принесла второй экземпляр. Его тоже потеряли.

Третьего у меня не было.

— Чтобы найти вашу повесть, мы даже во всем издательстве поморили тараканов, — сказали мне. — Но рукопись так и не нашли.

Теперь я смело могу утверждать, что эта вещь — лучшее из мною написанного, ее утрата невосполнима, она была диссидентская, вольная по мысли, элегантная по форме, мощная по содержанию, я вложила в нее все чувства, весь интеллект, а также серьезные научные прозрения.

Хотя на самом деле это простая история — проще некуда — о моем босоногом интернатском детстве. Но свидетелей тому уже нет.

Редакторы ее не читали, Динка уехала, а Костя Сергиенко умер. И мне все звонили, спрашивали — ты пишешь о Косте куда-нибудь?

Все знают, что у меня некрологи хорошо получаются. И задушевно, и с теплотой, в приподнятом стиле, без лишнего пафоса и в то же время с юмором — мудрый взгляд я даю в этом жанре, с лукавым прищуром, как раз то, что надо.

У некоторых прямо нервы сдают — начинают просить при жизни: напиши обо мне да напиши! А я отвечаю: подожди немного. Еще не пора, чтобы я о тебе написала.

Я даже не знаю, случись что со мной, кто скажет обо мне надгробное слово? Ведь это особое искусство, его надо преподавать студентам в вузах, как раньше всем без разбору читали марксизм-ленинизм. Или такие люди, как я, должны себе заблаговременно сесть и составить некую «рыбу»: «Он был...» и так далее.

А то, неровен час, получишь в качестве посмертной песни:

«Наш ЖЭК номер четырнадцать понес тяжелую утрату...»

Или:

«Щедрое сердце Азизы Пантелеймоновны устало извергать горячую лаву любви!..»

Лишь только Динка в этом деле могла бы сравниться со мной. Мы с ней даже договорились о взаимовыручке.

Впрочем, Динка уже, наверно, может начинать.

Недавно ее спросили (вот то как раз, чего я всех умоляю не делать!): «Ты что же Люсе Мишадоттер не пишешь, совсем забыла ее, старуху?»

Она ответила (о, после паузы, конечно, явив любимый мною профиль вопрошающему, взглянув в окно на Иудейскую пустыню):

— Все это умерло для меня.

А что писать о Косте Сергиенке, я не знаю. Ведь я почти с ним не была знакома. Он никогда за мной не ухаживал, мы даже вместе вроде не выпивали. Странный тип — он умер от воспаления легких. Не стал почему-то лечиться, и все.

Я знаю одно — у меня перед ним есть вина. Я чувствую себя виноватой перед Костей, что в моей чертовой палитре, когда это важно было для него, ему не хватило шума дождя.

Не спрашивай меня обо мне, меня уже больше не занимают ни растенья, ни послушные звери, лишь пространство выжженных глаз, все, что нас окружает безмолвьем, не нарушая покоя ночи.

Когда уезжала от меня моя Динка в другие страны, в теплые края, она мне говорила:

— Не огорчайся, Люся, тебе ли горевать по таким пустякам? Ведь у тебя вселенский взгляд на жизнь! Ты, человек, который со дня на день ожидает пришествия инопланетян на Землю! Что Сократ бы по этому поводу сказал??? А Диоген?..

Как я была счастлива, когда она была со мной, мне все было по плечу!

— Какой кошмар уезжать из этой страны! — говорила Динка. — Последнее время я только и делаю, что хожу по разным учреждениям, которых не должно быть на нашей прекрасной Земле. Я месяцы провожу в очередях — ты не поверишь, сегодня передо мной стоял человек по фамилии Розенкранц, а за мной — Гильденстерн! Я на всякий случай загадала желание.

Динка! Динка! И вот, когда я соберу в кучку восемь даосских драгоценностей — веер, клюку и двойную тыкву, бамбуковую трещотку, меч, удочку, флейту и мухогонку — наступит гармония во Вселенной, и мы с тобой купим избушку на берегу Средиземного моря, будем там жить и кататься на лодке в соломенных шляпках, две старушки.

На прощание я пригласила Динку в Зоологический музей на улице Герцена. Она там, оказывается, никогда не была.

— Как? — удивилась я. — Ты уезжаешь в другую страну, еще не всех чучел повидав в этой?

В день своего отлета она позвонила мне в семь утра и сказала:

— Люся! Я прочитала твой рассказ. Встала в пять утра и прочитала. Он похож на молодого, красивого, здорового инвалида без ног на коляске. Бах! Бах! В эпилоге главный герой наполучал по морде — и конец. Не додумана архитектура. К тому же там надо повысить градус, тогда я поверю, даже если учитель придет жаловаться на неуспеваемость ученика к его родителям голый.

Динка, я умру без тебя.

— Все. Едем в Шереметьево. Приехала машина. Пока!

Я положила трубку и представила себе, как она выходит из подъезда на улицу, как она идет по первому снегу — к такси.

— Динка! Я люблю тебя! — кричу я на всю поликлинику.

— И я тебя! — кричит она. — Люся, послушай, как только я накоплю сотню шекелей за мытье посуды, я сразу пришлю тебе деньги на билет!..

— Тише! Тише! — вскочил из-за стола Анатолий Георгиевич и бросился ко мне. — Выпейте валерианы! Прошу вас, не надо так волноваться.

А Динка кричит:

— Передай Левику, что мы его обожаем! Возможно, даже больше, чем тебя!!!

— ЦЕЛУЮ ВСЕХ!!! ЦЕЛУЮ! — ору я.

— Димедрол с новокаином! — бросил Анатолий Георгиевич заглянувшей к нам в полном ужасе медсестре. — Вы, Люся, уникум, — бормотал он, — с вами только в цирке выступать. Вы что же так материализуете своих фантомов?

Он оглянулся. Динка сидела на столе. У ног ее, как хищник у ног знаменитой укротительницы, лежал огромный чемодан.

— И вы тоже хороши, — сказал Анатолий Георгиевич Динке. — Так раскричаться! Здесь вам поликлиника, а не аэропорт Шереметьево-два. С Люсей мне все ясно — она невменяемая. Вы же, я был уверен, гораздо тверже стоите ногами на земле.

— Извините, профессор, — сказала Динка. — Всему виною магнитные бури. От них, я давно замечала, шумит в голове, особенно страдают в такие дни жертвы эксгибиционизма.

Она с чемоданом стояла на подоконнике. Окно было распахнуто.

В Москве очень долго не начиналась весна. Вдруг зацвели деревья. И одновременно подули ветры. Пыльца поднялась.

Пошли желто-зеленые дожди! Все думали, это промышленные выбросы. А оказалось, пыльца деревьев. Внезапно в аэропорту обнаружили, что белые лайнеры — зеленые. Сильно запахло хвоей после дождя.

— Я не профессор, — говорит Анатолий Георгиевич. — Я просто кандидат медицинских наук.

— Главное в жизни — это пластика фразы! — сказала Динка.

— А разве не рисунок с натуры? — спросил Анатолий Георгиевич. — Вы куда??? — закричал он, потому что Динка с вещами шагнула в открытое окно и спокойно пошла по воздуху, все равно как по воде.

Мне хотелось ее окликнуть, чтобы она оглянулась еще хотя бы раз, но я уже откуда-то знала, что этого делать не надо. Можно только догнать. Или отпустить. Ей нельзя останавливаться и нельзя оборачиваться, хотя она жена Бори, вольного живописца из Винницы, а не бедолаги Лота из Содома.

«Спасай душу свою, не оглядывайся назад, чтобы тебе не погибнуть».

И если в небесах, по которым она так доверчиво, неторопливо и по-свойски шагала с чемоданом, есть свои холмы и долины, то Динка шла по равнине и вверх, пока не исчезла в полосе неразличимости.

Анатолий Георгиевич закрыл окно и аккуратно запер его на шпингалет.

На столе у него стояла до боли знакомая железная баночка.

— Сумасшедшие, — покачал головой доктор Гусев. — Кругом сумасшедшие. *НО ОДНА ТОЛЬКО ЧАШКА БРАЗИЛЬСКОГО КОФЕ — И ВАМ НА ЦЕЛЫЙ ДЕНЬ ОБЕСПЕЧЕНО ОТМЕННОЕ САМОЧУВСТВИЕ И ВЕЛИКОЛЕПНОЕ НАСТРОЕНИЕ!* — сказал он самому себе, потому что прием на сегодня был окончен.

Глава 13.
Шокотерапевт Гусев

Как-то раз мне приснилось, что я бреду по раскаленной пустыне с какой-то уж очень классической котомкой. Палящее солнце, ни кустика, ни родника, иду, выбиваюсь из сил, ноги вязнут в песке, смотрю — раскинув руки, стоит Анатолий Георгиевич Гусев, психотерапевт из нашей районной поликлиники, причем так замер — не моргнет, не чихнет, не кашлянет, лишь руками чуть-чуть шевелит на ветру.

Я подошла к нему поближе и говорю:

— В твоей тени можно отдохнуть?

А он мне (дерево заговорило!) отвечает:

— Каждый должен быть *САМ* тенью для себя.

Еще мне снилось однажды, что он с пятнадцатого этажа кричит:

— Жизнь, Люся, это — ...

А я стою, задрав голову, около подъезда, там шумно, машины ездят, лают собаки, дети вопят, кто-то с кем-то ругается...

Я:

— Что? Что? Повторите!..

Он снова:

— Жизнь — это — ...

— Что? — ору. — Что такое жизнь???

И, как назло, ничего не слышу и не понимаю.

Сам Бог мне послал его, сам Господь Бог, стоило мне оказаться на перепутье. Ведь сорок лет — возраст *или-или*. И если кто-то не понял, о чем идет речь, значит, он еще не приблизился к этой явственно обозначенной границе.

Ты попадаешь в другое измерение, в какой-то сплав глубокого-глубокого счастья и бездонной тоски. Где мое незабвенное ликование в чистом виде, которое испытывала я когда-то, просыпаясь утром, просто просыпаясь, вот и все?

Взрослый мальчик, старая собака, пасмурный май, цветущие сады. Сорок три года. Смерть стоит за плечами, легонько так дышит в затылок — вот мой сегодняшний день, мое майское утро.

— И почему все так беспокоятся о смерти тела? Вместо того чтобы думать о смерти Эго, — искренне удивлялся Анатолий Георгиевич, еще когда я и не думала умирать. — Ну что такое смерть? Это обрыв воспринимающего сознания, простенький психологический тест — насколько ты отождествлен с телом.

Понаблюдайте за своим сознанием, — он говорил мне, — и вы обнаружите, что умираете по несколько раз в минуту. Сознание мерцает, как пламя, любая ерунда может выбить вас из сознания, даже укус комара! Вы лично несколько раз в минуту имеете полное право улечься на погребальный костер. Вас выручает только то, что вы, Люся, являете собой скопище разнообразных механических проявлений, стереотипов и условных рефлексов. Этот автопилот маскирует кончину и не дает вашим близким оплакивать вас через каждые три-четыре секунды. Но этот же самый автопилот мешает вам быть действительно живой, осознать, что вы, Люся Мишадоттер, есть нечто большее, чем это слабое тело или ограниченный, обусловленный ум, что вы охватываете целую Вселенную. Тогда б вы отказались от собственнических устремлений, ибо внутри себя не испытывали бы ни в чем недостатка!

Был у меня пациент — эфиоп из Аддис-Абебы, — рассказывал доктор Гусев. — Ясный солнечный день — у него прекрасное настроение. Но как только садится солнце или пасмурно — страшная депрессия, мрак, кошмар, суицидальное настроение, это длится до восхода солнца, он вешается, его из петли вынули (след на шее остался), привезли ко мне. Солнце в окне, я смотрю, его профиль на фоне солнца — вылитый Пушкин. Они же, эфиопы, не плосконосые — тонкие черты, бакенбарды. «У нас, — он говорит, — в Аддис-Абебе памятник Пушкину стоит, и я все его стихи знаю». Уж я ему и так пробовал объяснить и этак, весть передать от сердца к сердцу, *что солнце не является для него чем-то внешним. Закрой глаза, я говорил ему, войди в себя, ищи внутри, и когда приблизишься к центру своего сознания, ты обнаружишь вечный свет, там все двадцать четыре часа в сутки сияет солнце, вот где твой Дом, а не в Москве и не в Аддис-Абебе.* Но он меня не слушает, дрожит, а жить ему осталось до заката. Ну, я позвонил в посольство и заявил, что их эфиопу не рекомендуются наши климатические условия. Они: «Вот еще, какие нежности, на его образование государство потратило деньги...» А я им говорю: «Вы будете нести ответственность за гибель этого парня». Через пятнадцать минут подъехала машина, оттуда вылезли черные люди с билетом на его имя, не заезжая в общежитие, помчались в аэропорт и тут же отправили его в Эфиопию.

Вы, Люся, чем-то смахиваете на этого эфиопа, — говорил мне Анатолий Георгиевич. — Вы постоянно теряете саму себя, отождествляясь то с одним человеком, то с другим, как эфиоп с солнцем. Это и есть обрыв сознания. Но если вы будете смотреть на мир и помнить себя — вы без ума от солнца, но, как сказал поэт, «О, солнце, то, что сияет в тебе, сияет и во мне!», — вы иначе станете относиться к смерти, вернее, вы к ней вообще не будете иметь никакого отношения.

Тут доктор Гусев хватает колокольчик и начинает с ним расхаживать по кабинету, оглушительно звеня. Это у него такое наглядное пособие.

— Звенит колокольчик, — он весело кричит, — а вы, Люся, думаете, что это еда! Не отпирайтесь, я вижу вас насквозь, вы вся — по академику Павлову. А между тем, колокольчик — просто колокольчик! — И доктор Гусев заливается счастливым смехом. — Какие напрасные муки бы вас миновали, пойми вы, что это вещи, *вообще не связанные друг с другом!..* Кстати, будете чай? — он спрашивает. — У меня есть пирожные «корзиночки».

Очень интересно наблюдать за жизнью людей, — он говорит, заваривая пакетики мяты. — Если у вас нет предубеждений, возникают странные факты. Одного человека случайно заперли в рефрижераторе. А он не знал, что холодильник не включен. И насмерть замерз! Приходят, а он синий весь. Хотя было лето, внутри, как на улице — двадцать градусов тепла! Это до чего надо быть в плену у своих представлений, я вас спрашиваю?! Помните, Диоген ходил днем с фонарем? Он *искал ЧЕЛОВЕКА в текущем реальном моменте, где прошлое больше не нависает над вами, и будущее не тянет за собой, где существует только настоящее, где этот самый момент есть все, и в этой тишине, в этом покое и равновесии слышна извечная музыка жизни.* Но Диоген был великий шутник, ибо в этом *текущем реальном моменте* за всю историю человечества можно встретить лишь горстку просветленных. Каждый может туда попасть, но все отвлекаются, все живут, как во сне, — смотрят и не видят, слушают и не слышат. Грезы, фантазии, тщеславие, неполноценность, страх смерти, жажда жизни, тысячи желаний, иллюзий — люди всецело поглощены либо воспоминаниями, либо мечтами. Один грузин мне рассказывал, его приятель в большом застолье выпил нечаянно вместо чачи — стакан воды. И умер! Якобы от обиды. Видали, какие мы делаем вклады в свои ожидания и расчеты?! Надеялся на одно, ожиданье не оправдалось — чуть-чуть притормози, взгляни, что тебе приготовила жизнь, а вдруг это то, что надо?! Нет — шок, разрыв сердца, нелепая смерть... Еще есть такая байка всемирно-глобального масштаба из хрестоматии по психологии: один человек сел покакать, а кто-то подшутил и подставил совковую лопату. Человек какал-какал, они лопату убрали, тот обернулся, а там ничего нет. Я повторяю, — сурово сказал доктор Гусев, — человек какал-какал, обернулся, а там ничего. Он был так потрясен, что от удивления умер.

— Это потому, Анатолий Георгиевич, — я отвечала ему, — что все эти люди не верили в чудо! Нет бы грузину вскричать: «О Господи, я как Иисус Христос! Только наоборот. Он превращал в вино — воду, а я в воду — вино!» И начал бы петь и танцевать. А тот, из хрестоматии, всемирно-глобального масштаба, воскликнул бы: «О! Мое говно куда-то подевалось. Его унесли ангелы!» — или: «Его перетащили муравьи в безопасное место!» Либо ты полностью утопаешь в своих грезах и иллюзиях, чтобы ни проблеска яви, ни тени сомнения в материальности миража. Либо ты сомневаешься во всем и подвергаешь сомнению само существование мира. А среднее — где большинство находится, вот они и страдают.

— Все перечисленные вами дороги ведут к конечной стадии шизофрении, — добродушно отозвался доктор Гусев. — Знаете ли вы, Люся, что такое чудеса? В сущности, это нормальные вещи, происходящие на более высоком уровне бытия. Для человека продвинутого это просто факт, для не продвинутого — чудо, а для профана — ничего. Он не воспримет, не заметит, заспит, подавит, найдет способ проигнорировать. Например, когда я учился в школе, — сказал Анатолий Георгиевич, — я умел летать. Я, стоя, приподнимался от земли. «На чем стою?» — спрашиваю. Ребята говорят: «На полу». Я — выше. «На чем?» — «Ты на цыпочки приподнялся». Не верили своим глазам.

Один парень из нашего класса стал меня раскручивать: ты врешь, что умеешь летать! Полетай! Не сможешь, не полетишь... Я сначала не хотел показывать. А потом взял и полетел. Тут он меня за галстук схватил и побежал, как с воздушным шариком. И я ничего не мог поделать. За воздух ведь руками не схватишься. Тогда я нарочно стал тяжелым и упал на землю в цветы. А клок галстука остался у него в руке. Он извинился. Он знал, что я его прощу. И я его простил. Но не совсем. Об этом случае писали в «Пионерской правде». Все были в шоке, кто *смог* это увидеть. А некоторые, хотя они стояли в коридоре, подняв головы, и очень внимательно смотрели, *когда я над ними пролетал*, не зафиксировали полет! «Никто тут не летал!..» — они говорили, когда их спрашивали. Похожая история случилась однажды, когда к затерянному в Тихом океане острову подплыл огромный корабль. Туземцы, имевшие дело исключительно с крошечными каноэ, корабля НЕ УВИДЕЛИ, поскольку это не соответствовало их представлениям о мире.

Вы, Люся, по-своему не обращаете внимания на чудо, — методично и рассудительно продолжал доктор Гусев. — Когда к вам приходит что-то из запредельного, вы это, не пережив, не осознав, мгновенно вышвыриваете в свой роман. В итоге подарок небес всего лишь питает эго творца и вводит вас в заблуждение: якобы вы что-то из себя представляете, хотя человек не сам что-то из себя представляет, а ТО он представляет из себя, проводником чего является. Сам же никто ничего из себя не представляет.

Еще есть забавный способ проигнорировать! — радостно заметил Анатолий Георгиевич. — Принять чудо за нарушение дисциплины. Я помню, в детстве мы с мамой ходили в гости, все сели за стол, а мне не хватило стула, *тогда я поднялся в воздух и стал сидеть ни на чем*. А мама рассердилась и говорит: «Толик! Перестань! Возьми стул! Я кому сказала?! Немедленно прекрати! Иди возьми стул! Не надо ТАК!..»

Я до того был легкий, — рассказывал Анатолий Гергиевич, — если меня толкнуть, я мог так далеко отлететь, что терялся из виду. Мы шли с другом, вдруг резкий порыв ветра —

и ветром меня отнесло метров на десять. Я пронесся над лужей, задел ее и обрызгал прохожих. И эти прохожие стали ругать моего друга — зачем он меня толкнул? А еще я мог стать тяжелым — и пол подо мной трещал.

Как я *тогда* понимал огонь, что он живой, рождается, живет и умирает. Я зажигал спички, и пламя, когда я на него смотрел, ярче разгоралось. Потом я понял, что все — огонь, и все пылает. Потом я понял: все есть свет, потом — все звук, а до этого я думал, что все — это вкус или прикосновение.

Я мог играть на любом музыкальном инструменте. На чем только хочешь. Мог взять впервые бамбуковую флейту — и заиграть.

Я был одиноким и ясновидящим зрителем многообразного, изменчивого, почти невыносимо отчетливого мира. Собственные руки удивляли меня. Без всякой замедленной съемки я мог увидеть, как муха *плавно* взмахивает крыльями в воздухе. Я видел обыкновенный упавший с дерева лист, как никто другой не увидит, хоть смотри на него с утренней зари до ночи, всю жизнь. Тогда я точно знал, что мы бессмертны, а умираем потому, что бессознательно подражаем друг другу. Раньше люди жили по сто тысяч лет, а сейчас съедают себя за рекордно короткие сроки. Люди устают и засыпают. Устают, потому что балбесы, почему бы им не отдохнуть?

В любую минуту я мог становиться невидимым. Надо было только взять зеркало и посмотреть себе в глаза. Однажды я исчез в электричке. Напротив мужчина внимательно следил за мной. Когда я появился, он вдруг подсел ко мне и спросил: «Как ты это делаешь?» Я: «Что делаю?» Я думал, это иллюзия в моем сознании. «Как у тебя получается — исчезать?» — «А я разве исчезаю?» — «Ах, ты этого не знаешь?.. »

Потом я ехал в метро и тоже исчез. И тут все начали подходить и садиться ко мне на колени. А я их спихивал.

Однажды в автобусе я посмотрел на свое отражение — и отражение исчезло. Все стали отшатываться от меня, как будто их током било. Ведь это вышибает людей из их представлений о мире. Одни говорят: «Подвиньтесь, там у вас место пустое!» Пассажиры видят: действительно, ничего нет, но что-то есть, и вроде бы живое. Меня толкнули, я закричал, мы давай переругиваться! Как раз была остановка, невидимого, меня выбросили на улицу и чуть не затоптали.

Что интересно, — рассказывал Анатолий Георгиевич, — я исчезал вместе с одеждой. И когда снимал с себя что-то в этом состоянии, то потом эту вещь никак не мог найти. А если — невидимый — надевал видимую вещь, то она оставалась видна! Раз как-то я надел пальто, ботинки, и пошел. Народ во дворе шарахался, а один мужик подбежал и схватил меня за голову.

От меня что-то шло, все девочки были в меня влюблены. Но у меня ни к кому ничего такого не было. Я вообще сексом не интересуюсь. Я пытался им объяснить, что любовь — это не отношение, а состояние души. Я показывал им чудеса, чтобы они поверили: *есть что-то еще*. Так делал Иисус Христос. Я им являлся во сне, я звал их в неведомое, а сейчас я даже боюсь их увидеть — что с ними стало? Во всяком случае, мальчик, который видел, как я летал, он встретил меня после армии и обнял так, как обнимаются люди, когда открывают друг другу сердечные центры, обмениваясь энергией.

Я мог раздваивать предметы. Листок, например, с какой-нибудь надписью. Но дубликат, как ни странно, оказывался светлее и легче. И все сомневались: вот тут бумага белее и чернила другие... И спрашивали, могу ли я раздвоить рубль? А я им рассказывал притчу, как один человек решил таким образом разбогатеть и овладел подобной техникой, но при этом так укрепил свой дух, что деньги выбросил, они ему стали уже не нужны. Я все время рассказывал притчи, а говорил стихами. Кстати, один листок я потом сохранил. И *когда все кончилось,* я иногда натыкался на него случайно, и меня било током. Я смотрел на листок, пытаясь вспомнить, *как это было,* но не мог. Перед армией я все сжег, с этим связанное. А листок сжигать боялся. Но все равно я его куда-то дел... и... к чему же я?..

— *Как это кончилось?* — я спросила.

— Все двигалось по восходящей, — отвечал мне доктор Гусев. — Я был абсолютно здоров, все мои желания исполнялись, я умел воскрешать из мертвых, лечил и предупреждал об опасности, с легкостью предсказывал судьбу, я читал мысли на расстоянии, но давно уже не понимал, где кончаются мои мысли и начинаются чужие. Я был ВСЕМ, и от имени ВСЕГО говорил: «Я»! Тунгусский метеорит Я послал на Землю. Это была помощь Земле, но Земля ее не приняла. Тогда мы взорвали его в тайге и решили действовать не так эффективно, но тоньше. Земле постоянно помогают, поскольку Земля — привилегированное место, где могут просветлеть отдельные личности. В отличие от других цивилизаций, где все должны разом подниматься на верхние ступени сознания. А если поднимется кто-то один, тяготы Вселенной лягут ему на плечи.

Я был почти властелином мира, пройдя все круги эго, даже самые тонкие, и оставив их позади. Я был на пороге пустоты, и мне оставалось сделать шаг.

Я сел на диван и закрыл глаза.

Вначале все шло, как обычно. Передо мной возник фиолетовый круг и стал удаляться, мерцая, пока не превратился в пульсирующую огненную точку. Знакомый поток подхватил меня и понес вдаль и вверх, набирая скорость, закручивая мертвые петли, в серебряные поля по своему непредсказуемому руслу. Вихрь бьет в лицо, невозможно вдохнуть, скорость, как у самолета.

Внезапно в лоб ударило малиновое солнце, а по моему позвоночнику вдруг начал подниматься сильный жар, он тек вверх, точно раскаленный свинец, я был в шоке, но терпел, пока этот пламенный ртутный столбик не застрял на солнечном сплетении. То ли в тот момент я был не готов, то ли недостаточно чист, я почувствовал страшную боль, нестерпимую. И я сказал: «Все, больше не надо».

И все кончилось.

Дня три еще меня трясло, поэтому я до конца не осознавал, что случилось. На четвертый день я проснулся нормальным обычным человеком, который неплохо разбирается в психологии.

— Я пойду плакать о вас, — я сказала.

— Вам надо плакать о себе, — ответил Анатолий Георгиевич. — В чем радость вашей жизни? Что у вас есть, *кроме сюжета?* Ведь человек живет не в сюжете, а в промежутке между нотами. Реальность — это паузы.

Каждое утро мир имеет свой узор, — он говорил мне, — этот узор непрерывно распадается и складывается новый, а вы цепляетесь за вчерашний, и на это уходит вся жизненная энергия. Вы хотите остановить мгновение, потому что оно якобы прекрасно, стремитесь удержать всех и вся, и вас несет по степи, привязанную к хвосту арабского скакуна, всю в крови. Но остановленное мгновение — это болото и вонь, а вы стоите на пути у потока и пытаетесь контролировать саму Вселенную.

Вы, Люся, помешались на любви. Но давайте разберемся. Итак, вы не понимаете, почему любовь *всегда* так трагически оканчивается. Почему нельзя, чтобы это длилось и длилось, спокойно, светло и размеренно? Ведь любовь — такая защищенность, стократное подтверждение того, что вы есть, — и вдруг — обрыв, холод, бездна и пустота. Но откуда мы знаем, — воскликнул Анатолий Георгиевич, — может, то, что приходит к нам, когда все рушится, и есть то, ради чего это было?!

Я вам открою один секрет, — он говорил, понизив голос. — Поистине захватывающим является не сюжет нашей жизни, а каков *ты* в этой драме перемен.

Надо все время думать о смерти, — советовал доктор Гусев. — Легко и весело думать о смерти, о самой прекрасной смерти, какая может быть! А то люди так боятся умереть, что начисто упускают жизнь.

Вы не знаете себя, Люся, — он говорил мне. — А то, что вы о себе вообразили, гроша ломаного не стоит по сравнению с тем, что вы есть. Вы слишком деятельны, усталы, высушены, разочарованы, заморожены. Жизненная энергия совсем не движется. Чтобы преобразить ваше смятение в ясность, а страх смерти — в милость и пробуждение, вам нужна встряска. И я вам это вполне могу устроить. Ведь основная моя профессия — шокотерапевт. Вам известно, что я эксперт ЮНЕСКО по шокотерапии? Что, если нам попробовать Программу Просветления по системе Вернера Эрхарда? Я буду вас планомерно оскорблять, вы будете жариться на сковородке, пока не дойдете до дна и не покончите со своим эго, которое не позволяет вам признать основополагающее единство всех вещей. Но это вам будет дороже стоить.

— ...Ну, можно попробовать, — говорю. — Вдруг это принесет плоды?..

Я спросила у Левика, даст ли он мне еще денег на лечение? Левик ответил, что даст, и вот я, немного опоздав, явилась на первый шокотерапевтический сеанс.

Видно, дела Анатолия Георгиевича шли прекрасно, с большим размахом и коммерческим успехом; перед его кабинетом сидела очередь из удрученных, колючих, покинутых, неразумных, продрогших, погасших, людей-зверей, живорожденных, яйцерожденных, лелеющих мысль о самоубийстве, жалобщиков и прочих несчастных. Среди них был, кажется, один поэт.

— За последние десять лет, — он сказал, — я сочинил одно стихотворение, состоящее из одной строки.

Он встал и продекламировал:

«Я слышал крики, но не оглянулся...»[1]

— Теперь я живу под столом на кухне, — добавил он уже в прозе.

— ...И каждый год у нашего полковника, — кто-то рассказывал, — бывал какой-нибудь недуг, который совершенно лишал его разумения. Когда это на него находило, он тараторил без передышки. И его дурь бывала каждый год другая. Один раз ему казалось, что он бидон с квасом. Другой — что он лягушка, и он прыгал, как лягушка. Иной раз покажется, что он умер, и надо было его всем взводом хоронить. Уже перед самой демобилизацией, я помню, он начал воображать, будто он нетопырь. Когда выходил на прогулку, он глухо так вскрикивал, как делают нетопыри, и при этом изображал руками и туловищем, как будто собирается лететь.

— Я его тут увидел в толпе, — до меня долетали обрывки фраз. — Увидел и растерялся. Он двадцать лет ее любит, рассказывал все свои дела, а она оказалась не женщина, а мужчина, и не актриса, а шпион.

Короче, когда подошла моя очередь, у меня вся крыша была набекрень.

Ну, я захожу в кабинет и говорю:

— Здравствуйте, Анатолий Георгиевич.

А он мне — я никогда не забуду торжественность этой минуты — заявляет:

— Что, жопа, опоздала?

Я, честно говоря, немного опешила и спрашиваю растерянно:

— Вы почему говорите мне «ты»?

А он мне:

— Ой-ой, корежит из себя жену Эйнштейна! А сама дура дурой!

— Но позвольте, — говорю я.

---

[1] Стихи поэта Бонифация.

А он мне — злой, как голубь:

— Давай, — говорит, — доставай свой дневник психопатки, этот свой дерьмовый, полностью никому не нужный графоманский роман, я им задницу подотру!

Чувствую, я вдохнула, а выдохнуть не могу.

— Что вылупилась? — закричал Анатолий Георгиевич. — Козлиха! В котле будешь вариться за свою литературу. Если на шизофреника с крыши падают кирпичи, они его хоть както возвращают к реальности. А ты кирпичи, которые летят тебе на голову, ловишь и строишь из них прекрасные замки. Но я не архитектор! — взревел доктор Гусев. — Я воин. И я не дам тебе уйти в сон и забытье. Я разрушу твой грезящий галлюцинирующий ум!

Он орал, как наш сосед дядя Саша контуженный, добрейший был человек, лечился от радикулита укусами пчел, но если начинал орать — кранты.

Сначала я не вступала с ним в пререкания, не перечила. Крепись, душа моя! Но меня так трясло, я чуть ли на куски не разваливалась. Я даже вспомнила самый ужасный случай в моей жизни, как мне однажды в школе при моем любимом мальчике сказали, что у меня глисты. «Наверно, ты разлюбишь меня теперь?» — я спросила у него, когда все разошлись. «Да ну, — он ответил мне. — Человек-то красен не глистами!..»

Короче, я все-таки проявила свою угнетенную амбицию и спросила:

— Почему я, такая тонкая, должна все это терпеть?

— Ты? Тонкая? — изумился доктор Гусев. — Да ты конь с яйцами, фиалка с корнями дуба! Такой мымры, злыдни и такой пиявки, как ты, я еще никогда не видел. Тебя бросила толпа людей. И все они правильно сделали! Бог есть любовь. А твоя любовь — это дерьмо из жопы. Обиделась? Так тебе и надо!

Я медленно оседаю на кушетку. Глаза слипаются. Я просто форменным образом засыпаю. А он кричит:

— Смотри, как ты себя жалеешь! Какой доктор Гусев нехороший, обидел ни за что ни про что! А я отвечаю тебе, идиотке: черное к белому не прилипнет! Не спи! Гляди, что с тобой происходит! А то я из тебя душу вытряхну! — Это я уже слышу сквозь сон. — Засыпает, — удивленно сказал сам себе Анатолий Георгиевич. — Какой могучий защитный рефлекс.

Ночью, дома уже, мне снилось, что Анатолий Георгиевич завопил и у него отвалилась голова. И вдруг зазвонил телефон. Я думала: Коля Гублия из Гваделупы. Он мне звонил и говорил:

— Люся, моя золотая, ты пришла в этот мир скорби со своей улыбкой, ты презираешь меня, я ем лук и чеснок, пью вино, не молюсь, на столе сейчас передо мною — коньяк и закуска, а ты — воплощенное божество, аватар, я поклоняюсь тебе. Не уходи, пожалуйста, в Тибет, пока мы сами тебя об этом не попросим.

Но звонил доктор Гусев.

— Что, жопа, еще не подохла? — спросил он угрюмо. — А я тут пишу твою историю болезни и капнул чернилами на брюки. Не знаешь, что делать?

Главное, мои близкие с большим сочувствием и любознательностью отнеслись к его прогрессивной методике.

— В тебе, Люся, слишком уж много различных опасений, — сказал мой Левик, после того как я, измочаленная, положила трубку. — Вот он из тебя их и вытряхивает. С него станется, например, прислать сейчас к нам домой «скорую помощь». Оттуда выйдет санитар и передаст тебе, что у Анатолия Георгиевича упала на пол вилка. Но он ее поднял, вымыл, вытер. И теперь снова все в порядке.

А мой мальчик, когда я ему пожаловалась, что на сеансе по шокотерапии я чуть богу душу не отдала, заметил:

— Такое складывается впечатление, что все мы живем только для того, чтобы не отдать Богу душу.

А я смотрю себе в глаза и вижу — во мне океаны плещутся. Я чувствую, во мне что-то ворочается — огромное, как слон. Тогда я прямо с утра пошла и купила себе новые турецкие ботинки на толстой подошве. И довольно чудовищную коричневую шляпу. Всю дорогу в поликлинику я старалась выработать абсолютно несвойственную мне раскованную и вольнолюбивую походку.

Я убеждала себя, что в моих сеансах по шокотерапии должна быть доля здорового скепсиса. В общем, когда я вошла в кабинет, целых, может быть, пять минут, или три минуты, или одну — после столь изнурительной подготовки — мне удавалось сохранять невозмутимость.

На этот раз над Анатолием Георгиевичем, помимо его дипломов об окончании психфака МГУ, свидетельства об участии в Первой российской конференции по энергообмену и удостоверения участника Международного конгресса по пупочной чакре в Париже, на красном ковре висело какое-то приспособление для отрубания головы.

Я сразу спросила:

— Что это у вас?

А он ответил:

— Это мне привезли из Закарпатья. Секир-башка называется.

Он сидел — такой усатый, молодой, в общем, он интересный был парень, ел постоянно пирожные «корзиночки», запивал «пепси-колой» — и говорил:

— Ты, Люся, в ловушке тоски, ты бьешься в ее тенетах, и где тебя не тронь, везде свежие раны. А все потому, что ты имеешь насчет себя определенные идеи. К примеру, ты думаешь, ты светская львица и рафинированная интеллигентка. А я тебе знаешь что скажу? У моего знакомого Хабибуллина — жена Розалия Хабибуллина, у нее нормальная голова, нормальная грудь — третьего-четвертого размера, и невероятных размеров жопа. Если сложить жопы всех моих пациенток плюс жопы ваших мам, ее жопа все равно будет больше. Она сама говорит: «У меня самая большая жопа в Ростове-на-Дону!» Причем Хабибуллин — крошечный, щуплый. Я ему говорю: «Сережа! Как же так?» А он: «Хрен ее знает, женился на нормальной, а она как пошла расти! Что делать — не знаю. Может, отрезать?»

Этой историей доктор Гусев вонзил мне нож в сердце. И там два раза повернул.

— Зачем вы издеваетесь над ней? — я крикнула. — Какого дьявола?! Она сама переживает, что у нее такая большая жопа!..

И выбежала от него, и побежала по Крымскому мосту.

— Господи! — я бормотала, задыхаясь. — Ты-то любишь меня? Я уж не требую от тебя верности! Знаю, что я у тебя не единственная. Но только не бросай меня, Господи! Не покидай. Не забывай обо мне, умоляю тебя, не оставляй меня одну среди камней.

На реке ледоход, вдоль берегов плыли льдины в окурках и апельсиновых корках, медленно-медленно, но очень быстро. А на левом берегу во мгле вечерней полыхали шкафы. Шкафы мне всегда почему-то жаль. К тому же было не видно, кто их туда приносил и бросал в огонь, как будто они подвергали себя самосожжению.

Мимо по мосту проходила влюбленная пара. Юноша что-то рассказывал, я только услышала, как он говорит своей любимой:

— Кишки они выедают сразу.

«А тело — потом?» — я подумала и неожиданно пересекла границу ума.

Сознание мое величественно поплыло по всей дуге моей жизни в смерть, где светился один фиолетовый цвет, он раньше казался мне голубым — художники называют его «фрост», — там не было никого и ничего, но слышался гул того костра на берегу Москвы-реки, в котором горели старые шкафы. Потом я вернулась по этой дуге назад, как Билли Пилигрим, пока не дошла до утробы жизни, где был алый свет и плеск. И вновь очутилась на Крымском мосту. Я полностью потеряла понятие о времени, и помню только, что шла ночью, и шла долго, потому что улицы были очень красивы в лунном свете.

Когда я вернулась домой, позвонила моя мама Вася.

— Где ты гноишь Маяковского и Горького? — спросила она очень строго. — Обозначь их местоположение, где они гноятся, я их заберу.

Через полчаса Вася позвонила и всем нам, Левику, мальчику и мне, если мы ее любим, велела смотреть «Чапаева».

Я посмотрела «Чапаева», напилась и дебоширила всю ночь. Левик, как мог, пытался меня урезонить.

— *Что ты плачешь, человечек?* — он спрашивал. —

Еще последняя песчинка не упала,
а ты плачешь

Под утро я сняла трубку и набрала «100» — узнать, который час.

И вдруг — голос тетки, хриплый, как у рыночной торговки:

— Тебе чего?

Я говорю:

— Вы не подскажете, который час?

А она:

— Спать пора!

Я так удивилась.

Утром я отправилась к доктору Гусеву.

Он молча смотрел на меня, дым шел у него из ушей и из глаз, а я стояла и плавилась под этим взглядом, вообще уже не понимая, как на все это реагировать.

— Что, жопа, не выдерживаешь спокойного взгляда? — спросил Анатолий Георгиевич с паучьей свирепостью. — Простого, никакого, без обожания? — И в голосе его зазвучал титан: — А как ты испугаешься того божественного взора, который смотрит *на всего тебя* — до дна — до того самого момента, когда ты был амебой. Это невозможно выдержать. Вся твоя дурь, незначительность, все твои мели и прибамбасы — все освещается, высвечивается, и первое, что тебе захочется, — убежать! Что ж, — говорит он, — убирайся, не мозоль мне глаза.

А я стою перед ним — с отчаянием и той же необъяснимой улыбкой на губах. Ноги у меня как ватные. Земля разверзлась подо мной.

Тогда он взял и просто-напросто спустил меня с лестницы.

Сердце горит, мне нужно успокоиться, я села на лавочку во дворе, вздохнула и вдруг почувствовала: тот, кто вздохнул, — НЕ Я: что-то дышало мной, вся Я была одним дыханием, свободным ото всего. Ничто не принадлежало этому дыханию и никто, ни возраста у него не было, ни пола, ни доброты, ни ума, ни страха, ни привязанности, ни надежды, ни дома, ни тела, ни почвы под ногами... Дыхание всех-всех людей, и всех зверей, всех жаб, и кузнечиков, и голубей, всех рыб и растений, рек, гор и озер, весь мир, вся Вселенная дышали мною. Кого во мне не было? Все во мне были.

Я пошла домой, рухнула и проспала пять часов.

Вечером позвонил доктор Гусев.

— Мне кажется, какой-то холодок пробежал между нами, — сказал он чуть миролюбивее, чем обычно теперь разговаривал, с тех пор как мы стали с ним осуществлять Программу Просветления Вернера Эрхарда.

— Какая ерунда, — говорю я. — Все, что вы говорите или делаете, — прекрасно.

— Правда?! — он очень обрадовался. — Тогда я хочу тебя попросить.

— О чем? — я спрашиваю и не могу унять дрожь, как сеттер, когда он почуял лес, землю и чует ежа.

— ...Я хочу тебя попросить, — он сказал, — поменять мне ботинок. Я купил ботинки — один хороший, а другой плохой.

— Чем же он плох? — я спрашиваю.

— Он сделан из дряблой кожи. Ты войдешь в магазин, попросишь хорошую пару — посмотреть — и незаметно подложишь в ту пару мой дряблый ботинок. Я за метро тебе заплачу. А то мне больше не к кому обратиться.

Также он предложил мне сходить с ним на Тушинский рынок — присмотреть ему демисезонное пальто. Я не смогла тогда пойти, и он купил сам обычную джинсовую куртку с искусственным меховым воротником, а мне потом важно рассказывал:

— Человек, который шил эти куртки, он чудесный портной! Сейчас его нет на свете, он повесился. Но его лекала используются и поныне!..

Он был одинок, мой доктор Гусев, но из тех одиноких, что приняли свое одиночество и уже ни в ком особо не нуждались. И ему было очень трудно подыскать себе женщину, уж очень быстро он мог доконать любого своей язвительностью, придирками и колкостью.

— Я познакомился с женщиной в парке, — он жаловался. — Она рассказала обо мне своей подруге. И та ей сообщила, что один тип тоже так знакомится с женщинами, а потом убивает их и ест.

«Я вегетарианец», — заметил Анатолий Георгиевич.

«И он — вегетарианец», — сказала она.

Все уж слишком стоят на Земле и глядят себе под ноги, — он говорил. — Не замечая того, что земная поверхность — это берег космического океана. А я стою — *там* — в космосе — вниз головой — и смотрю СЕБЕ под ноги.

Видимо, поэтому он панически боялся зубных врачей.

— Когда у меня выпадут все зубы, — он говорил мне, — я сорок дней поголодаю, и у меня вырастут новые.

Я ему отвечала:

— А вы пятьдесят поголодайте, тогда вырастут даже золотые!

— Ты, что, жопа, иронизируешь? — спрашивал он подозрительно.

Одна у него была неутоленная страсть — к оргтехнике. Любой магазин электроприборов вызывал в нем священный трепет. Взгляд его останавливался, пульс учащался, почти в религиозном экстазе он заходил внутрь и с порога требовал предъявить ему паспорт с параметрами какого-нибудь сногсшибательного музыкального центра за сто тысяч долларов, который ему не светит ни при какой погоде. Он часами дотошно изучал ассортимент, уточнял параметры, сравнивал, перепроверял, высказывал разные подозрения насчет подделок, называл все магнитофоны уважаемых западных фирм корейскими мыльницами, пока его однажды с позором не выставили из магазина.

Он вернулся домой, позвонил мне и в ужасе рассказал во всех подробностях, как это было. Как он не хотел уходить, упирался, тогда они сказали: «Нам что, позвать охрану?» И все в таком духе.

— Я теперь боюсь, — поделился он самыми сокровенными опасениями, — эти продавцы расскажут обо мне продавцам всей оргтехники Москвы, разошлют фоторобот и меня никогда больше не будут пускать в магазины электроприборов!

Кстати, однажды он показал мне свой фотоальбом.

— Это я в младшей группе детского сада, — говорил Анатолий Георгиевич, — это наш первый класс. Это третий. Четвертый, пятый, седьмой. Пионерский лагерь. Это наша вожатая — у нас с ней была симпатия. Мне нравилась вот эта девочка, эта, эта и эта. Восьмой класс. В центре наша математичка. Я о ней написал на стене: «Нина — дура». Ой, какой был скандал! Выпускной вечер в школе. А вот мы в техникуме. Я был влюблен в эту девочку. Она как раз на меня обиделась и не хотела со мной сидеть. Но я все-таки сел с ней рядом. Вон она как надулась! А это мы в армии. С этим парнем я дрался. А рядом стоит наш майор, который любил повторять: «Все мозоли проходят на восьмом километре». А вот мы на международном конгрессе по пупочной чакре в Париже...

Это был человек, которого за всю жизнь никто никогда не сфотографировал одного.

Как-то он мне сказал:

— Я давно хотел тебе предложить: давай с тобой вместе Богу помолимся?

— Вы думаете, слившись, наши голоса станут в два раза громче, и ОН нас услышит?

— Да, — он ответил. — А заодно я научу тебя, как сделать так, чтобы твой голос был услышан. Молиться надо: первое — без слов! Второе, идиотка: молиться надо, ни к кому не обращаясь. Ни к кому конкретно! Ничего не выпрашивая! Просто немного направляя, уж если ты этого хочешь.

Месяц за месяцем он осыпал меня оскорблениями, прямо в лицо всячески выказывал мне пренебрежение, я хлопала дверью, обижалась и снова приходила к нему на прием. Надо сказать, это довольно дорого стоило. И, как нам казалось с Анатолием Георгиевичем, не давало тех результатов, на которые рассчитывал в своей Программе Просветления Вернер Эрхард.

— Программа Эрхарда рассчитана всего на пять дней! — орал доктор Гусев. — На пятый день люди с обусловленными мозгами взрываются, постигнув бессмысленность слов. Ты, Люся, гиблый вариант, псих с железными нервами! Где мне найти человека, — он горестно восклицал, — для которого ничего бы не значили слова?! Я бы с ним поговорил...

Только теперь мне стала открываться тайна его паломничества. Только сейчас, когда я все время думаю о смерти, когда я вижу ее повсюду, когда она проникает даже в мои сны, я начала понимать, что он испытал, путешествуя во чрево кита.

Нет, я не собиралась отступать. Я не имела права его подвести, он мне доверял как никому. Поскольку никто его не мог вытерпеть так долго. Он мне сам говорил:

— Из всех, с кем я круто обхожусь, с ума не сошла только ты. Потому что ты уже была сумасшедшая.

Я твердо верила: именно он избавит меня от моей нерадивости, научит, как сделать из своей жизни лучшее, что я смогу, и тогда я узнаю любовь, перед которой все меркнет, все восходы и закаты, все деревья, все звезды и солнце, потому что все это — лишь отраженье *той Любви*.

И не видел того глаз, и не слышало ухо, что приготовил Бог для любящих Его.

Тем более, мне приснился сон: я иду — уже на том свете — смотрю, врата, за которыми явственно брезжит божественное сияние. Вдруг с некоторым лязгом в воротах открылось окошечко, и бородатое лицо неясной национальности спросило:

— Кто твой наставник?

Я не задумываясь — вы слышите, Анатолий Георгиевич? — ответила:

— Доктор Гусев.

— А! — говорит. — Ну, тогда проходите.

И тут же эти ворота передо мной со скрипом отворились.

Так что, клянусь, у меня и в мыслях не было послать его к черту до того момента, как я достигну обители чистых и стану пригодна для бесконечности. Я только боялась, он сам не выдержит и пошлет меня. Поэтому я аккуратно, лишь только затянутся раны, звонила, записывалась и возвращалась в его кабинет, готовая ко всему.

Однажды я не смогла прибыть на прием и попросила забежать Левика. Левик зашел с фотоаппаратом, само дружелюбие, представился очень церемонно и говорит:

— Если вы не возражаете, Анатолий Георгиевич, я вас сфотографирую в вашем кабинете под секирой. На мой взгляд, вы являетесь великим психотерапевтом всех времен и народов. Я уверен — за шокотерапией будущее! Мою жену Люсю просто не узнать. Она меня больше ни к кому не ревнует, а то ревновала к каждому телеграфному столбу. Да и в быту лучше стала. Все время сидит дома и стирает, мы даже белье перестали в прачечную относить.

На что Анатолий Георгиевич ухмыльнулся зловеще и сказал:

— Ты, Левик, знаешь, как что?

— Как что? — доверчиво спросил Левик.

— Как говно в проруби, — спокойно сказал Гусев. — Ты жопа, козел, мудозвон, подонок, ублюдок, скотина...

Увы, Левик не дал ему закончить мысль. Забыв о столь свойственном ему мягкосердечии, он вдруг покраснел, надулся и хряпнул Анатолия Георгиевича фотоаппаратом по голове. Причем так не рассчитал удар — он ведь никогда не дрался, — что нанес доктору Гусеву черепно-мозговую травму. Тот упал и закрыл глаза.

— Я так испугался, что я его убил, — весь в слезах, Левик мне рассказывал, прибежав домой. — И что ты меня будешь теперь руга-а-ать!..

Я уронила тапочку в суп, уронила курицу запеченную на пол, все повалилось у меня из рук. Мы тут же пошли на рынок, купили яблок (я знала, что Анатолий Георгиевич любит кислые яблоки), квашеной капусты, кураги, торт «Полет», шоколадку с орехами, банку «кока-колы» и вместе с Левиком поехали навещать шокотерапевта Гусева в Институт травматологии.

Войдя в палату, мы почувствовали вокруг Анатолия Георгиевича великое пространство. Все было наполнено тихой радостью и совершенством вещей. Его окружал такой покой, такая тишина. В воздухе витал запах ладана. Сам же доктор Гусев являл собой все сострадание, всю доброту, всю человечность в мире, будто вот-вот собирался отправиться в новое путешествие сознания. Левик сфотографировал его, и мы потом на этой фотографии увидели, что сквозь Гусева просвечивали подушка и матрац! Светло и расслабленно лежал он на кровати с забинтованной головой, на лбу резиновая грелка со льдом, увидел нас и говорит слабым голосом:

— Это вы, жопы?..

— ...Да, — Левик добродушно развел руками. — Две жопы, — заявил он кротко, — хотят припасть к вашим стопам и попросить прощения за то, что одна жопа хряпнула вас фотоаппаратом по башке. А если вы меня не простите, я оденусь в рубище, посыплю голову пеплом и до последних дней буду сокрушаться, что сделал в жизни ложный шаг.

— Не стоит беспокойства, — царственно отвечал доктор Гусев. — Любые происходящие в нашей жизни события несут в себе скрытые в них послания, которые содержат в себе Учение.

И с этими словами он...

— УМЕР??? — вскричал Левик, когда я читала ему эту предпоследнюю главу своего романа.

— Уснул, — сказала я.

— Слава богу! — воскликнул Левик. — А то я думал, что ты в своем романе меня вывела не только безумным поэтом, подлым изменщиком и ловеласом, но еще и убийцей шокотерапевта Гусева.

Он надел свои крылья ангела, взял полиэтиленовый пакет и весело отправился в магазин за продуктами — дальше разгадывать тайны банок, тайны опилок и вечную тайну света.

Глава 14.
Мертвый корабль

Мне чужды тоска и горечь. Я хочу только ясности видения. Этот абсурдный и безбожный мир населен утратившими надежду людьми, которые как ни в чем не бывало продолжают валиться на мою голову с неба, хотя мне давно бы надо раздарить всех друг другу, раздать в хорошие руки, не то будет поздно, ибо звезды сказали по поводу меня, *что лебедь сейчас подплывает к суше*. Лебедю, конечно, это непривычно, тревожно, страшно, однако он должен будет выбраться на берег и свить гнездо на дереве. Еще там сказано туманно, что это может у него не получиться. Он не найдет опоры, и тогда мужчина пропадет в пути, а женщина не разрешится от бремени.

К тому же пришло время этому вот лебедю отдать все, что у него было, когда он счастливо и спокойно плыл по воде. Вообще все — даже свои перья на обряды.

Я скоро умру. Быть может, очень скоро. Наверно, завтра. Поскольку сегодня утром, проснувшись и скосив глаза, я не увидела кончик своего носа.

А доктор Гусев меня предупреждал: он прочел в древних манускриптах, мол, это верный признак того, что «человек уходит с физического плана».

— Если когда-нибудь, — он говорил мне, — ты не увидишь кончик своего носа, немедленно зови меня.

А я ему рассказала такую историю, я вычитала в бульварной прессе: кажется, во Флоренции прямо перед свадьбой умирает жених. Родственники безутешны. А невеста пробралась тайно в морг и поцеловала жениха. И он... ОЖИЛ!!! В газете опубликована их свадебная фотография.

— Это вполне нормальное явление, — ответил мне Анатолий Георгиевич, — обычный рабочий момент. Если ты, Люся, умрешь, я приду и это же самое сделаю с тобой.

— А вдруг вас не будет на месте? — я спрашиваю.

— Я буду всегда, — он ответил. — Ну, может, меня тут не будет, на этой планете, каких-нибудь несколько часов. А так — звони, не стесняйся.

И вот я набираю его номер и слышу, какой-то нечеловеческий голос отвечает:

— АБОНЕНТ НЕДОСТУПЕН.

Я снова набираю его номер и слышу:

— НОМЕР, КОТОРЫЙ ВЫ НАБИРАЕТЕ, НЕ СУЩЕСТВУЕТ.

Так, я подумала недоуменно, что теперь делать? И тут же зазвонил телефон.

— Я приглашаю тебя в Колонный зал Дома Союзов! — это была моя мама Вася.

— Я не хочу туда, — говорю я.

А Вася:

— Ну что ты, ну что ты, в Колонном зале сегодня будут давать пододеяльники! Хор будет петь из Елоховского собора. Кстати, ты знаешь, что этот Новый год наступит позже... на одну секунду?

— Не морочь мне голову, — я говорю.

А Вася:

— Это научно доказанный факт: раз в два года Земля замедляет свой ход, и волны времени набегают друг на друга.

К телефону подошел папа.

— Люся, — он сказал, — у меня к тебе просьба. Дяде Теодору из Йошкар-Олы исполнилось семьдесят лет. И он собирается жениться. Вчера он звонил и попросил нас в Москве на углу Хрустального и Варварки раздобыть для него экстракт от импотенции. Причем у этого экстракта название такое вычурное — йохуимбэ или что-то еще. Вася из вредности отказалась ехать за препаратом, а мне как-то неудобно. Еще подумают, что я импотент.

— Не волнуйся, я съезжу, — говорю.

Опять зазвонил телефон.

— Люся! — орет в трубку мой старый знакомый Гришка Ализаде. — Я в твоих краях! В соседнем подъезде у приятеля! Прости, что звоню, лишь когда случайно оказываюсь в этом забытом богом районе.

— Ерунда, — я ответила мудро, — ведь тени становятся все длиннее. Что нам еще остается, кроме как просто окликнуть друг друга по пути.

— Я тут в гостях со своим сыном! — кричит мне Гришка в самое ухо. — А ему скучно! Не выйдешь на улицу поиграть с нами в футбол?

(О Господи, не хватало мне весь мой последний день развлекать сына Гришки Ализаде — Ибрагима, которому скучать и скучать еще лет семьдесят-восемьдесят!..)

— Гришенька! — я кричу. — Очень плохо слышно! Звони, не пропадай!

Все-таки мы, до обидного, не умеем разговаривать по телефону. Болтаем о разных пустяках. Вот у нас в Уваровке придешь на почту позвонить, встанешь в очередь, послушаешь, о чем люди говорят, — невольно проникаешься уважением.

Например:

— Ало! У меня одна пятнашка, быстрее отвечай: *ПУПОК-ТО У НЕГО ЗАРОС?*

Или:

— Ну? Похоронили?

Народ в телефонном разговоре поднимает важные вопросы, грандиозные. Ни здрасьте, ни как живете, а сразу:

— Что?! Не объявлялся?! И вчера? И позавчера? Отбой, завтра позвоню.

У нас там вообще отношение к жизни не оставляет места для вздора, иллюзий и грез. Что вы хотите, если в продуктовом магазине на прилавках сплошные мертвые головы — коровьи и свиные — встречают тебя прощальным взором. А в промтоварный, как входишь — так сразу отдел похоронных принадлежностей. Алые ленты атласные трех видов с надписями на выбор: «Скорбим», «От близких», а также «От близких и родных», венки из бумажных роз, плоские подушечки-думочки с белыми кружевами и разнокалиберные гробы с обивкой веселых расцветок — предметы первой необходимости для жизни вечной. И только на втором этаже — пожалуйста, будьте любезны: обувь, рабочая одежда, канцтовары, парфюмерия и трикотаж.

Снова зазвонил телефон. На проводе Хаим Симкин, наш бывший диссидент, а ныне великий писатель Израиля, ярый и необузданный кинематографист. Мой друг Моня Квас ему ассистирует безуспешно, а грозный Хаим Симкин его костерит на чем свет стоит.

— Алло! — он произносит важным еврейским голосом. — Я буду краток. Дела у меня блестящи. Но вы же знаете Моню! Такое ощущение, что он *ничего* не умеет! Он хочет, чтобы я достал пленку, людей, деньги, а сам он будет сидеть со мной рядом и делить аплодисменты.

— Что вы говорите такое? — я отвечаю ему. — Моня знает иврит, английский, он много работал с иностранцами...

— ...и всякий контакт с ним заканчивается скандалом! — легко подхватывает великий писатель. — Короче, он вам прислал сувенир. Зайдите ко мне, а то у меня очень мало времени.

За окном два человека несут стекло. Причем стекла не видно, а просто два мужика идут в неестественно напряженных позах. Так и мы все что-то несем, я подумала, чего, в принципе, не видно.

А вон и тот безнадежно унылый автобус, ползущий между домами, с квадратной дверцей позади. Почему-то у этих автобусов — я давно за ними наблюдаю — всегда брюхо забрызгано грязью. И люди из окон домов испуганным взглядом следят за его продвиженьем.

Помню, однажды я представила себе, что́ сделаю обязательно, когда наступит мой последний день. Я позвоню Белкину. И приглашу его погулять со мной в Ботаническом саду. Неважно, какая погода, какое время года — я всегда счастлива с ним.

— Да тебе лишь бы я был! — говорит он. — Посади тебя хоть перед кучей говна, тебе все будет отлично.

Мы зимой с ним в Сокольниках бегали по снегу босиком, шли-шли, потом скинули ботинки, я сняла чуть ли не все и побежала в одних трусах и майке. А он бежит за мной с моими вещами и кричит:

— В снег! В снег! Где поглубже! Не надо по дороге! Холодно!!!

Потом я села на лавочку, и он мне ноги растер своими варежками.

Я говорю:

— Если б ты в проруби сейчас искупался, и я бы с тобой.

Белкин как-то вечером гулял в январе, увидел прорубь, разделся, вошел в ледяную черную воду, потом вышел, оделся и больше никогда этого не делал.

Зато мы в ливень с ним в Ботаническом саду купались в пруду с лягушками.

И танцевали потом на танцплощадке, где танцуют старики. С ним все здороваются, окликают. Он на этой танцплощадке постоянно танцует.

— Пусть видят, что я с девушкой, — сказал Белкин. — А то один да один, подумают, что я голубой.

Он ведь танцор, Белкин. Он танцует, как бог.

— Я что-то полюбил, — говорит, — танцевать сидя. Я вышел на новый уровень жеста. Надо принимать каждое свое движение! Тогда чуть двинулся — и уже танец. Одними пальцами можно танцевать, одним взглядом... Ты тоже танцуй со мной.

А как он танцевал в Сокольниках со своим приятелем — дауном Саней!

Тот нарядился, в костюме, белой рубашке, галстуке — и они стали танцевать там, где встретились, — никому не стараясь понравиться, мимо музыки, каждый в своем ритме, двое на дороге, я чуть не заплакала.

— Так и вижу, — говорит Белкин, — как мне открывают надгробный памятник. Памятник человеку, который всю жизнь провалялся на диване, прогулял в парках и садах, ничего не изобрел, не открыл и не оставил никакого следа на Земле.

Я ему позвонила, и мы договорились встретиться во Владыкино около метро, мы там обычно встречались.

— Сейчас хорошая пора, — он сказал, — поздняя осень, трепетное такое время, как ранняя весна.

Уходя из дому, я слышала, Левик с мальчиком беседовали об искусстве. Левик рассказывал, что его знакомый живописец нарисовал великую картину — три метра на три — «Искательница вшей», которая снискала оглушительный успех на аукционе «Сотбис».

— Ну, вы, художники, уже всем надоели! — восклицал мальчик. — Кто написал бы сейчас «Сикстинскую мадонну»? Один художник кусает собак, живет в будке и ходит на четырех ногах, другой из какашек складывает фигуры. Где, черт возьми, классическое искусство?

Я помахала им, но они были так увлечены, что не обратили внимания. Ладно, роман я оставила на столе. На пустом письменном столе — в центре, полностью законченный роман — с титульным листом, название «Утопленник». Хотя у меня там утопленника никакого нет.

— Неважно, — говорил Левик. — «Утопленник» — название культовое.

Я спустилась в метро и увидела жуткое зрелище: на скамейке сидела девочка и сдирала кожу с персика.

В вагоне двое забулдыг отгадывали кроссворд:

Один говорит:

— «Последний подарок от группы товарищей?» Пять букв!

Второй, поразмыслив:

— ...Шорты?..

— Венок! — подсказала им старушка.

Они примерили:

— ДА!!! — так радостно.

Морем пахнет. И эти крымские пирамидальные тополя... Что они делают здесь, вдоль наземного перегона «Коломенская» — «Автозаводская»?..

— Пойдите сюда, — позвал меня какой-то тип в телогрейке и ватных штанах с двумя сумками картошки. — Я покажу вам то, чего вы никогда не видели!..

— А что? А что? — И уже иду к нему, со мной эта фраза безошибочно срабатывает, тем более, он протянул мне конфетку, театральный леденец.

— Смотри, — сказал он и вынул из кармана пистолет. А сам пьяный, еле на ногах держится. — Хочешь, я застрелю кого-нибудь?

— Упаси господи, — говорю я, уже грызя его леденчик.

— Я спекулянт, аферист и убийца. Два института закончил.

— А где на это учат? — я спрашиваю. — В каких институтах?

— Жизнь учит, — ответил он. — Сам я рязанский, Сельскохозяйственный окончил в Рязани. Год отработал в народном хозяйстве, пять лет отсидел в тюрьме, вышел, поступил в Радиотехнический институт...

— Молодец какой, — говорю, — опять в институт поступил!

— ...окончил и стал грабителем и убийцей! Хочешь, дам свой телефон? Позвонишь: «Витек, так и так...» Если тебе надо кого-нибудь чикнуть.

— Нет-нет, — говорю я, — огромное спасибо.

— Зря! Ты не смотри, что я скромно одет. У меня все есть: ботинки «саламандры», пальто от «Хуго Босс». Я просто жене из загорода картошку везу.

— А ваша жена знает, — спрашиваю, — что вы по профессии — бандит?

— Ни в коем случае, — он ответил. — Дома ты один, на работе другой, в милиции третий.

— Зачем это вам? — я спрашиваю. — К чему? У вас хорошие глаза, доброе лицо...

— Значит, постарел, кожа обвисла, — произнес он с большой печалью и пошел на выход такой походкой, как будто из картошки сделан. Все его толкают, пинают, а у него в кармане заряженный пистолет.

Голуби наполняли воздух своими криками. Пока я шла к Хаиму, погода сто раз поменялась — то солнце, то дождь, то туман, везде жгли осенние листья, стелился дым, падал снег, неслись облака. Случайно по Божьей милости разум покинул меня в этот день. Я, кажется, завтра умру, ну и что из того? Я думала, что бессмертна, а сама была встревожена и жалка, теперь я шагаю по улице, и во мне поднимается то мое забытое ликование. Впервые в жизни я наслаждалась самой собой, ни о чем не горюя и не беспокоясь. Ни о деньгах, ни о взаимной любви, я ела мороженое — эскимо шоколадное в шоколадной глазури (кстати, они переборщили с шоколадом, знала бы — не купила!). И несла такое же Хаиму Симкину.

Хаим встретил меня по-домашнему, в шлепанцах и трико, он был радушен, пузат, одинок и расслаблен. Совсем не такой торжественный, каким я видела его последний раз в Доме Ханжонкова, куда он водил нас с Моней, и все повторял, что сейчас к нему хлынут брать автографы. А когда никто не хлынул — ни один человек!

Хаим сказал:

— Темновато в зале, меня пока никто не узнал, а если узнают, вот будет тарарам!..

Он сразу вручил мне письмо и подарок от Мони Кваса.

Письмо было короткое: «Люблю... И хочу!»

А подарок — продолговатый кожаный коричневый барабан.

Как вам это нравится, а? Купить мне на базаре в Иерусалиме барабан?! Вот где мне хотелось бы побывать, будь еще немного времени, — на базаре в Иерусалиме. А еще больше — в Индии!

Мы как раз с моим Левиком собирались поехать в Индию. Так, неконкретно, когда-нибудь, хоть когда-нибудь, я всегда мечтала об этом, с детства, спутешествовать в Северную Индию, в предгорья Гималаев, лишь бы ехать, все равно на чем, по этим горным дорогам, все равно куда, справа бездна, слева камни, крутые виражи, еще бы марихуаны за щеку заложить, мне говорили, в Индии повсюду заросли марихуаны, и все уже все равно, земля жаром так и пышет, метра на полтора, наверно, прогрелась, она не тянет тепло из тебя, а наоборот, как будто держит на горячих ладонях, и эти огромные черные муравьи в траве, которых нечего бояться — взял его рукой, рассмотрел повнимательней и выбросил подальше. Ну, или весной в Хаpакан... Одинокому человеку хорошо путешествовать в Индии, бывают же такие — у кого ни детей, ни родителей, тут ему даже некогда грустить, все время есть чем заняться, присоединиться к кому-нибудь, потом отстать, вот он посмотрел на компас: где север? вон, север — там, гималайский вид, он — туда, все ближе и ближе, и незаметно достигнет вечных снегов. А тот, у кого семья, — по семье, конечно, начинает скучать — по семье, по сыну, по любимой работе... Или кому его семья — во уже, ругань, пьянство — тоже хорошо тут поездить, туда-сюда походить... А уж от импотенции в Гималаях тьма-тьмущая разнообразных трав. Нужно только выбрать по своему темпераменту и соблюсти правильную дозировку.

О, нашей жизни скудная основа! Я не увижу знаменитой «Федры»... Да будет в старости печаль моя светла! А впрочем, какая Индия? Здесь, в Москве, на углу Хрустального и Варварки — заходи, получай йохуимбэ сколько нужно, без ограничений, для дяди Теодора из Йошкар-Олы. Кстати, этот наш дядя Теодор, мне Миша сам говорил, такой козел! Но Миша ему обязан. Ой, какая огромная очередь, кто старый, кто косой... «Капричиос» Гойи, сновиденья Босха. Я в долларах хотела заплатить, а в долларах нельзя. Пошла менять, вернулась — а там новая очередь.

Я говорю этим старикам:

— Я уже стояла! Пустите меня! У вас все впереди! Вы только начинаете жить... А я завтра умру. Или даже сегодня вечером. Я могу не успеть сделать самое главное.

Но они молчали и недоверчиво смотрели на меня.

— Вот в чем у вас загвоздка, — я сказала им, всей этой нескончаемой толпе, — вы не доверяетесь бытию!.. Я чту обряд той петушиной ночи. Куда как беден радости язык! — я сказала им. — Эта импотенция — только следствие вашего недоверия жизни. Придите в мои объятия, братья! Идите, идите за пределы, совсем за пределы, проснитесь, радуйтесь!..

Какой-то голубой луч стоял над моей головой, я обнаружила его еще в метро, увидела, но не глазами. Он то застывал, как будто ледяной, то оживал и вибрировал, и в нем видна была пыль и тоненькие прожилки. Сегодня он сопровождал меня целый день, терял и снова находил, и был так ощутим, что мне казалось, все его видят.

Где мой Белкин? Где друг мой, товарищ и брат, отгулявший со мной столько весен в цветущих садах, отслушавший соловьев — особенно одного я запомнила на ветви дуба, как он усердствовал, расшибался в лепешку, вся грудная клетка ходила ходуном. Где мой неразлучный приятель, на вопрос «Как дела?» пожимавший плечами: «Какие события в жизни дурака? Верба зацвела, потом вишня, затем груша и яблоня, в траве — желтые одуванчики»... Тот, кто на свадьбе своего сокурсника поссал в стакан и выпил — за здоровье молодых, а ведь тогда ничего еще не было известно об уринотерапии! И посвятивший мне стихотворение: *«Ты такая маленькая, любимая, тебя во тьме я перепутал с курицей»*[1].

Вон он стоит, несмотря на свою безграничную мудрость, разъяренный моим опозданием.

— Все! — он кричит. — У меня с тобой все! Сколько можно опаздывать? Надо тебя проучить в конце концов!..

А я смотрю, и у него в зрачках уже себя не вижу. Тогда я стала наблюдать за солнцем. Оно коснулось горизонта. И начало садиться, пламенея. А в вышине возник нежнейший месяц.

— ...И никаких компромиссов! — кричит, негодуя, Белкин. — Все кончено! Я уж не попадусь на твои уловки!

И побежал. А я побежала за ним. Так мы бежали, бежали, по первому снегу, по саду, петляя между деревьями, он

---

[1] Это стихотворение дорогого моего друга Сергея Седова, которому столь многим обязана эта книга.

быстро бежал, очень быстро, вообще он достиг совершенства, хожденья по воздуху и сознания бренности мира, страх смерти давно победил, одышку и вожделение, так быстро бежал он, что даже и не заметил, как нам с ним в тот вечер встретился Бог в виде большой пожелтевшей ветлы.

Я тоже старалась не отставать, но выдохлась, выбилась из сил, вот-вот сердце выскочит из груди. Белкин бежит — не оборачивается. А темнеет. Кругом лес и сад. Я тут без него заблужусь, я не знаю дорогу. А у меня еще барабан! Я думаю, бросить его или нет? Он, конечно, мешает бежать, но жалко его выбрасывать, хотя он мне и не нужен. Ведь это подарок столь преданного мне Мони Кваса.

Два ангела пролетели надо мной. Один был с трубой. А другой говорит:

— Давай мне свой барабан. У нас с Гавриилом тогда будет джазовый оркестр.

Ну, я и отдала. И сразу легко стало, радостно! Я как с новыми силами побегу, как Белкина обгоню!.. Он встал у зеленых холмов и смотрит мне вслед изумленно. Уши горят у него. В чем дело? ОН, самый лучший бегун во всех Сокольниках и во всем Ботаническом Саду!.. Никто еще никогда в жизни его не обгонял! Вдруг какая-то Люся Мишадоттер, такая маленькая — ее во тьме перепутал он с курицей!.. — охваченная безмерным одиночеством, перегоняет его и бежит, бежит дальше, не останавливаясь, пожирая пространства, пока не превращается в точку и не исчезает из виду.

Ах ты, дурачок, пронеслось в голове, больше мы не увидимся, прощайте, мои возлюбленные, я отпускаю вас, черные, белые, золотые, снежные мои товарищи, летите — и я распахнула ладони!.. Стая голубей взмыла ввысь, к облакам, смотрю, а у меня в руке — котлета!..

Все теперь было обрезано, отделено, вымыто, зачищено. Мир светился каким-то жестким светом. Люди шли замедленно, плавно, каждый потрясающе одинок, но все и вся пронизано связующими нитями.

Лица светятся в вагоне метро, бледные, пьяные, сморщенные, в черных капюшонах, грызут семечки, уставились в одну точку, у стекол с надписью «не прислоняться» тошнит кого-то, по вагону бутылки собирает негр небритый в ушанке, драповом пальто с тряпичной сумкой (это ж надо так негру опуститься, просто черный русский!..) Какой-то человек понуро держит на коленях большой прозрачный пакет геркулеса. Грусть, тоска, несчастье, мысли о самоубийстве носятся в воздухе, безумная улыбка блуждает по этим лицам, и все-таки они светятся, светятся, светятся, несмотря ни на что источают свой Бесконечный Всепроникающий Свет.

Кстати, доктор Гусев мне говорил, что этот свет поступает к нам в сильно сокращенной и ослабленной форме.

— Он до того ослаблен, идиотка, — рассказывал мне Анатолий Георгиевич, — что не выдерживает никакого сравнения с сокрытым Светом, который вообще не воплощается в конечные миры, но окружает их с окраин, оставаясь за пределами нашего постижения, в то же самое время являясь источником существования мира.

Потом я ехала на машине, на мусорке. Шофер говорит:

— Куда вы так чешете? Садитесь, я вас подвезу.

— Рано еще меня на подобном автомобиле подвозить, — сказала я горделиво, села и поехала.

Он вообще-то направлялся в Новые Черемушки по своим делам, а мне уже было все равно.

Мы когда-то жили в Черемушках. Не ахти какой район. Одни прямые углы. Как люди не понимают, что это вредно смотреть, когда все квадратное, надо обязательно, чтобы какая-нибудь башенка торчала или куполок. Ну да поздно об этом говорить.

Мне пять лет. Мы переезжаем на новую квартиру. Асфальта нет, глина по колено, цветут корявые вишневые сады, настежь открыты окна, я сижу одна посреди большой комнаты на единственной табуретке, пахнет свежими клеем и краской, над головой грубо загнутый крюк для лампы, вдруг звонок — самый первый звонок в нашу дверь, я бегу открывать — на пороге стоит мамин с папой приятель Сережа Лобунец, весь измазанный в глине, и у него на шее висит деревянный стульчак!

Слышишь, мусорщик? Жизнь моя начиналась божественно — ешь с веселием хлеб свой и пей в радости сердца вино свое и благоговейно слушай пенье утреннего неба, и пока ты живой, наслаждайся этим, ибо мертвые не умеют наслаждаться, и уже нет им воздаяния, потому что и память о них предана забвению, и любовь их, и ненависть их, и ревность их уже исчезли, и нет им более части ни в чем, что делается под солнцем.

Да мертвых и нету еще у нас. Какие мертвые? Юрик жив, бабушка жива. В зеркальном шкафу ее на видном месте лежит удостоверение, которым она чуть чего начинает размахивать: о ее праве на полном законном основании носить при себе браунинг. (Кстати, ее младшая сестра баба Катя с такой же точно помпой хранила в бумажнике пожелтевшую справку, что она действительно с такого-то по такое-то число такого-то года участвовала в цареубийстве!)

Все наши соседи живы.

Вечно пьяный безногий дядя Валера, отец Пети-Пионера, тоже пьяницы и матерщинника, но очень доброго и хорошего: он когда крепко выпивал, всегда всех желающих катал по двору с ветерком на дяди Валериной инвалидке.

Наш близкий друг, бритоголовый великан, поросший шерстью, дядя Саша — контуженный ветеран, легкотрудник, он на дому конструировал штепсели и делал люстры из ложного хрусталя. Солдатом прошел от Москвы до Бреста, за пять лет войны убил одного-единственного немца. И всю жизнь из-за этого мучался. «Если б десяток или штук пятнадцать, — ладно, война, фашисты, понятно. А один немец, — он жаловался на кухне моей бабусе, — это уже человек!..»

Валечка, мой учитель музыки, жил прямо над нами на третьем этаже и слышал каждый шорох, производимый нашей семьей. Если, не приведи господь, разучивая этюды Черни, я сбивалась с заданного Валечкой ритма, он этот ритм на весь дом отбивал плоскогубцами по батарее.

Еще у нас в доме под самой крышей обитал настоящий писатель — Ласточкин. Был он отчаянный бедняк, иной раз батон хлеба не на что купить, но имел величественные замашки. Свои черновики он с яростью вышвыривал на балкон, ибо не мог терпеть у себя в доме — даже в корзине для бумаг! — листы, он так это объяснял, не отмеченные вдохновенной завершенностью. Их уносило ветром на другие балконы. Весь дом читал и смеялся над Ласточкиным — там было что-то о свободе души, о смысле жизни и очень много про любовь, не только платоническую!..

Все звали его квартиру Ласточкино гнездо. А психиатр Долгожилов, который как раз находился под Ласточкиным на четвертом этаже, поэтому первым знакомился с его черновыми набросками, со всею ответственностью заявлял, что Ласточкин — шизофреник.

Это было небезопасное соседство: Долгожилов работал в Институте Сербского последней инстанцией, кто говорил, псих диссидент или нет, и отправлял на принудительное лечение.

Он часто заходил к нам со своей женой Светой и все это спокойно рассказывал. А мы вынуждены были сидеть с ним, пить чай и слушать.

Ты, мусорщик, наверно, удивишься, почему столь близкое знакомство мы водили с человеком, с которым порядочные люди на одной опушке не станут собирать грибы? Да потому что Света Долгожилова, врач «ухо-горло-нос», на дому лечила моего папу от несмыкаемости связок! Бывало, у него пропадал голос и он месяцами не мог выступать с лекциями по международному положению.

Лечила она его оригинальным методом: три раза в день за полчаса до еды он должен был играть на губной гармошке. А все собаки в доме подвывали.

Соседи к ней толпами ходили, кто только не злоупотреблял ее добротой. Одна старуха из третьего подъезда семь лет вообще ничего не слышала, ведущие отоларингологи ставили ей диагноз «полная и беспробудная глухота». А Света Долгожилова у этой старухи просто-напросто выковыряла серу из ушей, и в то же мгновение та стала слышать, как Вольфганг Амадей Моцарт.

Еще к Свете на прием под большим секретом ходила Анна Зоревна с первого этажа. Всё пирожки ей носила с капустой. Помню, случайно мы встретились на лестнице — у Анны в руках огромное блюдо с горой горяченьких пирожков.

— Угощайся, — она говорит и протягивает мне эту гору.

Я очень растерялась и говорю:

— Ну что вы! Я столько не съем!

— А я, — она засмеялась, — СТОЛЬКО тебе и не предлагаю.

У ней такая была беда: она не чувствовала запахи. Казалось бы, что такого? Некоторые вообще ничего не чувствуют — ни вкус, ни запах, красное путают с зеленым, холодное от горячего не могут отличить, и ничего, живут себе припеваючи!

— Я бы даже рад был, — неожиданно отозвался мусорщик, — а то вечно такая вонь!..

— Вот видишь!!! А она это скрывала от мужа: боялась, он обнаружит, что она запаха не ощущает, и потеряет к ней интерес. Сейчас что скрывать — старые уже, наверно, стали, хорошо, если живы оба. А тогда он очень влюблен был в нее. Только и доносилось с первого этажа:

— Анечка! Анюта!..

Все это занесено в скрижали моего сердца.

С тех пор как мы покинули эти места, по которым я волею случая мчусь с тобой в мусоровозке, я время от времени приходила сюда и подолгу стояла под нашими окнами. Неясно для чего, никем не узнанная, я приезжала смотреть к себе в окно, занавешенное чужими шторами. Какая-то у меня была мысль, вроде того, что я тут оставила себя — в детстве.

Я и во сне туда являлась: войду в подъезд, поднимусь на второй этаж, дверь нашей квартиры во сне всегда полуоткрыта. Я пробую зайти, но меня останавливают, что-то объясняют, дескать, такие здесь не живут и, кажется, никогда не жили... Однажды в прихожую вылез какой-то субъект с беломориной в зубах и изрек (будучи в пижамных штанах!):

— Нельзя дважды войти в одну и ту же реку!

А я знаю одно: если проскочить в большую комнату — там на табуретке сидит девочка, и в ее глазах — мое Истинное Я, а именно, горы и реки, великие просторы Земли, солнце, месяц и звезды.

Стемнело. Был конец ноября. Падал снег, дождик моросил. В окнах домов зажигались огни.

— Вон этот дом, — сказала я.

Дом медленно выплыл из-за голых лиственниц. И мы увидели его пустые черные окна.

Я подумала, что мне чудится. А водитель — спокойно:

— Сейчас пятиэтажки выселяют. Это же времянки. Их строили на десять лет, а им уже под пятьдесят! Там сплошь аварийные ситуации.

Я говорю ему:

— Давай, брат, останавливай. Я сойду.

— Не ходи туда, — посоветовал мне этот славный мусорщик. — В нем могут быть бомжи, преступники, бежавшие из тюрьмы, дезертиры...

— Останови! — говорю.

— Как хочешь, — он ответил. — Дай хоть поближе подвезу.

Мы с ним подъехали как можно ближе, пока не кончился асфальт. Дальше глиняное месиво.

— Подождать? — он спрашивает.

Я говорю:

— Послушай, денег у меня с собой больше нет. Возьми на счастье, — и ему протягиваю чудодейственную баночку йохуимбэ.

— А что это такое?

— Там написано. Может, сгодится когда-нибудь.

— Я все-таки тебя подожду, — сказал мусорщик.

Кучи мертвых листьев лежали повсюду около вывороченных с корнями деревьев. На листья, на стволы падал мокрый снег. И слишком уж черные, словно обугленные, стояли в отдаленье лиственницы.

Вот как проходит слава мира. Был храм, Парфенон, минули тысячелетия. И перед тобой на бесчисленные осколки рассыпавшийся Универсум: сломанные стулья, скелет от раскладушки, дверь с замком, диванный валик, лыжа, тюбетейка, разбитые елочные игрушки, ватный Дед Мороз, крем для бритья, сгоревший чайник со свистком, зубная щетка, пустая птичья клетка, оборванные провода, поломанная швейная машинка, бельишко, барахлишко, сапожок, могильная гранитная плита и старая ковровая дорожка, ведущая прямо от нашего дома неведомо куда.

Зато к дому шли не по-человечески огромные следы сапог, отпечатались в вязкой глине.

Дом стоял неподвижный, как призрачный корабль на приколе. Над ним, хрипло каркая, кружило воронье. Хлопали на ветру пустые оконные рамы, шелестели засохшие листья дикого винограда.

Дом был прозрачен, сквозь него на просвет мерцали уличные фонари. Он был выше времени, выше перемен, выше форм — коробка, пустая коробка, страшная, как гроб.

Кляня мир за бренность, я искала свой путь среди развалин.

На первом этаже вместо квартир зияли черные затхлые провалы, на вешалке забытый кем-то плащ колышется от сквозняка, пол усеян белыми листками, исписанными летящим почерком Ласточкина, а потолок отражает мои одинокие шаги.

Возле квартиры дяди Саши я увидела штепсель, розетку и хрусталики от люстры.

С крыши на лестницу капала вода. В эти прорехи на крыше видны были звезды. Сыростью несло отовсюду, гнилью. Лестница без перил. Я осторожно поднималась на второй этаж и, не дойдя ступеньки три, остановилась. Дверь в нашу квартиру была полуоткрыта. Мне оставалось только приготовиться.

Позволь мне приготовиться. Я так долго жила в страхе и печали. Даже сейчас — в такую минуту! — я умираю от страха, скорби и сомнения. Я не могу войти туда такой. Я хочу войти — танцуя, улыбаясь, распевая песни...

Мрак ночи вдруг сгустился. Я раскрыла дверь и шагнула в темноту. Вспыхнул свет.

— Люся! Люся! А мы тебя как раз ждали! — все закричали.

— О! Пришла! Пришла! Заходи!..

И сразу включился телевизор, радиоточка заработала, проигрыватель, транзисторный приемник, застучала печатная машинка, дом ожил, захлопали двери, зашумели дети, в комнату вбежала кошка, наверху кто-то заиграл на трубе и ударил в барабаны, послышался цокот коготков по деревянному паркету, из кухонь теперь доносились голоса, звон посуды и благоухание куриного бульончика с лаврушкой.

Зазвонил телефон.

— Ну, наконец-то! — я услышала в трубке. — Где ты болталась все это время?..

— ...Интересно, какой смысл мне врать? Я вышел на балкон покурить, — рассказывал мужчина из дома напротив. — Гляжу, этот выселенный дом вдруг тронулся и пошел. Пошел, пошел, между тех вон домов, без единого звука. Я: «Мама моя! — закричал. — Смотрите, смотрите!»

— Это ты тронулся, — объясняли ему. — А не дом. Перебрал вчера, вот тебе и померещилось. Поздно вечером, когда все спали, сюда подогнали кран с чугунной «бабой». И вообще все сравняли с землей.

— Нет, — он твердил, — я видел своими глазами. И запомнил в мельчайших подробностях. Дом прошел от меня так близко, я заметил цветочные горшки на подоконниках. Ни искорки, ни живой души, какое-то неправдоподобное сооружение, мерцавшее, как Летучий Голландец. Он плыл-плыл, а потом исчез. Кстати, за ним долго ехала и гудела мусорная машина. А перед этим она стояла у фонаря, и я запомнил номер...

— Да, он уплыл, этот дом, — подтвердил водитель мусоровозки, угрюмый приземистый тип в ватнике и бейсболке. — Дом тронулся с места, как только туда зашла одна женщина. Странная история! Как будто бы эти развалины ждали ее. Она там жила когда-то в детстве. Такая... все улыбалась. Сначала я подумал, что это сон. Даже ущипнул себя. Потом вижу: да никакой не сон, дом на самом деле движется! Я кинулся его догонять, сигналил, короче, ехал за ним пока он не растаял. Вот все, что осталось, — какая-то баночка...

С этими словами мусорщик вынул из кармана ватника и показал собравшимся пузырек «йохимбе».

Погруженный в глубокое созерцание, ОН сидел один в бамбуковой роще, прикрыв глаза. Голова его, запрокинутая назад, опиралась о бамбуковый ствол, и на этом фоне казалась вырезанной из желтой слоновой кости.

Он раскачивался под ветром вместе с бамбуком, будто песню пел.

А он и пел, я услышала, когда подошла поближе.

Я легла на землю, простершись перед ним, уронив лицо в траву, и заплакала от радости, что мы снова вместе.

— Почему ты прогнал меня? Почему? — я хотела спросить у него, но молчала. — Больше тысячи лет я скитаюсь по миру. Сколько раз я рождалась и сколько раз умирала! Больше тысячи лет — без тебя!!!

— Нет-нет-нет! — Он захлопал в ладоши, задрыгал ногами и рассмеялся. — Это еще не просветление! Трава, растущая под огромным баньяновым деревом, до сих пор не знает о небе. Она знает баньян, он ей кажется небом. Трава пока не открыла небо Истины. Так, на глазок, — он прищурился, — жизни три-четыре, от силы шесть, и просветление будет даровано тебе.

— Да ты с ума сошел! — я закричала. — Опять все снова?! Ни за что! Я так намучалась, так настрадалась, я вся изранена, там же сплошные потери!..

Он ничего не отвечал, и я взглянула ему в лицо. Оно было изменчивым, как отражение в текучей воде. Оно то казалось лицом моего мальчика, то дедушки Соли, то Левика, то старого летчика, улетевшего на Сириус, то Сени Белкина, то Коли Гублии из Гваделупы, то неродного дяди Вити (и тогда ему на плечо села бабочка!). Тысяча лиц, которых мне уж не забыть, тысяча тысяч лиц, и все они были Его Божественным Ликом.

Мы плакали с ним и смеялись.

— Что-то я тебе хотел сказать? — он спрашивает, утирая слезы. — Вот черт, забыл! Ай, ладно, в другой раз.

Мы посидели немного в тиши, глядя на призрачную цепь увенчанных снегами гор.

— Ну, мне пора, — сказала я.

— Иди, — он говорит. — Давай еще разок, посмотрим, что получится.

Все они спускались
мне навстречу

Я встала и пошла изборожденной колеями, истоптанной дорогой.

— ...и поменьше кофе! — он закричал мне вслед.

Короче, иду я по горной дорожке в закатных сумерках, вижу — кто-то шагает с бамбуковым посохом, с узелком, во вьетнамках — причем такой характерной походкой! Его тропинка петляла меж камней — то вверх, то вниз, то вправо, то влево, ну прямо до боли знакомая фигура, гляжу — а это Гусев Анатолий Георгиевич собственной персоной!...

Я проводила его взглядом, пока он не скрылся за поворотом, и с легким сердцем — в который раз! — отправилась в великий серый бесформенный лес.

Роман с луной

Ближе, чем кровь, луна каждому из землян
И по числу людей множится лунный род.
Видишь: над головой улиц или полян
лунных пейзажей клин поднят, как в перелет.

Иван Жданов

И вот — словно гром среди ясного неба — мальчик объявил нам с Кешей, что собирается жениться.

— Ухожу в монастырь! — воскликнул Кеша. — Почему мне никто не сказал, что сын вырос?

— Хотела бы я посмотреть на эту счастливицу! — говорю я.

Мы когда ругались, я иной раз в сердцах:

— Учти, когда ты соберешься жениться, я буду первая, кто предупредит о твоем характере.

— А я буду первый, — он отвечал, — кто скажет тому, кто соберется положить цветок на твою могилу...

Это мы шутим, конечно. Мальчик — чудо, идеальное воплощение моих грез. Мне всегда хотелось иметь много детей. Пять, может быть, или семь. Трое мальчишек и четыре девчонки. А ну как плохо, думала, — буйная поросль вокруг станет ветвями шелестеть?.. И все такие родные, близкие души — ближе не придумаешь. В Новый год — куча подарков под елкой, летом на электричке — ликующей толпой в Уваровку!..

Но я боялась, вдруг у меня ничего не получится?

А Кеша меня успокаивал:

— Не стоит паниковать раньше времени. Бери пример с Федора Голицына из МОСХа — он дворянин, портретист, живописец. Федор сдал сперму на анализ, и этот анализ показал, что у него в принципе! не может быть детей. А у него их трое: Саша, Маша и Вова.

Господи боже мой! Как я была счастлива, когда забеременела!

Кеша со мной вечерами гулял по району. И с нами вечно увязывалась наша соседка Майя, у той назревала двойня. Ее мужу некогда было гулять, он известный в Москве сексопатолог — Марк Гумбольдт. Марк принимал население в две смены, у него очень хорошо шли дела. Хотя в те времена сексопатологи, танатотерапевты у нас не считались врачами первой необходимости, а специалисты по акупунктуре казались восточными иллюзионистами, способными проглотить шпагу или горящий факел.

Черемуха цветет, одуванчики. А мы трое шествуем торжественно по улице. Причем Кеша такой горделивой вышагивал походкой, держа нас под руки, будто в этом положении не только я, а мы обе очутились исключительно благодаря его стараниям.

Даже когда на седьмом месяце со мной случился острый аппендицит и мне сделали операцию под еле ощутимым наркозом, мы с Кешей ни на минуту не испугались, вдруг что-то приключится ужасное. Правда, я помню, как он остался в больничном коридоре, когда меня увозили, — таких пылающих красных ушей я больше никогда ни у кого не видела, в том числе у Кеши.

Говорили, что хирург в этот день сделал две операции — своему маленькому сыну и мне. И после меня, вернувшись в ординаторскую, крикнул с порога:

— Водки!

Кеша ему подарил потом безграничную дыню медовую в плетеной соломенной сетке — прямо из Бухары.

Мне, поскольку беременная, никаких лекарств не давали, а только носили зачем-то горстями активированный уголь. Мы с Кешей смеялись, что из-за этого угля у нас, чего доброго, получится негр.

Когда я вернулась, у Майи уже было два малыша: Илья и Тимоша. Отныне у нас на лестничной клетке в двухкомнатной квартире жил не один Гумбольдт, а три! Горластая сицилийская семейка, где светоч сексопатологии заранее держался эдаким крестным отцом.

Мы с Кешей занимали угловую однокомнатную квартиру. Она немного расширенная за счет темной комнаты — чулана. У нас кооператив от Союза журналистов. И в этой квартире, предполагалось, поселится фотограф. В чуланчике оборудует себе фотолабораторию, поставит увеличитель с ванночками, наполненными растворителем, проявителем. Здесь очень удобно было бы проявлять пленку, печатать фотоснимки для газет.

А мы туда заранее поставили деревянную кроватку с проигрывателем «Вега» на тумбочке — Иннокентий собирался заводить малышу средневековую лютневую музыку.

— Я тебя уверяю, — говорил Кеша, — роды пройдут быстро и легко. От меня ребенок больше чем на два килограмма не потянет. Во-первых, у нас на Урале в начале пятидесятых годов произошел атомный взрыв, о котором никто не знал. Во-вторых, когда меня мама родила, ей было под сорок. И вообще там у нас в воде не хватает йода...

Все это, конечно, успокаивало, но не очень. Меня волновало — как я с ним встречусь, с этим человеком — лицом к лицу? Он уже так яростно рвался на волю, чувствовалось, что ему буквально негде развернуться, за что мы его прозвали графом Монте-Кристо.

И вот пробил час. Естественно, он пробил ночью. Мы вскочили и, хотя давно готовились к этой минуте, мысленно репетировали, кто куда кинется, как угорелый — все растеряли, перепутали, вверх дном перевернули дом в поисках телефона такси. Короче, мчались по городу ночному, не останавливаясь на красный свет.

Сонная медсестра открыла мне дверь в приемном покое.

— Раздевайтесь, — сказала она.

Я все сняла, она отдала мои вещи Кеше, тот их забрал и уехал домой.

Вот я стою перед ней — босая, голая, на кафельном полу, как рекрут перед Богом. А она за столом заполняет карту, бормочет скучным голосом:

— Фамилия? Год и место рождения? Адрес?

И вдруг спрашивает:

— Профессия?

Обычно я смолоду твердо отвечаю на этот вопрос:

— Писатель.

А тут прямо чувствую — язык не поворачивается.

Какой ты писатель — с таким огромным белым животом?

В общем, я сказала:

— Библиотекарь.

На рассвете вокруг меня начали роиться студенты. Они до того ко мне прикипели, что хлынули за мной в «родилку», выстроились как в партере — в белых масках с вытаращенными глазами. И эти начинающие доктора, дети разных народов, стали потрясенными свидетелями появления на свет нашего дорогого мальчика.

Громким басом возвестил он о своем рождении. Весом, кстати, под четыре килограмма. Публика встретила его бурными аплодисментами. От акушерки, принявшей его в этом лучшем из миров, за свой львиный голос он получил прозвище — Аркадий. Так что все в отделении, издалека заслышав его призывный рев, почтительно передавали из уст в уста:

— Аркадия везут кормить!

— Аркаша проголодался!..

Он поселился у нас в чуланчике, не плакал обычно, днями напролет слушал средневековую лютневую музыку, но постоянно следил за мной взрослым серьезным взглядом. И я всегда знала, что ему нужно — кушать, пить или перепеленать. Как будто в голове у меня звучали короткие телепатические команды.

Мы все думали да гадали, какое он скажет первое слово? Однажды протягиваю яблоко, а он спрашивает:

— Мытое?

Мы с Кешей возликовали — правда, удивились, что он такой предусмотрительный.

С тех пор как мальчик зашагал по земле, мы вдвоем отправлялись в странствия по городу, держась крепко за руки, гуляли в Нескучном саду, катались на чертовом колесе, ходили вместе в кино. Раз как-то забрели в кинотеатр, а там идет фильм «Обнаженная любовь».

Я говорю:

— Послушай, не могу же я тебя вести на фильм «Обнаженная любовь»!

А мой мальчик — ростом с полено — отвечает:

— Может, это не та обнаженная любовь, о которой ты думаешь.

Слоняясь туда-сюда, глазея по сторонам, мы оба с изумлением наблюдали, как в нас просыпается вселенная, принимает качества и формы, привлекает, отпугивает, показывает завораживающие картины. Как наше дыхание и умы творят из океана света небо и землю, животных, людей, птиц, деревья...

— Огромная неожиданность подстерегает вас обоих — увидеть мир таким, каков он на самом деле! — Мы слышали древние голоса, с незапамятных времен сопровождавшие меня в моих прогулках по жизням. — Ты птичка, Маруся, не чайка, не лебедь, но зяблик или синица, ты — изначальное состояние свободы, полнота чистой радости, средоточие света и свидетель всего. А птенчик у тебя — орел.

Он постоянно лепил крылатых людей. Пластилин, глина, хлебный мякиш — берет, что под руку попадется, и — терпеливо, старательно: сперва туловище; свободно, без малейших усилий — голова, зато с каким усердием он прилаживал крылья, а уж напоследок, сами собой, появлялись ноги и руки.

В первом классе им велели слепить человека. Мальчик сделал фигуру с крыльями, но эти крылья учитель Семен Тихонович Коровиков, учитель по труду, а заодно и преподаватель гражданской обороны, отрубил стамеской.

— Вот так-то лучше будет, по-людски, — добродушно сказал Коровиков.

Мальчик разозлился и давай лепить крылья снова. Только сотворил одно крыло, нашел на него как тать Семен Тихонович, выхватил скульптуру и яростно, большой ладонью, придавил крыло к спине.

— А ну лепить, как учат старшие по званию! — приказал он.

Мальчик надулся, промолчал. А дома твердо заявил нам с Кешей:

— Я не собираюсь учиться у Семена Тихоновича всякой белиберде.

Очень его волновало то обстоятельство, что мы тут так намертво зачалены. До школы еще, когда он лежал с температурой, болел:

— Вот интересно, — говорил, — какое сильное притяжение Земли! Сквозь кору, сквозь асфальт, сквозь дом, сквозь кровать, сквозь простыню. Как же трудно взлететь, если у тебя нет крыльев!

Два раза у него была скарлатина, хотите верьте, хотите нет. А потом воспаление легких. Это за одну зиму! Мы прямо обрадовались тогда, что дожили до весны. Я собираюсь на почту, а он:

— Марусь, ну можно я с тобой? Я тихонько. Надену шарф, поддену колготы. Я хочу посмотреть, что за это время случилось с миром.

В детстве ему нравилось иногда тихо посидеть в темноте. Он даже нарочно закрывал двери.

— Такая темнота, — говорил он, — прямо живая. Вот что ощущали наши предки.

Надо сказать, мальчик с детства отличался очень небольшой любовью к начальному и среднему образованию. Все меня запугивал:

— Убегу, — говорит, — из дома, куплю себе домик в Швейцарии, куплю себе ружье, землю, скот. Буду охотиться на горных баранов, читать Толкиена и там проведу остаток дней!

Я отвечала ему:

— Сынок! Все равно тебя догонят, и поймают, и насильно заставят учиться. Смирись. Знаешь, как говорил философ Сенека: «Мудрец хочет того, что неизбежно».

— А поймают, — грозно отвечал мальчик, — начну воровать, курить сразу начну, выбьюсь из общества и стану одним из этой невежественной толпы!

Мы ему елку на Новый год поставим, нарядим, огни зажжем, усядемся там у него и чай пьем. А Кеша рюмочку себе нальет.

Нам из Америки один художник привез набор маленьких фосфорических звезд. По карте звездного неба Северного полушария Кеша в чуланчике на потолок наклеил звезды и Луну. Весь вечер они впитывали электрический свет, а ночью, далекие и голубые, сияли над мальчиком в небесах до самого утра.

Еще купили аквариум с подсветкой и двух меченосцев — алого и черного.

— Как же мы их назовем? — спросил мальчик. — Нужно дать им хорошие подходящие имена.

— Одну назовем Чернушка, другую Краснушка, — предложил Кеша.

— Ой, нет. Это ведь не коровы, а меченосцы из Карибского моря!

И он совсем не интересовался краеугольным вопросом: откуда берутся дети? А мы с Кешей предавались размышлениям, что мы ответим, когда он спросит. Я специально просила Кешу ничего не выдумывать. А то мальчик спрашивает:

— Кеша, как, интересно, рыбы спят?

А Кеша, я слышу с кухни, отвечает:

— Рыбы спят на суше. Вылезают на сушу и спят... А что ты хочешь, чтоб я ему ответил? — удивляется Кеша. — ВСЮ ПРАВДУ??? Не хотел бы я в детстве услышать это от своего папы-физкультурника.

Раз как-то я стала свидетелем достойного ответа на этот краеугольный вопрос. Его задал крошка-сын отцу в автобусе:

— Пап, — спросил он вполне беззаботно, — откуда берутся дети?

— Это ты узнаешь в процессе познания мира, — ответил ему отец.

Вскоре Марк Гумбольдт заглянул к нам на огонек и воскликнул:

— Как? Ваш сын до сих пор в неведении? Ждите-ждите, пока его просветят во дворе или он прочитает об этом на заборе! Вот он, темный русский народ, тонущий во мраке невежества! Держите книжку, — сказал он. — Илюша с Тимошей внимательно прочитали ее три года тому назад. Да вам и самим невредно ознакомиться.

Кажется, это был перевод с польского, цветная брошюра, в которой ясным, доступным, в меру научным языком честно и прямо рассказывалось ребенку, откуда берутся дети.

Мы положили ее на тумбочку в чулане и стали ждать.

Мальчик пришел из школы в хорошем настроении, Кеша спросил у него дружелюбно:

— По математике ничего не получил отрицательного?

А то нас вызывал в школу его математик Юрий Георгиевич.

— Ваш сын, — сказал он, — у меня на уроке гадает на кофейной гуще, в условия не смотрит, врет, как Троцкий Ленину, а Ленин Троцкому, устраивает веселые конкурсы «Кто может чихнуть, не переставая икать» и мечтает о том, как он будет офицером. Я ему говорю: «Математик Гаусс девятнадцать лет бился над задачей, и только на двадцатый год во сне к нему пришло решение». А он мне: «Ха-ха-ха! Девятнадцать лет бился! Я бы назавтра про нее забыл». Ну? Что молчите?

Кеша ответил интеллигентно:

— Мы задумались.

А Юрий Георгиевич нам и говорит:

— Как можно задуматься такими пустыми головами?

Мы с Кешей до того растерялись, даже попрощаться с ним забыли.

— Нет, — благодушно ответил мальчик, — хотя меня сегодня вызывали к доске. Мы решали задачу: сколько попугаев в год съедал Робинзон Крузо, если советский народ съел десять тонн «ног Буша» и «крылья Советов» — пять тонн?

Он ушел в чулан, а мы с Кешей притаились.

Вдруг он вбегает на кухню — разъяренный, швыряет в нас этой цветной брошюрой и кричит:

— Ах вы, злоумышленники!!!

Мы:

— Что? Что?..

— Возьмите себе свою глупую книжонку! Я вас спрашивал? Спрашивал?! Вот тут написано: «ЕСЛИ ВАС СПРОСЯТ»!

— Так ты знал??? — спрашивает Кеша.

— Не знал! — он крикнул свирепо. — Не знаю, и знать не хочу!!!

А потом все пугал нас, что придет какой-то Харальд Синезубый и сын его, Свейн Вилобородый, вот они нам еще покажут!..

Он хотел жить один — с аквариумными рыбами. И с жабой. Жабу он себе заранее присмотрел в зоомагазине.

— Это такая мерзкая тварь! — восхищенно рассказывал мальчик. — Дряблая, киселеобразная ляга болотного цвета, размером с чайник, как коровья лепеха!..

Редкое единение он чувствовал с миром земноводных.

— А если придет невеста, — говорил, — я бы залез в аквариум и превратился в меченосца.

Какой-то у него был свой взгляд на вещи с их истинной скрытой сутью. Наверное, мы с Кешей мешали ему, вставая между ним и целым миром. Как он упрашивал меня оставить его одного!

— Дай мне самостоятельности, дай, — просил он. — Не будь врединой, дай мне побыть без горланящих мам и пап. Когда я остаюсь один, — говорил он, — я начинаю петь песенку. Такая чудесная придумка — поночевать в одиночестве! Запрусь на все замки. Поужинаю плотно. Порисую, журнальчик посмотрю. Буду сидеть, слушать лютневую музыку, на улице гулять, ключи не забывать. А? Марусь? Я просто умру, если ты мне не разрешишь. Почищу обязательно зубы, прочитаю молитву оптинских старцев и лягу спать. А ты ко мне — к моему неудовольствию — на следующий день приедешь?..

Тайны мира ему заранее были известны, моему мальчику, и я ни за что бы не поверила, что он явился сюда в первый раз.

— Помню, как в своей прошлой жизни, — говорил он, — я чесал у тигра за ухом. Прекрасно помню этот момент — какое у него округлое ухо и упругая шерсть!

— Сынок, — я удивлялась, — какой ты умный. Ты что, умнее своей мамы?

— Да, умнее, — со вздохом отвечал он, — причем гораздо... Видишь ли, Маруся, — он так серьезно мне говорил, без улыбки, — твоя ошибка в том, что ты забываешь о бессмысленности слов.

Однажды он спросил:

— Почему ты так отрывисто смеешься? Громко и отрывисто?

— Потому что ученые открыли, — сказала я, — что человек, который долго, не переставая, смеется, производит неприятное впечатление.

— Любой человек производит неприятное впечатление, — глубокомысленно заметил мальчик.

В другой раз Кеша взял себе талончик к зубному. Мальчик сходил с ним в поликлинику, вернулся и говорит:

— Знаете, почему древние люди так любили войны?

— Почему?

— Потому что нет ничего хуже старости.

Со временем Кеша ему поставил в чулан кресло-кровать. Выходишь из комнаты утром и всегда задеваешь за мальчиковы пятки. Тумбочка осталась прежней, на ней теперь стоял музыкальный центр. Рядом на столике тулились компьютер и синтезатор — мальчик сочинял древние скандинавские саги. Его даже в Лос-Анджелесе издали на каком-то левом лейбле.

На стенке висела картина, он сам ее написал — черные скалы над морем и круглая белая луна. Эта луна бледным светом высвечивала этажерку с книгами: «Белая магия»,

«Славянская мифология», Страбон, Геродот, Чарльз Диккенс «Лавка древностей», «Сражения викингов»...

Гостиной у нас по-прежнему служила кухня, в центре которой царил старинный немецкий стол фирмы «Анаконда» без единого гвоздя. Его постоянно приходилось подколачивать молотком, потому что с веками он раскачался, и в полых ножках его, изящно закругленных, мореного дуба, чуть зазеваешься, селились тараканы.

Стол был раздвинут во всю ширь — с одной стороны мы за ним обедали, с другой у окна Иннокентий устроил себе мастерскую — там грудились холсты, акварели, кисти, краски, мольберт. Кеша никогда ничего не убирал, даже если приходили гости. Иной раз перепутаешь — возьмешь масло растительное, а это льняное — растворитель для масляной краски.

Когда из студенческого общежития Кеша переехал ко мне с единственной вещью, которая являла собой его личную собственность, — проигрывателем «Вега» («Вега» вместе с колонками до поры до времени выдерживалась в камере хранения на Казанском вокзале), он провел линию на столе и сказал:

— Отныне и навеки здесь будет мое рабочее место.

У окна стоял диван, на нем спал большой королевский пудель Герасим, иногородние родственники или припозднившиеся гости.

А в комнате — только кровать и стол из красного дерева, еще бабушкин, с запахом валокордина, письменный стол, где я сочиняла свои рассказы и сказки, а также сценарии для передачи «Спокойной ночи, малыши!»

Тесновато, но в тесноте, да не в обиде. Как говорили древние: что такое счастье? Наличие живых родителей. Неподалеку, тоже в однокомнатной квартире, обитают мать моя Маргарита с отцом Серафимом, пошли им Господь здоровья. Оба такие веселые, особо не запариваются. Ясно, раз ты пришел в этот мир, надо как-то ютиться, сказано ведь в Писании: птица имеет гнездо, лиса — нору, только человеку негде преклонить голову.

И вдруг это сообщение!

Мы с Кешей обрадовались, конечно. А потом давай думать — как же тут все устроится, если мальчик приведет жену. Вряд ли она захочет жить в чулане, вить там гнездо.

Кеша как работал на кухне, так и будет. Ему вообще все равно, лишь бы оставаться свободным художником. Надо бы уступить им комнату — я тогда со своим письменным столом перееду в чулан.

Маргарита с Серафимом, услышав о женитьбе, даже заплакали от счастья. А потом опомнились и говорят:

— Наверно, вы теперь думаете: вот, Рита с Фимой зажились на этом свете! Ладно, сдавайте нас в дом престарелых...

— Тогда мы окончательно потеряем вашу квартиру, — успокоил их Кеша. — А так все же теплится надежда...

— Кстати, у твоей избранницы есть хоть какая-нибудь жилплощадь? — спрашивает Иннокентий.

— Да, — отвечает мальчик. — Это серьезная девушка из города Анапы.

— Отлично! — воскликнул Кеша, потирая ладони. — Будем к ней ездить — купаться в море.

В общем, созвали семейный совет. Явились Серафим, Маргарита.

Я купила окуня, хотела приготовить рыбу с гречкой. А Кеша:

— Ненавижу рыбу с гречкой! Нет, я ничего не имею против этого окунишки, и гречка спасла от голода многие народы нашей Земли в тяжелую годину. Но то и другое вместе — невыносимо! Они друг друга низводят на нет! Ужасное что-то!

— Как? Это классическое сочетание! У вас на Урале в столовой — дежурное блюдо!

— Никогда! — воскликнул Кеша. — Рыба идет с пюре, а гуляш — с гречкой!

И купил креветок с пивом.

Мальчик привел свою невесту — беленькая, фея, воздушное создание, Тася. Я ей рассказала, как он в детстве удивлялся на Ивана-Царевича:

— Не понимаю, — говорил мальчик. — Зачем ему надо было жениться на такой прекрасной девушке? Женился бы лучше на бабе Яге!

Мне кажется, мы ее напугали немного. У нас такая семейка — нам не чужд черный юмор, а это не всякому по душе. В доме вечный кавардак, непонятный распорядок дня, чуть ли

не до вечера все находятся в сомнамбулическом состоянии, только к ночи наступает оживление.

Кеша для инсталляций тащит в дом разные предметы не первой свежести. Вот уж месяц, как посреди нашей единственной комнаты разложен пылесос Фиминой покойной тети — «Ракета» на колесиках. Мы его практически не замечаем, а при невесте сразу пылесоса застеснялись. Мальчик с порога крикнул:

— Кеша! Ты выбросишь когда-нибудь этот древний пылесос?

— Ни в коем случае, — отвечает Кеша. — Я строю из него космический корабль, на нем мы полетим к другим планетам, более пригодным для жизни.

— Чувствуешь? — сказал мальчик. — Что это за люди? Как я с ними с ума не сошел до сих пор?

А девочка — тихая, трогательная — специально для нашей вечеринки испекла торт домашний «Наполеон»! Мы как навалились на этот «Наполеон»! Еще чайник не вскипел, а мы его уже весь съели. Тем более это любимый Ритин торт.

Когда с тортом было покончено, Серафим, профессор Дипакадемии, он в прошлом был известным дипломатом, произнес — благородно и с достоинством:

— У меня было в жизни много аспиранток — блондинок и брюнеток, но всегда или умная, или красивая. А тут, — он одобрительно посмотрел на девочку, — и то и другое!

— И поскольку наш мальчик каким-то образом завоевал расположение столь искусного кулинара, — заметила Рита, — надо подумать, как нам устроить так, чтобы образовалась новая молодая семья.

Я говорю:

— Пусть эта девочка живет с нами. Я готова.

— Но не все готовы, Маруся, — приветливо отозвался мальчик, — жить с тобой. С твоей бесконечной утренней медитацией, однообразной пищей, уборкой, когда бог на душу положит, и старым говорящим пуделем, имеющим семь рогов и семь очей, который ни днем ни ночью не имеет покоя, взывая: «Свят, свят, свят Господь Бог Вседержитель!», и в любую непогоду каждую ночь, стоит всем заснуть, настойчиво предлагает жителям этой квартиры пойти освежиться во двор.

— Тогда, — говорю, обращаясь к родителям, — давайте съедемся с вами? Я буду следить за вашим здоровьем. Сами ведь рассказывали, как Фима выключил вместо чайника холодильник...

— Ой, нет, — ответили хором Рита с Фимой. — Мы не хотим.

— Понимаешь, с годами, — говорит Рита, — только, Марусенька, не обижайся, — ты стала немного занудная. И по отношению к нам с Фимой взяла какой-то фельдфебельский тон. Мы лучше отдадим безвозмездно все наши сбережения, но не предлагай нам жить с тобой, наша любовь!..

— Придется покупать новую квартиру, — заявил Кеша.

— Вот-вот! — согласились Рита и Серафим.

Все замолчали и стали подсчитывать в уме, кто сколько сможет дать на это благородное дело.

Кеша нарушил молчание первым, назвав какую-то смехотворную сумму.

— Не понял, — сказал мальчик. — Ты вообще, Кеша, в курсе, сколько стоит маленькая однокомнатная квартира в Москве?

Откуда? В незапамятные времена Рита с Фимой купили мне квартиру, ее осенил своим присутствием Кеша, с их легкой руки мы в ней живем двадцать с лишним лет и думали, так будет всегда. Благодаря своему золотому рождению, я вообще как трамвай еду по проложенным рельсам. И если ничего больше не хотеть, этого вполне достаточно для беспечальной жизни.

Однажды Кеша влюбился в хорошую женщину, заволновался, засобирался, выключил из сети «Вегу», упаковал колонки. А потом как представил, сколько хлопот и забот обрушится на его голову, сколько придется оформлять разных документов, решать квартирный вопрос, какой это будет кошмар — выписываться, прописываться, расписываться, — махнул рукой и остался с нами, к нашей неописуемой радости.

Мы даже ремонт никогда не делали, а только сменили унитаз. Потому что Кеша сказал:

— Я как гринписовец — не могу смотреть, когда течет вода в бачке.

Главное, я сижу в туалете, вяжу варежки, а в коридоре наготове стоит свежеиспеченный унитаз — цвета «ночной лилии», прямо с витрины, слив под сорок пять градусов, и уже вот-вот придет мастер его водружать.

— Послушай! — кричит мальчик. — Сейчас тебя снимут вместе с нашим старым унитазом и вынесут на свалку. И твое счастье, если кто-то догадается пересадить тебя на новый!

А сам — чего ни попросишь по хозяйству — отвечает:

— У-у! Это меня не интересует. Вот если бы приехал ансамбль волынщиков из Шотландии!..

В общем, поразмыслив, мы решили: будем накапливать. Каждый взял на себя личные обязательства, но срок выполнения поставили общий — один год. Поскольку в газете «Недвижимость» строительная компания СУ-23 объявила, что намерена возвести дом в рекордно короткие сроки по минимальной цене. В газете сообщалось, мол, однокомнатная квартира в этом доме стоит сто тысяч долларов. Причем деньги внести надо целиком до десятого ноября следующего года. В ином случае никто не поручится, что сумма не вырастет вдвое, причем свободных квартир уже не будет.

Сто тысяч долларов. Ни больше ни меньше.

Мы с Кешей дружно повесили носы.

— Как говорил Бонапарт, «надо ввязаться, а потом посмотрим!» Я даю двадцать тысяч! — воскликнул Серафим, который, несмотря на великую доблесть и заслуги, смолоду скитался по чужим углам, так что всю жизнь копил своим детям на черную старость.

Причем Серафим не просто копил, он копил основательно, с размахом, не обходя опасные рифы и ловушки, которые строили доверчивым накопителям денег новоявленные бизнесмены, в простонародье именуемые нуворишами.

Лишь только прогремели своими успехами в преумножении капиталов «МММ», «Хопры», «Чары» и «Властелины», Серафим, чья душа всегда была распахнута прогрессивным методам накопления, отправился по адресам и поместил свои доллары и рубли в эти самобытные компании. Тем более, друг Фимы, судья Тарощин, вложивший в «МММ» немалую лепту, получил в одночасье дивиденды в виде увесистой пачки рублей! Конечно, он сразу позвонил: «Беги скорей, Серафим, «МММ» дает, и много!.. »

Будучи незаурядным финансовым стратегом, Фима не стал торопиться все разом вкладывать в «МММ», но аккуратно распределил капиталы: порядочную сумму внес в «Хопер», а затем подпал под обаяние банка «Чара» и отдал последнее.

Некоторое время, словно охотник, что расставил силки и капканы, а потом обходит заветные места, подбирает трофей, наш Серафим отстаивал огромные очереди таких же дерзновенных искателей длинного рубля, рыцарей без страха и упрека, одним махом сбывших все свои кровные сбережения.

Теперь они принялись получать доходы. Эльдорадо отдыхает — нет, это был Клондайк, такие Фима готовился извлечь проценты. Как вдруг наши пирамиды Хеопса рассыпались в прах, поскольку сделаны были не из песчаника, а из святой простоты российских граждан, замысливших не проскочить мимо своего счастья и без особых усилий заработать миллионы, что их чрезвычайно роднило с героями произведений сэра О'Генри.

Но Фима был не из тех, кто пасует перед роковыми обстоятельствами. Полное исчезновение сбережений могло бы привести в уныние и растерянность кого угодно, но только не объятого азартом Серафима: он сделал ход конем, положив свою зарплату в «СБС-Агро» под самые большие проценты.

И здесь его ждала неудача. Грянул дефолт, а деньги обратились в лебедей, которые снялись с места разом и, зашелестев крылами, улетели вместе с основателем этого сомнительного предприятия в неведомые дали.

Фима погоревал-погоревал и опять начал копить — правда, теперь он доверял деньги только Сбербанку. Он и своему другу Тарощину заповедал: только в Сбербанк — самое надежное место, которое было, есть и пребудет вовеки, пока над землей светит луна и восходит солнце.

Однако судья Тарощин с тех самых пор вкладывал свои капиталы только в книгу Цицерона «Избранные речи».

— Даю сто тысяч рублей! — зажигательно объявила Рита, с этого момента явно собираясь не есть, не пить, а к ноябрю ухнуть на квартиру любимому внуку полностью до последней рупии годовую ветеранскую пенсию.

К всеобщему изумлению довольно крупный вклад в покупку собралась сделать наша девушка — пятнадцать тысяч долларов. Мальчик, не дрогнув, пообещал добыть не меньше, при этом с укоризной взглянув на нас с Кешей.

Мы посулили самую небольшую сумму. Кеша, очертя голову, — пять тысяч. А я, как заправский барон Мюнгхаузен, — три. Но, если не сравнивать, тоже весьма внушительную, хотя мы понятия не имели, как и где ею сумеем разжиться. Впрочем? тут мне предложили в одном издательстве переписывать эротические романы.

— Вы детский писатель? — они говорят. — Ну и что? Слогом-то вы владеете, а люди, которые читают такие романы, — они как дети!..

Прямо не сходя с места мы принялись разрабатывать стратегию накопления.

Первое. Жестокая экономия.

Всем было предложено затянуть потуже пояса.

— Ладно, — сказал Кеша, — теперь я сам бумагу буду делать. Сварю картонные ячейки от яиц, клея туда добавлю, лепеху такую слеплю. Потом на куски порублю, скалкой раскатаю. Большего мне и не надо.

Второе. Продажа фамильных ценностей.

Сразу на ум пришли книги. Кеша хотел сдать в букинистический собрание сочинений Валентина Катаева, открыл первый том, а там — дарственная надпись: «Рите — от Катаева».

— Эренбурга, — говорит Кеша, — пока не открывал.

— А от Мамина-Сибиряка, — деликатно спросил Фима, — никаких весточек?..

Третье. Всеми силами стараться добывать деньги честным путем, но если вдруг подвернется сомнительная прибыль, не погнушаться, взглянуть на это сквозь пальцы.

Естественно, третий пункт относился исключительно к морально состоявшимся членам нашего сообщества, способным выйти сухими из воды, а именно, к самому старшему поколению.

Кстати, у Риты мгновенно созрела идея:

— О! — сказала она. — Я давно хочу сделать такие литературные зарисовки: кто меня, где и за что хватал — из знаменитостей!

В итоге собрание постановило: не покладая рук воскурять фимиам на алтаре бога Мамоны и посвятить этому предмету все величие своего гения, жизненный опыт и познания.

Тем не менее ребром встал вопрос: где бы нам у кого-нибудь одолжить хоть сколько-нибудь.

— Эх, — вздохнул Фима. И рассказал, как ему давно еще пришло письмо из Австралии. Какой-то дальний родственник искал, кому оставить огромное наследство. Но Фима не признался, побоялся, что будут неприятности. Наследство все равно не докатилось бы до Фимы, а то, что было, — все бы отобрали.

Его отец, дедушка Даня, замминистра путей сообщения, после войны получил государственную дачу на станции Валентиновка в поселке политкаторжан. Напротив жила Вера Николаевна Фигнер, народоволка. Она пыталась царя убить, — все тогда этим восторгались. Каждый день ей привозили обед из Кремля: ровно в два подъезжала черная «волга», и серьезный чиновник в костюме выносил кастрюльки с едой. Вера Николаевна была старая дева, седенькая, с палочкой, очень приветливая.

Раза два Дане предлагали выкупить свою дачу — совсем недорого. В поселке у него был единственный государственный дом. Даня не согласился.

— Зачем, — говорил он, — мне эта собственность? Меня отсюда никто никогда не выселит...

В точности то же самое, слово в слово, декларировал доблестный дед Степан, рыжий, веснушчатый, солнцеподобный предок Маргариты. С его уходом в махапаринирвану мы лишились двух дач: зимней, с центральным отоплением, — в поселке Кратово по Казанской железной дороге. И летней — в Пумпури на берегу Балтийского залива. Я так ясно помню, как море сквозь сосны виднелось у меня в окне за песчаными дюнами.

Оба старика, два противника частной собственности, на склоне лет достигли непоколебимой безмятежности. Пережив две войны и две революции, во главу угла они ставили жизнь, ее вечную и неиссякаемую стихию. Степан зарплату приносит — стол ломится от яств: вареники, муссы, пышки, пироги. Людей — полон дом. Какие-то присылали телеграммы. Особенно все ломали головы над телеграммой «Приеду 14-го. Фиса». Кто это Фиса? Все приезжали, кому не лень. Проходит неделя, еще полнедели. Уж на столе картошка в мундире...

Бабуля:

— Ребят, посмотрите по карманам, у кого мелочишка — хлеба купить...

Бабуля красавица была, она работала в секретном отделе Моссовета. И очень боялась, что ее арестуют: она хранила ужасную тайну — что Ленина по ночам выносят и проветривают. Там под Мавзолеем функционировал целый институт, где его приводили в чувство.

Ладно, мы не унаследовали их недвижимость. Но, по крайней мере, досталась нам несравненная бабушкина красота?.. И тут облом: все мы рыжие, конопатые — в лучезарного деда Степана. Лишь один божественный дар, как факел, стойко передается у нас из рода в род — это дар пылких речей.

Рита с Фимой чуть растеряли бесшабашную удаль отцов. Но и они у нас тоже радушные, хлебосольные. В крошечную квартирку случались великие наплывы Фиминых родственников из других городов, или вдруг наезжали Ритины однополчане. И до того гостили подолгу, что у Риты от дискомфорта начинался аллергический насморк.

Особенно пронзительная аллергия у Риты была на дядю Заури из Тбилиси.

Раз в год на полмесяца, а то и больше, к ним домой регулярно приезжал совершенно неизвестный им дядя Заури, племянник никому неведомой тети Котэ. Причем от этой загадочной тети Котэ дядя Заури привозил такие пламенные приветы, что буквально с порога решительно отсекал малейшую надежду хоть как-то выяснить, кто она такая.

— Почему этот Заури, кто он? — недоумевали родители. — Предупреждаем тебя, — они говорили мне, — если к нам вместо Заури приедет другой человек, мы его пустим, поскольку напрочь не помним, какой он из себя.

Когда изобрели автоответчик, первой в Москве его купила Рита и своим радийным хорошо поставленным голосом наговорила такой текст:

— Здравствуйте! Оставьте, пожалуйста, вашу информацию — что вы звоните и зачем? Говорите сразу после сигнала. Если вы хотите к нам приехать, предупреждаю — у нас класть вас некуда, а если мы вас уложим на кровать, то сами ляжем спать на полу, а вы будете испытывать угрызения совести.

Фима, случайно узнав об этой проделке, устроил ей бешеный скандал. Обычно спокойный, невозмутимый, умиротворенный сердцем, поборник строгого порядка, он был объят страшным гневом: «Когда она хотела выйти за меня замуж, — кричал он, сверкая тысячей глаз, — она звала меня гуленькой! А моих родственников — не знала куда посадить и чем угостить!»

— Раньше нас было много, а теперь мало, — с грустью вымолвил Серафим. — Мы бы в два счета собрали мальчику на квартиру. В Витебске, когда все были живы, — народу тьма! И только одному человеку готовили без чеснока по указанию тети Лены — ее мужу Эфраиму. Эфа уже тогда стал предпринимателем. Он выпускал станки по производству трикотажа, но делал их больше, чем надо, и куда-то налево продавал. Он жил по собственным законам, попирая закон. И у него было очень много денег. Причем Эфа щедро ссужал родственников Лены — беспрекословно ее слушался. Все у него с удовольствием брали, не всегда отдавали. Он ей жаловался: «Опять твои родственники просят. Я больше им не дам, они не отдают». А Лена: «Дай! Дай! Просят — дай!»... Некоторые свои сберкнижки он хранил у меня, — сказал Фима. — Они были «на предъявителя». Потом Эфа забывал, куда их дел. И робко спрашивал: «Фима, там у тебя есть сберкнижка?» «Две!» — я говорил. «Ах, две!.. » Он продал кольцо с изумрудами и вложил в недвижимость. У них была хорошая квартира в Большом Комсомольском переулке — от НКВД. Мне все говорили: какой у тебя солидный дядька! Он был самый франтоватый и самый удачливый из нашей семьи.

Любопытно, что при удалой франтоватости Эфы и его легендарном пристрастии к первосортным и дорогим вещам на память о нем у нас остались его просторное габардиновое пальто, двубортное, с костяными пуговицами и очень старая фетровая шляпа цвета неотвратимо надвигающейся грозы — с высокой тульей, подхваченной черной корсажной лентой, и волнистыми полями. Пальто веками висело на вешалке — мы его специально берегли, ждали, когда оно опять войдет в моду, — а шляпа валялась на антресолях. Выбросить, памятуя, какая шальная голова ее носила, казалось преступлением.

А что делать, если у нас вся квартира доверху завалена подобными реликвиями? Прямо перед невестой неудобно, ей-богу. Хотя эта девочка такая деликатная — всячески приободряла меня, мол, есть и другие крайности. Некоторые люди до того терпеть не могут ничего лишнего в доме, что выбрасывают не глядя все подряд.

— У меня крестная такая, — сказала она. — Однажды мама с папой в молодости были у нее в гостях. И папа забыл там свою норковую ушанку. Так она ее выбросила. Вы представляете? Выбросить новую норковую шапку???

Вскоре мы обнаружили, что наша Тася — дельная и толковая девчонка. На вид ей было лет четырнадцать, говорил мальчик, когда она приехала из Анапы. Но беглого взгляда на ее красный диплом Кубанского университета по специальности «Государственное и муниципальное управление» — с пятерками по философии, культурологии, истории мировых цивилизаций, социологии, политологии, правоведению, психологии, педагогике, риторике, математике, информатике, естествознанию, логистике, мировой экономике, международным отношениям, теории права, геополитике, финансам, денежному обращению, статистике, бухгалтерскому учету, социальному прогнозированию, управлению персоналом, конфликтологии, этике, деловым переговорам, основам парламентской культуры, демографии, предпринимательству и медицине — оказалось достаточно, чтобы Тасю приняли на должность коммерческого директора боулинга возле Курского вокзала.

И эти люди не пожалели! Поскольку в считанные месяцы какой-то заштатный кегельбан Тася превратила в огромный развлекательный центр, самый крупный в Москве — с выставочными залами, кинотеатрами, фирменными магазинами, ресторанами и сказочной страной. Жемчужиной всего этого стала «Пещера Ужасов», которую по заказу Таси придумали мы с Кешей, а специально приглашенные из Бомбея индийские профессионалы по кошмарам наши грезы воплощали.

Главной фишкой был Сумасшедший Доктор, который отпиливал руки-ноги электрической пилой. Сначала он бегал за посетителями, предлагая у них что-нибудь отпилить, и они с визгом разбегались. В конце концов он ловил подставное лицо и якобы распиливал его на части. Еще там из темноты выскакивал неописуемых размеров паук — он так ловко сконструирован, что своими косматыми лапами и клешнями, если кто зазевался, заматывал человека в кокон. Разумеется, над головами со свистом проносились резиновые летучие мыши, порой задевая макушки зрителей упругим перепончатым крылом...

Но особенно гордились бомбейцы своим роскошным подводным чудищем. Эти ребята притаранили из Индии генератор, который, только тронь, устраивал нечто вроде извержения Авачинского вулкана. Вода дрожит, пол ходуном ходит, нарастающий гул несется из мглы вселенной. Вот тут-то с невообразимым бульканьем выныривает их детище — в броне из чешуи, пламенеющее в сполохах зарниц, и бьет, вздымая тучи брызг, хвостом по воде! А зубы, а присосочки на языке, а брыла, а гортань!.. А дым и смрад из ноздрей и зияющей глотки!.. Нет, это был шедевр.

Мы с Кешей и не мечтали, что наша сказка станет для развлекательного центра такой дорогостоящей былью. Еще мы только приближались к нему, сияющему огнями, со своей версией «Пещеры», а уже взволнованно обсуждали, сколько сотен долларов нам попробовать попросить.

Вдруг слышим, за спиной старческий голос:

— Куда путь держите, паломники? По спинам вижу, что божьи люди.

Я обернулась.

— Ой! — Нищий всплеснул руками. — Ну точно — сестра!.. А какую веру исповедуете? Я отец Иоанн — Внутреннее Прозрение Божьей Матери.

Мы сразу поняли, что денег нам сегодня не дадут.

Главное, договаривались на тридцать страниц, а получились — с эскизами — все шестьдесят.

— Персонажи зажили своей жизнью, ничего не поделаешь, — начал объяснять Кеша директору ЗАО «Волшебная страна» Вите Зимоглядову.

Это был молодой человек в шикарном костюме с полностью непроницаемым лицом. Не улыбнуться нам с Кешей значит забыть, что ты носишь почетное звание человека. Хотя наш мальчик объяснял, что люди богатые, красивые, благополучные, как правило, не имеют чувства юмора. Поскольку оно им без надобности. Но в первый момент мы прямо онемели. К тому же у него без конца звонил мобильный телефон. Витя отвечал ледяным голосом:

— Этот вопрос мы вполне можем решить по телефону, и нам не обязательно смотреть друг другу в глаза.

Или:

— В двенадцать — в клубе «Распутин».

Мы присели в арабском ресторанчике, Витя угостил нас чаем и попросил принести кальян. А мы с Кешей никогда не курили кальян. Кеша вообще не умеет курить, я-то хоть умею. В общем, мы накурились кальяна, Кеша закашлялся.

— Как у вас с деньгами? — спрашивает Витя. — Не горит?

— Да нет, — я ответила беззаботно.

— А у самой дымок уже вьется, — пошутил Кеша.

— Вот вам тысяча долларов, — строго сказал Витя. — Пишите расписку.

Ручки у него не оказалось, он оставил в офисе. У нас с Кешей тоже не было ручки.

— Минуточку, — сказал Кеша, убежал, и его долго-долго не было.

Мы сидели с Витей молча, прикрыв глаза, как два бедуина в пустыне, и курили кальян. Между нами лежала пачка денег, но мы понимали оба, что это пыль. Мысленным взором мы обозревали песчаные волны под синью небес. Вдали в знойной дымке угадывались Голубые горы, там медленно плыл караван на фоне закатного солнца за краем земли. Весь этот шум торговых рядов сияющего огнями базара был миражом, призрачной фата-морганой. Реальностью казались только Время, Песок и Ветер. И одинокий бархан, за которым Сумасшедший Доктор распиливал кого-то на части.

Витя стал посматривать на часы.

Тут примчался Кеша, весь взмыленный. Оказывается, он стремглав кинулся в магазин «Ручка. ru» напротив арабского ресторана — все ведь в одном здании. А там самая дешевая ручка — семьсот рублей. Только в страшном сне Кеше могло привидеться, что он покупает такую дорогую ручку. Но не возвращаться же с пустыми руками! Тогда он обежал всю «Волшебную страну» и нашел — толстый красный фломастер за двести рублей.

— Что ж, все правильно, — сказал Кеша, пересчитав гонорар. — Без обмана. Главное, своевременно. А то, знаете, некоторые: «Через неделю...», «Через месяц...» А там и через год!..

И он протянул Вите огненную расписку, начертанную краплаком, как Фауст — Мефистофелю.

— Хорошее начало! — радовался Кеша. — Так мы с тобой быстро накопим. И на квартиру, и на машину!.. Теперь нам главное — приумножить то, что у нас есть.

Из арабского ресторана мы перекочевали в блинную, взяли блинчиков с шоколадом, кофе с мороженым, снова заказали чаю.

— Вы сахар в чай не кладите! — командовал Кеша. — Положите рядом. Но не слишком далеко!

Наелись, напились, смотрим — кукуруза в початках. Взяли кукурузу попробовать. Довольные, пошли дальше мерить твидовые пиджаки, манто, меховые муфты...

— Сейчас тебе купим норковую шубу и бриллиантовое колье, — говорил Кеша, — мне шляпу, кожаное пальто, итальянские ботинки. Идем — вся тысяча на нас надета. А навстречу Зимоглядов. И мы ему едва кивнем!

— Или он приходит в «Распутин», — я говорю, — а мы уже там — деньгами сорим.

Нам встретилась Тася и предложила бесплатно прокатиться на аттракционе «Бешеный диван». Мы с Кешей сели, а диван как начал скакать вверх-вниз, вверх-вниз, мы стали кричать, болтать ногами, меня чуть не стошнило несколько раз.

Серафим был в восторге, когда мы рассказали о своих успехах. К тому же мы ему принесли в подарок вакуумный матрац. А то он со своим режимом экономии уже спал на газетах и газетами укрывался.

— Как бы он не превратился в газетную иллюстрацию, — забеспокоился Кеша.

— А нельзя и меня пристроить в Тасин развлекательный центр: на аккордеоне играть перед киносеансами? — радовался Фима. — А Маргариту — в ночное варьете?

— Ты мне прислала копченую сардельку, — кричит Рита из кухни. — Я положила ее у себя в комнате и нюхала как цветок.

— Я сегодня Рите цветы подарил, — с гордостью сообщил Фима. — Нашел на дороге и подарил.

А во время трапезы Рита вынесла торжественно и водрузила на обеденный стол рулон туалетной бумаги.

— Что вы этим хотите сказать, Маргарита Степановна? — тревожно спросил Кеша.

— Что туалетная бумага — вещь очень многогранная, ею и губы можно вытереть после обеда! — заявила Рита.

Мальчик тоже закатал рукава, но не сразу нашел себе дело по душе.

Я уже говорила, он с прохладцей учился в школе, поначалу в нашей, дворовой, 1597-й, со своим приятелем Багратиком. Оба звезд с неба не хватали, но и нареканий особых не было, когда отец Багратика, гордый Гурген, внезапно получил известие, что это самая замухрышистая школа во всей Москве. В смятении чувств мы перевели детей в другую школу, за несколько кварталов от нашей, собственно, в такую же обыкновенную, но там был танцевальный кружок.

— У меня у знакомых, — сказал Гурген, — сын в тюрьме сидит. Вот он среди заключенных организовал конкурс художественной самодеятельности. А у кого никаких способностей — перетягивали канат. За это ему основательно скостили срок! Всегда хорошо быть немного человеком искусства!.. — заключил он.

Забыв о том, что вселенная эфемерна и являет собой иллюзию, мы устремились к перемене мест.

Танцевать наши сыновья категорически отказались, да им и некогда было — когда им танцевать? Учились во вторую смену, в автобусе так бока намнут, что учеба на ум не идет, то они прозевают автобус, то проедут мимо своей остановки, мы их давай провожать, туда и обратно, чуть с ума не сошли.

Мальчик прекратил делать уроки, мотивируя тем, что в школе сильно чахнет здоровье. И все лежал на диване — сочинял стихотворение:

Я портфельчик свой сожгу,
Лягу и тихонечко посплю...

Учительница говорит: «А вы их поближе к дому переведите, они на автобусе ездить устают, очень плохо учатся».

Стали обратно переводить. В нашу 1597-ю.

Директор, седой человечек с усталым лицом:

— А! Танцоры вернулись!

Теперь мы уже, попивая на кухне чаек, следили за их продвижением к школе. Как они выкатятся утром из подъезда, поминутно тормозят, прячутся за гаражами, разжигают костер, копаются в помойке, всеми возможными способами отклоняются от курса. А грозный Гурген из окошка десятого этажа рокочет в рупор:

— Баграт! Куда??? Что встал? Лево руля! Право руля! Вперед до полного!.. Полный!!!

— Еще не родился человек, который придумал бы, как повысить нашу с Багратом успеваемость, — качал головой наш мудрый мальчик.

Им пригрозили, что переведут в отстающий класс. Какое-то новое веяние: «А» — стал математический, «Б» — гуманитарный, «В» — коммерческий, а остальные — «трудовики».

— Пусть моего сына переведут в «трудовики», — сурово говорил Кеша. — И относятся к нему, как к умственно отсталому. Может быть, тогда вокруг него будет гуманнее атмосфера...

Короче, только мы принялись получать образование по месту жительства, вздохнули с облегчением, внезапно Багратик снова покидает нашу школу и поступает в какой-то фантастический лицей, где, как он сообщил, учат — на армянских священников.

Он стал звонить нам, рассказывать, как там здорово, есть бассейн с вышкой! Чай бесплатно дают с сухарями, всего семь человек в классе, учителя к детям обращаются на «вы», и вообще, этим летом, если Баграт правильно понял, они, скорее всего, отправятся в кругосветное путешествие на автобусе, который им подарят шведы.

Мальчик закачался, когда это услышал.

— Ребята, — сказал он нам с Кешей. — Я тоже хочу стать армянским священником.

— Не понимаю, — удивлялся Кеша, — как можно с детства мечтать стать священником? Ладно, пожарным, артистом, парикмахером или прославленным зодчим. Это понятно... В священники — так мне казалось — идут с возрастом, вкусив плоды с древа жизни и познания. Особенно в армянские!..

— А некоторые — священниками рождаются! — я возразила упрямо.

Я была счастлива, что мой мальчик намеревается выше поднять светильник и наслаждаться светом обретенного всеведения.

— Один человек сто лет проживет, а это его первое рождение, — говорю. — Он первый раз пришел на Землю и за сто лет ничего не понял. А другому пока что десять, но это его сотое рождение. Может, он своими ушами когда-то слышал проповеди Иисуса, или Будды, или Заратустры, его душа постигла Истину, и он явился благословить ею человечество.

На что мальчик заметил:

— А вдруг он все это время — то каторжником был, то сидел в психбольнице?

Хотя обучение там было платное, а ездить — на другой конец Москвы, наш сын пять раз переписывал диктант. В конце концов за волю к победе его допустили на окончательное собеседование, где так прямо и спросили, без обиняков: есть ли Бог?

Он ответил:

— Есть. Но не в том смысле, в каком вы думаете.

Постепенно обнаружилось, что необязательно становиться именно армянским священником. Можно любым другим — католическим, православным; можно протестантом, пятидесятником, даже адвентистом седьмого дня.

Нас пригласили на День открытых дверей. Гостей радушно встречал отец Мефодий, инициатор создания лицея, учитель Закона Божьего. Все на него нарадоваться не могли — такой он жовиальный, первым из преподавателей побежал накачиваться в тренажерный зал, первым нырнул в бассейн с вышки и, говорят, много времени с учителем физкультуры проводит в бане!

Рыжебородый, в черной рясе, он выступил с обличительной речью, что мы потеряли свой язык, свои национальные одежды, уже никто не помнит, кто как был одет в старину! А этот галстук пионерский... Отец Мефодий даже не нашел слов, чтоб выразить свое строгое отношение к этому атрибуту.

— Ну ладно, — он махнул рукой, — нам предстоит праздничный обед, поэтому я буду краток. Тот человек, который дал стакан воды во славу Христа, — учтется на небесах! А уж то, что делают наши спонсоры — это и еще больше!..

Тут в класс влетел золотокрылый регент:

— Дорогие мои! Упаси вас Бог от штампов! Никаких повторов, никаких реприз! Только импровизация. Так вот — я хочу представиться нашим гостям. Роль моя — быть регентом. Можете себе представить — сегодня, в День открытых дверей, я сказал такую фразу: «Знаете ли вы, господин директор, существует суждение, что весь мир держится молитвами святых. Так вот, я присоединяю к этому хору свою молитву — и, может быть, и моей молитвой держится окружающее, — повел я руками вокруг...» Быть христианином нелегко, — продолжал он, — и вот как мы это делаем: первая задача — избежать всякой обезлички. Худо будет, если я всех детей стану заставлять петь какую-то одну песню — скажу, допустим: ребята, нам велено петь «Царю Небесный». Ну-ка, заведите... Увидите, какие будут кислые физиономии. Нет, нужно так коснуться души ребенка, чтобы ему самому захотелось петь. Ну что? Хотите «Царю Небесный»? Или хотите «Божия Милость»? Когда вы поете, давайте дыхание свое! Ми-фа-соль...

И — мы с Кешей обомлели — хор ангелов запел, а среди них наш мальчик.

— Обратите внимание, какая возникла аура тишины, — произнес регент, когда смолкли божественные звуки. — Раньше это называлось благодатью.

Истинную благодать испытали все, когда из Норвегии в подарок лицею от норвежских пятидесятников пришел огромный автобус, полный подарков, консервов, соленой рыбы, а посередине в проходе были навалены гора башмаков, рубашек со штанами, рыбацких шляп и настоящая рыболовная сеть для ловли сельди!

— Возьмите бабушкам, родителям, сейчас ведь не купишь ничего! — подбадривал детей отец Мефодий.

Наш мальчик притащил ботинки военные корейские сорок третий размер — нам до них еще всем расти и расти, штормовку непродуваемую — косая сажень в плечах из пьесы Ибсена и приволок эту самую рыбацкую сеть!

А макарон нанес, а соуса к спагетти! Такая селедка замечательная! Мы прямо пир устроили, когда он пришел.

У них были наполеоновские планы — на этом вот автобусе отправиться в Германию, Румынию, Польшу, во Францию, в Норвегию... Но они только успели сплавать на русский Север посмотреть Валаамовы острова.

Дальше дело застопорилось. Начались интриги, связанные с отцом Мефодием. Какие-то поползли слухи, будто наш учитель Закона Божьего не смог дать отпор соблазнам моря житейского. Шальные деньги спонсоров ему вскружили голову, что ли, он ел, пил и веселился как король, частенько наведывался в игорные дома и другие мало подходящие для его сана заведения.

Кеша с ним однажды беседовал на философско-религиозные темы, так просто, поинтересовался, что это такое Божий Закон, имеет ли он отношение к космическому порядку?

— Закон Божий — священное писание и священное предание, — пророкотал отец Мефодий. — А космический или не космический порядок, — он глубоко задумался и почесал затылок, — ...разумеется, космический!

Когда всем лицеем стали готовиться принять таинство святого крещения от отца Мефодия, и родителям учеников тоже предложили окреститься за небольшой взнос, Кеша снова спросил:

— А чем отличается крещеный от некрещеного?

— Тем и отличается, ха-ха-ха! — так и покатился со смеху отец Мефодий.

Кеша задумался, следует ли ему креститься или нет, но если это нужно в педагогических целях, выразил согласие: все — так все!

Но пока готовили купель, сдавали взносы, в прессе вышла скандальная публикация, в которой обнародовали яростное и даже исступленное устремление отца Мефодия к материальным благам. А ведь предупреждал тот, кто окружил нас вечной тайной творения: мир — это мост, ходи по нему, но не строй на нем дома...

Подмочили, испортили репутацию отцу Мефодию и всему лицею. Возможно, по злому навету — известно, что средства массовой информации любят выставить святое в мизерном виде. Уж больно отец наш Мефодий сиял, как комета Хейла-Боппа. Однако сообщалось, что Мефодий был не Мефодием, а Савелием, жил по поддельному паспорту, в Тульской области его разыскивали за мошенничество... А норвежский автобус, Закон Божий и песнопения были для отвода глаз от его греховных деяний. И православная епархия не встала на защиту, не оградила хоругвями от порочащих публикаций пастыря малых сих.

Поэтому в разгар журналистского расследования, не испытывая судьбу, не надеясь на Бога, отец Мефодий скрылся в далекую Австралию, прихватив с собой учителя физкультуры, который, по слухам, тоже отличался склонностью к эпикурейству. Лицей закрыли на карантин и налоговую проверку, воспитанников отпустили на каникулы.

Пока были каникулы, пропал автобус и объявили в розыск главного спонсора. Учебное заведение больше не открыли, и надежды, что кто-то из учеников станет священником, не оправдались.

Мальчик опять неделями валялся на диване, сочиняя песенку:

О, время всеобщего бедлама!..

Правда, он поинтересовался, как там дела с их лицеем.

Кеша ответил лаконично:

— Отец Мефодий дискредитировал себя.

— А что это значит?

— Значит, оскандалился, — ответил Кеша.

Ах, ангелы небесных воинств... Оградите нас кровом крыл невещественныя вашия славы!.. Кеша отправился на прогулку с собакой, вернулся потрясенный:

— Я пришел туда, где всегда покупал газеты — а там киоск раскуроченный, стекла разбиты. Я пошел в магазин, где хлеб покупал, а его уже нет...

Я:

— Ты — к женщине, которую любил еще вчера, а она на столе со свечой на груди в кругу плачущих внуков и правнуков!..

Мы кинулись устраивать мальчика в районный гуманитарный лицей. Все-таки он сочинял стихи, а поэзия — это великая алхимия, преображение бытия. Чего стоит хотя бы его стихотворение, начинающееся строкой:

Я не люблю, когда мне не дают...

Или небольшая поэма под названием «Яйца подали в отставку».

Мне страстно хотелось, чтобы на этом поприще он обрел великую славу и тайну, стал мастером медитации, сказителем преданий. Однако на собеседовании мальчик сразил их наповал тем, что из могучего океана русской литературы знал исключительно о существовании «Слова о полку Игореве», «Задонщины», а главное, пространные поучения и жития святых старцев — назубок. Все остальное он почерпывал из наших воскресных бесед за обедом:

— Внешне мне нравится Дантес, — например, заявляла нам Рита, — а внутренне — Пушкин.

— А мне внешне нравится Островский, — признавался Кеша. — А внутренне Гоголь.

Если при этом диалоге присутствовал Кешин приятель Борька Мордухович, он мог надменно произнести:

— А Достоевский внутренне был какой-то козел!

Мальчик все это запомнил и выдал по полной программе.

— Он у вас Маугли! — сказала заведующая учебной частью.

Хорошо, лицей был наполовину филологическим, наполовину художественным. Так что последние несколько лет у нас мальчик учился на живописца.

Кеша обрадовался, начал звать сына в неведомые дали, раздвигать горизонты, донимать разговорами об искусстве... Иной раз он заходился и топал ногами:

— Даже белый лист бумаги, — кричал, — больше похож на слона, чем нарисованный тобой слон!!!

Зато учитель по композиции Гена Соколов, когда бывал недоволен мальчиком, заявлял, что тот рисует так же плохо, как папа.

Тем не менее, окончив школу, он пошел и сдал вступительные экзамены в МГПИ имени Крупской на все-все пятерки. А после каждого экзамена возвращался и сообщал:

— Опять с отличием!

И Кеша ему что-нибудь за это обязательно покупал: пиво, ботинки «Док Мартенс», майку с черепом, какой-нибудь аксессуар из металлической символики сатаниста (было время, мальчик живо интересовался этой тематикой. «Сатанисты, — он нам объяснял, — это ребята, которые все время сидят и произносят: «бз-ззз...» — так они балансируют в себе злые силы!»), или кассету с песнями Гришнака, который прославился тем, что отправил на тот свет своего лучшего друга Иеронимуса, тоже музыканта:

Жесткие осквернительные звуки
больше не достигают нас,
их просто уносит ветер.
Неужели все?
Прощай, Иеронимус!
Снег остановлен.
Представление окончено,
Опустите занавес.

— Не знаю. — Я говорила благожелательно, чтобы не нарываться на скандал. — Мне как-то ближе заря просветления человеческой цивилизации!

И слышала в ответ:

— К чему требовать, Маруся, чтобы после понедельника сразу наступило воскресенье?

Впрочем, я была на седьмом небе от счастья. Наконец я почувствовала себя матерью пятерочника. И когда мы ожидали с Кешей победы и торжества, оказалось, что в МГПИ десятибалльная система оценок.

Больше мальчик не захотел сдавать никаких экзаменов.

— Но почему??? — вопрошала я, стеная и посыпая голову пеплом.

— Просто я не желаю, — он отвечал, — чтобы на меня смотрели придирчиво!..

И объявил, что станет композитором. Слава Аллаху, все же удалось его пристроить кое-куда, где за небольшую плату он выучился на специалиста настолько широкого профиля, что может работать теперь кем угодно — от космонавта до архивариуса.

С помощью Фимы ему даже удалось защитить диссертацию на тему «Роль пропаганды при тоталитарном режиме».

— Кто ж ты теперь будешь? — задумчиво спрашивала Рита. — Кандидат фашистских наук?..

Пафос этой работы заключался в колоссальном противоборстве двух сил: с одной стороны — гениальный, одержимый фанфарон и харизматик Геббельс, способный воспламенять народы на любые самые необдуманные свершения. А с другой — наш советский агитатор Соломон Абрамович Лозовский, которому в разгар войны, хотели они этого или не хотели, внимали все радиослушатели Берлина. Прямо из Москвы голосами то Гитлера, то Геббельса на великолепном немецком языке без малейшего местечкового акцента Соломон Абрамович сообщал немецкому народу, как у них, на деле, паршиво обстоят дела.

Служба перехвата глушила его всеми возможными способами, однако голос у Соломона Абрамовича становился все печальнее и печальнее и прорывался через все глушители.

«Переключитесь, пожалуйста, на местную радиостанцию! Не слушайте эту ложь!» — требовали берлинские власти.

Все были в ужасе — такое Соломон Абрамович придумал!

Естественно, имея перед глазами два этих ярких исторических примера, мальчик решил посвятить себя рекламе. Он поступил на службу в артистический клуб. И параллельно занялся культуризмом, что очень беспокоило Серафима, который, вопреки нашей установке на неуклонное накопительство, прочил ему научную карьеру.

— Кем он туда устроился, в этот клуб? — он спрашивал, трепеща. — Барменом?

— Ты им не очень-то распространяйся, — говорил мальчик, — а то у Риты с Фимой такое мнение обо мне, будто я чуть ли не в борделе комнаты распределяю.

Но Серафим все равно пускал волну:

— Скажи, чтоб слишком не накачивался, — он говорил. — А то его на работе испугаются. Они подумают, что такие мускулы несовместимы с интеллектом. Надеюсь, его приняли не на должность вышибалы?

Клуб стал модным в Москве, про него писали в газетах и журналах, можно сказать, вместо новостей показывали в программе «Время». И все благодаря мальчику.

Он и про нас не забывал: устроил в галерее Кешину выставку. Тот развесил свои живописные полотна, на вернисаж пригласили телевидение, мы с Кешей купили вина, фруктов, вошли, конечно, в расход. Но я не возражала, чтобы он тратил столько, сколько считает нужным, ведь все это сулило нам выгоду и прибыль.

И вдруг — о, радостная весть! Один банкир собрался приобрести Кешину картину с выставки, да не одну, а целый триптих «Над вечным покоем». По две тысяче долларов каждая. Там изображен человек, парящий в пространстве с закрытыми глазами. Над ним, как дождь, летят крылья, словно капли. И одно белое крыло, напоминающее женскую грудь, приближается к его губам.

Это была безумная удача. Теперь мы с лихвой могли внести все, что пообещали!..

Мысленно гуляя по золотым приискам, Кеша пригласил нас в клуб, заказал столик, чтобы отдохнуть, поесть по-человечески. Рита с Фимой нарядились. Фима в синем блейзере английском из секонд-хэнда — он там подружился с продавщицей, она ему приберегала справные вещицы. Рита явилась в старинной вязаной шали. Тася надела нежно-голубой костюм со страусиным боа. Вся эта сплоченная семейка уплетала салаты из морепродуктов с греческими маслинами и моцареллой, форель, запеченную в сыре, запивала дорогими винами, в общем, шиковала напропалую. Стали покупать билеты в театр. Я и Кеша посетили Консерваторию.

Мы могли бы разъезжать в каретах, если б имели к этому

склонность, такой на Кешу вскоре должен был просыпаться золотой дождь. До нас долетали волшебные слухи, дескать, банкир забрал к себе триптих, повесил на загородной вилле, его друзья уже специально приезжали любоваться, жена и теща одобрили покупку, того гляди он собирался расплатиться...

Однажды утром Кеша говорит:

— Ты знаешь, мне сегодня приснились черепахи во льду. Видимо, это бассейн. Вода в нем замерзла и — такие чере-

пахи. (Он показал.) Лед прозрачный, очень хорошо видно. И я знаю, придет весна, лед растает, черепахи оживут и поплывут как ни в чем не бывало. К чему бы это?

А ближе к вечеру позвонил арт-директор клуба и сообщил, что картины принесли обратно.

— Почему??? — удрученно вопрошал Кеша.

Оказывается, банкиру кто-то сказал, что на картине «Над вечным покоем» изображен мертвый человек.

— С чего они это взяли??? — воскликнул Кеша с ужасным негодованием. — Он спит!!!

— Спит, спит, — успокаивал его арт-директор. — Но им, видимо, показалось, что он спит... вечным сном.

— Спящий всегда кажется мертвым! — буянил Кеша. — А может быть, он умер, теперь я уже не знаю. Лежит мужчина в пиджаке и в галстуке с закрытыми глазами. Человек с воображением мог подумать, что он почил. Ну и что??? — вскипал Кеша. — Иисус Христос лежит мертвый, укрытый... А «Анатомия доктора Тульпа»?! Стоит такой доктор Тульп в анатомическом театре, склонившись над кадавром... Рембрандт? Франц Хальс? А наш Перов, «Проводы покойника»? Гроб везут... Что, эти полотна — выбросить на помойку? Баскетболисток Дейнеки теперь всем изображать?.. Здоровые тела физкультурниц и физкультурников? А хорошо, да — «Иван Грозный убивает своего сына»? Это вообще просто кошмар какой-то!!! Да! — вдруг он произносил надменно. — Около моих картин можно или смеяться, или плакать. А любоваться ими нельзя!.. Нет, надо мне переименовать мою картину, — горестно бормотал Кеша, — раз создается такое впечатление непонятно почему.

Раздосадованный, он стал надевать носок — и пятка с треском обнажилась.

— О скоротечности жизни и о длине дороги мы узнаем по дырявым носкам, — произнес Кеша, лег на диван и впал в глубокую меланхолию.

— Кеша, Кеша, — звала я его, не отрываясь от моего любимого О'Генри, — ты ведь не собираешься сдаваться при первом препятствии! Удача и бережливость, ясная голова и зоркий глаз — все это при тебе, дорогой. Так что Фортуна, осторожно пробираясь среди колючих кактусов, еще наполнит рог изобилия на пороге твоего ранчо!..

— Никто ему не наполнит рог изобилия! — послышался голос нашего мальчика из чулана. — Пока он не сменит тематику и не начнет рисовать то, что радует взор сильных мира сего, что украсит их офисы, рестораны, дворцы, ювелирные магазины, супермаркеты и ночные клубы.

— Сынок, — сказал Кеша, сдерживая ярость, — давай сделаем вид, что эта речь не изошла из твоих уст и не коснулась моего слуха. Только благодаря настоящему искусству наш мир становится светозарным, лучистым и живым. Знаешь притчу, как один древний китайский военачальник проиграл сражение, потому что загляделся на журавлей? Так вот запомни: я — воин света. А красота спасет Вселенную.

— Друзья! — вступила я умиротворяющей флейтой. — Не будем ссориться. Поймите, нам необходимо приложить все усилия, чтобы достичь Просветления и прекратить перевоплощаться в трех мирах.

— Ха-ха-ха! — раздался смех из чулана. — Угораздило же меня появиться на свет у таких родителей! Мама у меня колдунья, папа зомби. В то время, как у всех знакомых родители бизнесмены — У ВСЕХ! Военные они или гражданские, скотопромышленники или врачи, у Фалилея мама — хлебобулочный бизнесмен, изготовляет пирожки, булочки и торты. По булочке, по булочке — миллионы набираются! Прошлой весной у Фалилея был «опель» — черный, потом золотистый «авенсис», зимой он ездил на «вольво» — два с половиной турбо, новом, сорок пять тысяч долларов! А теперь у него черный «лексус ИЗ-250» — вообще нереальный! К следующему лету он купит «феррари» или «бентли»!

Но самые богатые люди — это не кондитеры, а пожарные и милиционеры! И некоторые художники! Но не простые, а главные! Да-да, Кеша! Все твои однокашники давно уже главные художники модных глянцевых журналов, а твои, Марусенька — главные редакторы...

— Последним лучше быть, — смело возразил Кеша. — Когда скомандуют: «Кругом!», ты окажешься первым.

А мальчик:

— Вы оба живете в каком-то выдуманном мире! Вам надо немедленно сменить сферу вращения, устроиться на работу, один пусть откроет ресторан, другая — фирму!..

— Ты сейчас возбужден и несешь ахинею, — дипломатично ответил Кеша. — Понимаешь, у тебя такой период в жизни, когда ты придаешь чрезмерное значение материальным ценностям. Тебе нужно отыскать истинные сокровища. Стать более пробужденным и понять, что существенно, а что нет.

— Ах вы сектанты! — воскликнул мальчик. — О чем вы думали все эти годы??? На что рассчитывали?! Что вы подразумевали, черт вас всех побери, под этим чуланом? Вы знаете, что Баграту на свадьбу дядя Гурген построил трехкомнатную квартиру и подарил «БМВ»?! А его дядя вручил молодоженам путевку на остров Бали! Восемнадцать часов лету! Ты можешь, Кеша, позволить себе слетать на Бали?.. У Фалилея на время бракосочетания отец перекрыл Садовое кольцо, пригнал военную часть Центрального округа Москвы и устроил такой салют, как в День Победы на Красной площади. Вы представляете хотя бы отдаленно, сколько это стоило? Бусин папа хотел быть, как дедушка, чревовещателем — к счастью, вовремя опомнился и пошел работать в атомную промышленность, ураном приторговывать в Америку. Теперь они живут на Кутузовском проспекте в пятикомнатной квартире, восемь тысяч долларов метр, и шестая — подсобка — зимний сад с финиковыми пальмами, ты к ним входишь, а над тобой шумят пальмовые листья...

— Знаешь, — смущенно сказал Кеша, — нам всегда хотелось, чтобы ты в жизни искал чего-то большего, нового, шел за пределы этого поддельного мира, двигался бы на ощупь к Великому Неизведанному. Ты перечислил слишком мелкие достижения для такого гиганта, как я. Пойми, все, что есть во Вселенной, есть и в тебе, и во мне, и в Марусе...

— Прекратить! — кричит мальчик. — Я больше не желаю ничего этого слышать! Я был бы идиотом, если бы поддался на вашу пропаганду. Теперь другое время, рыночные отношения, я люблю Тасю и хочу на ней жениться!!! Вы просто неудачники! Взгляните на себя, на обстановку, в которой вы живете! Ты, писатель!.. Инженер человеческих душ. У тебя в месяц наберется хотя бы сорок долларов? Можешь ты сесть и написать «Гарри Поттера»?.. То-то и оно! А этот неизвестный мечтатель?! Сумасшедший фантазер!

— Кеша! — я говорю. — Родной мой! Не слушай его! Придет время, — кричу я, — и Кеша прославится на весь мир, люди поймут, какой он великий художник, твоего отца включат во все энциклопедии современного искусства! И ты первый будешь гордиться, что знал его когда-то! Нам уже из Англии прислали запрос — можно ли включить Кешу в энциклопедию «Лучшие люди XX века». И если Кеша не против, ему нужно в указанные сроки прислать им за это двести долларов!

— Так, понятно, — сказал мальчик. — Я заработаю все без вашей помощи. Буду служить менеджером на стройках, в продуктовых магазинах, пиарщиком в ночных клубах, получать свои восемьсот долларов в месяц, и за десять лет накоплю себе на квартиру. Тася, конечно, уйдет от меня, найдет себе другого — нормального человека с нормальными родителями, или ее съест дракон. Видно, у меня такая судьба. А вы будете сидеть сложа руки, два бездельника, искать сокровенную природу Будды.

— Потому что, будучи Буддой, — сказала я, — ты пребываешь всюду, и твои силы безграничны!..

— Где ж они безграничны? — мальчик, мрачный, вышел к нам из чулана. — Полная профанация. А ваша философия — пустые разговоры.

— Есть такой незыблемый закон, — сказал Кеша. — То, в чем духовный человек испытывает нужду, к нему рано или поздно приходит. Он в состоянии заработать миллионы, следуя радостной науке сердца. Надо лишь обратиться к высшим силам и терпеливо ждать их нисходящего благословения.

— Что ж вы не обращаетесь?

— Мы стесняемся, — сказал Кеша. — Не хотим никого беспокоить.

— Хотя мы способны в любой момент наполнить все это пространство драгоценностями! — говорю. — Только нам неловко. Подумают, два аскета используют в личных целях свою положительную карму.

— Какую положительную карму, Марусенька? Полвека прожила — ничего не нажила своего, никаких приобретений!

— Почему? — я сказала, излучая любовь. — У меня есть бесценное приобретение — это ты.

— В общем так, — сказал мальчик. — Или вы предъявите свои сверхъестественные способности, или я стану забубенным, законченным материалистом. При первой же возможности займусь преступной деятельностью, устроюсь торговать оружием, выращивать в Уваровке опиум и марихуану!..

Властным жестом отец оборвал этот монолог.

— Кто хочет проникнуть в таинственный смысл неразгаданного, — произнес Иннокентий, — тот должен быть озарен божественным светом, а это дано немногим. — И по его виду мы поняли, что он приготовился сжигать корабли. — Да, я утверждаю: в нас самих живет нечто, творящее чудеса. Не адские силы, не светила небесные, а бодрствующий дух рождает веру и непоколебимое доверие, необходимые для магического действия.

— Однако... — попытался возразить мальчик.

— Ни малейшего сомнения в успехе! Нельзя даже допускать подобной мысли!.. В принципе, нам этого делать нельзя, — Кеша глубоко вздохнул, — но один раз в жизни можно... Если, — он поднял голову, и глаза его засверкали, — претенденты высаживают корни добра, творят благодеяния, совершают подношения буддам, принимают покровительство духовных друзей, помнят о живых существах с состраданием, верят в благой Закон и при этом обладают глубоким и сильным желанием, они могут надеяться, что их желание сбудется.

Видя непревзойденную Кешину решимость, мальчик забеспокоился.

— Я не понимаю, — спросил он, — к кому вы собрались обращаться?

— К Держащему семь звезд в деснице Своей, ходящему посреди Золотых светильников, — грозно ответил Кеша. — К тому, кто имеет свойство при соприкосновении растворять вселенные...

— Пожалуй, я пока схожу в ирландский паб, — сказал мальчик.

— Нет, ты останешься — наблюдать, чтобы все без обмана! — велел ему Кеша.

С этими словами он возжег благовония голубого лотоса, сел, скрестив ноги, на диване, сложил ладони в мудру Неба и Земли. Старый пудель Герасим, ворча, примостился у его колен.

Кеша прикрыл глаза, сомкнул губы, вздохнул и настолько глубоко погрузился в созерцание, что, ей-богу, окажись мы на природе, птицы выстроили бы гнезда у него на плечах, а растения обвили руки, ноги и даже достигли бы груди.

Первые полчаса над головой у него в фиолетовой дымке разливалось нежное золотое свечение, как перед восходом солнца на взморье в Пумпури. И на этом фоне медленно проступил зыбкий абрис умопомрачительной виллы, тонущей в кипарисах, расположенной явно где-то на Лазурном берегу Карибского бассейна...

Я кричу:

— Ты с ума сошел! Это ж нам придется отрабатывать. Давай-ка честно, по минимуму, как договорились.

Ни один мускул не дрогнул у него на лице. И хотя он забыл о внешнем мире, вижу, стал визуализировать скромнее. Обычная пятикомнатная квартира на Остоженке с видом на Храм Христа Спасителя... Причем так выпукло, красочно, колоритно. Все наши там уже, очень довольные — мальчик с Тасей, ополоумевшие от радости — я, Фима и Маргарита, стол — правда, старый, «Анаконда» — ломится от яств, громадные окна во всю стену, в окна льются потоки солнечного света... И повсюду наставлены Кешины мольберты — невозможно пройти.

Я снова — укоризненно:

— Кеша!

К чести мальчика надо заметить, что он не повелся на Кешины прожекты, слишком они были оторваны от реальности:

— Марусь, ну что он, в самом деле? Вот дом, вот срок, это, блин, и визуализируйте!..

Энергетические токи гудели, словно по проводам, по телу Кеши, он весь ушел в запредельное, его сиянием нельзя было не любоваться.

— Марусенька, — зачарованно спросил мальчик. — А деньги вам упадут прямо с неба?

И я обрадовалась, что он по-прежнему верит в чудо.

— Нет, сынок. — Пришлось его опустить с небес на землю. — Скорее всего, у нас с папой появятся хоть какие-нибудь заказы.

И точно. В бледных лучах утренней зари зазвонил телефон.

— К вам обращается Правительство Москвы, — высокопарно произнес голос в трубке. — Близится Новый год, и мы решили заказать вам Житие Деда Мороза. Заказ этот важный, срочный и безымянный.

— Как это? — удивилась я.

— У «Жития Деда Мороза», как у Библии, не может быть автора. Мы сделаем вид, будто этот текст был всегда. Вы меня понимаете? — Голос был женский, но властный и очень многообещающий.

— Н-не совсем, — отвечаю.

— Хорошо, — сказали мне. — Три тысячи долларов вас устроят?

— Устроят...

— Работайте. — Она положила трубку.

Через минуту снова зазвонил телефон.

— И учтите: НАШ Дед Мороз родом из Великого Устюга!

— Учту, — говорю. — Только заплатите аванс.

Вскоре мне выдали шестую часть гонорара.

Плюс они взяли с меня обещание, что если вдруг какая-нибудь иная организация закажет мне подобное Житие, ни в коем случае не соглашаться, поскольку все, кроме мэрии в Москве, — лгуны и обманщики: ни денег у вас не будет, ни славы, пугали меня. А между прочим, это предприятие, насчет Деда Мороза, чтоб вы знали, — огромной государственной важности.

В квартире у нас засвистели вьюги. Мы с Кешей по очереди сочиняли — то он, то я. Вместе у нас совершенно ничего не получалось. Все, что придумывала я, он полностью отвергал.

— Запомни! — кричал он. — Ты человек мелкий для мифа!!! Во всем, что касается мифа, ты должна слепо мне доверять! Ты слышишь??? СЛЕПО!!!

Утром я просыпалась, Кеша спал на диване в обнимку с пуделем, не раздевшись — видно, только лег, а на экране компьютера меня встречал текст, смысл которого я искажать не имела права, лишь оттачивать слог. Поэтому ближе к вечеру, когда пробуждался Кеша, он получал эпизод, вполне годный к употреблению.

Много дней и ночей мы с Кешей вынашивали могучий замысел, понимая свою вселенскую ответственность перед Дедом Морозом. Кеша такое выдумывал, я просто уверена была, что это не пройдет. Например, как Дед Мороз появился на свет: дескать, ужасно давно приполз на устюжскую землю бескрайний ледник. А когда уполз, оставил на огромном гранитном камне, спящего крохотного старичка с белой бородой в шубе и шапке...

Я говорю:

— Опять у тебя герой с самого начала спит беспробудным сном, так что его никто не может растолкать для великих свершений.

— Его разбудит Синичка! — ярился Кеша. — Она окропит старика живой водой!!! Он еще принесет большую пользу Матери-Природе! А пока дед спит — на Земле творится неразбериха!

— Но почему, черт возьми, он таких неканонических размеров?!

— Он выйдет в чисто поле, дура! — заходился Кеша. — Но никто его, крохотного, не заметит. Тогда ударит он посохом о землю, так что звезды задрожат, и вырастет на глазах!!!

— Не очень-то бесчинствуйте, — говорил мальчик, видя, как накаляются страсти. — У этого мифа есть своя правда.

— Не беспокойся! — задиристо отвечал ему Кеша. — Замок Деда Мороза никто не разрушит!

— Когда разрушат замок Деда Мороза, — грозно предупреждал мальчик, — Земля расколется и люди посыплются как горох!

— Ой, — вздыхала я, — наверное, им надо что-то более хрестоматийное.

А Кеша слышать ничего хочет, до того растворился в образе!

Махнет рукой — снег идет, махнет другой — иней из рукава.

Ладно, мое дело маленькое. Его футуристические идеи я отливала в формы седых преданий, удерживая равновесие между выраженным и сокрытым, как будто это был вечный текст, до потопа надиктованный свыше и вписанный в скрижали. И диктовал его чуть ли не тот же голос, что и пророку Моисею на горе Синай.

О, какое вышло сказание — нет, это была песнь. А когда затихли ее последние аккорды, и мы с Кешей перевели дыхание, буквально в тот же миг — вот что удивительно! — с телефонным звонком на нас обрушился некий персонаж по фамилии Леонов-Раков:

— Хотя все развели великую конспирацию, — вкрадчиво сообщил он, — просочились слухи, что вы написали биографию Деда Мороза. Я предлагаю контракт: назовите сумму. Курьер привезет вам конверт. А вы ему передайте рукопись.

— Но у меня договор с правительством Москвы...

— Устный?

— Да.

— Забудьте о нем: в короткие сроки это выйдет в роскошном переплете с золотым обрезом, огромным тиражом, двадцать процентов от стоимости книги — вам. Елка в Лужниках, Елка в Кремле, в Великом Устюге — Елки по всей России будут разыгрываться по вашему сценарию. Это отдельная статья оплаты. Ваши доходы будут непрерывно возрастать. Баннеры на Тверской, журналы на обложках, газеты на первой полосе дадут ваш портрет — в санях, запряженных тройкой с бубенцами — рядом с Дедом Морозом. На здании «Известий» бегущая строка, знаете? Там крупными буквами побежит ваше имя. Диктуйте курьеру адрес. Я передаю ему трубку.

— Стоп, — сказала я, собравшись с духом. — Это невозможно. Да, у меня с мэрией устное, но джентльменское соглашение. И потом, я получила аванс.

— Сколько вы получили? — Леонов-Раков усмехнулся. Черт его дери, он был неограничен в своих возможностях по части освобождения от излишков капитала. — Мы им вернем эти гроши.

— Умоляю, не искушайте, — сказала я. — Нет, нет и нет! Это мое последнее слово!

— Дело хозяйское, — сказал Леонов-Раков. — Держу пари, они вас обманут.

— Кеша, — говорю я ослабевшим голосом. — Нам предложили за нашего Деда Мороза денег — гораздо больше, чем прилично иметь русскому интеллигенту. Но мы ведь не торопимся сбыть его с рук?

— О нет, — ответил Кеша с видом заносчивых ковбоев сэра О'Генри. — Я бы не хотел, чтобы наше богатство стало непреодолимым и угнетающим.

Верные слову, неподкупные, движимые чувством истины, добра и красоты, мы отправились в мэрию. Легко было у нас на душе. Так рыцари Круглого Стола возвращались в Камелот, испытав тысячу опасностей и совершив немало подвигов во славу своих прекрасных дам.

При большом скоплении номенклатурных работников я огласила великий миф, рожденный всемогущим Кешиным воображением. Весь комитет общественных и межрегиональных связей правительства Москвы сидел, не шелохнувшись, едва дыша, пораженный эпическим размахом этого нечеловеческого сказания.

Когда же чары спали, руководитель уникального проекта, связанного, кстати, с наступлением третьего тысячелетия, Лолита Юрьевна Кирхнер, торжественно приняла рукопись, по-мужски пожала мне руку и пообещала с нами созвониться, как только что-то будет известно.

Наконец я могла вновь предаться спасительному самосозерцанию. О, это мое любимое занятие, я просто чудовище, которое может сорок восемь часов в сутки просидеть на стуле, глядя на горящую елку, съев колоссальное количество шоколадных конфет. В конце концов мы снова могли собраться за антикварным столом «Анаконда» и поднять чарки за здоровье Риты и Серафима, а также за преуспеяние нашего дела.

Последнее время, пока у нас в кузнице не смолкал стук молота по наковальне, званые обеды для святого семейства были отложены до лучших времен. То банку щей, то жареного окунька Фима перехватывал у нас прямо в метро, на всем скаку.

— Если вам некогда, — говорил он, — можете послать суп с машинистом электропоезда. А я буду стоять на своей станции и спрашивать у каждого машиниста: «Вам не передавали кастрюлю супа?.. »

Серафиму назначили уколы для поддержания сердечный мышцы. Кеша в этой области большой специалист. Он у себя на Урале окончил курсы медсестер. Фима зовет его к себе, а Кеше некогда.

— Пускай Фима сюда придет, — говорит, — я ему поставлю укол.

А Серафим:

— Пускай в метро поставит! Я его не задержу, раз он торопится. Мы договоримся, во сколько и где встречаемся, какой вагон, передняя или задняя дверь, и когда он подъедет, я уже буду стоять на платформе со спущенными штанами. Ему даже из вагона выходить не придется. Кеша делает укол. Двери закрываются. Я надеваю штаны, а вы едете дальше.

Фима вел бои на трех фронтах: мало того, что он обладал реальным капиталом, бережно хранимым в сберегательном банке, он все с большим энтузиазмом экономил.

Рита рассказывает:

— Фима прочитал в газете, что на «Войковской» пенсионерам по купону, вырезанному из этой газеты, можно купить «Спрайт» со скидкой — не за восемнадцать рублей, а за тринадцать! Фима вырезал купон, ехал-ехал на другой конец Москвы, возвращается домой — тащит «Спрайт» с торжествующей улыбкой, смотрит — во дворе он просто по тринадцать!..

Серафим даже предпринял попытку осуществить дружеский заём у моего приятеля Толика.

Толя — географ, но занимается любыми глобальными проблемами. Он собирает разные прекрасные идеи, чтобы спасти мир. И к нему эти идеи стекаются со всего света. Вот есть идея сделать стройматериал из торфа. Торф прессуют, и получаются кирпичи. В доме из таких кирпичей хорошо сохраняется тепло, курсирует воздух, и в этом здании сами собой погибают дизентерийные и туберкулезные палочки.

— Торф — без ничего! — радостно говорит Толик. — Аурация, ионизация — и все от торфяного кирпича.

Другая идея — нефть транспортировать не по трубам, а превращать ее в твердый сгусток пены, резать на куски и в виде плота отправлять по океану — а потом обратно плот превращать в потоки нефти путем химических реакций.

Третья:

— Давай снимем фильм, — говорит мне Толик, — о спасении племенных баранов, производителей тонкорунных овец в Ставропольском крае? Там идет засолонение почв — было восемнадцать видов травы, а осталось два. И вот, когда директор совхоза «Большевик» Чернецов рассказывал мне об этом, — а у него размер обуви сорок восемь! — он плакал. Давай про это?

Причем у него невозможно разобрать, где выдумка, где правда. Однако доподлинно известно, что дедушка Толика, профессор медицины Рябинин, участвовал в экспедиции Николая Рериха в Гималаи. Как нам рассказывал Толя, в награду за гималайский поход Рерих оставил Рябинину в Америке десять или пятнадцать тысяч долларов. Но тот ничего не смог получить, поскольку их экспедицию заподозрили в шпионаже.

— В Соединенных Штатах до сих пор, — уверял меня Толик, — существует рериховский счет полувековой давности! Если бы твой отец Серафим помог мне добыть эти сокровища, я бы с ним поделился.

У Серафима огромные связи. Его соученик по Институту международных отношений дядя Коля всю жизнь работал в Инюрколлегии.

— Серафим! — всякий раз говорил он при встрече, — если что нужно будет, обращайся в любой момент!

Но этот Коля умер. И хотя он не добавлял: «даже после моей смерти!», Фима решил, ну — ничего, Коля сорок лет там служил, наверняка его кто-то помнит.

Вот они приходят — Анатолий и Серафим — оба в красивых галстуках, импортных пиджаках, начищенных ботинках. Вахтер у них спрашивает:

— Вы куда?

И Серафим рассказывает ему эту трогательную историю.

Тот сначала не понял, в чем соль. А потом:

— Ах, Николай Владимирович? Конечно!

И вызывает какую-то женщину.

Та:

— Что сможем — сделаем!

Приводит их к себе в кабинет. А у нее в раме под стеклом висит Колин портрет, где он так радушно глядит со стены, как бы говоря: «Ну, Фима, подумаешь, рериховский счет пятидесятилетней давности! Пара пустяков!»

Она завела «дело», пообещала, что его будут вентилировать светочи коммерческой юриспруденции, но, разумеется, на это уйдет несколько месяцев. Позвоните в сентябре...

— Нам надо было ответить, — шутил потом Серафим, — «Ах, в сентябре! А пока у вас не будет долларов сто? Нет? Ну, тогда рублей десять-двадцать. А то мы поиздержались. А вы, когда достанете, оттуда заберете...»

Не все получалось взять кавалерийским наскоком, особенно такие вещи, которые граничат с вымыслом, но Серафим при этом нисколько не лишался гражданского и всадничьего достоинства.

— Молодость знает только грусть, старости известно

все, — говорил он, заматеревший во днех, насмешливо прищуриваясь.

Когда я стала свободным художником, Фима не дрогнул, только увеличил ренту. А когда у нас в доме свободных художников прибыло, Фима так и ахнул вслед за Максимом Горьким:

— С кем вы, мастера культуры???

А потом ответил себе изумленно:

— Все мастера культуры почему-то — со мной!

И устроился на вторую работу — читать лекции в Университете. Как будто за этой юношеской бравадой явственно маячила моя грядущая растерянность перед любым мало-мальски серьезным поворотом судьбы. Лавируя среди скалистых фьордов, словно ладья с облепленным ракушками днищем, Серафим безошибочно вел своих аспирантов к ученой степени, какими безнадежными экземплярами они бы ни казались.

Он все от меня терпел, любые выходки. Одно его нервировало — мое разгильдяйство. Иной раз Фима прямо на гекзаметр переходил от негодования. Как-то мы с ним договорились встретиться около Театра Ермоловой. Там шел спектакль по пьесе Теннеси Уильямса в переводе друга Серафима — Виталия Вульфа. Виталий Яковлевич выходит на улицу раз, второй, меня все нет, Фима злится, я опаздываю на полчаса по техническим причинам; короче, наш поход в театр полностью провалился. Издалека завидев меня, Серафим, словно Зевес на вершине Олимпа, вытянул длань и громогласно произнес:

— К чему привел богемный образ жизни —
Вне времени, пространства и зарплаты?

Перед Новым Годом нас с Кешей честь по чести пригласили в мэрию, сказали, что мы можем получить «Житие Деда Мороза» в опубликованном виде.

Рита звонит, возбужденная, спрашивает:

— А сколько вам за это заплатят?

Я говорю:

— Давайте-ка не будем обсуждать такие вещи по телефону. А то, неровен час, кто-нибудь прослышит, что мы собираемся покупать квартиру, в стране напряженная обстановка, а сумма все-таки порядочная.

Кеша побрился, спрыснулся одеколоном, мы оба шагали в приподнятом настроении — два славных мыслителя, радостные в размышлениях и благоухающие добродетелями.

— Хорошо, что мы не соблазнились на предложение Леонова-Ракова! — говорил Кеша. — Я даже горжусь, что оказал поддержку правительству Москвы. Ведь это наш город, в котором мы живем. Ты в нем родилась, а я обрел надежное пристанище. Здесь я встретил свою любовь!..

— Даже не одну, — заметила я. Но Кеша не снизил пафоса.

— Да, Житие Деда Мороза — дело исключительной государственной важности! — воскликнул он. — И тут не место частному капиталу и мелким предпринимателям! Пусть мы получим всего три тысячи долларов, а не пять, как нам заплатил бы Леонов-Раков. Но, если наш город терпит временные трудности — мы их разделим с ним. И с тобой.

Такие вел благодушные разговоры.

И вот мы заходим в наиглавнейшее здание Москвы, и нам в бюро пропусков протягивают конверт. А в нем невзрачная тоненькая брошюрка, информационный бюллетень, методическое пособие, где — ой, мама моя! — куча домыслов про этого бедолагу Деда Мороза, инфантильных по содержанию и графоманских по форме. Детский лепет сменялся дидактическими наставлениями, и среди всей этой чепухи отчаянно дрейфовал в таких трудах и муках нами рожденный миф, весомый, словно кит, неведомо какими путями случайно заплывший в Темзу.

Конверт пуст. Пропусков нам никто не заказал. Это было

красиво и просто, как всякое подлинно великое жульничество. Я ощутила позыв к риторике и набрала телефонный номер Лолиты. Трубку взяла секретарь. Естественно, ни автора идеи «уникального проекта», ни ее разработчиков нам уж больше не суждено увидеть и услышать.

— Где гонорар? — я спросила.

Лолитин секретарь взялась со мной объясняться тоном эксплуататора, столь изобретательного по части угнетения рабочего класса, что я поняла без лишних слов: его поделили между собой многорукие и лукавые составители с методистами.

— Позовите Лолиту Юрьевну!

— У нее заседание, — мне ответили хладнокровно.

— Тогда передайте, — сказала я неторопливо, чувствуя, как фиаско огнем жжет мое сердце, — что к ней никогда не придет Дед Мороз.

И тут случилось непредвиденная вещь, которую не объяснишь нормальной житейской логикой. Моя собеседница, судя по металлическим ноткам в голосе, не склонная к поэзии и мечтательности, вдруг застонала, как подстреленная птица:

— Да как вы смеете такое говорить? Да как у вас язык-то повернулся? Неужели возможно *такое* пожелать человеку?

Ей оставалось только крикнуть — и этот крик без всякого телефона упал бы в лестничный пролет и долетел, разбившись вдребезги, до бюро пропусков — мол, я нарушила десятую заповедь, касающуюся худых помыслов и пожеланий. Так она, бедная, ругалась и возмущалась, что стало ясно: эта женщина верит и надеется — до сих пор.

В величественном молчании мы возвращались домой, восстанавливая исходный прежденебесный порядок, а также свободную циркуляцию животворящего ци. Ни подавленности, ни разочарования — на меня это даже произвело бодрящее впечатление.

Дома Кеша лег на диван, положил ногу на ногу и сказал:

— Принеси мне сыра и бутылку!

Я пошла в магазин, купила вина, сыра и торт «Медовик с халвой», но то ли его в магазине и оставила, то ли по дороге потеряла — в общем, прихожу, а торта у меня нет.

Кеша вскочил, оделся, побежал в магазин и купил еще один торт, точно такой же.

— Ты спас нас от страшного разочарования, — сказала я.

— Это единственное, чего мы не можем выдержать — разочарования, — говорит Кеша. — Так мы на все клали, но разочарование для нас просто невыносимо.

Мальчик приходит:

— Где сосиски? Колбаса? Все какая-то еда для одухотворенных личностей!

Что я могла ему ответить? Сынок, наш с папой начальный капитал истаял, как мартовская льдина? Это было начертано у нас на лбу, мне даже Майя внезапно преподнесла две замороженные курицы. Я ей хотела отдать деньги, а она:

— Я что, не могу подарить своей соседке двух дохлых кур?

И ее муж Марк — видит, мы с Кешей какие-то квелые, принес нам китайский зеленый чай.

— Возьмите, — говорит, — чай с женьшенем. У меня и так по утрам стоит. Как встанет утром, так до вечера и не опускается. Мой дедушка пил все время такой чай — не хотел до девяноста лет расстаться с этим состоянием.

— Давай поскорее сюда свой чай! — сказала я лучезарно.

— А мы не боимся этого! Того, что волнует Марка, — меланхолично заметил Кеша. С нашими катастрофическими провалами, которые подстерегают всякого смертного, он вообще запечатал свой нефритовый стебель до лучших времен.

— Дуэт «Минус пять тысяч долларов»?! — дружелюбно окликал нас мальчик, уходя утром на работу. — Сидят со своими бездонными взглядами — чаи гоняют, смотрят в небо? Такое впечатление, Марусенька, что у тебя есть слуга. А его нет. Поэтому ни позавтракать с вами как следует невозможно, ни пообедать, ни поужинать. Откуда у тебя такие барские замашки? И этот тоже — барчук. Спросили бы: ты не голодный? Раз-раз, какой-нибудь, я не знаю, омлет... Куда там! Только снизойдут — чайник под фильтр засунут. Но тут же о нем забудут. И вспомнят, когда пойдут вечером чистить зубы. А мусорку сверху положат пакет на пакет, чтобы запах блокировать... Так вы всех богов распугаете, к которым обратились за финансовой поддержкой.

— Ерунда, — отвечала я. — То, чем мы с Кешей будем благословлены — явится через любовь, равновесие, мир. Силой своего всеобъемлющего сострадания Кеша привлечет к себе внимание Великолепного Вселенского Правителя — помощника живых существ. Но сейчас вокруг нас должна быть чистая моральная атмосфера, исключающая нетерпение, стремление, достижение или обладание...

— Нет, я прямо не верю, что правительство Москвы могло вас облапошить,— названивала по телефону Маргарита. — Оно до того трогательно заботится о ветеранах. Мы только и бегаем с Фимой за подарками. Как раз к Новому Году в мэрии трубили сбор ветеранов. Мне дали пакеты с провизией. Спускалась по лестнице, обогнала двух старичков. Оборачиваюсь — Царица Небесная! Лежат оба, причем так переплелись, сумки с подарками от Лужкова валяются, один в очках, другой без очков. Я удивилась: бутылки водки свои они еще не могли выпить чисто физически. Оба аккуратненькие, в галстучках, с орденами. Тихо лежат и поглядывают по сторонам. Я кинулась к ним со всех ног...

На этот раз в мэрию Рита ходила одна, поскольку в начале января Серафима положили в больницу. Последнее время у него прихватывало сердце. Потом он расстроился, что кассирша в магазине, когда он забыл взять подсолнечное масло, крикнула ему:

— Дедушка!

— А я иду себе, — горестно повествует Фима, — даже внимания не обращаю. Меня ведь так никогда никто не звал...

Она кричит:

— Дедушка! Возьмите свое растительное масло!!!

— А если бы я был с *девушкой???* — И Серафим воздевает руки к небу.

Мальчик выдал ему в больницу мобильный телефон, и мы велели Фиме время от времени оттуда подавать признаки жизни. Вот он звонит Рите, докладывает, что он ел, как спал.

— И вдруг, — рассказывает Рита, — быстро и деловито попрощался со мной, а с кем-то поздоровался медовым голосом, каким он обычно поздравляет женщин с Восьмым марта.

Фима не знает, как отключать телефон, а Рита затаилась, не положила трубку.

— И тут, — говорит Рита, — послышалось шумное дыхание Фимы, как будто он кого-то... Я страшно разволновалась, вся превратилась в слух, ловлю каждый звук. Вдруг — незнакомый женский голос: «Дышите глубже, дышите, не дышите... Давление мальчишеское!.. » Так я узнала, какое у Серафима давление! — строго закончила Маргарита свой рассказ.

К Новому году мы забрали Фиму из больницы. Погода ужасная, днем дождь, ночью обещали мороз, гололед. Все переживали, как Рита с Фимой до нас доберутся. Хотели сами пойти к ним праздновать, но они категорически отказались.

— В крайнем случае, — надменно сказала Рита, — мы сможем доползти на четвереньках.

Кеша:

— Ну, это обратно. А — туда?

Не нарушая традицию, мы собрались у нас дома. Главное, у меня привычка — к праздникам впрок заготавливать сувениры. Мальчик мне когда еще говорил:

— Ты я вижу, заранее тащишь из магазина канцелярские товары и унитазные щетки в красивой упаковке, срывая ценники?.. А я вот чего боюсь: меня Тася раскрутит на дорогостоящие для вас подарки, а вы мне надарите разной ерунды. Я ей говорю: «Пойми, у нас не принято вручать ценные дары. Все обходятся каким-нибудь туалетным «Утенком» или стиральным порошком...» А она на меня смотрит и не верит!.. Вот ты, Кеша, — встревоженно говорит мальчик, — что собираешься мне подарить?

— Бессмертие! — вдохновенно ответил Кеша. — Я подарю тебе бессмертие!..

Я приготовила сациви из кур. Тася соорудила селедку под шубой. Фима принес шампанское. Ровно без пятнадцати двенадцать мы попытались его открыть, но бутылка не открылась. Пробка в горлышке засела, как влитая, и никакой силой нельзя было ее оттуда извлечь. Видимо, Серафим где-то приобрел это шампанское с учетом ужесточенного режима экономии. Еще Рита с Фимой принесли конфеты из фронтового пайка.

Кеша польстился и констатировал:

— Просроченные!

И весело добавил:

— Но ведь и ветераны немного просроченные...

Во всем остальном Фима не успел запастись новогодними подарками, поэтому решил слегка доплатить и присоединиться к моим.

— А всю ночь мы будем говорить о том, кто кому сколько должен, — и если не сойдемся в цене, останемся без подарков!.. Я-то Рите сделал подарок на Новый год, — балагурил он, — подарил дочку!

Впрочем, зятю на Новый год Фима подарил свои старые часы.

— Кажется, они встали, — сказал Кеша, тряхнул и прислушался. — Ничего, — успокоил он Серафима, — все равно я буду носить ваши часы и глядеть на них два раза в сутки. Главное, как на часы посмотреть! Как и *когда*...

Мальчик отдал Кеше духи, которые ему преподнесли на работе, французские — «Жан-Пак».

— Держи! — сказал он великодушно. — Может, парфюм тебя дисциплинирует: встал, принял душ, оделся, спрыснулся и пошел.

— Куда пошел? — спросили мы с Кешей хором.

— У кого какие перспективы, — пожал плечами мальчик. — На завод...

Зато Кеша от себя лично вручил Тасе роскошный цветной календарь пятилетней давности:

— Это календарь воспоминаний, — сказал Кеша. — Что я делал восемнадцатого марта? Что — пятого июля? А на сейчас у меня нет календаря! Зачем? Я могу в любой момент спросить у кого угодно, какой сегодня день и число.

После полуночи к нам нагрянул Борька Мордухович, художник и фотограф. Теперь он получше стал, а то раньше его очень интересовали алкоголь и наркотики. Если его спрашивали:

— Ты, Боря, что будешь — пиво или виски?

Он отвечал обычно:

— И то и то.

— Между прочим, — сказал Кеша Фиме с Маргаритой, — Борька самый первый сфотографировал вашего внука — ему месяц был, тот еще даже не сидел.

— А теперь уже отсидел? — деловито спросил Борька.

Этот Борька Мордухович всю жизнь положил, чтобы стать знаменитым. На какие он только ни пускался ухищрения! То у него из трусов вылетали петарды! То у него изо всех отверстий выплывали мыльные пузыри! То он прикрепил к причинному месту горелку с огненной струей. Недавно журналы обошла его фотография: стоит Борька без головы, а перед собой держит собственную голову — в банке!

— Как он это сделал? — мы удивлялись.

— Отрезал себе голову и сфотографировался, — объяснял Кеша. — Ему лишь бы впечатление произвести.

В конце концов Мордухович добился-таки всероссийской славы. Приехал в Италию — а там его никто не знает. Он обезумел от горя. Захваченный вихрем мирового движения, он еще одну жизнь положил, чтобы его узнали в Германии и во Франции. Но тут его забыли в России. И совсем не узнали в Италии.

Борьку Мордуховича Кеша встретил натюрмортом 50 на 90 под названием «Пока был за границей, на моей табуретке выросли грибы».

— А я спокойно сидел в Чертанове, — назидательно говорит Кеша, — и тихо делал книгу «Нога мухи», без фейерверков и фанфар. Зато, когда я ее закончил — весь мир был у моих ног...

— Правда, мир об этом не знал, — подхватывает Борька.

— ...но это не играет роли, — бесстрастно отзывается Кеша, прилаживая плакат «Все на сенокос!» на дырку в обоях, при этом внутренним оком созерцая космический танец творения и разрушения вселенной, спокойный, свободный от треволнений, на мой взгляд, чрезмерно самообузданный.

— Мы с Кешей редко видимся, — сказал нам Борька, чтобы возвысить себя в наших глазах, — но если мне скажут, например, что Кеша на Северном полюсе пропал, — я кинусь его искать с экспедицией!

— Борис, вы — огнедышащий вулкан, — ответствовал Серафим. — А Иннокентий слишком легко успокаивается на недостигнутом, понимаете, какая штука? Нет, когда он бывает в ударе, он великолепен! Главное, не оставлять его безнадзорным...

— Вы тысячу раз правы, старина! — воскликнул Борька Мордухович. — Хватит якшаться с мелкими жуликами, пора иметь дело с крупными аферистами!

Он вскочил — в кожаных штанах, в «казаках», чуть ли не при шпорах, ероша богемный чуб, сам из деревни Теряевские Покосы, а только и разговоров о далеких путешествиях в экзотические страны! И не сходя с места открыл гениальную идею, ради которой он прискакал во весь опор, а его взмыленная лошадь закачалась у коновязи, понурив голову и закрыв глаза.

Хотя было совершенно ясно: это очередной посланец Высших Миров, патронирующих нас с Кешей. *Они* все еще не теряли надежды, что мы как-нибудь изловчимся и поймаем брошенный нам с небес спасательный круг.

— У меня есть знакомый — Феликс, владелец галереи «Феникс», — с видом загадочно-торжественным начал Борька. — Он хотел назвать ее «Феликс», что в переводе с греческого означает «счастливый». Но его с картинами выставили на улицу, и в этом помещении сделали казино. Тогда он снова открыл галерею, переименовав ее из «Феликса» в «Феникс»!

Впрочем, картинная галерея для Феликса — слишком мелкая дичь, обычно он занимался делами поважнее. В советское время в Анголе служил начальником хозчасти военной базы, которая контролировала Южное полушарие, держала связь с океаном и космосом, звезды и планеты находились под ее неусыпным надзором. Благодаря Феликсу она расцвела махровым цветом — все, что душе угодно было там у него: и свиноферма, и страусиная ферма, бескрайние поля батата и сахарной свеклы, собственные соляные копи, чайные плантации, даже крокодилий питомник!

Когда Советский Союз покатился в тартарары, ему велели сворачивать синекуру.

— Что?! — вскричал Феликс. — Десять лет моей жизни коту под хвост?! Да у меня тут не военная база, а рай!

Он позвонил в Центр:

— Сколько надо времени, чтобы уволить меня в запас?

— Неделя и ящик виски, — ответили ему.

В тот же вечер в Москву он отправил самолетом виски. А через неделю из Анголы вылетел четырехмоторный «боинг», набитый до отказа копчеными окороками, страусиными яйцами, сотнями пар обуви из кирзы, крокодиловой кожей, чучелами крокодилов и парой-тройкой гранатометов. Это Феликс возвращался со своим нехитрым скарбом, чтобы на родине устроить маленький гешефт, приторговывая кирзовыми башмаками да страусиными яйцами. Понемногу расширяя ассортимент, Феликс занялся продажей леса, земельных и садовых угодий, экспортом карельской березы, стал дельцом, коммерсантом, купцом первой гильдии...

И вдруг увлекся искусством, картинами, начал говорить, что он потомок Тургенева. Давай скупать салонную живопись.

— Вся галерея «Феникс» увешана букетами и обнаженкой, — рассказывал Мордухович. — Розы, гладиолусы, майская сирень, сельские пейзажи с церковкой на пригорке!.. Бесконечные ню!.. Деньги льются рекой, но ему захотелось *прозвучать!* Москву надо потрясти, ошеломить, хотя бы на полчаса привлечь внимание — букетом или голой бабой Москву не возьмешь. Поэтому Феликс — а он очень окрыленный — загорелся проектом «Машина Времени». Чтобы знаменитые художники что-то поварили на тему времени!

Он стал перечислять великие имена помазанников русского искусства, его грандов и лордов, привлеченных честолюбивым замыслом Феликса. И в заключение предложил Кеше осчастливить этот проект своим нестерпимым гением.

— Будут ли они со мной разговаривать — что я да кто?.. — засомневался Кеша.

— Ерунда, я тебя представлю, — говорит Борька. — Вдруг тебя с выставки купит какой-нибудь воротила? Ты ведь со мной поделишься? Заработаем, чтоб хоть Восьмое марта красиво встретить!

Не зря у нас в туалете на карте Москвы и Московской области старательно переписано откуда-то синей шариковой ручкой:

> Милость Бога бесконечна,
> нам надо только открыть глаза,
> чтобы увидеть это.

Утихомирив чувства, не скованный никакими заботами, кроткий в речи, умеренный в еде, Кеша погрузился в глубокий океан размышления.

Солнце еще только всходило, а уж Кешу осенила идея, пронзила, озарила всего от макушки до пяток — построить огромные песочные часы (время — это же часы, больше ничего!) — внутри люди за столом, мужчина и женщина в натуральную величину, у них сервирован стол. Вот они сидят и ждут. А сверху из воронки тонкой струйкой сыплется песок.

Название такое: «Мы поглощаем Время, Время поглощает нас».

Расчет прост: из верхней колбы пять тонн песка будут сыпаться десять дней, постепенно заносся накрытый стол, а заодно и двух сидящих за ним людей.

Он позвонил Феликсу. Тот ответил:

— Можете прийти ко мне во вторник в семнадцать минут третьего...

Так досконально вдохновитель «Машины Времени» относился к своим минутам и секундам.

Мы стали собирать Кешу на аудиенцию. У него есть два пиджака — один летний, льняной, пусть не по сезону, зато подходящего цвета: рожь золотится на закате солнца.

— Именно в таком, — он считает, — нужно ходить к менеджерам, продюсерам и владельцам галерей. У них сложится впечатление, что к ним в руки упал золотой слиток.

Второй — слегка потрепанный, замшевый, Серафим двадцать лет назад привез из Парижа, а недавно широким жестом отдал зятю со своего плеча. Кеша называет его *пиджак Модильяни*. Подумаешь, карман болтается — приметал на живую нитку и пошел!.. Кожаные и замшевые вещи всегда модны. Особенно в классическом сочетании с водолазкой.

— Какое-то слово забытое — «водолазка», — задумчиво произнес Кеша, в унынии оглядывая несколько пар своей обуви, которые выстроились перед ним, как старые, но верные идее ветераны революции.

— Ботинки! — он к ним обратился с хокку. —

Откуда вы пришли?
Куда идете?

Все это *башмаки Ван Гога*, — он грустно подытожил.

В декабре Кеша рисовал книжку «Сон рыбака» и несколько недель не выходил на улицу. А когда вышел, его заинтересовали следы на снегу — будто бы от большой птицы. Он долго стоял, внимательно их изучал и вдруг понял, что, пока не выбирался из дома, сменилась мода: теперь девушки ходят в сапогах с очень длинными носами и гвоздиками вместо каблука.

Мы тайно забрались в чулан и вытащили из-под стола у мальчика коробку с его ботинками фирмы «Фаби» — модными, остроносыми, начищенными до блеска.

Кеша вынырнул из метро на Тверской и первое, что увидел, — в подворотне ссыт Дед Мороз. А другой Дед Мороз кричит ему с балкона:

— Эй, от винта!..

В «Макдоналдсе» играла живая музыка, что-то восточное, словно это был ресторан «Шаурма».

Кеша свернул за угол, поднялся по лестнице, дверь незаперта — Феликс в белом костюме принимал художников с их гениальными идеями, разглядывал эскизы. Тут же околачивал груши Борька Мордухович. Пономарев пришел, Наседкин, Сыроваткин. Кеша впервые оказался в обществе таких прославленных художников.

Секретарь сказала ему:

— Подождите.

Он сел за столик — пластиковый, прозрачный, на белый кожаный диван.

— Коньяк? Вино? — его спросили. — Кофе, чай? Фрукты, сигареты?

Кеша ото всего отказался. Он не любит принимать пищу в незнакомых местах. На столике лежали альбомы. А на стенах развешаны холсты известной художницы — виды древней Эллады: вазы, виноград, Эдем, напыщенные женщины и мужчины в хитонах. Анатомию художница не знала, и пространственное воображение у нее полностью отсутствовало.

В центре на стене висел портрет — Мэрилин Монро, усыпанная искусственными бриллиантами и драгоценными камнями, с настоящим мобильным телефоном в руке.

Тут Кешу позвали. Он взял портфель, выудил из папочки эскизы, которые чертил несколько дней и закрашивал акварелью. Эпизод первый — только заструился песок, эпизод второй — песком завалило стол, и третий эпизод — все засыпало и всех. Причем аккуратно так вычерчено: вид сверху, вид снизу, точно указаны параметры и сколько потребуется песка.

Все это он с жаром продемонстрировал.

Повисла тишина.

Феликс в белоснежном фланелевом костюме с полоской на мягком пиджаке сидел безмолвный, как неприрученный зверь.

— Феликс, я тебе про это говорил! — нетерпеливо сказал Борька. — Видал, какой стакан?! Музей Соломона Гугенхайма по нему плачет.

— Плачет-то он плачет, — вымолвил наконец Феликс. — Но я не понял, Иннокентий, красавец мой, объясните, что это означает?

— Модель Вселенной, — просто ответил Кеша. — Погружение в океан Времени — к великим крокодилам старости и смерти.

— Что?! Крокодилы? — оживился Феликс.

— Ну да, крокодилы! Либо мы съедим крокодила, либо крокодил съест нас. Потому что вечность — это крокодил, кусающий свой хвост!

— Вот это по-нашему! — вскричал Феликс. — Это мне нравится! Весьма впечатляюще, а, Мордухович?! У меня даже возникла идея: а давайте в стакан посадим чучело крокодила?

— Давайте! — воскликнул Борька. Он так обрадовался, что лед тронулся, он был готов даже сам в стакан сесть, пусть его засыплет песком, только бы успели сфотографировать и поместили на обложки журналов.

— Нет, — сказал неподкупный Кеша. — Кроме женщины и мужчины там будет только плюшевый мишка моей жены Маруси, которого она хранит с детства.

— И страусиное яйцо! — сказал Феликс. — Это моя личная просьба.

— Нет, — сказал Кеша.

— Ты что такой несговорчивый? — помрачнел Феликс.

— Друзья! — Борька кинулся разряжать обстановку. — Не будем торопить события. Соорудим песочные часы, а там видно будет.

— Сколько ж это может стоить? — спрашивает Феликс. — Тут один стакан потянет на двенадцать тысяч долларов...

— А мы привлечем спонсоров! — не унывал Борька. — Стекольную фирму подначим, которая делает стеклопакеты. Звоним и ставим вопрос ребром: выдержит их стекло пять тонн песка?.. Мало ли, вдруг по Москве промчится смерч или песчаная буря? Мы хотим знать, можно ли за этим окном спокойно спать в момент наступления конца света? Или нет?

Это был благородный и праведный вызов. И его принял один из самых передовых наших граждан, мультимиллионер, олигарх, доблестный Саблин Илья Трофимыч, директор стекольного заводика.

Борька семь раз пытался попасть к нему на прием — Саблин ускользал, как Протей, знаток глубинных тайн, обладавший свойством принимать любое обличие, только бы уклониться от неприятных вопрошателей. Но когда они встретились и мой Кеша разложил на столе чертежи, Илья Трофимыч мигом отбросил имидж человека, которому хоть трава не расти. Не зря же он вскармливал дух и лелеял зародыш мудрости, в свободное от стекольного бизнеса время приобщаясь к тайнам просветленных Учителей. На полке у него стояла книга «Искусство владения мечом», а директорский кабинет украшала старая пожелтевшая афиша, где он играет на скрипке. Когда-то Илья Трофимыч был скрипачом.

— Я помогу воплотить вашу песочную симфонию, — взволнованно произнес Илья Трофимыч. — Не потому что я такой простофиля и меня беспокоит репутация завода. У нас расширенный ассортимент окон, фасадов зимних садов, лоджий и других светопрозрачных систем из ПВХ, алюминия, экологически чистых материалов — дуб, сосна, лиственница. Быстро, по разумной цене, европейское качество и надежность, третий контур уплотнения исключает сквозняки, морозоустойчив, пятнадцать лет гарантии, одиннадцать лет успешного остекления Москвы и Московской области... Я помогу вам, — сказал директор Саблин, — поскольку меня самого тревожит образ Времени.

— Клянусь, — отвечал ему Борька, потирая ладони, — что ваши деньги не будут брошены на ветер! А только зарыты в песок.

— Я ведь и сам не чужд искусству, — проговорил Илья Трофимыч. — Такие люди, как вы, Иннокентий, дают нам возможность преодолеть привычную узость! Воспринять мир не так, как того требует здравый смысл! Смешать порядок элементов, на который обрек нас наш разум.

Он вызвал секретаря и, чтобы не канителиться попусту, продиктовал приказ о начале работы стекольного завода над Кешиным проектом.

— Правильно говорили древние. — Единым росчерком Илья Трофимыч подмахнул бумагу. — Не преступай закона, раздавай дары, твори жертвы.

Ясный, стремительный, богатый как Крез, директор Саблин встает, нежной рукой скрипача жмет Кеше руку и долго ее трясет.

— Я не создал бы доходнейшего бизнеса, не будь у меня нужной смекалки, — сказал он на прощание, — однако в вашем проекте мне видится потаенный свет. И мои стекла этот свет проявят...

Опьяненный удачей, Борька затеял душевный разговор с директором песчаного комбината. Песок-то нужен был рафинированный, кварцевый, двадцать мешков по пятьдесят килограммов! Но, как ни обольщал легкой вкрадчивой речью песчаного магната, тот наотрез отказался разбазаривать свои сокровища и послал Мордуховича куда подальше.

— Теперь все — художники! — изрек он, нахмурив бычий лоб. — А кто будет лить сталь и добывать полезные ископаемые?

— Вот люди, а? — возмущался Мордухович. — Зимой снега не выпросишь!

Ладно, на песок раскошелился Феликс.

— А за манекены как будем платить? — паниковал Кеша.

Он хотел сделать две скульптуры с натуры, попросил мальчика позировать и Тасю. Но те не согласились, чтобы их засыпал песок, они только начинали жизнь, им это было както стремно.

Тогда он взял мою фотографию и свою и поехал в Химки. Там на заводе в цехе стеклопластики лепили фигуры по заказу клубов и ресторанов — майора Пронина или отважного летчика Джао Да. Амурчики, купидоны и херувимы на загородные виллы, ангелы для храма Христа Спасителя — все там делается. А первое, что увидел Кеша, — почти готовый слон в натуральную величину — для казино «Элефант». Слона уже отшлифовывали.

Кеша познакомился с бригадиром:

— Ну что, триста баксов — голова! Жень!

С лестницы, приставленной к хоботу слона, спустился Женя Дятлов.

— Поразительное сходство. Это ваша сестра? — спросил скульптор Дятлов, поглядев на мою фотографию.

— Уже да, — ответил Кеша.

Женя вылепил головы из глины, потом сделал гипсовую отливку и окончательный вариант — из пластика.

Кеша в свою очередь раскрасил нас акрилом, глаза нарисовал. Красотища неописуемая! Новые головы нам даже больше нравились, чем старые. Однако близился час расплаты. И Кеша робко поднял этот вопрос на семейном совете.

Он боялся, что все ответят:

— Мы за ваши головы не дадим и ломаного гроша.

Главное, как раз перед этим разговором мальчик насвистывал меланхолическую песенку «Жалоба ковбоя». А Кеша возьми ему и скажи, да еще так строго:

— В доме не свистят. А то денег не будет.

— Обычно так говорят люди, — отозвался мальчик, — у которых страшно их не хватает. Почему-то они любят это талдычить.

Мы позвонили Рите и Серафиму.

— Какое давление? — спросила я дружелюбно.

— Не смей это постоянно спрашивать! — сварливо ответила Рита. — Ты нас унижаешь этим вопросом.

— К черту подробности! — вмешался в разговор Фима. —

ВЫ ЖИВЫ? — вот что надо спрашивать. А то, знаешь, давление может быть нормальное, зато все остальное...

Чтобы поднять настроение королевской фамилии, Кеша сварганил знатную уху. Недавно я гуляла на Патриарших прудах, сумерки, падал снег, зажигались огни, вечная реставрация шла полным ходом. Смотрю, в рыбном магазине на прилавке огромнейшие чудища морские с застывшим взором. Пригляделась — о господи, это мороженые акулы!..

— Акулы??? — ахали коренные москвичи, не веря своим глазам.

— Акулы! Акулы! В подарок от Саддама Хусейна, — отвечал очень страшный мужик в колпаке и фартуке, без переднего зуба. — Они у нас тут целые, потому что пила сломалась!..

Я там купила шикарнейшего лосося, из которого и был сварен суп. Все прямо обалдели, до того он вкусный и сытный.

Стараясь казаться немногословным, Кеша изложил свой план взимания контрибуции с населения. По самым скромным подсчетам выходило, что на парочку манекенов нашей семье надо вскладчину выложить штуку баксов.

— За мою и Марусину головы скульптор просит шестьсот. Но если б я ему заказал сделать нас от макушки до пяток, он потребовал бы две тысячи, не меньше! — рассказывал Кеша, радушно подливая нам в тарелки лососевой ушицы. — А я нашел такой магазин, где продаются уже готовые туловища с ногами и руками! Они, правда, стоячие и со своими головами на плечах. Но если придать им форму сидячих людей, те головы оторвать, а наши приделать, — радовался он, как будто был самим Творцом Вселенной, — получится большая экономия!.. — Давайте вложим капитал в мою работу «Мы поглощаем Время, Время поглощает нас»! — звал нас Кеша в заоблачные дали. — Это непременно окупится! Любой Музей Современного Искусства ее с ногами и руками оторвет! Все вернется нам сторицей, принесет гигантскую прибыль! А мы эти деньги пустим на квартиру! Впрочем, если вы ничего

не дадите, я вас пойму и прощу, — заметил он с подобающим смирением. — Возьму посох, котомку и босой пойду по Руси.

Так он сказал, бесхитростный, превозмогающий невзгоды, и дал нам почитать квитанцию «изготовление голов», где Женя Дятлов подробно расписал смету.

Наши родные и близкие подробно ознакомились с этим документом, после чего молча уставились на Кешу. А надо сказать, у Кеши всегда в животе начинает бурчать от чрезмерного внимания. Вот он стоит перед нами — а в животе у него:

— Вр-р-р! Бр-р-р!

Первым опомнился мальчик.

— Да ты, Кеша, спятил! — сердито сказал он. — На каждом шагу мы рискуем своими деньгами. А ты, вместо того, чтобы преумножать наши богатства, наносишь корпорации непоправимый ущерб!

Зато Серафим — он очень много совершил, и многое собирался совершить — произнес:

— Мы не вправе требовать, чтобы Иннокентий изменил тем задачам, для которых его предназначило само провидение. Кеша — гений, такое придумал! Его ждет оглушительный успех. Деньги потекут к нему рекой, и он худо-бедно наскребет на свой взнос! Кто как хочет, а я в этом проекте участвовать буду.

— Уж лучше скинемся Фиме на зубы! — артачился мальчик.

— Ни в коем случае! — сказала Рита. — У Фимы красивые разноцветные зубы: очень золотые, золотого золотей, желтые, коричневые и кипенно-белые! Зубы для Фимы не являются нашей первоочередной задачей.

— Вы посмотрите на нее! — всплеснул руками мальчик. — Я к ним вчера прихожу — у них шаром покати. В доме куска хлеба нет. Одни грибы и капуста.

— Капуста с грибами способствуют пищеварению! — важно отвечала Рита. — Это нам полезно для здоровья. Никто не скажет, что я не забочусь о своем муже. У всех мужья давно уже умерли, а у меня — нет. Пусть он худой и глухой, но это к питанию не относится. Кстати, за последнее время Фима налился, как яблочко, округлился. Он ходит без трусов уже несколько дней!

— Потому что мне резинка тесна! — сказал Фима.

— Это значит, что ты увеличился в объеме. Прямо видно, как у него все растет и наливается. И он даже стал меньше лысый, вы заметили?.. Мы были с ним в поликлинике. Там сидят тридцать три старичка, так он самый обаятельный! Сложил руки на ширинке, глаз у него лукавый!.. Нет-нет-нет, я делаю вложение в статуи!

Фима взглянул на нее с восхищением:

— Мы с тобой понимаем друг друга, — нежно проворковал он, — как Роза Люксембург Карла Либкхнехта!

— Даже лучше! — добавила Рита.

— Надеюсь, никто не возражает, — тихо спросила Тася, — если я внесу свою долю в создание скульптур?

Не зря она у себя в Кубанском университете защищала диплом на тему: «Создание сильной команды из слабоорганизованного коллектива»! Тут и мальчик принес из чулана пачечку банкнот и со словами: «Ты, Кеша, образчик законного ограбления ближних!» позволил приобщить их к остальным капиталам.

— Меня обуревает букет чувств, — выступил с ответной речью Кеша. — Благодарность, радость, гордость... и уверенность в завтрашнем дне!

Короче, он снова вдел ногу в стремя, а вдогонку ему неслось одобрительное гиканье ковбоев, скакавших в клубах пыли.

Мы отправились в Химки. Там на складе уже стояли голые манекены, магазинные, с нашими конкретными головами. Словно сумасшедший Доктор из «Пещеры Ужасов», Дятлов распилил им руки и ноги, а потом примотал скотчем к туловищу так, чтоб они были согнуты в локтях и коленях.

Стали думать, во что их одеть. У нас нет ничего парадного, пришлось выпросить у Серафима его костюм шерстяной австрийский, в отличном состоянии.

Ботинки дал Кеша — лучшие свои ботинки!

Рита с печальным вздохом безвозмездно пожертвовала старинную вязаную шаль, платье бежевое, туфельки, все такое старое, но выглядит благородно.

Еще у Риты в сундуке оказались припрятаны два парика, один из которых она собралась вручить моей тетушке на семидесятипятилетие. Маргарита придумала яркий застольный хэппенинг: заколоть волосы — вроде бы «под лысого», нацепить парик. А в разгар застолья поднять бокал и воскликнуть:

— Смотрите на меня! Видите, как эффектно я выгляжу? Но что я — без этого предмета?

После чего — сорвать парик и с головой — гладкой, как коленка, провозгласить:

— Это нужно каждому! Катрин! Нахлобучивай его скорее! Он — твой!..

— А я выну зуб вставной изо рта и скажу: «Веня! Брат! А это тебе!», — возмущенно сказал Фима. — И присовокуплю слуховой аппарат. Тут все как пойдут преподносить друг другу свои протезы, костыли и супинаторы!.. Вот будет веселье!

Рита обиделась, надулась и всю дорогу ворчала, мол, она только хотела, чтобы Катюша выглядела, как нормальная бабулька, а не как одуванчик после урагана.

В назначенный день в галерее «Феникс» Феликс принимал от производителей циклопические песочные часы. Высотой два семьдесят, тройные стекла, способные выдержать давление в несколько тонн, шесть граней, стальная рама, наверху конус с дырочкой из металла проложен стеклами, все это герметично!..

Илья Трофимыч Саблин не мог налюбоваться на свою работу. Он шагал кругами, как конь на поводе, и косил на нее восхищенным глазом. Саблин — бывший скрипач, а дочь у него учится в консерватории по классу вокала. И когда он узнал, что на открытие придут высокопоставленные особы, мэр, Министерство культуры в полном составе, заместитель мэра Иосиф Орджоникидзе, строительные магнаты, режиссеры, актеры, толпы знаменитостей, он завел разговор с Кешей — мол, а что, если на вернисаже в стеклянной призме исполнит арию «Приди, возлюбленный, приди» одна подающая надежды оперная певица, намекая на свою дочку.

— Интересная идея, — сказал Кеша. — Но, между прочим, на нее будет сыпаться песок.

— Почему? — дудел в свою дуду Саблин. — Она споет, мы ее выудим оттуда, и ты откроешь вентиль.

— Побойтесь бога, Илья Трофимыч, там же ничего не слышно, безвоздушное пространство! — заслонял своим телом Кешу Борька Мордухович. — Хотите — сами берите скрипку, садитесь туда и играйте беззвучно! А что? Это будет картинно: бизнесмен, олигарх, гений стеклопакета, сидит в стакане собственного изготовления и наяривает на скрипочке!

Вся художественная общественность Москвы съехалась во двор ничем доселе не примечательной галереи «Феникс» — чиновники, коллекционеры, любители искусств, мелкие тусовщики, которые ходят на фуршеты, чтобы выпивать и бутерброды с собой уносить в пакетиках (есть и такие).

Феликс предстал перед публикой в умопомрачительном шерстяном костюме болотного цвета, камышовой рубашке и авангардном галстуке с изображением нильского аллигатора.

— Друзья! — сердечно произнес он, распахивая объятия и обнаруживая у себя на груди крокодила от носа до хвоста. — Как говорил у нас в Анголе полковник Веткин: «Время деньгу дает, а на деньги и времени не купишь»! Поэтому выставку «Машина Времени» считаю открытой!

...В центре зала, в граненой колбе на стульях за столом, устланным бабушкиной скатертью с кружевами, неподвижно сидели мы с Кешей. И я подумала: какой же у меня царственный профиль. Я раньше стеснялась своего профиля, а сейчас я им горжусь.

Рита с Фимой чуть в обморок не упали, когда вся эта архитектоника явилась их изумленному взору в полной красе. Перед нами сияли хрустальные бокалы, остатки былой роскоши, кузнецовские тарелки, которые дед Степан еще до революции поднял с затонувшего корабля «Женя-Роза», вилки, ножики, все как полагается, у ног на полу примостился мой старый плюшевый медведь. Замкнутая сфера Вселенной, увенчанная внушительным стеклянным конусом — вместилищем песка.

Телевидение, фотографы окружили песочные часы. Самый знаменитый фотокор восточной Европы, светило фотографии, немец Бурхард Ханс Юрген нацелил на Кешу объектив.

Снимали каждый шаг: вот Иннокентий приставил к колбе лестницу, поднялся, палочкой раскрыл отверстие в часах, откуда легкой струйкой, почти прозрачной, полился песок, тончайшая песчаная пудра.

За несколько минут она покрыла наших магических двойников, словно патиной, придав им античный вид, будто они вылиты из бронзы. Что-то египетское проступило в лицах — от изваяния супружеской четы Рахотепа и Нофрет, которые присели тут на мгновение — пять тысяч лет назад в эпоху Древнего царства.

Подобно эху, миражу, оптической иллюзии, безмолвные фигуры, оборвавшие свою речь на полуслове, пробудили у зрителей почти такое же благоговение, какое было в сердцах подданных Хуфу.

Песок ложился слоями, закручиваясь по краям — вращение Земли было тому причиной, или же действие магнитных полей, — плавно обтекая предметы. Ничто не сдвинулось с места, хотя Кеша нервничал по этому поводу, порывался бокалы прикрепить к столу.

— Песок прямо как воздух! — в изумлении пробормотал Кеша.

Официант вынес шампанское и оцепенел, не в силах оторваться от часов, все смотрел завороженно, как Время поедает нас, а мы поедаем Время. Он стоял — с той стороны, за часами, переживал, что не может обслужить столик ввиду текучести и тонкости энергетического воплощения клиентов.

Внезапно песочные часы залило неисчерпаемое в своих проявлениях лазоревое свечение. Мне показалось, воссиял потаенный свет мудрости Совершенства, неотделимый от прозрачности всех вещей.

Но тут как гром среди ясного неба раздался оперный баритон Ильи Трофимыча Саблина:

— Это электрохромные стекла, — сказал он, и все вздрогнули. — Изобретение инженера Потапова. Там между стеклами проложено специальное химическое вещество, состав которого наша фирма держит в большом секрете. В ближайшем будущем мы начинаем широко внедрять его в производство. Не надо ни штор, ни занавесок, ни жалюзи! Неоценимое подспорье — в белые ночи за Полярным кругом! Стоимость одного квадратного метра — шестьсот евро. Кто желает заказать — пожалуйста! Нет желающих? Ничего, подождем. Потом в очереди стоять будете!..

Грозное предупреждение Ильи Трофимыча вывело публику из оцепенения, вспугнуло, как разбуженный улей. Раздались восторженные возгласы. Прищелкивали пальцы. Как можно доходчивее Феликс растолковывал респектабельному директору Московского музея современного искусства Васе Церетели сложный принцип работы песочных часов.

— Значит, лезешь на лестницу, — говорил он, — и высыпаешь в конус три мешка песка. И он восемь часов сыпется. А нагружаешь так: стоишь на лестнице — вверху, снизу ведра подносят, а ты засыпаешь.

— А когда *просыпаешься*, — пошутил Мордухович, который этот песок весь собственноручно засыпал в конус, — уже все готово!

Рита, Серафим и наш мальчик с Тасей, хотя и глядели именинниками, но все же растерянно озирались, пытаясь постичь взаимосвязь всего сущего. До их ушей доносились обрывки фраз, которые будоражили воображение, рисовали заманчивые картины...

— Интересно, сколько может стоить такая инсталляция?

— Вы серьезно поднимаете этот вопрос? — Феликс что-то ответил, я не расслышала, но Вася Церетели отошел от него, покачиваясь.

Феликс важно принимал поклонения и воскурения, пока знаменитая Катерина Глогер из журнала «Штерн» допытывалась у Кеши, существует ли скрытая, потаенная идея в недрах песочных часов?

Кеша отвечал уклончиво:

— Не надо ничего усложнять. Все просто. Здесь только время и пространство, переходящее во вневременность и внепространственность. Больше ничего.

Днем и ночью из галереи в Интернет шел прямой репортаж о том, что происходило в Кешиных часах. По новостям канала «Культура» показывали пять стадий погружения. Глянцевые журналы обошла фотография, где стоит Кеша рядом со своим двойником за стеклом — точно с таким же взглядом, устремленным в вечность. Автографы, телевидение, бессчетные интервью...

— Что вы думаете о Времени, Иннокентий?

— Что оно нас поедает...

— Для кого-то эта работа потребовала бы многих веков неутомимого труда и страданий, — пытался осмыслить феномен Кешиных часов известный искусствовед Скавронский, — а вы так легко это делаете, без усилий, играючи...

— Я все делаю серьезно, — отвечал Кеша, — но по касательной. Этого не видно, как я стараюсь. Мотылек, он ведь тоже серьезно летает. И кузнечик серьезно стрекочет. Если к нему присмотреться, будет видно, как он сгибает ноги — коленками назад, как потеет, прыгает. Это вам с вашего роста и вашего возраста кажется, что все несерьезно.

К закрытию выставки в стеклянных часах виднелся лишь высокий песчаный бархан на столе и наши отчаянные головы.

Всем было ясно, что эта работа имеет крупное мировое значение. Неслыханный почет обрушился на Кешу. Феликс, ужасно довольный, ходил, потирал ладони, однако и слова не обронил, решился ли кто-нибудь в конце концов приобрести песочные часы?

Не зная своей судьбы, Кеша с Борькой уже разбирали агрегат на части, песок весь просыпался на пол, я принялась откапывать моего медведя, а художник Андрей Бартеньев в желтом пиджаке, золотых ботинках, брючках «дудочках», фланируя туда-сюда, сказал: «Ой, Кеша, я заплакал, когда мишку совсем засыпало!»

И тут мы увидели Феликса в компании франтоватого субъекта с брильянтовым перстнем. Тот бурно жестикулировал и все показывал на песочные часы, а Феликс одобрительно и слегка надменно кивал.

— Ну, красавцы, — объявил Феликс, проводив гостя, — как говорил полковник Веткин, «Купец — ловец: а на ловца и зверь бежит». Есть покупатель! Вы не поверите — супернефтяной магнат из Арабских Эмиратов! — Феликс вытащил визитную карточку и прочитал: — «Шейх Мухаммед бен Зульфикар Анвар Рашед аль Мактум»!!! Заходил его агент Абрам Шофман. Он отправил шейху фотографии — у того крыша поехала. Бомбит Шофмана SMS. Вези, — требует, — эту хреновину в Эмираты любыми правдами и неправдами.

— А что? Поставит в своем дворце в прихожей и будет любоваться! — обрадовался Борька.

— У него в Дубае гостинично-развлекательный комплекс с видом на Персидский залив, — ликовал Феликс. — Там шейх Мухаммед открыл музей для привлечения туристов. Купил акулу в формалине у англичанина Дэмиана Хёрста, пианино Бойса, обшитое войлоком, восковую теннисистку Курникову Олега Кулика, на прошлой неделе приобрел скульптуру Маурицио Кателлана «Папа Римский, пришибленный метеоритом»! Теперь в одном ряду с этими диковинами хочет получить в коллекцию песочные часы!.. Предлагает сорок тысяч долларов...

Мы ехали домой и прямо не верили своему счастью. У меня на руках, словно годовалый ребенок, сидел плюшевый медведь, обнимал за шею. Я, собственно, и храню его столько лет за это дружеское объятие.

Все как раз собрались — Рита, Фима, Тася сварила курицу, мальчик купил «мартини» — разлил по бокалам — с кусочками ананаса.

— НУ ЧТО? — победоносно произнес Кеша.

Это был венец Кешиной славы.

Еще бы! Прожить свою жизнь в согласии с собственным сердцем, следуя его ударам, направляясь в неведомое, — совсем как орел, пролетающий на фоне солнца, в полной свободе, не знающий пределов. И в то же время достигнуть столь оглушительного коммерческого успеха, в сравнении с которым, заметил бы сэр О'Генри, маленькая нефтяная афера Рокфеллера казалась жалкой керосиновой лавчонкой!..

Мы чествовали Кешу на полную катушку, и баснословная сумма, которую шейх собирался уплатить за наши песочные часы со всем их затейливым содержимым, передаваясь из уст в уста, неуклонно росла.

— Значит, мой костюм никогда не вернется? — вдруг спросил Фима с невольной грустью.

— Мы пойдем в магазин, — ответствовал Кеша, — и выберем для вас любой костюм, какой вам понравится — английский или швейцарский! Даже, если захотите, купим фрачную пару!

Видимо, он тоже любил пустить пыль в глаза. Жаль, ему редко такое выпадало.

А тут Кеша так разважничался, стал ложиться спать и спрашивает:

— *Здесь свободно?*

На кровати у меня!..

Я даже начала опасаться, как бы мы не позабыли об источнике наших головокружительных удач, не дай бог, не приписали себе эту заслугу. Настолько исправно к нам нисходила могучая помощь свыше, причем она вовсю набирала обороты!..

Я немного прихворнула — бронхит, ангина, температура под тридцать девять, все как в песенке нашего мальчика:

> Вот лежу я весь в пыли
> Под чугунным утюгом...

Вдруг звонок. Я поднимаю трубку — слышу, русская речь с английским акцентом:

— Мария? Вас бьеспокоит Вольдемар Персиц from the United States of America. Понятно ли я говорью по-русски? — продолжал он. — Вы слушаете, Мария?..

— Слушаю, — отозвалась я своим медлительным томным контральто.

Вообще у меня шикарный голос, наследственный, Ритин, богатый модуляциями. Я, собственно, даже внешне на него не тяну. Мне хорошо было бы выступать по радио. Жаль, что я часто простужаюсь, сипну. За это меня когда-то в школе прозвали Сиплый Ежик.

— Мария! У меня к вам дело. — Он помолчал, явно собираясь завязать со мной серьезный разговор. — Кругом царит жестокий нрав, — произнес он с неподдельной болью. — Земля в огне, война, экологический катастроф, этнический конфликт, энергетический кризис, голод и страдание — вот мир, в котором мы живьем. Особенно остро это у нас на Запад. Мы должны стать добрее. Более открытый друг другу. Понимайш? Мой русский язык — слишком бедный — выразить мои чувства. The humankind катится в hell.

— Я вас отлично понимаю, — воскликнула я, вся в жару. Он даже опешил немного, не ожидал, что его призыв умягчать злые сердца встретит во мне такой живой отклик. — Но что мне делать? Чем помочь?

— Нас может спасти одно, — промолвил он. — Каштанка!

— Да! — подтвердила я. — КТО-КТО???

— «Каштанка», Чехов! — он убежденно повторил. — Я режиссер. Карту-ун. Мультфильм. Мне нужен сценарист.

— А вы откуда мне звоните?

— Есть такой город — Холливу-уд! — он отвечает.

— Вот вы приедете, — я говорю, — заключим договор...

Пытаюсь привнести в наш разговор крупицу холодного рассудка. Но он возразил:

— Нельзя теряйт минуты! Врэмя — Апокалипсис.

— А мой аванс? — я спрашиваю со слабой надеждой.

— В убытке не останьетесь, Мария, — весомо произносит Вольдемар Персиц. — Сценарий для Холливу-уд стоит не меньше, чем двадцать пьять тысяч долларов. Итак, мы ждем рождественская сказка из Россия. Зима, ваш позапрошлый вьек, кружится снег — на весь экран, извозчик в шубе, пар из лошадиных ноздрей. По снегу бежит Каштанка... Okey? Садитесь и пишите.

Черт, не люблю я начинать без аванса. Тем более для Голливуда. К тому же Кеша после того случая с правительством Москвы стал жутко подозрителен.

— Да ну эту Каштанку! — говорил Кеша, вдохновленный предстоящей покупкой песочных часов арабским шейхом. — Намучаешься ты с ней. А Персик даже телефона тебе не оставил.

— Не Персик, а Персиц! Вольдемар Персиц! Ты еще услышишь это имя.

— А если я его больше не услышу? — гадал Кеша на кофейной гуще. — А ты накропаешь сценарий? Куда мы его потом? Свердловская киностудия такой голливудской туфты не примет.

Все это будило во мне сомнения и замешательство. Но раз

уж мы на алтарь нашей славы уже возложили столько жертвенных тельцов, стоило ли останавливаться на всем скаку? Ох, как меня Кеша отругал, когда я тут недавно подошла к телефону, а мне говорят:

— Мы звоним заказать работу художнику Иннокентию. Он, наверное, бедный и голодный?

Я ответила:

— Нет, вы знаете, он сытый и богатый.

Я ведь и сама небольшой любитель заказных сценариев. Они ничего не дают душе и даже, напротив, убивают поэзию. Вообще меня очень занимает жизнь, поэтому я мало работаю как писатель. Творческая энергия выплескивается, хлещет, переливается — в людей, в перипетии, любовь, так много пережито, исхожено всего, так много потерь, они меня зажали изнутри, как в переполненном вагоне. А для творчества необходимо глубокое дыхание и простор.

Но я со своей хозяйственной сметкой все-таки принялась за «Каштанку».

Давно я Чехова не брала с полки — а тут наугад протянула руку, взяла шестой том — у нас классическое, коричневое собрание сочинений, которое до сих пор пахнет канцелярским клеем, со скрепками внутри — где на обложке золоченое тиснение *А.П. Чехов*, открыла — «Каштанка»!

Ну, до чего же я не любила этот рассказ в детстве. Тем более, Антон Павлович выкинул такой фортель, я только теперь поняла, что повествованье ведется фактически от ее лица — похожего мордой на лисицу! Там прямо царит затуманенное собачье сознание — неясность, смутность, зыбкость, все происходит в мире-мареве, мире-мираже! Как он умудрился влезть в ее шкуру, я до сих пор не пойму...

Каштанка, душа моя, даже отпетый бедолага Башмачкин со своей пресловутой шинелью, коллежский асессор майор Ковалев, плачущий о сбежавшем носе, и страстотерпец господин Голядкин, ей-богу, и те выглядят сохранней.

Я не знала, получится ли у нас с Вольдемаром растопить сердца блуждающих людей Кали-юги, вдохнуть сострадание, милосердие к малым сим, обратить их на путь истинный — мое лично сердце рвалось в клочья от жалости и вселенской любви. Особенно в эпизоде той нескончаемо тоскливой ночи, когда стал умирать ученый гусь. И клоун, печально вздыхая, говорил: «Бедный Иван Иваныч! А я-то мечтал, что весной повезу тебя на дачу и буду гулять с тобой по зеленой травке. Милое животное, хороший мой товарищ, тебя уже нет! Как же я буду обходиться без тебя?»

Я уж не говорю о заключительной сцене, когда незадачливый m-r Жорж — на манеже, растерянный, расстроенный, глядя вслед убегающей от него навсегда Каштанке, под свист и улюлюканье публики повторял: «Тетка!.. Тетка...» О, я знаю, как это бывает: все валится вокруг, и ты понятия не имеешь — восстановится ли привычный ход событий?.. Или это непоправимая катастрофа?

Мне хотелось облегчить их судьбу, привнести хотя бы искорку надежды. Я строчила сценарий и плакала, а ведь я редко плачу — при ком тут плакать? Да и потом, когда что-нибудь приключается — некогда обливаться слезами, надо засучивать рукава, куда-то нестись сломя голову, что-то предпринимать. А если уж ничего от тебя не зависит, опять смысла нет.

Тут Рита звонит:

— Маруся, можешь поздравить меня и Фиму, сегодня у нас большой праздник — День Пожилых и... День Страуса. У нас он празднуется впервые, но все попросили, чтобы он был теперь ежегодно.

Я пригласила их в гости по этому случаю, — на макароны с зеленью и кальмарами, но они мне отказали. Днем раньше Серафим поехал за город на встречу с подругой его первой жены, которую не видел ровно пятьдесят лет.

Несмотря на то, что наше финансовое положение обрело довольно радужные перспективы, Фима по инерции продол-

жал экономить, принимая все без разбору приглашения, чреватые угощением. Причем к своему визиту начинал готовиться загодя, постясь и предаваясь возвышенным размышлениям. А дальняя дорога его не смущала, поскольку у него бесплатный проездной, он мог на званый обед отправиться даже в другой город.

Фима прибыл на какой-то забытый полустанок, вышел из электрички, огляделся, увидел сидящую на лавочке бабушку — она была единственной на платформе — и весело направился к ней, держа перед собой свою фотографию полувековой давности, где он молодой красавец с черной шевелюрой, вздымающейся высоко над головой, каким она его знала.

Та вскочила, бросилась его обнимать, пригласила к себе домой и накормила до отвала фаршированной рыбой, после которой у Фимы случилось буйное расстройство желудка. Видимо, эта женщина от волнения тоже слишком задолго начала готовиться к Фиминому приезду.

Я снова погрузилась в работу. Правильно рассчитал Вольдемар: люди нашей Земли должны познакомиться с этой очищающей душу историей. Ведь народ в большинстве своем вряд ли кинется ее читать, а мультфильм по телевизору от нечего делать, лежа на диване, посмотрит.

Эх, зря я не читала «Каштанку» мальчику в детстве — как-то не хотелось его огорчать. А теперь ему некогда. Он у нас перешел на другую работу. В арт-клубе разразился скандал. Нам с Кешей позвонил его директор:

— Вы кого воспитали вообще? — спросил он. — Менеджера по рекламе? Или кого? Чтоб вы знали, менеджер — это человек с папкой, от которого хотелось бы слышать два слова: «здравствуйте» и «спасибо». А он у вас — прямо председатель земного шара!

Мальчик уволился, начал ждать подходящего предложения. Все ходил к Белому Дому смотреть объявления — не нужен ли губернатор Чукотки?

Наконец его позвали возглавить отдел рекламы сети продуктовых магазинов «Обжора», названных по имени президента компании Жоры Мовсесяна.

— Да, в нашей стране невозможно совместить духовное продвижение и финансовое. Нужно делать выбор. И я его сделаю! — говорил наш сын, отправляясь на собеседование в компанию. — А вы тут пытайтесь проснуться, пейте кофе, жуйте бетель, кофейные зерна, бейте себя по щекам, щелкайте по носу... Чем вы еще занимаетесь, когда я ухожу?

— Нет, малыш, — отвечала я, заливаясь счастливым смехом. — От окончательной бездуховности тебя спасет чувство юмора.

— А тебя, — он вздыхал, — от окончательного безденежья не спасет ничего!..

На собеседовании со службой безопасности, заполняя анкету, в графе «особые просьбы», он написал: «Чтобы с едой не было никаких перебоев».

— Голодное детство? — спросили его участливо.

И все были удивлены, что у него папа художник, а мама писательница.

— Ничего себе, — скептически заметил начальник службы режима Эдвин Петрович Харонов, — какие у вас родители креативщики! Хотя все одно: рекламщики, пиарщики, писатели, художники...

— Правильно! — ответил мальчик, добродушно улыбаясь. — А другое — военные, киллеры, милиционеры и прокуроры.

Это была практически армейская организация. Все по часам, повсюду установлены камеры слежения, каждый твой шаг запечатлевается и — в архив. Сам Эдвин Харонов, начальник падших ангелов, полностью помешанный на древней германской мифологии, когда с кем-нибудь знакомился:

— Эдвин Петрович, — говорил.

И обязательно добавлял:

— Эдвин — значит «бесстрашный»!

Он прошел семь войн, семь горячих точек. У него спецназовское прозвище Конан.

Видимо, приглядываясь к нашему мальчику, пытаясь изучить его характер, Эдвин Петрович не оставлял его ни на минуту. А чтобы это присутствие не казалось подозрительным, все время рассказывал что-нибудь из своего героического прошлого.

Например:

— Взяли мы «вертушку», погрузили туда сейф с боевыми припасами, взлетели. Я не помню, где это было, какой-то глухой аул. Дай, думаю, пошучу. Поджигаю фитиль и собираюсь выбросить его на землю — для забавы, а он оказался очень тяжелый. Мне даже в голову не пришло, что я не смогу его из салона выпихнуть. Короче, в летящем вертолете с боеприпасами горит фитиль, и его с места не сдвинешь! Я до сих пор помню глаза пилота!..

Или:

— Однажды мне дали роту непослушного народа. Смотрю, в какой-то момент они вообще перестали мне подчиняться. Я взял гранату со слезоточивым газом, бросил ее в хижину, где мои ребята обедали, и захлопнул дверь. После этого они слушались меня с полуслова. А ведь я мог швырнуть боевую!..

Вверенную ему службу безопасности новой сети московских магазинов Эдвин Петрович инструктировал:

— Второй закон спецназа: что-то движется — стреляй!..

Контролером в зале у него работала Антонина Николаевна Кизякова. Эдвин ее высоко ценил.

— Мимо Кизяковой муха не пролетит, — он говорил восхищенно. — Как будто ты сам упал, бежал, сразу все выронил, шоколадки выпали, и у тебя уже руки за спиной. Она в Якутии в следственном изоляторе работала конвоиром.

Историю за историей рассказывал Эдвин моему мальчику, прихлебывая крепко заваренный чай из граненого стакана с серебряным подстаканником.

У него был знатный советский подстаканник — с серпом и молотом и серебряной звездой.

— Ну, им понравилось, как ты оформил магазин? — наивно спрашивал Кеша.

— Уже то, что никто не ворвался ко мне в кабинет, — отвечал мальчик, — не заорал диким голосом и не свалил меня со стула ударом в челюсть, говорит о том, что все более или менее.

Благодаря его усилиям мрачные бетонные магазины были украшены яркими цветными фотографиями продуктов. Окрестные жители туда стекались круглосуточно с огромными сумками. Особенно в эти магазины полюбили ходить пенсионеры, потому что мальчик утвердил для них специальную скидку — он на этом построил пиар-кампанию.

Тот, кто все время там отоваривался, получал карточку «Почетный обжора» — отныне он мог покупать еду с пятипроцентной скидкой. Пять лет — пять процентов, десять лет — десять и так далее. А если покупатель за один присест набирал целую гору продуктов, то получал приз: красивый сломанный плеер и синюю пластмассовую кружку с желтой надписью «ОбЖора» — «О» — большое, «б» маленькое, и «Жора» — с заглавной буквы. Посмотришь издалека, получалось «О Жора»!..

Жора Мовсесян, президент компании, регулярно вывозил сотрудников на пленэр. Там жарили шашлыки, играли в футбол, раскидывался шатер, и Жора держал такие речи:

— Уважаемые коллеги! Человек может бодрствовать, спать, работать, не работать, читать книги, не читать, ходить или не ходить в театр, даже одежду не покупать. А есть — он всегда хочет. Поэтому наш бизнес будет процветать до самого Армагеддона — включительно!..

Какая уж тут «Каштанка»! Майкл Причинелло «Голый Пиар» — вот что было теперь настольной книгой нашего мальчика. Откроешь на любой странице и читаешь: «Так вы сможете продать не только жареный бифштекс, но и его шипение!»

Деньги, заработанные в «Обжоре», мальчик приносил домой и прятал в чулане за свою картину с ночным подлунным морем и черной скалой.

Зато любимой книгой Кеши с недавних пор стал богато иллюстрированный путеводитель «Туризм в Арабских Эмиратах».

— Благословенные края, прямо рай, — говорил он, мечтательно разглядывая на фотографиях теплое море и зеленые пальмы, восточные сладости, а также всемирно известный центр торговли, который издавна славится своими золотым и шелковым рынками, рыбным базаром и рынком пряностей. — Аравия, Маруся, стяжала себе лавры своими пряностями, — важно сообщал Кеша, принюхиваясь к путеводителю. И таинственные ароматы удивительных трав, ладана, корицы, мирры, шафрана, растворяясь в атмосфере загадочного восточного города, доносились до его трепещущих ноздрей. — Во времена царицы Савской, — благодушно объявлял Кеша, — Аравию называли Аравия Феликс, что значит — «Счастливая», надо рассказать об этом нашему Феликсу. Ему будет приятно.

Кеша бредил уже дворцами, знойными базарами, душными чайханами, узкими солнечными переулками, где шумят и волнуют душу восхитительные фонтаны, утопающие в цветах. Ему казалось, среди старинных мечетей толпами скитаются Аль-Рашиды во всех обличьях, старательно выискивая, на кого бы обрушить свою необузданную щедрость.

— Наверно, там нет будней, нет счетов за электричество, нет квартирной платы, нет беспокойства, нет смысла, вообще ничего нет. А потому не задержат меня тут ни снег, ни буйный ветер... Чтоб ты знала, Маруся, — доверительно говорил он мне, — это очень обеспеченное государство — нефтью торгует! А Дубаи — самый богатый эмират. Надо позвонить Феликсу, что-то он давно не звонит. Мы должны тоже поднять цены, чтобы не разориться.

— Вы в рубище должны ходить, босые, как Пиросмани, за миску картофеля расписывать таверны. А вы все боитесь разориться! — внезапно заявила Рита.

Она всегда отзывалась неожиданно по любому вопросу касательно человеческого счастья и мудрости.

— Высоцкий тоже останется в народном сознании в рубище — но в «мерседесе», — парировал Кеша.

Теперь у него были все основания считать себя великим человеком.

Когда появлялся Борька Мордухович и спрашивал тревожно:

— Ну, где этот хуй в золотой оправе? — Кеша отвечал невозмутимо, уверенный, что дело в шляпе:

— Сиди тихо. Весна придет. Трава вырастет сама по себе.

Но Мордухович сидел как на угольях.

— Я рад, когда официально можно понервничать, — вызывающе говорил Борька. — Обычно все скрываешь, а тут есть причина. Никто не скажет: «Что ты нервничаешь? Без причины?»

Он уже сто раз звонил Феликсу. А у того голос все безжизненней и безжизненней. В конце концов Кеша набрал телефонный номер галереи, а ему отвечают:

— Сегодня не работаем — Вальпургиева ночь.

— Ой, — говорит Кеша, — в галерее «Феникс» празднуют Вальпургиеву ночь. Это они, наверное, ее устроили.

Короче, пришло время, и мы узнали, что шейх Мухаммед бен Зульфикар Анвар Рашед аль Мактум, в чьих руках целиком была наша судьба, передал через своего агента Абрама Шофмана, что разочаровался в актуальном искусстве.

С космической улыбкой на устах принял Кеша это известие. Могучий духом в несчастьях и все-таки с замиранием сердца, страшась услышать худшее, он прибыл в галерею «Феникс», и Феликс ему выложил все начистоту.

Оказывается, когда шейх за немереную сумму приобрел в свою коллекцию скульптуру «Папа Римский, пришибленный метеоритом», художник Маурицио Кателлан потребовал, чтобы в стеклянном потолке крупнейшего гостиничного комплекса стоимостью в сто миллиардов дирхамов вырубили настоящее отверстие от якобы упавшего метеорита.

Шейх было заартачился. Но Маурицио пристал к нему с ножом к горлу — дескать, младенцу понятно: если с неба упал метеорит и под ним распластался Папа, чтобы все выглядело достоверно, в потолке нужна дырка. И баста.

Из-за поднявшегося тарарама шейх утратил остатки рассудительности. В какой-то момент заядлый любитель верблюжьих бегов и соколиной охоты размяк и дал добро на пробоину в потолке, из-за чего в музее, которым он так гордился, отказали кондиционеры. А там жара, в Арабских Эмиратах, без кондиционера никак нельзя.

Вскоре разнесся слух: в аквариуме протухла акула, начала разлагаться, тело акулы утратило прежнюю форму, а ведь он заплатил за нее шесть с половиной миллионов фунтов! И практически полностью растаяла восковая Курникова. Один только Папа Римский со злосчастным метеоритом остались целые и невредимые.

Понятно, что еще и не такие напасти случаются с хорошими людьми.

Ну, взял бы этот незадачливый ценитель изящных искусств, заделал прореху в потолке, восстановил систему охлаждения, воспрянул духом, заменил бы мертвую акулу на новую, да и подкрепил затрещавшую по швам коллекцию русскими песочными часами.

Ничего подобного.

После того как метеорит Кателлана пришиб собрание актуального искусства крупнейшего гостиничного комплекса Дубаи, в богатом Кешином воображении шейх Мухаммед приблизился к своему дубовому буфету — точной копии буфета из дворца короля Людовика XIV, который он приобрел по недемократичной цене 140 000 долларов, вынул хрустальный стакан, антикварный, «с царского стола», купленный по случаю на аукционе «Сотбис» за 3 754 фунтов стерлингов, налил туда односолодового виски, сделанного в затерянной среди гор деревушке Шотландии (всего 1 995 долларов бу-

тылка), добавил содовой воды, но пить не стал, памятуя о том, что он все таки шейх и магометанин.

Потом он рассупонился, накинул на плечи шелковый китайский халат (старинная ручная вышивка), при этом на руке его блеснул платиновый перстень с неограненным алмазом, записанным в книгу рекордов Гиннеса.

Мухаммед опустился в бархатное кресло (в далекой солнечной Италии, на родине Рафаэля и Феллини, на этого кашалота работает мебельная фабрика, а то и две-три!), закурил кубинскую сигару «Kohiba» знаменитого сбора табака 1963 года. Ему немного полегчало на душе, и он подумал: «Господи, сколько же у меня денег! Я даже не успеваю придумать, куда бы их сбагрить. Ясно одно: no more art!»

Он вытащил мобильный телефон — милая безделушка по цене хорошей однокомнатной квартиры на окраине Москвы — и протрубил отбой своему агенту Абраму Шофману. Тот как раз входил в галерею «Феникс», чтобы внести Феликсу 18 тысяч долларов задатка за Кешины песочные часы.

Ходят слухи, что вместо современного искусства шейх Мухаммед начал собирать автомобили знаменитостей: «линкольн», на котором ехал Кеннеди, когда его застрелили; «роллс-ройс» Онассиса, подаренный жене Джеки, «форд» Мэрилин Монро, «хорх» Адольфа Гитлера, «хаммер» Арнольда Шварценеггера, «феррари» Эмилио Феррари, «чайку» Брежнева и «астон-мартин-ванкуиш» Джеймса Бонда из последней серии боевика «Агент 007» ныне украшают огромное лобби гостиничного комплекса Дубаи.

Редко кто теперь заметит одинокую фигуру Папы с метеоритом, скромно ютящуюся среди автомобильного паноптикума. Но он только потому остался на месте, что шейх решил приобрести в свою коллекцию папамобиль.

Когда об этой новости узнал Борька Мордухович, он схватился за голову:

— Сорок восьмого калибра хер у боцмана!!! — закричал он, мигом оказавшись в положении человека, который ниоткуда не ждет наследства и почти не знает, где приклонить голову.

Он изливал яростный поток упреков то на Феликса, то на Кешу, то на этот манящий, лживый мир Востока, а заодно и на всю вселенную, равнодушную к нуждам маленького, затерянного среди холодных звезд Борьки Мордуховича.

Как бы-то ни было, часы пришлось разбирать на панели, тонны песка отдавать дворникам — дорожки посыпать, и в детский сад — наполнить песочницу. Фигуры запаковали в черные мешки, замотали веревкой. Причем они все равно смотрелись так натурально, что «газель», в которой Борька с Кешей везли это все к нам домой, почуяв неладное, остановила милиция — думали, похищение.

Что касается Кеши, он держался геройски, радовался мелочам: и в лифт еле-еле, но вошло, и потолки у нас в квартире два семьдесят, как раз громадную колбу можно установить прямо посередине единственной малогабаритной комнаты — красота! Снова распаковал наши фигуры, аккуратно посадил друг напротив друга, накрыл стол, включил штепсель в сеть.

Пространство за стеклом заголубело, зазолотилось!.. Кеша глядел на часы с бесстрастным непроницаемым спокойствием китайского императора. Но я-то видела: он даже очень рад, что эта чудесная композиция пребудет с ним до скончания веков.

— Вот здорово, — сказал наконец Кеша, — можно на кладбище этот стакан нам с Марусей поставить вместо памятника. Сто лет на улице простоит, ничего с ним не случится — такой стойкий материал! Если вандалы не порушат.

Все-таки он обладал невозмутимым умом высокого порядка.

Не то что у меня — совсем нервы расшатались. Я тут ехала в лифте, и заходит женщина с собакой. Лохматый песик, ушки кверху, на кончиках ушей кисточки. Я потрепала его за холку и спрашиваю дружелюбно:

— Это кто у вас?

— Лхасский кто-то там... — я не разобрала.

— Тибетский терьер? — уточняю.

— Нет, — отвечает мне хозяйка. — Это особая китайская порода.

— Почему же китайская? — говорю я, задохнувшись от гнева. — Лхаса, насколько мне известно, всегда была столицей Тибета. Китайцы туда вторглись, разрушили монастыри, жгут древние тибетские манускрипты, буддийских монахов сколько полегло! Конечно, почему вы должны сопереживать угнетенным тибетцам, пускай даже Китай десятилетиями лишает их политических и религиозных свобод! Пустили поезд субконтинентальный из Пекина в Лхасу, вывозят из Тибета полезные ископаемые, а туда гурьбой привозят китайцев, безразличных к судьбе этой высокодуховной горной страны. Его Святейшество Далай-лама четырнадцатый, лишенный крова, вынужден скитаться по миру. И вы спокойно заявляете, что этот лхасец, видите ли, особая китайская порода! Взрослая женщина, а такие имеете незрелые представления о мире!

Тут лифт остановился, два этих предателя Тибета выскочили, не проронив ни слова. Правда, хозяйка потом обернулась и покрутила пальцем у виска.

Кеша говорит:

— Дождешься, тебе кто-нибудь накостыляет за твои безумные речи, полностью туманные для обитателей нашего забытого богом спального района Земли.

Он хотел мне внушить больше бодрости и вложить в мое сердце мужество.

Кеша говорил, мы с ним не должны испытывать разочарования и волнения. Потому что такие мысли и чувства, Маруся, объяснял он, порождают преграды размером с великие горы и широкие реки.

Отныне все наши надежды были связаны с «Каштанкой».

— Давай, давай, — подбадривал меня Кеша. — Если что-либо собралась совершать — совершай с твердостью. Ибо расслабленный странник только поднимает больше пыли...

Должна быть и глубина, — он объяснял мне, — и легкость, и юмор, и трагедия. Хотя, конечно, вас, писателей, видимо-невидимо, а чтобы стать писателем, надо много понимать, а не просто любить писать... Острей! Смешней! Гротескней! Интересней! Прозрачней! Легче, остроумней, короче, гениальней!..

И бог весть что еще он требовал от меня. Хотя никто мне больше не звонил насчет «Каштанки», не торопил, не волновался, как идут дела.

— Мне это напоминает историю с «Реквиемом» Моцарта, — говорила Рита. — Вот увидишь, в Голливуде и думать про тебя забыли.

— Тогда мы продадим «Каштанку» Датскому королевству!.. — не падал духом Кеша.

— Нет, — отвечала я. — Это не по-моцартовски. Я буду ждать заказчика до своего последнего вздоха.

И вдруг он позвонил.

— Хэлло, Мария, are you ready? Я прилетел. I wait you возле Дома архитекторов. Вольдемар Персиц — импозантный gentleman в длинном черном кашемировом пальто и черной шляпе, а в руках у меня трость! Я распахну пальто, чтоб видно было мой желтый галстук, костюм — «тройка» and solid bag из черной кожи водяного буйвола. Okey?

— Не надо ничего распахивать! — я радостно кричу. — А то вы простудитесь. Я вас и так узнаю — по трости.

— Если он в буйволином портфеле привез из Голливуда большие деньги, — напутствовал меня Кеша, — я тебя встречу. Одна не ходи. Мало ли, кто-нибудь увидит, отнимет. Знаешь, какие бывают — искатели легкой наживы?

И на всякий пожарный велел мне надеть его куртку с большим внутренним карманом.

Был конец марта, солнце, гололед, все такое яркое, глаза слепит. Нигде ни одного темного уголка, повсюду грязь выступила! Надо же, я и не заметила, как наступила весна. Два с половиной месяца корпела над сценарием, не поднимая головы. Зимой Москву завалило снегом, совсем как в детстве, когда в Елисеевский магазин по улице Горького бабушка везла меня на санках, и голубые сугробы высились над моей головой.

Март приходит львом, а уходит овцой, говорила бабуля. Началось великое таяние снегов, город плыл, отражаясь в воде, под порывами южных ветров искажая свои очертания.

В юности я всегда в это время срывалась, уезжала в горы кататься на лыжах: боже мой, Гудаури, Домбай, Чегет, Цейское ущелье, незабвенная Лунная поляна в Архызе!.. Где вы, мои горячие кавказские поклонники — обитатели горных аулов, инструкторы горнолыжного спорта, бывший князь Борис-би в ослепительно белой овечьей папахе, чернобровый Джигит Назимов, Султан Бекмамбетов, с которым мы съехали с южной вершины Эльбруса, причем Султан несся вниз на лыжах, а я — у него на закорках?

Этой зимой я даже на гору в Крылатское не выбралась. Ни в Коломенское, ни в Царицыно!

Кеша мне говорит:

— В теннис мы давно не играли, на горных лыжах не катались. Жизнь летит, как ракета. А мы с тобой, как Гагарин с Титовым.

Потом он внимательно посмотрел на меня и внес маленькую коррективу:

— С Терешковой.

— О, Мария! — окликнул меня Вольдемар. Сразу узнал, — видимо, привык у себя в Голливуде общаться со сценаристами. — Хо-хо-хо-хо!.. — Он разулыбался, обрадовался. — Так вас и представлял! Little woman с большой умной головой в мужской куртке!..

Ну, мы заходим в Дом архитекторов, надо бы посидеть, выпить чашечку кофе, обсудить наши серьезные дела. Вольдемар снял пальто, шляпу, все это попросил меня подержать, уселся на банкетку и, ослепляя меня и дородную гардеробщицу сияющим желтым галстуком, начал скидывать галоши! Причем не те, литые, старинного покроя, рассчитанные на валенки, а иностранные, вычурные, блестящие, застегнутые на металлическую кнопку.

Вот он их поднял двумя пальцами, протягивает гардеробщице и спрашивает вальяжно, с этим своим акцентом Дональда Трампа:

— Можно ли, миссис, сдать вам мои галоши?

— ГАЛОШИ??? — она удивленно поднимает бровь.

— Галоши... Галоши! А в чем, собственно, matter? — он говорит укоризненно. — Что вас удивляет? На улице слякоть, тает снег, естественно, I put галоши on. Теперь я хочу take их off. Иначе in restaurant у меня вспотеют ноги. Мария, что-то не так?

А эта матрона отвечает ему надменно:

— Галоши — не принимаем!

— Ви не имеете права! Галоши — it's my верхняя одежда! — вскричал Вольдемар.

— А ну-ка не суйте мне их под нос, — прикрикнула она, отразив его наскок. — Наехали тут и суют нам в лицо свои пахучие... резинки!

— Где ваш директор??? — возопил Вольдемар.

А гардеробщица стоит, как скала, о которую вдребезги разбиваются морские волны.

Вижу, разгорается скандал. Тогда я достала полиэтиленовую сумку из Кешиного кармана, — у него всегда в карманах пакеты, купить по дороге картошку, или старикан Герасим вдруг не дотерпит до улицы, накакает в подъезде, — засунула туда пресловутые галоши и говорю этой гордой женщине:

— Вы уж возьмите, пожалуйста, окажите любезность, не будем по таким пустякам напрягать международное положение. Он еще в Соединенных Штатах Америки надел галоши... Боялся в России ноги промочить.

Та хоть и набычилась, все-таки повесила пакет на крючок.

Вот мы заходим в ресторан, свет притушен, звучит живая музыка, паренек у рояля играет на виолончели. Я люблю такую обстановку: тепло, культурно, никто друг на друга не орет, мордой об стол не стучит, опять же виолончель...

Вольдемар заказал мне чай, хотя я предпочитаю кофе, себе по-простому взял кружку пива и говорит:

— Есть такая английская поговорка: the proof of the pudding is in the eating — «чтобы узнать, каков пудинг, нужно его отведать».

Я скромно пью чай. Думаю, к чему это он? Наверное, хочет заказать десерт.

— В таком случае, — говорю, — я бы хотела пирожное «картошка».

— Не в этом дьело, Мария, — сказал Вольдемар. — Как говорят англичане, сначала business, потом pleasure.

Тут он опять в высокопарных выражениях превознес то обстоятельство, что весь наш подлунный мир, словно Мессию, въезжающего в Иерусалим на белом осле, трепетно ожидает мультфильм «Каштанка». А поскольку он решил стать a kind friend of universe и действовать ради блага и счастья живущих на Земле, то давайте, Мария, гоните уже, что вы там накатали?

Я дала ему сценарий, он надел очки, стал читать. Фильм у нас грядет чуть ли не полнометражный. Такая работа выглядит внушительно.

— Good! Good, — качал головой Персиц, поблескивая очками, откладывая страницы. — Good, good, very good!..

А сам такой чувствительный, все трогало его до слез. В середине он снял очки и заплакал.

Правильно Кеша говорит: сценарий сочинить очень просто: надо всего-навсего описать фильм, какой тебе самой хотелось бы увидеть. Ты внимательно смотришь его у себя на внутреннем экране и подробно описываешь, кто что сказал, кто что сделал и какая вокруг обстановка.

— Very nice! — Вольдемар вынул из кармана платок и утер слезы. — Это-то мне и надо! Срочно — в Холливу-уд! Не возражайш, Мария? Как человек, который many years работайт in showbiz, — мечтательно добавил Персиц, — я предвкушаю кассовые сборы!

— А гонорар? — я спрашиваю, глядя, как этот благородный сын американского народа укладывает «Каштанку» в бездонный буйволиный портфель.

— Not yet! — уклончиво отвечает Вольдемар. — Я должен демонстрировайт начальство... Как это по-русски? Строгий худсовет...

— Володька, Володька! — донесся голос из-за столика во втором ряду. Лысенький мужичок в старом сером пиджаке вскочил и потянулся к моему голливудскому продюсеру, опрокидывая стул. — Володька, муха бляха, ты, что ли? Не сразу тебя узнал в таком прикиде.

— Yes, it's me, — произнес Вольдемар Персиц, сконфуженно покосившись на меня. — Это ти — Поль?

— Йес, йес, обэхээсэс! Вова, мать твою, как ты, откуда? ОТТУДА? Слыхал, ты родине изменил.

— Паша, что ты говоришь, — нервно оглянулся Вольдемар, — никому я не изменил. — Однако, видя, что свидетелем его провала стала только я — остальные посетители были слишком увлечены собой: известное дело, архитекторы, — решил не строить из себя иностранца. Акцент его куда-то улетучился, и он произнес на чистом русском языке: — Давненько мы не видались, Пашка. Ты что, все тут... В Москве...

— Ну да, здесь... А ты — боров! Наел бока гамбургерами. — Паша с восхищением оглядел Вольдемара, теперь уже Володю, как я поняла из этой встречи на Эльбе.

— Я жил здесь когда-то, — мечтательно улыбнулся Персиц. — Извини, Мария, теперь я буду говорить с другом моей юности. А ты жди. Я дам тебе факс, из которого ты узнаешь, как обстоят дела. Уверен, все будет okey!

— Ну? Что там, за границей, Вовка? Мед слаще? А помнишь, помнишь, как мы тут гудели? Как пили? Как мы баб... — возбужденно говорил Паша.

Я поднялась. Он сел на мое место, подпер кулаком щеку и вздохнул:

— Все наши девочки стали телками, Володька!

Или «тетками», я не разобрала.

Все-таки интересно жизнь устроена. Сколько я искала себя. Рита мечтала, чтоб я была драматической актрисой. Сама она, вернувшись с фронта, пробовала поступить в училище МХАТа — в гимнастерочке, в солдатских сапогах, читала «Василия Теркина». Ирину Скобцеву приняли на первом туре, а ее нет. Рита вышла расстроенная, смотрит — идет по двору Качалов. Она к нему: «Ой, Василий Иванович! Я читала "Теркина", а у меня было настроение не то!.. » — «Как ваша фамилия?» — спросил Качалов. Рита сказала. На другой день приходит — ее фамилия вписана внизу от руки. Возможно, от руки великого Качалова!

Но судьба, судьба имеет свои намерения, неисповедимые, неподвластные мольбе и контролю... И мы легко смиряемся с тем, что нам не суждено, сказал Рерих, заначивший для дедушки Толика в Америке гонорар, который, наверное, никогда и никто уж не сможет получить, несмотря на заоблачные старания дяди Коли из Инюрколлегии.

Так реальность для нас остается полнейшей тайной в этом сновидении жизни, иллюзорной и мимолетной, в неуловимом интервале между рождением и смертью.

— Ты бы занялась каким-нибудь делом, Маруся! — озабоченно твердил Фима на протяжении моей невозвратной юности, чуя, как я ускользаю от всего, что имеет какие-то, пускай расплывчатые очертания.

А весна, черемуха цветет, вишни!

— Ладно, — я затуманивала взор. — Я, может, стану... кукловодом.

— Ты разве умеешь?

— Ну, я научусь.

— А это разве не сверхсложное дело? — спрашивал Фима с тоской.

— Да, наверное...

— Такое же, как освоить аккордеон? — допытывался Фима. Всю жизнь он приручал свой перламутровый певучий немецкий «Herold», предпринимая героические попытки играть по нотам. — А если тебе предложат, — заводился Фима, — вот именно тебе, ни разу не державшей инструмент в руках, выступить с оркестром в консерватории — соло на аккордеоне?

— Прекрасно, — отвечала я. — С оркестром еще лучше, чтобы он *подхватывал*...

Видимо, в глубине души мне было ясно, что я всего-навсего запойный рассказчик, больше никто. И хотя мир подобен обману зрения, в этой кажущейся игре жизненных ситуаций нас как-то само собой прибивает к одним только нам предназначенным берегам.

Так и наш мальчик ищет, ищет себя, а мы — Рита, Фима, Кеша и я — по мере возможностей оказываем ему содействие.

Когда в день рождения Владимира Ильича Ленина их третий класс принимали в пионеры на Красной площади, он болел. Мы с Кешей купили горн, красный галстук и барабан. И приняли его в пионеры в домашних условиях.

Я била в барабан, Кеша, как Армстронг, выдувал на горне блюз, Фима вытащил из футляра свой старый аккордеон, это был Фимин звездный час, — а Маргарита — вся грудь в орденах и медалях за оборону Москвы — в неописуемо торжественной обстановке повязала своему внуку на шею пионерский галстук. Потом мы ели торт «Полет», пили «Тархун», и этот день нам запомнился на всю жизнь.

Естественно, как только возникло недоразумение с отцом Мефодием, когда тот опростоволосился, приняв за нетлен-

ное — преходящее, отец Иннокентий, озаренный божественным светом, проникнувший в смысл неразгаданного, в домашних условиях организовал церемонию таинства святого крещения.

— Ну, раз уж все настроились... — сказал Кеша, засучив рукава.

Что ж мы, такие продвинутые адепты, не сможем квартиру сыну материализовать?

Тем более у нас Маргарита с некоторых пор приобщилась к православию, стала ходить в церковь, исповедоваться в грехе, что она Серафима ревнует ко всем женщинам без разбору, включая эстрадных певиц и телеведущих.

Отныне ей казалось, земля и небо слушали ее голос, вся вселенная расстилалась перед ней, поэтому Рита, не прибегая к посредникам, напрямую обращалась к ангелам и богам, я уж не говорю о покинувших нас близких.

В день поминовения предков Рита наливала вина и, глядя поверх наших с Фимой голов, ввысь устремляла яркие сумасбродные речи, умышленно форсируя звук, чтобы слышно было на дальнее расстояние:

— Дорогие наши небесные жители! Мы вас очень любим и ясно помним. Мы любим вас даже больше и чище, чем любили вас, когда вы были с нами на земле. Я вас прошу об одном: даже если там, где вы находитесь, совсем-совсем ничего нет, когда я приду, вы все-таки найдите способ встретить меня и дать понять, что вы тоже любите меня и помните.

Забудем о наших летах, забудем о наших обязанностях, достигнем беспредельного и будем пребывать в нем без конца. Ведь у нас есть вечный повод для радости — это наше дыхание, сердцебиение, мочеиспускание!.. А если мы нуждаемся в крове и хлебе насущном, лучше рассматривать это не как катастрофу, а как заминку в делах и некоторое невезение, которое скоро пройдет. Нас осенит, окрылит, и мы сумеем взобраться на гребень жизни!..

Вон Кеша купил уже в качестве противоядия от хронического безденежья мандалу на привлечение крупной прибыли и положил эту картоночку в свою сберкнижку. Ему там сказали, в эзотерическом магазине, что теперь можно спокойно сидеть сложа руки и ждать, когда деньги сами потекут к нему в несколько ручьев.

«Что нам печалиться, черт возьми, — я подумала, — если мы в любом случае пребываем в состоянии безмятежных скитаний?» — и свернула в забегаловку, надеясь выпить чашку кофе.

Там играла африканская музыка на фоне гималайских чаш, все жевали чудесные лепешки с кунжутными семечками и маком, вино красное алжирское лилось рекой, посредине стоял чан с маслянистыми финиками. Оказывается, наш приятель, композитор Саня Артамонов, праздновал выход своего нового диска «нью-эйдж».

Мы давно не виделись, обнялись, сели с ним за столик, я ему сразу выложила свои надежды и печали, а он — располневший, улыбчивый, ангел доброты:

— Зря ты ему, — говорит, — безо всякой расписки сценарий отдала. Теперь его за яйца не ухватишь. Надо было сказать: минуточку-минуточку! Нет, все-таки давайте заключим договор! Как это «какой договор»?! Есть у вас бланки специальные, в Голливуде?.. С печатью?.. За подписью директора?..

И Саня повел нескончаемый рассказ, как он отслеживает свои сочинения и откуда ему потихоньку «капает». Ведь от каждого исполнения, будь то на эстраде, или на радио, или когда случайно проскочит мотивчик в сериале, — композитору причитается!

— Стравинский сочинял «Петрушку», — Артамонов разорвал лепешку и стал набивать рот финиками, — слышит — на улице шарманщик наигрывает какую-то мелодию. И она так легко, как бабочка, впорхнула в его балет. А это оказался модный авторский шлягер. С тех пор ВСЯКИЙ РАЗ, когда исполняют Стравинского, потомкам этого давно позабытого композитора — отчисляется! Они себе виллы построили!.. Вы с Кешей обязаны живо и горячо интересоваться авторским правом, — дудел Саня в свою дуду, выплевывая косточки. — А то ты с Каштанкой напомнила мне жену руководителя уральского хора. Им не хватало репертуара, и эта женщина по просьбе мужа сочинила песню «Ой, мороз, мороз!.. » Потом ее упросили, чтобы песня считалась народной. Она, дуреха, согласилась. И теперь даже я не помню ее фамилию. А так бы — за каждое исполнение! Она бы уже была миллиардером!.. Но все равно, — он вздохнул, — можно только мечтать, чтобы твоя вещь стала народной. Денег не принесет, зато какой почет!.. Марусь, — крикнул мне вслед Артамонов, — ты порекомендуй там у вас, в Голливуде, пускай они меня композитором возьмут на «Каштанку»!..

Домой я вернулась на бровях, наелась до отвала фиников и лепешек. Все меня окружили, спрашивают:

— Ну как?

— Отдала, они будут читать в Голливуде. Вольдемар обещал прислать договор по факсу.

— По какому факсу?! — удивился Кеша. — У нас нет никакого факса.

— Понимаешь, Марусенька, — сказал мальчик, — чтобы тебе пришел факс, этот факс надо иметь.

О, мой ребенок с детства обладал чудесным пониманием непостижимых связей. Еще незабвенный учитель биологии в нашей дворовой, 1597-й, преподал ему урок причины и следствия, наглядно показав, что курение вредно для здоровья. Он взял с подоконника два горшка с геранью, один полил табачным раствором, а другой — обыкновенной водой. Обкуренная герань скукожилась и увяла, а та, что не знала никотина, — расцвела. Вот было торжество идеи!

Зато Кеша, всегда готовый безупречно следовать потоку жизни, встал с дивана, оделся, засобирался:

— Пошли факс покупать!..

Хотя обычно его бросало в дрожь при мысли о таких дорогостоящих разудалых покупках.

— Ну что? — окликнул он мальчика. — Объединим наши интендантские склады?

Мальчик молча выдал нам денег. А потом печально глядел из окошка на меня и на Кешу, побежавших за факсом, как на сумасшедших, полоумных, сумасбродов и фантазеров, которые стараются силой грез своих вырваться из тисков неумолимой действительности.

В магазине «Техносила» Кеша подрулил к юному худенькому пареньку-продавцу в желтой кофте с изображением бешеного супермена с пудовым кулаком, поднятым прямо на покупателя.

Всем своим видом супермен на его груди показывал нам, простым смертным, заглянувшим в магазин электротехники, какие мы жалкие пигмеи, у которых даже нету столь необходимых в быту приборов, как утюг «Титаник» с паропреобразователем, индикатором нагрева и опрыскивателем воды, дающим точную и упругую струю на метр; или телевизор «Томсон» с экраном пятьдесят пять дюймов, размером с холодильник; или холодильник размером с автобус, за две минуты замораживающий провизию до гранитного состояния. В такую холодильную камеру поместится целый мамонт и будет храниться веками не хуже, чем в вечной мерзлоте.

Гигантские бицепсы перекатывались на руках этого громилы на майке, и он не скрывал, как ему досталось его могущество. Только с плитой «Индезит» и стиральной машиной «Бош», говорили его глаза, вы можете стать такими, как я, могучими и независимыми, победившими свое ничтожество.

— Нам нужен факс! — закричал Кеша, потому что в кошмарном гуле электроприборов никто друг друга не слышал. — Где у вас факсы?

Продавец недоверчиво оглядел нас. Взгляд у него был наметанный: он, конечно, мигом смекнул, что мы с Кешей и факс — вещи несовместные.

— Вам? Факс? Ну, пожалуйста, вот тут...

И повел нас через ряды ослепительно белых холодильников, которые выстроились, будто солдаты Урфина Джюса, и даже как-то напирали на нас с Кешей своими выпуклыми дверями с хромированными ручками.

Факсов там было, как говорила моя бабуля, черт на печку не вскинет, но они слишком дорого стоили. Продавец давал Кеше необходимые пояснения, он знал факсы до тонкостей и говорил о них с большим красноречием.

— Какой вам нужен факс? — он спрашивал.

— Чтобы из Америки принять! — отвечал Кеша.

— Они все могут принять.

— Понимаете, мы ограничены в средствах, — признался Кеша. — Вот чем мы располагаем...

— Маловато, — участливо сказал продавец. — Хватит только на устаревшую модель. Взгляните на этого дедушку! Как раз вам подойдет. Он уже ничего не отсылает. Зато — принимает! И по большей части — из Америки! Его еще в Великую Отечественную изобрели специально для связи Рузвельта со Сталиным.

Он указал на постамент, где под стеклом высилась громоздкая машина с надписью «ПЕРВЫЙ ФАКС» и зашептал:

— Наш директор хочет от него избавиться. Говорит, эта рухлядь наводит на него тоску. Мы уже решили отдать его в Политехнический музей. А тут и покупатели явились — не запылились! — Видимо, слово «запылились», на редкость приличествующее случаю, так насмешило его, что он не выдержал и рассмеялся. И мне понравилось, что в его смехе сквозило какое-то торжество жизни, торжество здоровья и благополучия.

С триумфом вернулись мы домой, сопровождаемые лаем и трубными звуками. Мальчик чуть в обморок не упал, когда увидел это старинное сооружение.

— Ой, не вы его выбрали, — сказал он, — этот факс выбрал вас!.. У него хотя бы есть какая-нибудь гарантия?

— Гарантия — минус два года, — пошутила Тася.

Ничего, мы его подключили, и он загудел, заурчал, застрекотал, как кузнечик, такой живой. Сразу зазвонил телефон, и нам сказали на английском языке:

— Примите факс!

Мы радостно нажали кнопку, аппарат завибрировал, словно вертолет перед тем, как оторваться от земли, на нем зажглись красные, желтые, фиолетовые лампочки, затем последовала череда электростатических разрядов, мы даже начали опасаться, не вылетит ли у него из какого-нибудь отверстия шаровая молния. С жутким скрипом лист бумаги пополз внутрь, а когда опять появился, мы с трепетом вытащили его и прочитали:

Осознавая всю важность доставки Вам нашего вооружения в возможно более короткий срок, спешу сообщить, что в январе и феврале этого года нами будет отгружено 449 легких танков, 408 средних танков, 244 истребителей 24Б-25 и 23А-20.

P. S. Несмотря на трудности, испытываемые нами в настоящее время на Дальнем Востоке, надеюсь, в ближайшем будущем укрепиться в этом районе и любой ценой остановить японцев. Однако мы подготовлены к некоторым дальнейшим неудачам...

— Ой, — сказал Кеша. — Кто это нам прислал такое письмо?

Отныне в нашей квартире постоянно звонил телефон. Он звонил поздней ночью, будил нас ни свет ни заря, и когда полшестого утра ты спросонья поднимал трубку, тебе прямо в ухо гудела механическая пискливая сирена, или чужой человек приказывал включить факс.

Мы кидались к телефону, боялись пропустить письмо из Голливуда, но приходили факсы других организаций. Мы только никак не могли понять — каких?

...я получил Ваше послание с большими пропусками и без заключительных абзацев... Надеюсь получить полный текст. Но прошло 3 дня. Непонятно, как могла случиться такая задержка при передачи информации по столь важному делу?»

«В 38 дней завершилось завоевание Сицилии. Количество защитников со стороны держав Оси достигало в общей сложности 405 000 человек: 315 000 итальянцев и 90 000 немцев. Мы наступали 13-ю американскими и британскими дивизиями, потеряв примерно 18 000 убитыми и ранеными. Войска держав Оси потеряли 30 000 убитыми и ранеными: 23 000 немцев и 7000 итальянцев, которые были подобраны и подсчитаны. Захвачено 130 000 пленных. Итальянские войска в Сицилии были ликвидированы, за исключением небольшой их части, бежавшей в сельскую местность в гражданской одежде...

Ваше решение предоставить в наше распоряжение второй миллиард долларов на тех же условиях, что и первый, мы принимаем с искренней благодарностью...

Вот такие странные письма. Их было довольно много. Приходилось покупать запасные рулоны.

— Кеша, — кричала я, — купи в магазине четыре рулона туалетной бумаги и два рулона для факса.

— Все, — сказал Кеша, — я отключаю это свистящее чудовище! Он мне напоминает Соловья-разбойника или кобру в момент угрозы, только без хвоста.

— Ни в коем случае! Увидишь, со дня на день придет факс, что наша «Каштанка» прогремела в Голливуде...

Но Кеша совсем пал духом:

— Говорят, они запасают все заранее и складывают в библиотеке сюжетов. Наверное, про Каштанку уже тридцать сценариев лежит наготове. Может быть, еще сам Чехов Антон Палыч написал сценарий по своему рассказу. Тоже хотел подзаработать... — И он перевел взгляд с неугомонного факса на заполонившую все наше жилое пространство колбу «Мы поглощаем Время, Время поглощает нас».

Сбыть эту вещь оказалось не по силам даже Тасе, которая намекала Вите Зимоглядову, мол, хорошо бы ее зачалить в «Пещере Ужасов», но Витя, сукин сын, к ее предложению отнесся без энтузиазма.

— Уж больно это депрессивная вещь, напоминающая о бренности мира, — заявил он, взглянув на цветную полосную фотографию в шикарном журнале «WAM». — А цель нашего развлекательного центра — всеми возможными и невозможными способами заставить человека забыть о вечности, жить сиюминутными интересами, в погоне за временными удовольствиями, кружиться в вихре алчности и невежества, потакать любым своим желаниям, есть, пить и веселиться напропалую, отбросив скуку и уныние.

Как раз он собирался в развлекательном центре праздновать день рождения своего двенадцатилетнего сына.

— Могу себе представить, — с завистью сказал наш мальчик, — как Витя празднует этот праздник: толпы клоунов, бородатые женщины, настоящий танк привезут из соседней части — полазить в кабине, пострелять из пушки, огромный торт, из которого выскочит Филипп Киркоров и запоет «Viva la vita». Что еще нужно маленькому Зимоглядову?

Нам с Кешей только разрешили, как авторам пещерных ужасов, вручить имениннику Диплом. Причем это мероприятие совпало с Днем Победы над фашистской Германией. Мы, конечно, явились очень нарядные. Я произнесла с большим эмоциональным подъемом:

— Дорогие друзья! Этот почетный Диплом вручается товарищу Зимоглядову за доблесть и отвагу, проявленную при праздновании Дня Рождения!

После чего мне дали небольшой гонорар.

Правильно говорит Серафим:

— Мы никогда не знаем, ждут ли нас аплодисменты или гнилые помидоры...

А Рита с Фимой отправились на Поклонную гору: их обоих в честь Дня Победы правительство Москвы пригласило открывать аллею военных журналистов. Рита с Фимой оделись торжественно и строго. Рита вся в орденах, Фима тоже на лацкан пиджака прицепил медаль «За доблестный труд». Чинно прошли по аллее под гром духового оркестра вместе с фотокорами, корреспондентами и операторами, снимавшими военные действия в сороковые.

Потом их собрали в ресторане, накормили обедом, а после компота стали дарить подарки. Зрелище великолепное: по алфавиту вызывали ветеранов, поздравляли и вручали огромный коричневый солдатский вещмешок. Все прямо прослезились, когда увидели содержимое. Там были походный котелок, черный «кирпич» — двухкилограммовая буханка, испеченная по тому еще рецепту, бутылка водки, металлическая фляга, солдатская кружка, еще одна кружка — фарфоровая с надписью «Великая Отечественная война», и в довершение — консервы «Бычки в томате».

— Какие в мэрии сидят творческие люди! — сказала Рита, еле оторвав от пола огромный громыхающий мешок.

Фиме она не разрешила даже прикасаться к «солдатскому набору»: совсем недавно Серафим вышел из больницы, ему после операции нельзя ничего поднимать. Да и

Маргарите врачи строго-настрого запретили тяжести ворочать.

Качаясь от непосильной ноши, ветераны потащились к автобусу. Два старичка никак не могли поднять один мешок, потому что выпили «фронтовые сто грамм», и по несколько раз. Помогая друг другу вскинуть за плечи подарки, старики запутались, ноги их заплелись, и они рухнули под грузом буханки, бычков, котелка и фляги. («Ты представляешь? Опять то же самое! — рассказывала мне потом Рита. — Поворачиваюсь, а они лежат. Правда, я не поняла, те же снова упали, что в прошлый раз, или не те?.. »)

— Эт-то вам не продуктовые пайки, которые в советские времена раздавали, эт-то — настоящий подарок, со смыслом! — говорила бойкая женщина средних лет, крепкая такая баба в сапогах и пилотке, устроительница этого действа.

Она помогла старикам встать, взгромоздила на них вещмешки и легонько подтолкнула в спины, указывая направление.

Рита с Фимой тоже вышли из ресторана, волоча за лямки увесистые правительственные дары.

— Что ж мы теперь будем делать? — спросила Рита.

Они уселись на тротуарчик перевести дух и стали перебирать содержимое мешка. Погодка хорошая, расцветали вишни, Риту с Фимой обдувал теплый ветерок, шел восьмидесятый май в жизни Серафима. И восемьдесят третий — Ритин. Фима школьником был, когда началась война, а Рита — выпускница. Большой Гнездниковский переулок. Двадцать первое июня, последний звонок... Считай, все имена мальчиков, с которыми она танцевала на выпускном балу, теперь написаны в столбик на мраморной доске при входе в их 19-ю школу.

Сидят Рита с Фимой, думу думают. Машину нипочем не возьмут, это будет нарушением режима экономии. А до метро еще ой как далеко!

— А давай, — предложила Рита, — отдадим все во-он той мороженщице?

Фима встал, подошел к этой молоденькой татарке и сказал:

— Дитя мое! Позвольте, мы с женой в честь праздника Победы вручим вам скромный сувенир!

И преподнес ей котелок, буханку черного, две кружки, металлическую флягу и «Бычки в томате». Себе они оставили солдатский вещмешок, а в нем бутылка — в алкогольную коллекцию Фимы.

Как она обрадовалась!

— Вот здорово, — говорит, — я у себя дома брату покажу!

А Рита с Фимой зашагали дальше налегке.

— Вдруг нас догоняет эта девушка, — рассказывал потом Фима, — и давай совать в наш походный мешок брикеты мороженого, которые были по весу чуть ли не больше, чем фляга с котелком. Вес у нас не уменьшился, но мы побоялись обидеть мороженщицу. Я потом все думал: что она, интересно, зимой делает? Продает беляши, которые выпекает ее брат? Или учится? Хотелось бы думать, что наша молодежь не только за лотками стоит. Стране нужны молодые специалисты. Выучится на инженера-технолога холодильных установок, вернется к себе в Казань или в Казанскую область, будет работать на комбинате мороженого... Так мы с Маргаритой, — завершил он свой рассказ, — еле-еле, перебежками, доковыляли до метро.

А надо сказать, Серафим имел в своих запасниках знатную коллекцию алкоголя. Поскольку он долгое время служил дипломатом и его основным поприщем было международное профсоюзное движение, Фима часто наведывался в слаборазвитые страны с сильным профсоюзным движением и намного реже посещал развитые страны с недостаточно развитыми профсоюзами.

Каждый раз из своих заграничных поездок он привозил алкогольную продукцию тех стран, где ему приходилось бывать. Поэтому он совершенно стихийно стал коллекционером вин и настоек. Причина тут крылась не в страсти собирателя, а в том, что, будучи, в принципе, человеком непьющим, Фима не мог сразу опустошить все, чем был одарен как руководитель советской делегации.

Что греха таить, большинство профсоюзных лидеров в слаборазвитых странах любили выпить. Они щедро угощали своих старших братьев по соцлагерю и обязательно давали с собой. Например, в Мексике Фима был обременен трехлитровой бутылью кактусовой водки. Решиться открыть такую безбрежную емкость равносильно началу военной кампании — нельзя же выпить стаканчик, а потом всю эту роскошь отставить. Вот Фима и не начинал, но аккуратно укомплектовывал виски, коньяки, вина и настойки в буфет. Когда же буфет был битком набит этими достославными трофеями, Серафим начал громоздить бутылки на буфет, а дальше просто совал их под письменный стол. Но чтоб это не выглядело странным, провозгласил себя «коллекционером элитного алкоголя».

Иногда на большие праздники он доставал откуда-то из последнего ряда приземистую бутылку с надписью «Rom Cubana», слегка подернутую пылью:

— Эту бутылку, — говорил Фима с загадочной улыбкой кардинала Мазарини, — мне подарили мои кубинские друзья на седьмой международной профсоюзной конференции в Сантьяго...

Кеша открывал ее прилюдно, под аплодисменты, а Фима гордо принимал поздравления, если ром можно было пить и он еще был крепок, как в те самые времена, когда Фидель с соратниками высаживался в Сантьяго-де-Куба, чтобы уничтожить ненавистный режим Батисты.

Обычно первый тост провозглашался за отважных рабочих, которые победили своих угнетателей и по этому случаю сразу звали Фиму и вручали ему символическую бутыль.

Коллекция вин профессора Серафима всегда была гордостью нашей семьи, но иногда служила сильнейшим раздражителем для публики, которая не понимала, как можно коллекционировать то, что нужно незамедлительно употребить. В квартиру к Рите с Фимой наведывались ведь и такие члены профсоюзов. Они в восторге замирали, обозревая Фимины запасы, и кто намеками, а кто и прямо в лоб — вынуждали Серафима обеспокоить коллекцию. Лишь после усиленных просьб Серафим соглашался, выставляя для особо жаждущих наименее ценные экспонаты. Например, водку «Столичная», подаренную профессору аспирантом из Замбии, или вино «Токай», привезенное делегатами из социалистической Венгрии.

И вот однажды в газете «Аргументы и факты» Фима прочитал, что сомелье — так называются специалисты по вину — рыщут по белому свету в поисках редких вин и находят много чего интересного. Поскольку существуют такие неискушенные личности, которые даже не подозревают, что являются обладателями поистине пиратских сокровищ. Они годами хранят бутылки, оставшиеся от родителей, наивно полагая, что это бабушкины настойки. Порою такие заветные сосуды переходят от отца к сыну, прослыв неприкосновенными. А между прочим, среди «бабушкиных настоек» попадаются старинные коллекционные вина стоимостью десятки тысяч долларов.

Один сумасшедший бизнесмен из Юго-Восточной Азии на международном аукционе «Сотбис» в Лондоне выложил шесть тысяч долларов за пол-литра портвейна «Ливадия» урожая 1894 года. А за ним с молотка улетела бутылка «Хереса де ля Фронтера» 1775 года с истлевшей этикеткой — за пятьдесят тысяч фунтов стерлингов!

«Так, — подумал Фима, — это за границей, а у нас?»

Видит — и в Москве проводятся торги: антикварно-аукционный дом «Гелос» представляет личную коллекцию купца первой гильдии Филатова, основателя Самаркандского винозавода, самая старшая бутылка запечатана в 1884 году, самая молодая — в 1914. А между ними — французский портвейн «Кокберн», испанская «Малага», итальянские «Мускат д'Асти», какая-то «Барбера д'Альба» — полуторавековой выдержки, четыре лота из шести отметили столетний юбилей... А минимальная цена лотов — от четырех тысяч долларов!..

Озабоченный поиском денег, как и все мы, Фима надел очки и решил провести ревизию своей коллекции.

«Чем черт не шутит», — подумал он и давай перебирать бутылки.

Среди вполне заурядных «Блэк Джек», «Уайт хорс» и «Наполеона» стояли у него Пьемонт, Тоскана, Бургундия, Лангедок, Бехеровка, Кьянти, Риоха, Пинотаж.

Азохен вэй! «Гелос» вряд ли заинтересуется.

Вдруг он увидел матовую бутылку с вытянутым горлышком, запечатанную настоящим сургучом. На ней пожелтевшая от времени этикетка с надписью на китайском языке. А на этикетке в углу выцветшими чернилами что-то написано — очень неразборчиво.

Как же он про нее забыл! Именно она положила начало его коллекции, бутылка с непонятным содержимым, которую вручил ему своею собственной рукой «великий» Мао, да-да, во время последнего визита советской делегации в Китай, когда еще была дружба с Китаем, их принимали на самом высоком уровне, Мао Цзэдун пожал Фиме руку и от всего сердца протянул вот эту самую бутылку.

Взяв лупу, Серафим внимательно изучил надпись от руки и пришел к выводу, что там написано *«лично от Мао Цзэдуна, на счястье»*. То есть, вполне возможно, на этикетке стоит автограф самого Мао.

— Да-а, эту бутылку можно продать! — подумал Фима.

На следующий день он позвонил в антикварный дом «Гелос» и поведал о своей драгоценной находке.

— Какого года вино и сколько у вас бутылок? — спросили у него.

— Одна, но с автографом, — ответил Фима. — Причем самого Мао!

— Вы уверены? — довольно равнодушно переспросил молодой человек.

— Уверен, — ответил Фима. — Я его лично знал.

И Серафим во всех деталях описал картинку на этикетке — синюю пагоду на фоне изумрудных гор, бирюзовое небо, выпуклые золотые иероглифы китайские, сиреневая дымка вдали. И год, когда была запечатана, — 1954-й.

— Сейчас посмотрим по каталогу, — сказали Фиме. — Так-так-так. О-о!.. Да, это редчайшее вино от Мао Цзэдуна, абсолютно уникальное, у него были специальные виноградники, особые девушки давили виноград... Потом его настаивали по старинному китайскому рецепту, который с древности хранится в тайне, он это вино очень мало кому дарил. — Голос молодого человека стал куда заинтересованнее. — Во всем мире таких бутылок осталось две или три, вот именно пятьдесят четвертого года, так что начальная цена ее может быть семнадцать тысяч.

— Семнадцать тысяч долларов? — переспросил Фима.

— Не юаней же, — усмехнулся аукционный человек. — Принесите бутылку, паспорт, заключим договор, мы берем двадцать пять процентов от сделки и пять — организационные расходы. Пока мы сфотографируем раритет, пока в каталог дадим картинку. Есть у нас один человечек, который собирает подобные вина, у него хранится шнапс из бара Гитлера и виски Черчилля, початое самим Уинстоном, но не допитое по причине смерти великого англичанина. Думаю, его заинтересует бутылочка Мао Цзэдуна. Может даже начаться борьба, если на аукцион придет Лаврентий Архутик — знаете такого коллекционера? Нет? Неважно, он владеет коллекцией всех вин, которые пил Сталин. Тогда цена подскочит до тридцати, а то и до сорока. В общем, дражайший, аукцион у нас планируется через месяц, так что поторопитесь, не пропадайте, наведывайтесь, спросите Петровичева, это я, находимся мы рядом с Боткинской больницей, знаете такую?

Фима хорошо знал эту больницу, случалось ему и там лежать. Он записал все на листочке, где, когда, кого спросить, и бережно поставил китайскую красавицу в шкаф. Она аж вся засветилась, приобрела матово-жемчужный ореол, и когда встала среди других бутылок, «гуляка Джонни» затушевался, отодвинулся в сторону, а «Лидия» просто спряталась за «Кагором», до того ей стало не по себе.

— Стой здесь, сияй и радуй нас, наш кормчий Мао, великий Цзэдун, скоро придет твой час! — пропел Фима песню, которую только что сочинил.

Страшно довольный, мурлыча свою песенку себе под нос, он по сто раз на дню заглядывал в шкаф, проверял, на месте ли бутылочка, все ли с ней в порядке, не тесно ли ей, не грозит ли какая-нибудь опасность. Он сдувал с нее пылинки, а также завел специальную тряпочку суконную и ежедневно до блеска натирал ее бархатистые бока. Ни капли влаги, упаси господи, чтобы не смазать надпись!

Нам он не проронил ни слова. Это была их тайна — его и Ее. И никто, ни одна живая душа, ни я, ни Рита — до поры до времени не должны были ничего об этом знать. Фима уже представлял, как приедет к нам с аукциона и выложит из портфеля на стол свой объемный вклад — считай, одну треть от стоимости квартиры!

Он даже благоразумно не удалялся из дома, только спускался за газетами. Лишь один единственный раз выехал навестить старого знакомого, бывшего председателя Верховного суда Павла Дмитриевича Тарощина. Хотел у него одолжить денег под процент.

А в этот день к Рите заглянула ее подружка Марианночка. Обычно она с утра до вечера торчит в Ленинской библиотеке, сидит, согбенная, в очках с толстыми линзами, исследует труды декабристов. Рита зовет ее «моя малышка».

Вот они встретились, две подруги, стали говорить о декабристах. Вдруг звонок в дверь.

— Кто там?

— Сантехник.

Рита открывает, на пороге стоит красавец голубоглазый, брови и ресницы выцвели, на голове платок назад повязан, синий, ситцевый, из-под него выбиваются светлые кудри. Рита остолбенела.

— Хозяйка, — он вымолвил с легким притягательным акцентом героя фильма «Табор уходит в небо». — Этажом ниже — потоп. Ваша работа?

— А вы проходите! — отвечает Рита.

— Да я тут с другом!

— Так ведь и я с подругой! — радостно говорит Рита.

Через минуту эти свистушки — обеим хорошо за восемьдесят, или, как говорит Марианночка — «очень далеко за сорок!», накрыли стол, достали шпроты, сыр, копченую колбасу, наделали сэндвичей, а Рита, воодушевившись, контрабандой залезла к Серафиму в бар, где он смолоду хранил коллекционные алкогольные напитки, и вытащила первую попавшуюся бутылку с надписью даже не на английском, а на каком-то неведомом никому из присутствующих, восточном языке.

Они наполнили рюмки, Маргарита вскричала:

— Prosit!!!

Все дружно выпили, закусили. Бутылка удлиненная, изящная, как будто там вино, однако напиток оказался очень крепкий. Они даже с Марианночкой опешили сначала. А потом ничего, приноровились, когда покатилась рюмочка за рюмочкой.

Сантехники в замасленных комбинезонах — молдаване, одного звали Марчелло, второго, синеглазого — Грегоре, что привело Риту в дополнительный восторг, — все же заглянули в ванную комнату: никаких следов озер, вышедших из берегов, Рита была сама невинность.

Снова разлили по рюмкам напиток неясного происхождения. Грегоре степенно повел застолье.

— Давайте выпьем за то, чтобы наши желания, — важно тостировал он, — всегда совпадали с нашими возможностями!

— Желания сбываются, Грегоре, имейте в виду! — оживленно подхватила Рита. — Причем, как правило, это случается не вовремя и в неограниченном количестве. Как я мечтала, что после войны мой однополчанин Коля Ральников придет ко мне домой и увидит меня в новом платье! И вот кончилась война, я учусь в университете, у меня новые знакомства, новая любовь. Однажды возвращаюсь, а у нас дома в Большом Гнездниковском сидит Коля Ральников — называет мою маму «мамашей», чай пьет, уже утюг починил... Я была в ужасе!

В течение всего их неожиданно и своевольно вспыхнувшего праздника Марчелло молча уплетал сэндвичи, пока «малышка» не поинтересовалась:

— А у вас какое образование, ребята?

Тогда именно Марчелло солидно ответил:

— Высшее сантехническое. — До этого момента он не проронил ни слова.

Тут позвонила другая Ритина подружка Тильда Осиповна. У Риты обычно включена громкая связь, чтобы они вместе с Фимой одновременно вели со всеми дружеские переговоры, так что участники развеселой пирушки услышали голос Тильды, исполненный могучей жизненной силы и великих планов на будущее.

Она сказала:

— Маргарита Степановна! У меня в мае будет день рождения. Мне исполнится девяносто лет. Поскольку все мои знакомые умерли, я беспокоюсь, что мне никто не позвонит, не поздравит и не подарит подарков!

— Тильда?! — вскричала Марианна. — Она разве жива? Девяносто?! Да что она выдумывает? Ей больше ста! Я с ней жила в одном доме, мне было три года, а ей уже шестнадцать! У нее отец Осип — очень женщин любил. Один раз он вскочил у всех на глазах в пролетку с лошадями, усадил туда какую-то красотку и уехал.

— И до сих пор не вернулся! А мы его все ждем! — послышался голос Тильды. — Кто там у вас говорит? — она спрашивает.

— Тильда! — кричит малышка. — Это я, Марианна!

— Сюзанна — Марианна?

— Помнит! — захлопала в ладоши малышка. — Сюзанна — это мой близнец.

— А где она сейчас? — спрашивает Тильда.

— Ушла с подругами навещать свою первую учительницу...

Марчелло только диву давался.

— Я с ума сойду, — сказал он, принимаясь за новый сэндвич. — Если этим малышкам под девяносто, то сколько же лет их первой учительнице? Сто двадцать?

— За прекрасных дам! — знай себе тостировал Грегоре. — За то, что они еще в здравом уме и ясной памяти!

— Чушь! — воскликнула Марианна. — Давайте выпьем за нашу неувядаемую красоту и таланты!

— У меня очень много талантов, — скромно заметила Рита. — Но самый главный — стереоскопическое зрение. Это обнаружилось во время Великой Отечественной войны, когда я служила в артиллерии. Я видела, какой самолет летит ближе к пушке, какой дальше — невооруженным глазом. Таких стереоскопистов у нас на батарее было только двое — я и Зинкина. Нам даже за это полагалось молоко!..

Одним словом, возвращается Серафим и застает весьма живописную картину: посреди кухни стоит Маргарита с пылающими щеками:

— Тут наш комбат, — с жаром, жестикулируя, рассказывает она, — отдает приказ: «Батарэя, к бою!!!» Он был хохол! Ах, как он пел эту песню: «Рэвет и сто-о-огне Дніпр широ-окій»... Мессершмиты: «У-у-у!!!», — гудит Рита. — Смиррно! Встать!

Марчелло и Грегоре вскочили, вытянулись во фрунт. А Марианночка хотела встать, но не смогла и осталась сидеть.

— Вольно! — скомандовала Маргарита.

Гастарбайтеры сели.

— Да здравствует наша непобедимая сталинская артиллерия! — крикнула Рита.

— Ура! — послышался голос Фимы из прихожей.

Все вздрогнули и обернулись.

— Ребята, муж вернулся, — смущенно сказала Рита. — Познакомься, Фима, это наши слесари-сантехники.

— Мы попросили их оказать нам честь отобедать с нами, — церемонно добавила малышка.

— И они, конечно, любезно согласились! Что ж, их можно понять. Такими девушками не бросаются!.. — проговорил Серафим, с неописуемым ужасом узнавая на кухонном столе свою китайскую бутылочку с синей пагодой на фоне изумрудных гор, утопающих в сиреневой дымке.

Марчелло и Грегоре торопливо стали пробираться к выходу.

— Спасибо, нам пора! Под вами — потоп, мы только зашли — посмотреть, не вы ли тому причиной.

— Я тоже побегу, — сказала Марианночка. — Мне завтра статью про Дельвига сдавать в журнал.

Гости ушли, а Серафим, бледный как полотно, трагически поднял над головой опустошенную бутылку с загадочными письменами. Долгое время он стоял так, суровый и величественный.

Наконец он произнес:

— Знаешь ли ты, Маргарита, что сей напиток бессмертия, утоляющий любую жажду, мне лично сорок два года назад подарил Мао Цзэдун?

— Значит, эта бутылка тебе досталась бесплатно! — заметила Рита слегка заплетающимся языком. — Ну, Фима, — сказала она, не сводя с него умудренного жизнью взгляда, —

не будешь же ты, взрослый разумный человек, всю жизнь хранить память об этом хунвейбине.

Так наша сплоченная корпорация лишилась как минимум еще семнадцати тысяч долларов. И бывший председатель Верховного суда Павел Дмитриевич Тарощин, к которому отлучился Фима, покинув свой пост сторожевой в тот злополучный день, ничем не компенсировал эту утрату.

— Ой, Серафим, — воскликнул он, — если бы ты вчера обратился, у меня было. А сегодня утром я все деньги отдал, накопленные мной за много-много лет... Знаешь, есть такая услуга — можно предложить своим именем назвать планету. А то планет понаоткрывали, уже не знают, как называть. И ты можешь внести предложение, за деньги, я повторяю. Есть уже звезда «Кока-Кола», есть «Менатеп-банк»... А теперь над вашими головами навеки воссияет планета «Судья Тарощин»!..

Желая хоть как-то загладить свою вину, Рита поехала сдавать в Исторический музей четыре килограмма прижизненной ленинской автобиографии 1923 года, надеясь немного подзаработать, но ее так энергично благодарили, чуть ли не полчаса пожимали руку — словом, довольно быстро выяснилось, что они это приняли в подарок.

К тому же ей наговорили столько хороших слов, что она опять все норовила туда поехать и совершенно безвозмездно отдать им личную переписку деда Степана с Кларой Цеткин.

— У нее деловой хватки вообще нет, — негодовал Фима, припрятывая под диван собрание сочинений Троцкого с автографом.

— Каждый гаврик будет мне мораль читать, — обижалась Рита. — Запомни, Фима, — говорила она, — праведник яко финикс процветет, яко кедр, иже в Ливане, умножится!..

Но не процветал финикс, не умножался в Ливане кедр. Мы генерировали в теле мощные потоки жизненной силы, заглядывали в Беспредельное, мы обрели совершенство и уже уверенно продвигались к бессмертию. Однако ни с нашими добродетелями, ни с нашими накопленными заслугами, ни с нашими гениальными способностями, ни даже с нашей темной малостью нам с Кешей, хоть ты тресни, не удавалось сколотить хотя бы небольшой капитал. Я уж не говорю о том, чтобы выкраивать какие-то сбережения.

— Только человек, который нигде не работает, — подшучивал над Кешей мальчик, — может быть таким бодрым в пятьдесят минут третьего ночи!

— ...Самые бедные позже всех просыпаются? — спрашивал он, забежав домой пообедать, глядя, как я выбираюсь из ванной комнаты. — Ну вы фрики!.. А какой знатный погром на кухне! Будто бы ОМОН тут шерстил в поисках наркотиков!

— ...Если ты не помоешь пол на кухне, — предупреждал он меня, — я сегодня вечером вызову милицию...

— ...А что за тюки в коридоре? — искренне удивлялся мальчик. — Табор уходит в небо? И никак не уйдет?..

— Все это сны, приснившиеся спящим людям, — отзывался несравненный Кеша, заполнивший собой мироздание. — Посвятим свою жизнь Состраданию и Любви, освобождению из плена желаний, из тлена бытия. Иначе мы пропадем и сгинем во мраке.

— Немудрено тут сгинуть во мраке, в таких жилищных условиях! — дерзко заявлял мальчик, облокотившись на стол и прихлебывая какао.

На это мы отвечали ему словами Сотрясающего сотни миров:

— Как капля воды не держится на листке лотоса, так пусть и нищенствующий не прилепляется жаждою к этим вещам: ни к жилищу и постели, ни к пище и сиденью, ни к воде, поданной отмыть грязь с одеяния... Ибо все вещи мира, движущиеся или покоящиеся, невечны и обречены на умирание...

— А кто говорит, что они вечны? — возмущался мальчик. — К чему вы ломитесь в открытую дверь, что все невечно, боретесь с чем-то? А кто спорит?..

Тогда я — с другого боку:

— Только того, кто принимает жизнь целиком, что бы она ни преподносила, ожидает подлинная награда!..

— И какая же вас ожидает награда, двух таких оболтусов? — интересовался мальчик.

— Понимаешь, сынок, — отвечал ему Кеша удрученно, — кажется, «Мокшадхарма» рассказывает об одном преданном, как тот взмолился богу Индре: «Тысячу лет я тебе поклоняюсь, курю фимиам, и так нестерпимо беден! Пошли мне за выслугу лет хоть какую-нибудь субсидию, а то эта нищета уже забодала». Услышали боги его стенания и сказали: «Послушай-ка, Индра! Надо бы, действительно, этому твоему бедолаге оказать содействие». Дальше события развиваются следующим образом, — будничным тоном продолжает Кеша, — *«Собрались они вместе и послали ему*, — там сказано, — *не деньги, конечно, а... ПОНИМАНИЕ»*.

— И ВСЕ??? — ахнул мальчик.

— Терпение, терпение... Надо набраться терпения, — подбадривал себя Кеша. — Святой, который печалится, — безрадостная фигура.

А сам в таких ярких синих носках расхаживал по дому!

— Мне нравятся синие носки, — серьезно говорил Кеша. — Как будто по морю ходишь — по щиколотку проваливаешься!

Мы чтили Дхарму, старательно следовали практике учения о Чистой Земле, молитвенно произносили имя Будды Амитабхи. А сами ждали-ждали ответа от Вольдемара Персица. И хотя его безмолвие можно было уподобить вечному молчанию бездонных пучин моря, нас все-таки не оставляла надежда — последняя вещь в ящике Пандоры.

Меня до того томило это ожидание, я только и сидела, и смотрела на факс, хотя нам по-прежнему приходили таинственные письма:

«...захватили огромное количество трофеев: пушек, самолетов и всякого рода оружия, разбросанного повсюду, включая более чем 1000 самолетов, захваченных на различных аэродромах. Вскоре мы предпримем мощное наступление на итальянский континент...»

«...выполнение ваших поставок по танкам и самолетам имеет важное значение для нашего общего дела, для наших...»

Мне даже в магазин было некогда сходить! Я написала список продуктов, даю мальчику, а он говорит:

— Ты что? У меня руки отвалятся!

Я говорю:

— Не отвалятся. Я тебе их крепко приделала.

— ...Ну? — обращался к нам мальчик с одним и тем и тем же насмешливым вопросом. — Все еще минус сорок пять тысяч долларов? Или уже минус семьдесят? Вот любят рассиживаться! — он всплескивал руками. — Люди давно уже на работе — в костюмах, в галстуках. У нас прямо в офисе подвешены прозрачные ящики водки «Кристалл», чтобы человек, который приходит к нам в офис, сразу видел всю нашу вино-водочную мощь! А ты тут, Марусенька, созерцаешь собственный пуп и только напрасно теряешь время.

— Этот парень нашел, что мне поставить в пример! — я отвечала надменно. — Вино-водочную мощь, благодаря которой гибнет великая русская нация. Да если б все целыми днями, как я, созерцали свой пуп, не было бы в мире зла!

Однажды ночью Кеша меня разбудил и говорит:

— Мне сейчас приснилось, что на нас Китай напал. Какие-то учкуны. Война — с Китаем. Представляешь? А я подумал: «Не может быть! Наверное, мы сами что-то такое устроили, что теперь можно начинать обмен ядерными ударами!..»

На следующий день, ближе к вечеру, из факса вылез листок бумаги, на котором было написано:

Дорогая Мария! How are you. Спешу вам сообщить, что некоторое время назад у нас в Hollywood собирался художественный совет, в который входят: Вуди Аллен, Спилберг, Брюс Уиллис, Деми Мур, Эдди Мерфи, Энтони Хопкинс, Вупи Голдберг, Джонни Депп, Майкл Дуглас, Джек Николсон и Харви Кейтель. Обсуждали вашу «Каштанку». Практически все единодушны в своем мнении (кроме Вупи Голберг): сценарий отвечает высоким голливудским требованиям. Но в связи с тем, что на планете усилился экстремизм, наращивается производство оружия массового уничтожения, в Иране готовят атомную бомбу, выросли цены на сырую нефть, лютует СПИД, растет экономическая нестабильность, к тому же вспыхнул птичий грипп, худсовет постановил: еще три года назад «Каштанка» могла бы спасти мир, а теперь — нет. Чтобы облегчить страдания человечества, пробудить в нем чувство справедливости, остановить распространение насилия и паранойи, понадобится более сильное средство — «Муму»!.. Мужайтесь, Мария! Засучивайте рукава и принимайтесь за работу. Все будет О. К.

Искренне Ваш, *Вольдемар Персиц*.

Факс передавали из рук в руки, читали по слогам.

— Что же теперь делать? — я спрашиваю. — Писать «Муму»?

Хотя я ненавижу это произведение. Мне как-то приснилось (в отличие от Кеши, мне снятся социо-культурные сны!): стоит на берегу пруда Тургенев со связанными руками, на шее у него камень и дощечка с надписью: «ЗА МУМУ!» Вокруг толпятся крестьяне, все смеются, и только одна Полина Виардо плачет.

— Ни в коем случае! — решительно заявила Маргарита. — Тебя надули! Не-ет, Голливуд так просто не возьмешь!

А Серафим только обнял меня и добавил добродушно:

— Марусенька всегда была девушкой, перед которой кончаются сосиски!

Мы хотели немедленно отключить факс, но тут он опять затарахтел и оттуда выползла бумага. В центре листа явственно был виден орел, держащий пучок стрел, дальше следовал текст, не компьютерный, а напечатанный на машинке. Кеша взял факс и прочитал срывающимся голосом:

Секретное и личное послание Верховному Главнокомандующему Советской армии Генералиссимусу господину Йозефу Сталину от Ф. -Т. Рузвельта:

Don't worry — Be Happy!..

— Это уму непостижимо! — удивлялся Серафим. — Ни того, ни другого давно на свете нет, а они себе в ус не дуют, продолжают дружескую переписку.

— Помнишь, Фима, когда умер Сталин, — сказала Рита, — я делала на радио передачу «Трудовые резервы»? Мне сначала велели нафаршировать ее цитатами Сталина, а на следующий день опомнились и велели их убрать. Я вся была в синяках, такую устроили давку возле Дома Союзов, когда его хоронили!

— А потом прошел слух, что арестовали Берию, — гово-

рит Фима. — И мы решили с Маргаритой, что пойдем в гостиницу «Москва» — там висел его портрет — и посмотрим: если портрет сняли, значит, это правда. Мы входим — а портрета нет. Все висят партийные лидеры, а руководителя разведки КГБ как не бывало. Потом мы узнали, что арестовать Берию поручили Жукову. Лаврентий Палыч должен был возвращаться с дачи, а Жуков с армейскими частями перекрыл ему дорогу.

— Причем в газетах объявили, что он английский шпион, — сказала Рита.

Тут аппарат снова застрекотал, а из темной щели возник древнейший пергамент, где было начертано что-то на древнеиудейском языке — правда, с подстрочником. Кеша принес лупу, и мы с трудом разобрали расплывшиеся от тысячелетий письмена:

«...и книги разгнутся, и Ветхий денми сядет, и судятся человецы, и Ангели предстанут и земля восколеблется, и вся ужаснутся и вострепещут...»

— Господи! — перекрестилась Маргарита. — Убереги нас от людей, зверей и от технического прогресса!

— Надо его обезвредить, — решил Кеша и вытащил вилку из розетки.

Аппарат свистнул тихонько и смолк. Все лампочки медленно погасли. Кеша снял его с пьедестала и низложил к пылесосу «Ракета» у подножия стеклянного стакана.

А Маргарита потом все эти послания втайне от Фимы преподнесла в дар Историческому музею.

— Да-а, братцы, — сказал мальчик. — Я вижу, коммерция — не ваш конек. Вы прямо заговорены от коммерческого успеха. И никакие *горние* силы не в состоянии развеять эти чары.

— Просто вселенная следует своим беззаботным мистическим путем, непостижимым для человеческих существ, чей удел — пребывать в состоянии озадаченности, — ответствовал Кеша, не утративший своей проникновенной мудрости.

А впрочем, жизнь нашу ознаменовали многие странные и прекрасные проявления Ведущей Руки.

Тихим вечером мы собрались за праздничным столом по случаю дня рождения моего прадедушки Тевеля, деда Серафима, мельника и хасида из деревни Корево. С мельничихой Розой они нажили восьмерых детей, седьмым из которых был Даня, железнодорожник. Когда Тевель стал старепьким, Даня забрал его к себе на дачу в Загорянку. Тевель там крутил пейсы и постоянно молился — ночью и днем, как раввин Симеон, по Слову которого содрогалась Земля и слетались ангелы.

Казалось, он ничего не ел и никогда не спал. Во всяком случае, никто не видел его спящим, а только — бодрствующим, ведущим непрестанный разговор с небесами. Он умер в пятьдесят втором, за два года до моего рождения. Год шел високосный, и Тевель покинул этот мир именно 29 февраля, чтобы после его смерти с ним не было особых хлопот. Как, впрочем, и при жизни: Дане только пришлось принести ему из министерства папку с надписью «Материалы XIV Съезда Коммунистической партии», чтобы сложить туда пожелтевшие, помятые, истрепанные листочки Тевелевых молитв. А то, неровен час, кто-нибудь из гостей, которые съезжались на дачу, взял бы да и сообщил куда следует, какой у Дани отец бесперспективный строитель коммунизма.

— Кстати, вы слышали, — сказал Фима, — что депутаты Думы самым серьезным образом обсуждают предложение разделить население на перспективных и бесперспективных членов общества? Есть такая категория бесперспективных людей, они объявили, в том числе старики...

— Это Циолковский придумал — разделить человечество на перспективных и бесперспективных, — со знанием дела сказал Кеша. — Первым, он искренне считал, надо обеспечить нормальные условия жизни, хорошее образование, всяческие поощрения, а другим — даже запрещать размножаться, а то человечество придет в упадок. Вот план Циолковского по реорганизации жизни на Земле.

— Как бы таких великих подвижников, как наши Маруся с Кешей, пышущих перспективами, подающих надежды которую двадцатку лет, — заметил мальчик, — не отнесли ко второй категории...

— А вот я у этих подвижников, — говорит Фима, — давно собирался спросить, но все как-то не решался. Вы пенсию-то планируете получать? Ведь пенсионный возраст уже не за горами... В прежние времена у писателей и художников шел стаж в творческом Союзе. А теперь?

— Нам с Марусей пенсия не светит! — гордо произнес Кеша, сияющий и невозмутимый, как всегда. — Нам нужно заботиться о своем здоровье и творить. Художник, который собрался на пенсию, — в этом есть что-то курьезное!..

— Подожди, — заволновался Фима. — Со старостью порой приходит немощь и недуги. Пускай художник получает пенсию, и...

— ...и наконец засядет за картину, о которой мечтал всю жизнь, но писал трактористов и колхозниц со снопами? А вышел на пенсию и занялся абстракцией? Не-ет, если ты художник, — воскликнул Кеша с лихорадочным блеском в глазах, — будь им от начала до конца! Иначе какой ты художник? Это ж герои все! Кустодиев ездил в инвалидной коляске и все-таки писал картины!.. Митрохину было за девяносто, он месяцами лежал в больнице — перед глазами одни пузырьки с лекарствами, и — он рисовал пузырьки до последнего вздоха. Все в них было, в этих его пузырьках — и жизнь, и судьба! Дега — ослеп, не мог заниматься живописью. Он взялся лепить скульптуры. Пикассо — девяносто лет — вообще не помнил ничего, впал в детство, но продолжал писать картины. А Репин — у него была какая-то болезнь рук, так ему кисточки сделали специальные, привязывали к рукам и он рисовал. Да если б все великие художники сидели и раздумывали, какая у них будет пенсия, они бы напрасно разметали свои дни!

— Ну, это единицы, — возражал Серафим. — Есть инженеры, а есть Резерфорд, есть математики, а есть Эйнштейн. Как быть тем, кто не единицы? Что должны делать тысячи других людей, которые изо дня в день профессионально занимаются искусством, но их слава не докатилась до Эрмитажа?

— Не знаю, — сурово отвечал Кеша, — не надо себя готовить к тому, чтобы не быть единицей! Да, есть такие художники, которые неутомимо крутят и крутят эту динамо-машину, вручную, но искра не высекается. И все-таки каждому из них светит надежда на откровение. А если ты настоящий художник, — или на коне ты должен окончить свой путь, или в канаве, или — не дожить до пенсии, или уже к пенсионному возрасту весь ходить в золоте, огнем очищенным. Тогда придет к тебе Держащий семь звезд в деснице Своей, ходящий посреди золотых светильников, и скажет: не бойся ничего, что тебе надобно будет претерпеть, будь верен до смерти, и дам тебе венец жизни.

— К сожалению, — сказал мальчик, — я вынужден вас покинуть. Я еду на «Сходненскую» в рекламно-производственную фирму. Мне надо заказать световые короба для магазина, название которого я умышленно опускаю, чтобы не оскорбить слух членов вашего нищенствующего братства.

Вот он какой у нас скромный. А ведь благодаря его усилиям все эти мрачные бетонные магазины были оснащены яркими светящимися буквами: огромное «О», потом маленькое «б», и дальше всепобеждающее имя «ЖОРА» в ночи ослепительно сияли на небосклоне каждого микрорайона Москвы, затмевая знакомые созвездия, солнечные системы, млечные пути, а также открытую недавно планету Х-564789, окруженную исключительно сероводородом, названную в честь Фиминого друга «Судья Тарощин», который на девятом десятке предпочел остаться без гроша, зато увековечил свое имя в могучих масштабах мироздания.

Все только и говорили про эти торговые центры, и в прессе уже писали, и даже Лужков приехал на открытие очередного магазина:

— Побольше бы таких «Обжор»! — сказал он.

Теперь они возводят магазин-исполин, где буквы будут пятнадцать метров каждая, кроме трехметровой «б».

— Может, составишь мне компанию? — спрашивает у Кеши мальчик. — Как художник — художнику? Помог бы выбрать шрифт, придумать композицию? Чего дома-то груши околачивать?

— Ладно. — Кеша неторопливо откупорил бутылку чилийского красного. — Монахи не обязаны воздерживаться от вина, — сказал он, наполняя стакан, — но они должны воздерживаться от суеты!

Иннокентий вышел на балкон посмотреть, какая там погода. Был месяц май, все в цвету, но северный ветер гнул высоченные липы у нас во дворе, шелестел большими и нежными майскими листьями.

— Немного красного вина, немного солнечного мая... — продекламировал Кеша, пригубив чилийское красное, открыл шкаф и начал копаться на верхней полке.

А в этом шкафу такие завалы, я даже не помню, что именно там храню. Теплое белье «Дружба» с начесом — Кешиного отца, уральского лыжника Сан Иваныча, вязаные коврики, круглые, Кешиной мамы, купальный махровый халат Серафима времен его молодости, полосатый, серо-зеленый, похожий на арестантский, мое свадебное платье с восходящими солнцами малиновыми над фиолетовым морем, пошитое из японского трикотина, привезенного Фиминой американской тетушкой, — по тем временам большая редкость, я его тридцать лет берегла, мечтала осчастливить невесту мальчика. Недавно я попыталась преподнести его Тасе, так она вежливо, но решительно отклонила этот дар. Пара байковых детских пеленок, застиранных до дыр. У нас в ванной год стояла бабулина стиральная доска. Кеша ночами стирал мальчику пеленки, а я утром гладила, приговаривая:

— Если я буду гладить, и гладить, и гладить эти пеленки, я скоро стану, как гладильная доска.

— А я — как стиральная! — подхватывал Кеша.

Стеганый жилет из Норвегии, секонд-хэнд, который прибыл в наш православный лицей на благотворительном автобусе с уловом норвежской сельди... Сельдь я уж не храню, а рыболовецкая сеть — вот она, по сей день пахнет водами северных морей, изборожденных драккарами воинственного Харальда Синезубого и его сынка, Свейна Вилобородого; шерстяная рубаха древнего русского воина, сшитая на заказ мальчиком, когда он увлекся славянским язычеством, полосатые вязаные носки, четыре штуки, для нашего пуделя, у него к старости стали зябнуть ноги, ватный дед Мороз, завернутый в стародавнюю газету «Правда», шапки, варежки, шарфики...

Кеша хотел выдернуть одно элегантное кашне, купленное Фимой в ту парижскую незабываемую поездку в Латинском квартале, потянул за один конец, и оттуда все повалилось! Хотя сто раз я просила около шкафа даже не хлопать в ладоши, как в горах с повышенной лавинной опасностью, а то снежный козырек сорвется; увлекая за собой тонны снега, погребет незадачливых туристов. Точно так же обрушилась груда вещей, заботливо утрамбованных мною за много-много лет.

Напоследок — медленно, плавно, точно сорвавшийся с ветки лист осенний, а то и орел с вершины Кордильер, с полки на пол спланировала фетровая шляпа Эфраима Предприимчивого, мужа тети Лены Прекрасной, младшей дочери пресвятого Тевеля и красавицы Розы.

Кеша проводил ее взглядом, допил вино, снял с вешалки пиджак Модильяни, привычным жестом набросил на шею

шарф. Затем поднял шляпу, расправил тулью, вернув ей благородный изгиб, сдул пыль веков с ворсистых полей, слегка помахал, проветривая от бабулиного еще нафталина, и аристократическим жестом опустил себе на голову.

— В тебе что-то появилось от Эфы, — сказал Серафим. — Только не хватает шахматной доски. Эфа всегда ходил с шахматами. И он не терпел щетины у себя на щеках. Поэтому каждый божий день зажигал люстру из восьми плафонов, латунную, ставил на огромный стол под люстрой большое полуовальное зеркало и делал совершенно жуткий — как он не шпарился? — паровой массаж лица. Эфа и так был розовый, а тут становился бордовый! Потом брал кисти — у него были разные — из козьей бороды и свиной щетины. Намыливался... Открывал бархатную коробочку, иностранную, и доставал оттуда ужасную опасную бритву, отточенную, как сабля: волос резала на лету! На ручке комода у него висел очень широкий ремень из мягкой эластичной толстой кожи. Об нее он правил эту страшную бритву, которую строго-настрого запрещалось трогать. И брился. А завершая этот поистине религиозный ритуал, брал с комодика туалетного хрустальный флакон с грушей (груша была резиновая, обтянутая шелковой сеточкой плетеной), — предавался воспоминаниям Фима, — и опрыскивал себя какой-то свежестью...

Он подошел, принюхался к стародавней шляпе — и сквозь поблекший запах нафталина донеслась до него такая знакомая с детства — свежесть Эфраима.

Кеша обнял его, похлопал по спине, элегантно переступил через упавшие вещи и устремился вслед за мальчиком, как многомудрый Одиссей за энергичным Телемахом.

Мастерская «Макс и Мориц» арендовала двухэтажное кирпичное строение бывшей фабрики то ли холодильников, то ли стиральных машин на окраине Москвы в безнадежно промышленной зоне. С некоторых пор там производили сварочные работы, сооружали гаражи-ракушки, ограды для могил...

— Вкус моего детства, запах сероводорода, — ностальгически проговорил мальчик.

Заборы, заборы, колючая проволока, лужи, грязь, чугунные ворота, из-под которых Кешу с мальчиком облаивали сторожевые дворняги с мокрыми лапами. Но когда они вдвоем вошли во двор, увидели, как рабочие в синих комбинезонах ставили на попа огромную букву «Ж» — метра два высотой. Уже смеркалось, вдруг «Ж» вспыхнула неоновым светом — это, оказывается и есть световой короб, — залила все вокруг волшебным сиянием. Кеша встал, потрясенный, не в силах отвести глаз. Только спросил:

— Мужики! А где тут у вас «М»?

В конторе их встретил дизайнер Иван Никитич, подслеповатый человек в джинсовой куртке, стал равнодушно заполнять бланк заказа.

— Показывайте, — сказал Кеша, — какие имеются шрифты?

— У нас только «Гельветика» или «Таймс», — ответил Иван Никитич бесцветным голосом.

— А есть «Гарамонд» или «Футура»? — бодро спросил Кеша. — Что ж, ладно, давайте вручную напишем, с завитушками? Или в стиле газеты «Известия» двадцатых годов? Можете от руки нарисовать? Нет? А что, если каждую букву сплести из колбас — о! из неоновых ламп соорудим колбасные гирлянды? И чтобы жиринки в колбасе и заглавная буква «О» — вспыхивали в ритме самбы?

Иван Никитич — толстоватый, с бледным лицом — разинул рот.

— Да мы не художники, — он стал оправдываться, — мы верстальщики, обычные труженики верстки.

— И сколько это может стоить? — вмешался в разговор мальчик. — Если дорого, Кеш, не надо, нам надо попроще, подешевле, что ты как золотушный интеллигент? У меня на такой заказ полбюджета уйдет. Делайте гельветикой, просто и ясно: «ОБЖОРА» на фоне цветной фотографии колбасы. Мы это взгромоздим на фасаде. Ух, как пенсионеры ломанутся в наш магазин, никто мимо не пройдет. Да что пенсионеры, все население микрорайона — шаговой доступности магазин!.. Иди, Кеш, погуляй, я сейчас приду.

На улице толпились передвижные фургоны — «Шаурма» было написано на одном из них, под тентом сидели в спецодежде рабочие, курили. Большая буква «Ж», снова черная, ощетинилась, словно противотанковый еж. Двое рабочих собирали какой-то короб и вставляли туда неоновые лампы. Пустынный ветер гнал мусор по двору.

«Не живет здесь поэзия, творчеством и не пахнет», — подумал Кеша. И тут его обдало запахом сирени.

Он поднял голову, увидел сиреневый куст. Сама сирень была почти не видна, но аромат выдавал ее присутствие. И Кеша вздохнул с облегчением, будто встретил друга.

Мгновенно повеселев, он уселся на дощатый ящик под кустом, достал бутерброд с колбасой, который я незаметно сунула в карман пиджака Модильяни перед уходом. Сразу подбежал здоровый пес, Кеша угостил его бутербродом.

Так он сидел и ждал мальчика, глядя на фабричный цех. В каждом окне рабочие клепали вывески: «Аптека», «Чебуреки», «Спичка», короба, короба... Внезапно с той стороны барака над крышей появился острый светящийся уголок — видимо, работяги включили какой-то лайт-бокс, а из окна пытаются его вытолкать.

«Наверное, в дверь не прошел, они решили попробовать — в окно... — подумал Кеша. — Совсем спятили! Дорогой ведь! Сейчас упадет на асфальт, разобьется!»

Он побежал к ним сказать:

— Что вы делаете, идиоты?

...И оцепенел.

Лайт-бокс поднимался выше, выше, заскользил по коньку, неожиданно оторвался от крыши и поплыл, уплотняясь, обретая вселенскую материю, — это всходил над рекламно-производственной мастерской «Макс и Мориц» новорожденный месяц.

Кеша даже зажмурился от восторга, радость охватила его всего, внешне он походил сейчас на Кюхельбекера, внутренне — на Ломоносова. В голове пышет пламя, внутри клокочут разные комбинации. Обуреваемый грандиозными идеями, он увидел себя в ночи на крыше кирпичного цеха — в шляпе и двубортном габардиновом пальто дяди Эфраима. А около него лежит лайт-бокс в виде месяца. Гениальная инсталляция. Чистый белый неоновый свет, льющийся из двурогого объекта...

Он вытащил из кармана блокнот и торопливо стал записывать свою идею, зарисовывать картинку, а пес опять возник из темноты, подумал, что они с Кешей снова будут есть бутерброд.

Тут вышел мальчик:

— Что, Кеша, мысль интересная? Я сделал заказ, пошли.

— Подожди минуточку — Кеша кинулся в мастерскую, толкнул дверь, а там уже закрывают. — Иван Никитич! — заорал Кеша, ворвался внутрь и направился к дизайнеру. — Скажите пожалуйста, вы можете сделать месяц?

— Мы все можем, — ответил Иван Никитич. — Если у вас есть на это деньги.

— А сколько надо?

— Смотря какой размер.

— Метра два.

— Ну, долларов триста пятьдесят...

— Понимаете, я подумал: а что если соорудить Луну — как натуральную, светящуюся скульптуру...

— Световой короб ходите сделать? Мы вам его быстро сварим, деньги наличностью будете платить — это хорошо. Значит, Луна? И все? А что на ней напишем? Какой слоган или название вашего ларька?

— Это я для театра, — соврал Кеша. — В детский театр для украшения сцены.

— Значит, короб из жести, здесь скобки, с лица — оргстекло, внутри пять ламп дневного света...

Они стали рассчитывать, чертить.

— Всего десять тысяч рублей, — сказал Иван Никитич.

— Ой-ой-ой, а можно дешевле?

— Можно — без ламп.

— Как это без ламп? Мне надо с лампами!

— Договорились, — сказал Иван Никитич.

И выписал квитанцию.

На очередном праздничном ужине Иннокентий робко предъявил корпорации квитанцию от «Макса и Морица».

Главное, мои сидят, едят холодец. Мальчик был очень не в духе, как чувствовал, что сейчас Кеша опять деньги будет просить, ворчал:

— Хрена нет, хлеба нет!..

— А у нас со всем на «х» как-то не очень! — весело сказал Кеша.

Фима надел очки и стал читать:

Смета на производство объекта «Луна»

1. Лист оргстекла 2000×155 — 2. 200 руб
2. Лист оргалита парафинированного или фанеры 275×170 — 300 руб
3. Лист пластика — 1. 800 руб.
4. 5 ламп дневного света — по 300 руб. — 1. 500 руб
5. Кабель электр. 30 метр. — 120 руб.
6. Полиэтиленовая пленка от дождя — 80 руб.
7. Фурнитура алюминиевая (кронштейны, перемычки, шурупы) — 500 руб.
8. Транспорт — 500 руб.

Всего на материалы — 7. 000 руб

9. Работа 3. 000 руб

Общая стоимость объекта — 10. 000 рублей.

— Понимаете, — объяснял Кеша, — я как надел шляпу дяди Эфы, мне сразу в голову пришла гениальная идея — сделать световой короб в виде месяца. Давайте вывернем карманы, засучим рукава, потрясем полами пиджаков, я что-нибудь такое придумаю с этим месяцем, чего еще не видали в подлунном мире! Увидите, он нам принесет удачу!

— Кешу просто из дома опасно выводить, — сказал наш сынок. — Это какое-то неуправляемое празднество мысли!

— А мне понравилось! — говорю. — Подумаешь, триста с лишним баксов...

— Особенно для таких архимиллиардеров, как наша Маруся, — оживился мальчик, — которые не понаслышке знают, сколько им за сто долларов приходится помотаться по свету и какую поотплясывать качучу!.. Продайте в Исторический музей факс и пылесос, и на вырученные деньги Кеша купит себе Луну.

— Сейчас музеи переживают тяжелые времена, — посетовала Рита. — Нет больше музея Ленина, музея Революции, музея Русской боевой славы, а Исторический музей — даже если ты принесешь щит и меч Вещего Олега! — все принимает исключительно в дар.

— Ладно, — сказал Серафим. — Я дам три тысячи рублей. Кто не рискует, тот не пьет шампанское. Я верю: моего зятя ожидает великое будущее. А что велико, что мало и темно под дрейфом галактик, которые выглядят пылью великого Солнца, — не нам судить!

— Я — за! — Тася вскочила, принесла из чулана сумочку с Мэрилин Монро и вынула из кошелька две тысячи.

— Ты почему всегда за них? — возмутился мальчик. — Ты, моя невеста, будущая мать моих детей, должна быть только за меня! Ты что, собираешься это сборище охламонов взять на иждивение? С тех пор как ты у нас появилась, они вообще в магазин перестали ходить, Марусенька даже забыла, как яйца варить, все только сидят — голодные — и ждут, когда ты придешь с работы, принесешь фруктов, мороженого и напечешь румяных блинчиков, чтобы до поздней ночи пить кофе-гляссэ!..

Тася ничего не ответила. Она только молча — влюбленными глазами — глядела на мальчика и вся светилась от пяток до макушки. Ну, и мы за ней вслед залюбовались им — какой он все-таки получился славный бутуз.

Тут Рита вступила в общий нестройный хор:

— Даю на Луну полторы тысячи из своего похоронного фонда! — воскликнула она. — Завтра же сниму со сберкнижки и отдам.

— Вы, Маргарита Степановна, не беспокойтесь, — обрадовался Кеша, — я вас, если что, не оставлю грифам на растерзание!

— До чего ты самоотверженная теща! — восторженно заметил Фима.

А мальчик добавил:

— Теперь тебе придется жить вечно!

Он сделал еще несколько попыток вышибить из Кешиной головы этот неудачный финансовый план. Но куда там! Всклокоченный, сияющий, тот уже был в седле. Тишину нарушали лишь дробь копыт о примятую траву и потрескивание кустарника, задевавшего деревянные стремена.

Пришлось мальчугану опять раскошелиться.

— А у меня, — говорю, — совсем денег нет.

— Это тебя и спасло от разорения! — весомо произнес Кеша.

Что делать, каждый исходит из своего мировосприятия, а внешние силы могут быть достаточно мощными, чтобы остудить солнце и раскалить луну. Но убежденные последователи не позволят им влиять на свою практику.

Поэтому Иннокентий, имеющий мужество жить, как гонимый лист осенний, немного обалдев от возбуждения, с новой силой принялся разгадывать тайну своей жизни.

Я же, пока суд да дело, решила временно не платить за электричество, отопление, поскрести по сусекам и хотя бы немного субсидировать Риту. А то она собралась на день рождения к Тильде Осиповне, а у самой ни сольдо.

— Зачем ты нам отдаешь деньги, зачем? — трагически произнесла Рита, когда я к ним заглянула по дороге, собравшись на прогулку в цветущие монастырские майские сады. — Ты наша дочь, ты нас должна обдирать!

Она скрылась из виду и вышла, держа перед собой веник. Я даже не успела подумать, не вздумала ли Маргарита меня веником огреть. Но она заявила:

— Вот, Фима купил. Это же всё травы, на них растут шишечки. Я преподнесу его со словами: Тильда, дорогая, это тебе букет! Плюс прекрасный хлопчатобумажный пододеяльник. Фима! Отдай мой китайский пододеяльник, который мне подарило русское государство!.. На нем написано: «У нас очень хорошая *репудация* в России!» Чего это ты там вычеркиваешь, не нас ли — из своего сердца? — спросила она певуче, проплывая мимо Серафима — тот редактировал монографию своего дышавшего на ладан Института Международного рабочего движения «Мог ли сохраниться СССР и что бы тогда было?». — До свидания, друзья, увидимся ли мы вновь, не знаю, — сказала Маргарита, взгромождаясь на велотренажер.

— До свидания, до встречи, — ответили мы и помахали ей вслед.

Тильда жила в Златоустинском переулке — в глубине, за старыми тополями, в большом розовом доме буквой «П» на пятом этаже. Риту она встретила в карибском тюрбане и в платье из ткани в мелкий букетик — кубинская мода времен войны, пришедшая к нам из американского фильма сороковых годов — «Викенд в Гаване» с Кармен Мирандой, безумно популярной бразильской красавицей. Все пытались тогда раздобыть чулки загорелого кубинского тона. Отсутствие чулок на черном рынке компенсировали швом, нарисованным прямо на ноге простым карандашом.

— Какая прелесть! — воскликнула Рита. — Это римейк? Или вы сохранили — с тех самых пор?

— Я дружила с портнихой, которая обшивала Шульженко, — доверительно сообщила Тильда. — Платье и тюрбан мне перепали от самой Клавы, когда та посчитала, что они морально устарели... Боже мой, Маргарита, какой обворожительный букет... Я его поставлю в вазу. Ха-ха-ха, — рассмеялась Тильда, — *«хорошая репудация в России»*, спасибо, золотая вы моя, а то я что-то совсем засиделась без подарков... Сегодня я пошла в сберкассу, — она рассказывала уже за столом, накладывая Рите в красивую фарфоровую тарелку салат «оливье», придвигая поближе красную икру и шпроты. — А там стоял мужчина в очереди — вот он мне и говорит: «Как вам идет этот головной убор! Вообще вы хорошо выглядите. Какое ваше поколение — молодец!» А сам такой ухоженный, холеный. «Мне девяносто лет», — я сказала. А он: «Ну и что! У вас глаза блестят. Хотя я женщинам никогда не делаю комплиментов!» — «Почему?» — я спросила. А он ответил: «У меня на баб аллергия!» Раньше, — сказала она, разливая кагор в хрустальные бокалы, — у меня был третий номер бюста — пышный третий, рвущийся из чашек. А теперь — тоже третий — но такой, усевший.

— Лучше это называть не усевший третий, — отозвалась Рита, — а — рвущийся из чашечек второй.

— Ни шагу назад! — по-гусарски воскликнула Тильда. — Вы знаете, что за мной в свое время ухаживал Лемешев?

— С Лемешевым в моей жизни связана смешная история, — сказала Рита. — Когда началась война, мы эвакуировались в Казань. Я там поступила в университет. И вот одна девушка меня спрашивает: «Ой, ты из Москвы?» Я говорю: «Да». — «А ты Лемешева знаешь?» — «Знаю». Мне все завидовали. И вот однажды мы с ней идём по Казани, вдруг видим — Лемешев. Она: «Лемешев! — шепчет. — Лемешев!» Я: «Да, это Лемешев!» А он идет нам навстречу. Что делать? Я говорю: «Сергей Яковлевич! Здрасьте!» Лемешев — удивленно: «М-м... здрасьте!» — «Вы из Москвы?» — «Да-а». — «Ну, как там, в Москве?» — «М-м, ничего...» А сам идет, не останавливаясь. Я говорю: «Ну, хорошо, до свидания!» — «До свидания!» — он мне ответил.

— Ха-ха-ха! — рассмеялась Тильда. — Значит, доказали?

Тут раздался телефонный звонок. Это Марианночка — со своими запоздалыми поздравлениями. Она не смогла прийти, потому что переживала ужасную полосу неудач. Пошла на фабрику Бабаева на экскурсию и объелась там шоколада. Пошла в «Ленинку» — простудилась. А вчера отправилась в поликлинику, по дороге встретились две незнакомые женщины, спросили заботливо, куда она держит путь?

Марианна им ответила.

— Нельзя таким стареньким, — ей сказали, — одним в поликлинику ходить. Мы, докторши вашей районной поликлиники, в виде исключения проведем медосмотр у вас на дому.

И хотя она шастала повсюду без посторонней помощи, взяла их, зачем-то привела домой, те вынули фонендоскоп, все честь по чести, но пока одна слушала биение горячего сердца Марианны, другая по-быстрому обчистила квартиру.

— А я-то у нее денег хотела одолжить! — крикнула Рита. — Мы внуку квартиру покупаем.

— И правильно делаете! — ответила Тильда Рите, продолжая телефонный разговор. — Теперь в Москве плохо с жилплощадью. Я слышала, те, кто разводятся, будут все равно жить с этими же людьми, а если дважды расходятся, то даже в одной комнате... Жаль, что тебя нет с нами! — сказала Тильда в трубку. — А то мне, как узнику бывшему, дали задешево много кагора. Вот мы сидим с Маргаритой и попиваем кагорчик. В общем, я тебя целую, — произнесла она величественно, — и давай, не распиздяйствуй!..

— Когда мне было пять лет, а сейчас — восемьдесят три, — сказала Рита, — мои родители развелись. И некоторое время жили в одной квартире в Большом Гнездниковском переулке. Я это запомнила на всю жизнь. При первой же возможности они разъехались в разные города. Папу назначили первым секретарем ЦК партии в Новочеркасске, и он взял меня к себе на лето. У него была новая жена — донская казачка Матильда, она здорово делала домашнюю лапшу. А я из вредности говорила: «У вас очень вкусная *лашпа*» — и раскачивалась на стуле. Они меня поправляют: «ЛаПша надо говорить!» — «Ну, я и говорю: лаШпа!» Папа мне хотел дать подзатыльник, а Матильда: «Не трогай ее, она ревнует». И я упала со стулом. На обратном пути я заболела брюшным тифом, заразилась от тухлого помидора, которым, сам того не зная, накормил меня папа. Мы ехали с казацкого юга, и я все время повторяла: «Та шо ты! Та шо ты!»

— А у меня от моего папы осталась только рука на фотокарточке, — сказала Тильда.

Она открыла ящик письменного стола, взяла оттуда конверт и показала старинную фотографию.

— Это я — в валеночках, матросочке, папа стоит рядом и обнял меня, а кто-то его отрезал. Осталась только рука на моем плече. Он был горным инженером.

Тут гром прогремел, и полил дождь. В окне зашумели высокие старые тополя, которые немало повидали в этом московском дворе и хорошенько запомнили всех, кто ушел когда-то из дома номер семнадцать по Златоустинскому переулку и не вернулся — по самым различным обстоятельствам.

А чуть подальше церковка — такая беленькая, аккуратная, какие они все почти на улице Забелина и в Старосадском переулке, на Маросейке и в Кривоколенном, что ведут к Красной площади, — с черными луковками куполов.

Вдруг звонок в дверь.

— Странно, — сказала Тильда. — Кто-о там?

Ей ответили — неразборчиво. Она открыла. И входит старик.

Он вымок, дождь стекал у него по подбородку и капал на ковровую дорожку. А старомодный коричневый костюм с жилетом совсем почернели от воды. Ботинки обветшалые, все в глине, где-то он шастал по такой непогоде, спина — в известке. Видно, что человек давным-давно опорожнил свой рог изобилия. Хотя он неплохо выглядел. Трость с набалдашником. А усы у него — глаз невозможно оторвать от усов!

— Папа!.. — Тильда так и ахнула.

— Да, моя радость, — ответил он, — это я.

— А где же твоя роскошная шевелюра?..

— Только не надо вот этих разговоров, — с улыбкой отозвался старик, — а то знаете, — он обратился к Рите, — некоторые девяносто лет не видятся, а потом начинают спрашивать: где у тебя то, где это?.. Ну-ка погляди, вот я тебе подарочек принес. — Он сунул руку в карман и вытащил металлическую коробочку — разрисованную, с голубыми узорами. — Помнишь, я обещал?

— Музыкальная шкатулка? — промолвила Тильда Осиповна. — Боже мой! Как я мечтала о такой, когда мне было семь лет!

— Вот видишь! — сказал старичок, очень довольный. — Папа шкатулку принес заводную. Открой, открой!

Тильда открыла крышечку, зазвучал вальс, и заводная балеринка в шелковой юбочке закрутилась, затанцевала на одной ноге. Тра-ля-ля-ля-пам-пам! Тра-ля-ля-ля-пам-пам!

— А я, ты знаешь, — он ей стал рассказывать, снимая пиджак, — хотел войти в подъезд, а там закрыто. Долго стоял под козырьком у нашего парадного. И какие-то милые люди мне открыли. «Вам на пятый? — спросили они. — Вот лифт, у нас есть лифт». А ведь у нас тогда не было лифта. Я говорю им: «Да ничего, я пешком поднимусь...»

— Ты лучше расскажи, — Тильда прямо не знала, куда его усадить и чем угостить, — скорее мне расскажи, где ты пропадал все эти годы?

— Нет, это ты расскажи, — он отвечал, не притрагиваясь к еде, — как ты жила без меня? Я так виноват перед тобой, Тильда!..

Рита посидела еще немного, потом поднялась и незаметно ушла, тихонько прикрыв дверь, чтобы не мешать их счастью. И долго слышался ей вальс из шкатулки, и крутилась перед глазами заводная балерина...

Буду славить Тебя, Господи, всем сердцем моим, возвещать чудеса Твои — нашей Рите, как ветерану, правительство Москвы преподнесло в дар автомобиль. Ее подруга Таня Помидорова, пять лет войны отмотавшая в десантных войсках, доплатила и получила «пятерку» «жигули». А Маргарите просто выдали «оку», и все, предупредив, чтоб она не вздумала ею спекульнуть.

— Это *государственный* автомобиль, — строго сказали Рите. — Через семь лет вы его обязаны вернуть государству. А если к тому времени вам захочется и дальше ездить туда-сюда, мы дадим новую. Каждые семь лет будем менять, и так — пока ветеран является заядлым автолюбителем.

Впрочем, один старикашка признался Рите, что не собирается ездить на этой машине, да его и некому возить. Но он ее все равно примет в дар, поскольку ветеранам, которые получат машину, пообещали прибавку к пенсии — на бензин.

— Поставлю ее у себя во дворе, — говорил он, грезя о золотом времени, — буду выходить и сидеть в ней, пить чай, газету читать, кого-нибудь в гости приглашу, как будто бы это моя фазенда.

Машинка так себе, маленькая, бледно-изумрудная, сделанная из недорогих отечественных материалов среднего ка-

чества, механическая коробка передач, мотор 0,8, но довольно шустрая.

— Когда на ней едешь, — говорит мальчик — он специально пошел на курсы и получил водительские права, — такое впечатление, будто катишься на мопеде, прикрывшись газетой, а вокруг мчатся страшные грузовики.

Кеша сразу потребовал привинтить на крышу багажник. Поэтому как только позвонили из «Макса и Морица» и сказали: Луна готова, можете забирать, мальчик с Кешей под звон литавр въехали на автомобиле в этот неприглядный дворик заводской.

Им вынесли чудесный серп, молочного цвета стекло, взгромоздили на крышу «оки», и он поплыл по Москве, новорожденный, не ведающий о своем космическом предназначении. Никто, никто еще во всем подлунном мире не понимал Кешиной задумки. Кеша с мальчиком вносят к нам в подъезд месяц, а соседи спрашивают:

— Что, новую мебель купили? Кресло-качалку?..

Кеша разместил лунный серп около Большого Стакана. Все засветилось, зазолотилось, поголубело, лунные дорожки побежали вдоль паркета. А сам создатель, прилежный, победивший чувства, преданный возвышенным мыслям, восседал на подушке, мечтая об одном: стать человеком, у которого нет внешних признаков, нет корней или истоков, нет прибежища или местопребывания, и вообще, чтоб от него все отстали.

— Оставь свое тело, Маруся, — он мне уже двадцать лет твердит, — развей свою иллюзорную форму, откажись от зрения, слуха, забудь о людских порядках, слейся в великом единении с самосущим эфиром, освободи сердце и разум, будь покойной, словно неодушевленное тело, и тогда каждый из тьмы существ вернется к своему корню...

Как раз когда он открыл для себя эти вечные истины и был ими буквально околдован, к мальчику пришел в гости одноклассник Сиволапов и стащил у него двадцать пять рублей.

Я говорю Кеше:

— Вот будет родительское собрание, ты сядь за одну парту с папой Сивополапова и, чтоб не поднимать шума, вытащи у него из кармана двадцаточку.

— Да? А потом — глядь, у меня нет часов! — возражает Кеша. — И куда я с этой двадцаточкой?..

У нас же нет ни власти над миром, ни ясного видения. Пора, пора уже войти в великое безмолвие, где нет ни приятия, ни отвержения, ни привязанности, ни отвращения.

Хотя Марк Гумбольдт нам недавно прямо сказал, что в нашем возрасте и мужчины, и женщины просто обязаны заниматься сексом, хотят они этого или нет.

— А! — скептически махнул рукой Кеша. — Ерунда! От этого не зависит ничего!

Прямо до смешного доходит, ей-богу. Я тут в метро на лавочке нашла журнал и прочитала, что по статистике муж обычно перестает обращать внимание на жену после месяца или двух совместной жизни и начинает твердо считать свой брак рутинным.

Я прихожу домой и спрашиваю — застенчиво:

— Кеш! Ты не считаешь наш брак рутинным? А то я тут прочитала, что многие мужчины считают свой секс в браке рутинным... *после двадцати с лишним лет.*

А Кеша — полный жизни, зримый, истинный брахмачарьин, ореол святости сияет над его головой, у ног благородный пудель Герасим — царевич богатого племени с завидной родословной, его бабушку, персиковую Долли, подарила английская королева Елизавета балерине Улановой, — затих на пересечении четырех дорог, как подвижник древне-индийского эпоса, герои коего отличались сверхъестественными деяниями, в ожидании звездного часа.

И этот час не замедлил пробить.

Как-то вечером прибежал Борька Мордухович и ударил в гонг, привлекая внимание Кеши, выводя его из глубокого самадхи:

— Кеша! Начинается фестиваль актуального искусства на открытом воздухе под слоганом «Покажи всем все!» Надо что-то сотворить на природе. Ну, какой-нибудь аттракцион. Этакий ленд-арт среди берез на территории пансионата. Бывший дом престарелых.

И он рассказал, что самих престарелых осталось человек пятнадцать, остальные разбрелись кто куда, а эти ушли в леса, живут в сарае, варят кашу на костре, собирают грибы и ягоды. В общем, не сдаются. Хотя все их корпуса скупил бизнесмен Коля Елкин, искатель счастья и борец за прогресс, новейший пират Караибского моря.

Зона отдыха Коли раскинулась у самого Клязьминского водохранилища на песчаном берегу, плавно переходящем в стриженые английские лужайки, усыпанные незабудками и куриной слепотой. Из старой лодочной станции Коля соорудил солидный причал для яхт, понастроил эллингов, баров и ресторанов, везде охранники в черном, злые и подозрительные. Но, как они ни старались, им не удавалось выловить престарелых партизан: те маневрировали и проворно меняли места обитания.

Коле сколько раз друзья говорили:

— Плюнь ты на них. Пусть шастают. От них же никому нет никакого вреда!

А Коля:

— Вы поймите, в зоне отдыха ничто не должно напоминать о старости. Это очень действует на нервы. Людям неприятно видеть картину распада и думать: а не таким ли я буду в самое ближайшее время?

Елкин коллекционировал актуальное искусство. В конюшне повесил живопись Дубоса и Виноса, модного художественного дуэта. «Птица-тройка», по замыслу художников, аллегория сегодняшней Руси. Там изображены несущиеся галопом лошади с пьяным кучером, вокруг волки, а вверху — черти с вилами.

Архитектор Бородкин из мусора, собранного по берегу водохранилища, построил ресторан «Хрустальный звон». Ресторан дорогой, повар высшей категории, многие видели, заходили, но почему-то не решались заказать там еду.

Теперь Коля отдал свой пансионат на растерзание современным художникам. Один концептуалист привез откуда-то два десятка крестьян, те нагородили из палок деревеньку. Там тоже открыли ресторан, но доступнее. Разливали самогон и давали вареную картошку с капустой. Всего за триста рублей можно было наклюкаться до низложения риз. Художник по прозвищу Фрэнк Синатра изображал из себя живую инсталляцию «Пьяный в сосиску»: три дня фестиваля пролежал в пьяном виде на поляне у всех на виду в ослепительно белом костюме и галстуке от Версаче.

Стружкин установил на обрыве мемориальный обелиск. Все как полагается, каменная стелла чуть ли не с красной звездой, а на отполированной поверхности высечено: «НЕ ЗДЕСЬ!»

На высокой цветущей липе Леша Быков развесил картины с изображением клоунов. Вдруг веревка оборвалась, картина полетела, упала в воду и поплыла. Все сразу прибежали, столпились вокруг липы, смеются, хлопают. Леша сначала расстроился, а потом обрадовался, что наконец обратили внимание на его искусство. Сорвал остальные картины с дерева, свалил на поляне и поджег!

Успех — оглушительный. Все подходили, поздравляли художника, жали руку и говорили:

— Леша, ты гений!

Леша стоял весь чумазый, счастливый, руки черные, рожа черная, глаза сияют.

— Знаете, знаете, — говорил он журналистам, — все сжег, все картины, которые три года писал с утра до вечера — как хорошо, спасибо за внимание, а что художнику надо? Увидели, похвалили, он и счастлив...

А ту, которую из воды выловили, мокрую, сразу купил Елкин. Подошел к Леше, запросто вытащил пачку долларов, и, не торгуясь, купил у него последнюю, единственную картину с клоуном.

— Я, — говорит, — ее повешу у себя в бане, там у меня такие клоуны парятся, как раз будет к месту. И потом видно, что это истинный шедевр, — в воде не тонет...

На открытии выставки толпы народа бродили с ошалелыми глазами, рассматривая уникальные экспозиции. У берега прямо в водоеме были воткнуты сто палочек с колокольчиками — называется «Шумел камыш».

Рядом на песке лежала кучка пепла, а рядом дощечка с надписью «Перезагорал». Клязьминское побережье сплошь было усеяно образцами искусства этих легких духом и незлобивых людей.

Ближе к ночи Кеша с мальчиком привезли на автомобиле Луну. Турки с черными усами — они строили на месте пансионата сто пятнадцатый ресторан — подняли ее на высоченную сосну, протянули провод, включили в розетку.

Садилось солнце, и, как мираж во мраке, — разгоралась Кешина Луна. Мальчик с Кешей уселись под сосной и стали ждать, когда она произведет фурор среди собравшейся публики.

Лунный свет расплывался в сумерках, подул ветерок. Дремучий шелест стеблей и травы, невнятное порхание крыльев, гудение майских жуков, безвестная птица крикнула из болота — то ли выпь, то ли удод... Мальчик вдруг узнал пенье кукушки. Не зря ему Кеша в детстве купил виниловую грампластинку с голосами птиц, а главное — рыб!..

Казалось, все вокруг, от камня до облака, отозвалось на появление Луны в темной кроне сосны каким-то странным, почти звенящим присутствием. И прямо на глазах начало сбываться то, о чем Маргарита вечно просит у вышних сил, — *земли плодоносие, воздуха благорастворение и благословение на все благие дела и начинания наша.*

— Хорошо так сидеть на обрыве, — с воодушевлением сказал Кеша мальчику, — и знать, что под тобой находятся остатки древних живых существ, животных и растений — гигантских папоротников, ихтиозавров, мамонтов, саблезубых тигров...

И радостно прибавил:

— До чего все-таки Земля удивительная. И тебе повезло родиться на этой Земле человеком.

Пьяный Фрэнк Синатра покоился в легкой истоме, в белоснежном костюме, под серебристыми облаками. Нежная темень сгущалась, окутывала побережье. Мальчик задумчиво глядел на воду, обхватив коленки, опираясь спиной на теплый ствол сосны.

— Прямо как на твоей картине, — ласково сказал Кеша, — где луна восходит над скалами и черной водой...

— В говно вляпался, помню, когда ее рисовал, — ответил мальчик.

Так они сидели под Древом Просветления, а люди, свободные от всяких дел и забот, прогуливались вдоль берега. Многие ротозеи приехали из окрестных районов. Сотня добрых знакомых Коли Елкина, полсотни журналистов, к ночи вся набережная, полная музыки, цветов, смеха, была запружена зрителями.

К Луне никто не проявлял интереса. Публику привлекали разные фрики, девиантные личности, сумасброды. Вниманием телевизионщиков полностью завладел Борька Мордухович со своим неизменным фокусом — он привязал газовую горелку между ног и голый, в шапке Деда Мороза, бегал по пляжу, обдавая всех природным жаром своего пламени. Некоторые запускали из штанов петарды, некоторые просто ходили без штанов.

У газетчиков самую большую популярность снискала инсталляция Пономарева — ржавый корабль, стоящий на приколе: там наливали, и наливали основательно. Как только кто-нибудь из журналистской братии поднимался на мостик, к нему выходил стюард с подносом, где плескались в бокалах муранского стекла виски, шампанское, водка и соки. Про эту работу написали все газеты. Бокалы украли на второй день.

А вот Кешину Луну никто не заметил. Пока светло — ее не видно, а в вечеру, когда окончательно стемнело, она отчаянно засияла — но и зрители, и художники были такие пьяные, что подумали — настоящая. Ни один журналист с микрофоном или видеокамерой, да хотя бы с тощим блокнотиком, не приблизился к Иннокентию. Не подкатил ни один бизнесмен. Босоногие братья художники в соломенных шляпах с обвисшими полями, не оборачиваясь, проносились мимо, даже Борька Мордухович — и тот вернулся к своим папиросам и разговорам об экзотических странах за бутылкой вина в кабаке.

Только Фрэнк Синатра, спавший неподалеку, открыл глаза, вдруг смотрит — над ним сияют две луны (вторая как раз выглянула на миг из облаков), причем в разных фазах. Фрэнк даже перекрестился.

— Ни хера себе! — сказал он удивленно и опять заснул.

У кромки леса горели желтые огоньки, двери и окна ресторанов были чуть приоткрыты, оттуда слышались музыка, голоса, неслись неаполитанские песни, кто-то перебирал унылые струны.

Лужайки опустели, дальние березовые рощи погрузились во мглу, в зарослях боярышника и барбариса гасли долгие подмосковные сумерки. Защелкал соловей. Пахло вечерними цветами, ночной фиалкой, медуницей и такой есть цветок — табак. Он особенно нравился Кеше в детстве у мамы в огородике на Урале. Сыро стало, свежо, какой-то вдруг заклубился по волглой траве туман. И в густой листве заквакали древесные лягушки.

— Все, — сказал Кеша мальчику. — Это провал. Они вообще меня как деятеля искусств не воспринимают. Даже виски никто не попотчевал. — И, закинув голову, подперев подбородок, устремил взгляд ввысь на свою персональную Луну, а она пылала в кроне сосны, чуть ли не за облаками, отражаясь янтарным светом в Клязьминском водохранилище.

Запах дыма от плиты деревенского ресторана смешивался со вкусом ветерка, плеском прибрежной волны. Кверху дном лежали на берегу разноцветные яхты «оптимисты». В приколоченные к причалу автомобильные покрышки торкались голубыми носами «Скоморох» и «Снарк», тяжелой мачтой качала крейсерская яхта «Аралия», четко очерченные, словно гравюры.

К этой флотилии Коли Елкина в свете нашей Луны бесшумно приближался благородных очертаний призрачный корабль длиною футов восемьдесят от носа до кормы, немного сплюснутый с боков, словно его только что откопали из могильного кургана в Ютландской Долине Королей. Изогнутая голова змеи и резьба украшали горделивый нос корабля, *пенилась вода под ударами сотен весел, пронзающих синюю гладь...*

Кеша меня потом уверял, что доски обшивки уложены были внахлест, а щели законопачены паклей из шерсти. Еще он заметил, как поблескивали надраенные железные заклепки, но подробнее не мог рассмотреть ничего.

— Дракар викингов, — из темноты подал голос мальчик. — И ход у него, кажется, первосортный. Интересно, каков тоннаж? Бери свою Луну, Кеша, взойдем на корабль, поднимем наши пурпурные паруса и отправимся уже наконец покорять страны и народы. В поисках наживы и плодородных земель мы будем повсюду сеять смерть и разрушения, мы вынудим с тобой трепетать Европу и поставим на колени этот мир. Они еще пожалеют, что не воздали должное могучему полету твоего воображения. Огнем и мечом мы заставим их положить к твоим ногам все свои сокровища, римское золото и арабское серебро. Поторопись, я вижу, там замаячили знакомые силуэты Харальда и Свейна.

И правда, в сумраке на корабле зыбко нарисовались два рослых человека, явно из породы викингов, известных своим боевым искусством, сребролюбием и несгибаемой верностью долгу. Они прохаживались взад-вперед, словно кого-то поджидая.

— Ой, нет, — безрадостно сказал Кеша. — С этим злосчастным покорением мира всегда бывало страшно много возни. И даже когда это кому-то удавалось, он потом, я уверен, испытывал очень горькое чувство... Давай лучше практиковать, что нас нет в природе, — предложил Кеша. — Раз — и нет тебя. Просто попытайся на секунду не быть. У меня это хорошо получается. Причем мир без тебя так здорово существует. Без драм, без эксцессов. Все думают, что ты есть, а — ничего подобного!.. Где мне найти слова, — тяжело вздохнул Кеша, — чтобы ты понял, кто я такой. Как белый лотос, рожденный и выросший в воде, поднимается над нею и высится, не покрываемый водой, так же и я, рожденный и выросший в мире, хочу превзойти этот мир.

Мальчик молчал. Что тут скажешь? Когда ореол святости так и сияет в потемках над Кешиной головой, не затмеваемый никакими небесными светилами.

— Сынок, — проговорил Кеша опечаленно. — Пришла пора признаться. Мы с Марусей не сможем заработать тебе на квартиру. Видит Бог, я молился святым бесплотным силам, верил в нашу счастливую звезду, но все это накрылось медным тазом. Может, мы и вправду занимаемся такими неземными делами, что они *в принципе* не должны приносить никакого дохода у нас на планете? Недавно Маруся пришла в солидный толстый журнал, в отдел прозы, и спрашивает ликующе, с улыбкой: «Новые писатели нужны в литературе?» А ей отвечают серьезно: «Нет, что вы, старых-то никак забыть не можем!» Или моя Луна... Разве это земное дело? Правильно говорится в Алмазной сутре: главное предписание буддиста — не брать ничего от жизни. Так что мне остается надеть шляпу и пальто дяди Эфраима, взять посох, чашу для подаяний, забрать свою безумную Марусю и пуститься в бесконечное странствие, освободив тебе нашу малогабаритную квартиру.

— Ну что ты. — Мальчик обнял его и похлопал по плечу. — Куда вы потащитесь, два сумасброда, на старости лет?.. Расслабься, я сам буду накапливать. Три года, четыре... Живут же люди в шалаше, покрытом дерном, при свете лампады, заправленной тюленьим жиром.

— Нет, я не знаю, почему мне так не везет, — с жаром заговорил Кеша, ощущая свою неизбывную вину перед сыном. — У других прямо мухи в руках ебутся, а я должен кушать кошкин навоз.

— Ладно, — ответил мальчик. — Пойдем-ка с тобой поедим. А не то совсем отощаем.

В ресторане «Хрустальный звон» за столиком спал, положив голову на салфетку, как Олоферн на коленях коварной Юдифи, арт-критик Андрей Ковалев, бородатый и непричесанный. Больше в зале никого не было.

Мальчик попросил принести «филе гренадера».

— Никогда не пробовал, — сказал он. — Интересно, это мясо или рыба?

Кеша заказал черных тигровых креветок из Индии, картошку и зеленый чай.

По столу полз очень сонный майский жук. Никакими силами его нельзя было бы убедить сейчас взлететь. Кеша сложил пещеркой ладони, жук туда забрался и затих.

— Как, интересно, летают насекомые? — бормотал Кеша, с нежностью взирая на жука. — Если в высоте встречаются, узнают друг друга? Жук — ему трудно, у него тяжелый панцирь. Но он напрягся, взлетел, поднялся выше, ласточка за ним погналась, он — раз! — увильнул. Поднялся еще выше, изморозью покрылись подкрылки, ему холодно... Знаешь, есть какие жуки-летуны? Настоящие летчики-испытатели! А мы все про птичек да про птичек!..

— А как вороны зимой летают? — говорит мальчик. — Да все птицы! На зимнем ветру? Подмышками-то холодно!

Когда они вышли из ресторана, оставив там практически все, что было у них в карманах, настроение у обоих улучшилось.

— Эх, — сказал Кеша, — дорогая еда — удовольствие для желудка.

— И беда для кошелька, — добавил мальчик.

— Пошли заберем Луну, — предложил Кеша, потирая ладони, — и поедем домой. Нельзя ее тут оставлять. Украсть не украдут, а вдруг бросят палку или камень?

— И куда мы ее? — спросил мальчик.

— Подвесим в комнате на потолке вместо люстры, и пусть светит. Люстры-то нету...

Они зашагали на ровный матовый свет электрической Луны, молоком разливавшейся по лужайкам. Луна горела еще ярче, в ночном тумане вокруг нее образовалось галло, и слетелись насекомые ночные, бабочки, жуки, мотыльки, комары и мухи.

Что любопытно, часа не прошло, как у инсталляции «Шумел камыш» утащили колокольчики, с корабля на приколе вынесли посуду и продырявили спасательные круги, а деревню, построенную из палок, превратили в развалины. Все было разрушено, сломано, разнесено какими-то неясными стихиями. То ли разбойники выскочили из-за кустов барбариса, то ли вопящая боевая дружина свирепых воителей-варягов высадилась на берег и сражалась тут с исполинами, карликами и погаными чудищами. Как там поется в их главной саге? *С меча и шпор моих стекала кровь, над головой стервятники кружили...*

Сохранились только произведения, замаскированные художниками под природные явления: тени деревьев, нарисованные на поляне, и пластмассовые яблоки на березе слишком высоко были подвешены.

— Черт, надоела Кали-юга, — мрачно сказал Кеша. — Как я тоскую о Золотом веке!.. Прямо не могу уже находиться в этой кальпе.

Хорошо, хоть Луну не тронули, никто не решился кинуть в нее камень или оторвать электрический шнур.

— Тс! — мальчик остановил Кешу.

Под Луной у подножия сосны стояли три человека. Один — невысокий старик с длинными седыми волосами, чье лицо и фигуру ясно освещала Кешина Луна, указывал на нее пальцем и торжествующе говорил спутникам:

— Ну?! Обещал я вам, что покажу Луну во всем ее великолепии?!

А два мужика топтались под сосной, такие — кочковатые, в куртках из кожзаменителя, с пивом «Толстяк» в руках. Явно у них не хватало словарного запаса высказать удивление, что старикан выиграл у них пари.

Они сунули ему какую-то купюру и пошли, не то чтобы огорченные своим проигрышем, скорее ошарашенные: действительно — на дереве висела Луна, совсем как настоящая.

— Разрешите представиться, — сказал старик мальчику и Кеше, когда те приблизились. — Иван Андреич Потеряев, учитель астрономии и географии, сейчас на пенсии, обитатель дома престарелых. — И махнул рукой в сторону облупленной пятиэтажки, которая пряталась среди сосен на краю поляны.

Одет он был опрятно: теплый твидовый пиджак с кожаными заплатками на локтях, брюки заправлены в резиновые сапоги. Ничто в его облике не говорило о нищете и заброшенности. Но под пиджаком у него виднелись две рубашки. Одна в клеточку, коричневая, другая синяя в горошек. Это намекало на то, что Иван Андреич необыкновенный человек, если не сказать странный. Щеки и подбородок его покрывала ровная седая щетина, как у актера Жана Рено — правда, лицо бороздили такие глубокие морщины, и оно носило следы таких тяжких забот, что все сходство на этом кончалось.

— Так вы и есть авторы столь чудесного небесного тела! — воскликнул он. — Позвольте мне выразить свое восхищение! — Старик ловко спрятал десятку в карман пиджака. — Я, знаете ли, уже несколько часов за ней наблюдаю, я все-таки астроном, звезды, солнце и луна — моя страсть!

Увидев, что Кеша собирается снимать с дерева Луну, астроном Андреич расстроился.

— Ну вот, — сказал он, — только я наладил бизнес, а вы мне все рушите. Честно говоря, я уже заработал, благодаря вашей, как вы говорите, инсталляции, сорок рублей. Ночь такая облачная, ни просвета. А я подхожу к отдыхающим и предлагаю на спор показать луну. Все смотрят в небо, берутся со мной спорить и проигрывают. Вот эти мужчины сидели в баре, а я как бы походя, невзначай, говорю: «Господа, я вам точно луну покажу, хотя сейчас небо в облаках. Не верите — давайте поспорим на десять рублей?»

— Слушайте, Иван Андреич, — сказал Кеша, — мы вам еще десять рублей дадим, если вы найдете лестницу и поможете нам достать эту Луну с небес.

Бывший астроном исчез в кустах и через минуту принес хорошую, легкую алюминиевую лестницу. Видимо, где-то стибрил.

— Жалко, жалко, — повторял он, прилаживая лестницу к сосне. — А вы знаете, что настоящая Луна состоит из медного купороса и вулканита? — мечтательно спросил он у мальчика, пока они держали лестницу, а Кеша взбирался на сосну. — И что на самом деле она не светит, а отражает свет солнца?

Лестницы как раз хватило до сосновой ветки, на которую усатые турки примотали световой короб. Только Кеша достал из кармана макетный нож и приготовился разрезать веревки, как снизу послышалось:

— «Вышел месяц из тумана, вынул ножик из кармана!» — и появился хорошо одетый человек в бейсболке, шортах и майке с надписью «Rich». У него была такая загорелая физиономия, что даже зеленоватый цвет Луны его ничуть не бледнил.

С мальчиком и Андреичем они подхватили лайт-бокс и аккуратно положили на траву. Тут же на Луну вскочил кузнечик и стал всматриваться внутрь матового стекла, в самые лампы.

— Эй, художник, твоя, что ли, Луна-то? — спросил этот сын племени чероки.

— Ну, моя.

— Слышь, ты вот что — я тут директор ресторана «Хрустальный звон». Газик меня зовут. Зови просто Газик, мое полное имя русский не выговорит. Проблема у меня — народу мало, выручка страдает. Продай мне свою луну, я ее повешу у входа. И все, как бабочки, будут ко мне слетаться в ресторан!

— Луна не продается, — вдруг ответил Кеша. — Как можно Луну продать? Это как мать продать.

— Ну ты даешь, мужик. Все можно продать.

— Нет, не все! — упорствовал Кеша.

Мальчик поднял брови и сделал большие глаза.

— Давай, я в средствах не ограничен! — нетерпеливо проговорил Газик. — Пятьсот долларов устроит?

— Э, нет, — сказал Кеша. — Это ведь Луна! Понимаешь? Такие вещи — они бесценные.

— А восемьсот? — спросил Газик.

— Торговля здесь неуместна, молодой человек! — неожиданно влез в разговор Иван Андреич. — Вам русским языком сказано: «Не продается!» Откуда у вас эти купеческие замашки? — И он величественно скрестил руки на груди, желая показать, что аудиенция окончена.

Газик оценивающе посмотрел на Андреича, потом на Кешу: в общем, та еще компания, но они так держались кучно, так хорохорились, пришлось ему идти на попятный.

— Ладно, — сказал он, — давай так: вечером, когда мои клиенты сидят за столиками на причале, ты во-он оттуда выплываешь на лодке с месяцем — и показал на ивы вдалеке. — Медленно движешься вдоль берега. Им сносит башни. А ты проплываешь и прячешься в тех камышах. Потом — обратно. И так три часа: туда-сюда. Тысяча рублей — идет?

— Идет, — согласился Кеша.

Сутки он просидел неподвижно, скрываясь от посторонних глаз. А к ночи надел широкое, легкое пальто дяди Эфраима с костяными пуговицами, надвинул на глаза шляпу с волнистыми полями и, растянув электрический шнур на всю длину, вдвоем с Андреичем (тот попросился в ассистенты), взгромоздил месяц в лодку, которую выдал Газик.

Скрипнули уключины. Мирные и спокойные, Кеша с месяцем вынырнули из ветвей плакучих ив.

Лунная дорожка выстелилась от борта лодки и коснулась дощатого причала, где расположились на веранде посетители ресторана «Хрустальный звон», придвинув к себе поближе сигары и виски.

Музыка стихла. Разговоры умолкли. Запредельное безмолвие охватило мир. Кто-то от неожиданности уронил вилку, и этот шум показался оскорбительным для такого момента.

Вдруг запел соловей, будто Газик и ему пообещал гонорар.

Все-таки удивительно, как он, простой директор ресторана, сумел своим орлиным оком проникнуть в самую суть Кешиного искусства...

Газик тоже поддался очарованию этой сцены, будто нарочно созданной для какой-нибудь Венеции, где тот пока не бывал, но собирался с семьей на Indian summer. За служебным столиком запивал он пивом сэндвич с красной икрой, одним глазом пристально глядя на плывущего к неведомым горизонтам Иннокентия, а другим наблюдая за окаменевшими посетителями «Хрустального звона».

Кеша плыл медленно, не отдаляясь от берега, на расстоянии человеческого голоса, чувствуя себя человеком, которому нечего терять, убежденным в своей уединенности, проигравшим в споре с жестокой судьбой. Так плывут в нерожденное, непреходящее, вечное, незыблемое, труднодостижимое для несовершенных.

Внезапно стряхнув оцепенение, люди повскакали с мест, хлынули к бортику. Тайная дрожь пробирала до самых печенок всех, кто теснился у края причала. Повара и официанты бросили кастрюли, тарелки, сковородки и выбежали из кухни на веранду, ибо ничто не предвещало событий подобного размаха.

Потрясенные вездесущим Бытием, они провожали взглядом неторопливо плывущих Кешу с месяцем, пока лодка не скрылась в осоке и камышах, растворившись во мраке.

Тут народ на веранде, словно ослепленный коллективной галлюцинацией, возопил:

— Браво!

Буквально обезумев, клиенты стали заказывать еще выпивки, закусок и мороженого дамам. Свет Кешиной Луны, озаривший ночь, выхвативший из темноты прибрежные тополя, дыхание трав, движенье облаков, благотворно повлиял на выручку. Газик был очень доволен.

Лодку в камышах поджидал астроном Андреич. Он подтянул ее к пристани, и Кеша ступил на берег. Там уже горел костерок, вокруг него грелись старики с косматыми седыми головами, белеющими во тьме, как гималайские вершины, — явные приверженцы одной чаши, одной трости и одного одеяния. Кеша залюбовался их отрешенными лицами, освобожденными от времени.

— А вот и наш друг с Луной! — обрадовался Потеряев. — Знакомьтесь, Иннокентий, мои собратья: Сердюков, бард и менестрель, человек блаженной свободы и безграничной чувствительности.

— Виктор Борисович, — солидно произнес Сердюков, настраивая гитару. — Можно просто Витька.

И запел:

> — Налей мне рюмку, Роза,
> я с мороза...
> И за столом сегодня
> Ты и я...

— А это Йося Мерц, бывший директор киностудии «Союзмультфильм».

— Очень приятно, — сказал Кеша

— Поздравляю! — Иосиф Соломонович пожал ему руку. — Я, собственно, и сам не чужд изобразительному искусству. В моем возрасте уже все не важно, а вот Художникам Творящим — для них много значит, чтобы кто-то дернул за пуговицу и сказал: старик, а ведь ты гений!

На бревнышке старушка с буклями и золотым бантом вязала крючком берет, посверкивая на груди брошью, изображающей чайку в полете. Бабушку звали Коммунара.

Потом еще подвалила публика из отошедшего в мир иной пансионата престарелых. Около костра стоял походный столик с водкой и салатами, пластиковые тарелки, одноразовые стаканчики. В зарослях болотных трав Газик велел устроить угощение для Кеши, а добрый Потеряев созвал этих старых оборванцев.

— Они нас не объедят, тут всем хватит, — говорил он радушно, напоминая пса Пифа, который приютил окрестных дворняг в своей будке, а сам остался под дождем на улице.

Все дружно выпивали и закусывали. Увидев Кешу, они радостно приветствовали его пьяными выкриками.

— Банкет — на халяву, как сейчас говорят! — воскликнул осанистый такой, рослый старик с палкой в поддевке из бурого сукна, из-под нее выглядывала потрепанная тельняшка времен Первой мировой, а на руке у него красовалась татуировка с изображением якоря.

— Хорошо! — Он блаженно жмурился, закусывая очередную стопку маринованным огурчиком. — Бухаешь, кайфуешь!..

— Это наш главный халявщик! — любуясь им, сказал Потеряев. — Как где банкет — Тихон Михайлович, никем не приглашенный, — первый у хорошего места за столом.

— Жалкий завистник! — ответствовал ему Тихон. — Тебя, Андреич, даже в проекте не было, когда я служил на миноносце, и адмирал Колчак, проходя вдоль строя бравых моряков, остановился около меня и дотронулся до моей груди. Глазам не поверил, — он самодовольно улыбнулся, — что бывают такие великаны, дай, думает, проверю — не подложено ли что под бушлатом? «Хорош, — говорит, — матрос!» А я, как полагалось, ответил: «Рад стараться, ваше высокопревосходительство!!!»

«Сколько ж ему лет?» — подумал Кеша.

— В этом году будет девяносто девять, молодой человек, — ответил Тихон. — И вы знаете, такая у меня в молодости была могучая грудь, такой обширный объем легких, что, нырнув на большую глубину, я сумел распутать водоросли на ходовом винте корабля! Увы, лет пятьдесят назад врачи признали у меня бронхиальную астму, — хрипло вздохнул он. — Вылечить ее уже нельзя, застарелая форма, но очень важно не дать сломить организм. — С этими словами он выпил всю бутылку водки, и на крепких ногах удалился в ночь.

— Что удивительно, — взглянула ему вслед Коммунара, — Тихон помнит, как он родился. Он на полном серьезе мне рассказывал, что сперва была тьма, потом свет, и ему стало холодно.

— Так и умирать будем, — промолвил Сердюков. — Тьма, тьма, и вдруг тебе навстречу плывет по летейским водам мужик с Луной...

Все смолкли, задумавшись о неизбежности смерти, о неопределенности ее мига.

— Какое чудо эта ваша Луна, — нарушила молчание Коммунара. — Как вам удалось такое придумать?

— Сын женится, — пожал плечами Кеша. — Чего не выдумаешь, чтоб хоть сколько-нибудь заработать?

— У нас на студии, — вдруг вспомнил Йося Мерц, — служил человек, который постоянно занимал у всех деньги. Причем безвозвратно. Ему перестали одалживать. Тогда он вот что придумал. Подходит и говорит: «Дай двадцатку, завтра отдам. Не веришь? На, возьми мой глаз». И вынимает свой стеклянный глаз. Человек берет, в тряпочку завертывает. А тот — хопа! — на лицо — черную пиратскую повязку, и в аптеку — новый покупает. Там они свободно продавались, сорок копеек штука...

— Деньги просто мусор по сравнению с истинной любовью, — со своего бревнышка откликнулась Коммунара.

— Хватит вам вязать, идите поешьте, — позвал ее Кеша.

— Это наша кормилица, — с нежностью заметил Потеряев. — Круглые сутки вяжет береты и продает на рынке — пятьдесят рублей берет.

— Я всю жизнь работала на складе, — сказала Коммунара, — зарплата маленькая, а времени много, и я вязала всем у нас в коммуналке — четырнадцать семей! — кому свитера, кому шарфы, шапки. Помните, при советской власти был мохер? За день выходили шапка с шарфом. Его вспушишь, на кастрюлю наденешь... И так заработала на две квартиры — себе с мужем и сыну.

— Вяжи, вяжи, — подбодрил ее Сердюков. — Что мы только без тебя делать будем?

— А я всегда буду с вами, — сказала Коммунара. — Мне семьдесят девять лет — никогда никаких таблеток. Только чеснок и утренняя физкультура. Я как проснусь, ногами начинаю махать. У меня позвоночник живой, гнется, коленки сгибаются, плечи, локти, запястья — все работает. Пальцы вон какие — хоть на фортепиано играй! А ноги — ни вен, ни подагры! Делай, делай физкультуру, — велела она Кеше, — ешь чеснок, в организме будет легко!..

— Да мы сейчас хорошо питаемся. — Иосиф Соломонович подбросил дровишки в костер. — Там в супермаркете, даже если на день йогурт просроченный, все нам отдают. Уж больно у них высокие требования к качеству продукции.

— Иосиф на просроченных йогуртах создал себя запасы жира и мускульной ткани, — с гордостью заявил Потеряев.

— Помню, после войны люди куда-нибудь уезжали отдыхать, — сказал Сердюков, — а когда возвращались, их спрашивали: «На сколько поправился?» — «На два кило». — *«Хорошо отдохнул!»* Худые все были...

— А я ветеран войны, — сказала Коммунара. — И нам от правительства дарят еду, одежду. Мне вместо водки дают земляничное печенье. Оно сладкое! Возьму килограмм и ем. К зиме два халата дали! Тепленьких не было — только сатиновые. Я их надеваю один на другой и хожу — красота!

— Короче говоря, — подвел итог Андреич, — мы не пропадем и не сгинем во мраке на этой бренной земле.

— Мне пора, — сказал Кеша.

— Давай, сынок, плыви, — напутствовала его Коммунара. — Это так прекрасно — быть живым и свободным, как птица. Ворота открыты, и ты можешь двинуться, куда пожелаешь.

Кеша забрался в лодку, и Потеряев оттолкнул ее от пристани.

Успех премьеры Лунной феерии превзошел все ожидания.

— Вот тебе тысяча, — торжественно, как настоящий антрепренер, Газик протянул купюру Кеше, своему артисту.

Кеша тут же отстегнул двести рублей ассистенту Андреичу, поблагодарив за содействие.

На следующий вечер спектакль повторили. При огромном скоплении народа прошли субботнее и воскресное представления. Многие приехали специально и прихватили друзей, а некоторые особо отчаянные, несмотря на поздний час, взяли с собой детей.

Сияющий, как полная луна, Газик выглядывал из кухни, контролируя ситуацию, официанты несли дополнительные стулья. Народ все прибывал и прибывал.

Прелесть далекой музыки над залитой луною водой, смутное пространство, магическое тело отраженной луны в черноте и безмолвии, странная фигура то ли рыбака из Хемингуэя, то ли гондольера с веслом, — погружали зрителей в такую прозрачность ясного света, что это становилось подводным течением всей их, можно сказать, дальнейшей жизни.

Мелкое, суетное покидало людей, сидевших за столиками, сразу хотелось выпить чего-нибудь покрепче, залить какую-то неизмеримую тоску, которая вдруг подступала к горлу.

— Официант! — кричали мужчины. — Водки!

Женщины просили вина, коньяка и шампанского. А один загадочный господин, одетый во все черное, велел принести ему бутылку рисовой бражки, известной повсеместно как сакэ.

За неделю Кеша заработал пять тысяч рублей.

— Столько не зарабатывает даже укладчик плитки! — сказал он по телефону мальчику.

А мальчик — неумолимо:

— Нет, плиточник зарабатывает такие деньги за один вечер.

— Да ну? — удивился Кеша. — Не может быть.

— А вы попросите с Марусей поменять плитку у нас в ванной и все узнаете!..

— Ладно, — решительно сказал Кеша, — тогда я потребую, чтобы Газик увеличил мне гонорар. Поэзия нынче дорого стоит, — добавил он мечтательно.

— Только ее никто не покупает, — заметил мальчик.

Правильно пели когда-то индийские бродяги баулы:

> У того, кто способен
> Заставить полную луну взойти
> На небо
> Самой темной ночи,
> есть право требовать
> славы в трех мирах —
> в раю, на земле и
> в аду

Вечером Кеша явился в ресторан и поднял вопрос о прибавке. Сославшись на укладчика плитки, он сказал очень хмуро:

— Это вам не просто на лодке прокатиться, а высокая поэзия, так что платите мне... две тысячи рублей.

К его удивлению Газик сразу согласился и даже прибавил еще двести за пятницу и субботу.

Андреич, в свою очередь, развил бурную деятельность по продаже редкой возможности прокатиться в одной лодке с «мужиком и Луной» за триста рублей. Бизнес встал на рельсы и покатился, потихоньку наполняя тощие кошельки когда-то полностью никудышных предпринимателей.

Кешу даже сфотографировали для местной малотиражной газеты. В статье было написано, что «мужик с Луной» — достопримечательность и гордость Мытищинского района.

В конце концов я собралась посмотреть, чем он там занимается.

Все это время мы не виделись. Кеша мне не звонил, а только слал SMS-ки, довольно однообразные по содержанию:

«Плыву на лодке. Ярко светит Луна».

Надо сказать, я немного припозднилась. Легла на полчасика вздремнуть и проспала часа, наверно, четыре. Есть, есть у меня будильник, но я его не умею заводить.

(— Это какой образ жизни надо вести! — воскликнул мальчик. — Чтобы полвека прожить и не уметь завести будильник!!!)

Неважно — я встала, умылась, сделала гимнастику лица. Тут Рита позвонила, велела, чтобы я обязательно посмотрела документальный фильм, где рассказывается о взаимоотношениях Ленина и Надежды Константиновны Крупской.

Я говорю:

— Зачем ты подогреваешь во мне обывательский интерес к чужой интимной жизни?

На что Рита ответила холодно:

— Ленин тебе не чужой. Его младший брат Дмитрий Ильич Ульянов — мой крестный. Правда, у нас были не крестины, а октябрины. Так что Ленин — в каком-то смысле твой дядя.

В вагоне метро уже распространяли завтрашний номер утренних газет, и ходил офеня с книгами. Он встал в проходе, вытащил из сумки покетбук с боевой раскраской и радостно воскликнул:

— Все, кроме спокойствия, найдете вы в этом уголовно-детективном романе: восемь убийств, в том числе — удушение, отравление, четвертование, распятие, побиение камнями, нож в спину, выстрел в сердце, контрольный выстрел в голову и два самоубийства!.. Читайте, и вы не пожалеете! — соблазнял он своим энтузиазмом квелую, уставшую за день публику. — А цена — вы даже не поверите! Всего двадцать пять рублей — без торговой наценки, — сразу от издательства...

Торговля у него продвигалась ни шатко ни валко. Тем более, кое-кто уже развернул газеты. Рядом со мной сидел мрачный дядька — читал газету, и вдруг начал яростно рвать ее, изорвал на мелкие кусочки и удовлетворенно заснул, сжав их в руке. Как плохое письмо.

Словом, пока добиралась до «Речного вокзала», пока автобуса ждала — он ходит по расписанию с огромными интервалами, — уже стемнело. Дорога проявлялась, и длилась, и двигалась мне навстречу, я погрузилась в созерцание встречных фар, какие-то дебри и болота проносились по обочинам, кроны тополей, за ними вставали тени погибших городов...

В общем, когда я вышла из автобуса, кругом — ни души, темнота, иду — ничего не узнаю, где зона отдыха Коли Елкина?.. Вижу, тропинка вьется вверх по холму среди полыни да бурьяна. Я двинулась по ней. Тишина. Только сосны качаются во мгле: скрип-скрип... Вдруг слышу — чьи-то шаги за спиной.

Ох, думаю, мать честная! Но не оборачиваюсь, в «Странствии пилигрима» говорится: если человек оглядывается, у него недостает веры. Так мы шагали в молчании, пока со мной не поравнялся мужик в кепке и в болоньевой куртке, чистый мытищинский тип, склонный к тучности и меланхолии.

А мне Рита давно еще говорила: «Когда я кого-нибудь опасаюсь ночью в подворотне, я самым решительным образом направляюсь к этому человеку и спрашиваю: как пройти в булочную? Или: который час? Может, он не ответит, но мы с ним заглянули друг другу в глаза и чуть ли не преломили хлеб!.. Поэтому даже негодяи и подлецы — все ко мне очень всегда расположены».

Так что я тронула его за рукав и спросила:

— Как пройти к Клязьминскому водохранилищу?

Он даже вздрогнул от неожиданности.

— Я тоже, — говорит, — иду в эту сторону.

Заборы, заборы, гаражи, брошенные склады. Дикие безлюдные места. А дальше черные муромские леса и никакой электрификации.

Вот он шагает чуть поодаль и с подозрением на меня поглядывает. В конце концов не выдержал и спрашивает:

— Вы что ж, гулять идете?

— Да, — говорю, — гулять.

— Так поздно? Вас там кто-то ждет?

— Ждет.

— Кто, если не секрет?

— Муж, — отвечаю как ни в чем не бывало.

Он еще некоторое время хранил задумчивое молчание. Потом опять не вытерпел:

— А где ж он?

— Муж мой? — говорю. — Да вон он, — и показываю с холма на открывшуюся взору черную водную гладь, где меж трех континентов мироздания, один на целом свете, раздвигая полночь, выплывал из своего логова Кеша с ясным месяцем, облаченный небесами, подпоясанный зорями, звездами застегнутый.

Замолкли шорохи ночные, воздух едва шевелился. Луна светила так ярко, что с холма, где мы остановились с моим попутчиком, можно было разглядеть чайкино перо и водолазный шлем, прошлогодние ягоды рябины и камешки на белом песке.

Да, черт возьми, это были чудесные минуты.

Я не поняла, какое впечатление произвело Кешино представление на прохожего в болоньевой куртке. С виду — ничего особенного. Закурил беломорину, постоял, потоптался и отправился домой по дорожке

За холмом в двенадцатиквартирном доме в однокомнатной квартире жила его семья: жена и двое детей. Он пришел, ни слова не говоря, поужинал, отказался смотреть телевизор.

Жена спросила:

— Что с тобой? Ты не заболел?

Он ответил:

— Я уволился с работы.

Достал свои старые тетради, в которых когда-то писал стихи, читал их всю ночь, что-то чиркал, вырывал листы, сортировал. Под утро вдруг написал несколько строк. На следующий день опять сочинял, зачеркивал. Потом все порвал, выбросил, вернулся к себе на работу, на бензоколонку. Там строго спросили:

— Где был три дня?

— Болел, — ответил. — А сейчас выздоровел.

С тех пор каждый вечер он возвращался домой по той же тропке — все надеялся увидеть Луну, плывущую в лодке...

Так в жизни этого человека случилось чудо.

Получив гонорар, Кеша, по совету смышленого Андреича, купил бензогенератор. Но прежде чем слава коснулась его чела и увенчала неувядаемыми лаврами, поспешим, как сказал бы незабываемый О'Генри, перейти к великим страницам Кешиной биографии и к тому необыкновенному событию, которому суждено было вознести эту беспримерную судьбу на головокружительную высоту — в самом прямом смысле этого слова.

Однажды загадочный господин во всем черном, который ежевечерне за бутылкой сакэ любовался лунным аттракционом, встретил Кешу на пристани, когда тот с Андреичем сушили весла, оглядел обоих с головы до ног. При этом он жевал длинную сигару и щурил задумчиво глаза.

— Ну, друзья, — обратился незнакомец к этим соколам шоу-бизнеса. — Вы тут младенцы в темном лесу, нет у вас ни пестуна, ни продюсера. Будьте благоразумны и не отказывайтесь. Отныне ваша должность будет простой синекурой. Завтра мы уезжаем в Москву.

И хотя ни Кешу, ни астронома Потеряева никто бы не упрекнул в излишнем корыстолюбии, их новый знакомый посулил им столь сказочный гонорар в размере восьмисот долларов за одну акцию, что Газик со своим «Хрустальным звоном» сразу померк и незаметно отодвинулся на второй план.

Возбужденный бокалом «мартини», аплодисментами и ярким освещением, опьяненный фурором, который произ-

вел-таки лайт-бокс, Кеша заявил, что у него есть дела и поважней, нежели всю жизнь плавать по реке вечного исцеления в тихой заводи от ивы к камышам и обратно.

Человек в классическом черном костюме, любитель сакэ и сигар, был преуспевающим дантистом. Звали его Арсений.

— Вот что я вам могу сказать как мужчина, которому перевалило за сорок, — неторопливо говорил он, увозя Кешу с Луной и Андреичем в золотом «мерседесе». — Я целиком и полностью обеспечен, у меня пятикомнатная квартира, имение в Пахре — я уже не говорю о роскошном саде, о бане, автомобиле, на который все смотрят и любуются. Но счастлив ли я от этого? Нет. Мою душу снедает печаль. Кино? Я перебираю DVD и чувствую, что не хочу это смотреть. Книги? Я прихожу в книжный магазин — и вообще не знаю, что читать. Писателей стало больше, а читать расхотелось. У пациентов слишком низкий ай-кью, чтобы заботиться о своем здоровье... — Арсений вздохнул и развел руки в стороны — такие мягкие белые руки, какие бывают только у карманников, музыкантов и стоматологов.

— Главное в этой жизни, дружище, — поспешил его ободрить Андреич, — не выпускать руля из рук!.. Остальное приложится! А то знаете, как бывает: мечешься, маешься безо всякой на то причины, места себе не находишь, глядь — а ты уже в кювете, и такая у тебя уйма проблем, что о прошлых томлениях можно только мечтать!.. Ибо что такое счастье?..

— После долгих раздумий я пришел к выводу, что счастье, — отозвался Асений, — это вдруг увидеть божественный свет в окне, или начало весны, дружеское общение, теплота семейной жизни... Любовь — вот единственный смысл, — произнес он с неподдельной болью.

Разными окольными путями Кеша с Андреичем выяснили, что молодой, здоровый, богатый Арсений хандрит из-за ссоры с женой. Душа в душу они прожили немало лет, мальчик у них в институте учится на переводчика с японского языка, Арсений и сам бредит Японией, все в его клинике знают, какой он мечтательный тонкий человек, знаток японских обычаев, философии и поэзии.

Как-то раз он пришел домой с дружеской вечеринки, разделся, а у него на заднице печать их бухгалтерии. Жена, ни слова не говоря, подала на развод. А он ей не изменял, просто выпил, а над ним подшутили.

Ему только одного хотелось: любви и покоя, а все как-то не получалось вернуть прежнее, срастить любовный разлом. Вот он взялся бродить ночами по ресторанам, заглядывать в «Хрустальный звон», попивать сакэ. И вдруг выплывает этот идиот со своей луной.

Арсения осенило мгновенно. Ведь он когда-то обещал своей Гальке, когда они еще студентами медицинского института сидели на теплых бетонных трубах, целовались и смотрели поверх самодельных заборов, сложенных из панцирных кроватей и ржавых капотов от ворованных «жигулей», как над пустырем поднимается луна, что достанет ей луну с неба!..

Надеясь неизвестно на что, он очень торопился обстряпать это дело. В тот же вечер связался со своим пациентом, начальником строительной фирмы «Сатори», и попросил его подогнать к дому на Остоженке кран.

Что они подразумевали, назвав фирму «Сатори»? В буддийской практике сатори означает остановку ума, опустошение всего и вся, изначальное отсутствие вещей, а совсем не возведение нового Вавилона, отсылающего нас к тексту Апокалипсиса.

Это еще что! Мы читали с Кешей в газете — фирма *«Лингам»* предлагает свои услуги по обмену и покупке квартир и обмену ваучеров!

— Поехали, — сказал Арсений, заранее за все заплатив и обо всем договорившись. — Может, это даст передышку моему горящему мозгу и исцеление истерзанной душе.

Водитель Василий Черемухов подогнал кран к дому, как условились, ровно в полночь. Там уже его поджидали доставленные на золотом «мерсе» Кеша, Луна, Потеряев и бензогенератор. Арсений, всклокоченный, в страшном волнении расхаживал туда-сюда с букетом роз.

— Я пошел к Галине, а вы тут давайте — давайте все, как

надо, значит, поднимаете луну вон к тому балкону, седьмой этаж, третье окно справа, на балконе, видите, он застеклен, тюлевая занавеска. Поднимайте и светите прямо на лоджию. Я как раз скажу: «А помнишь, Галя?.. » И укажу на окно, а оттуда вдруг — раз! — и польется лунный свет. Ну все! Все!.. — И он скрылся в парадном.

Господи, привнеси рассвет в закат, расцвет в увядание, сердечное тепло в душевный холод. Кеша с Василием привязали Луну за крюк, проверили прочность веревок, длину электрического шнура. Андреич стоял за генератором, спрятавшись в кустах.

— Сразу не включай, дам отмашку, — тихо сказал Кеша.

— Держи Спас, держи Микола, а вы, маненькие божки, поддерживай! — перекрестился Андреич.

Медленно поплыла наверх Луна, совсем как простой ломоть круглого черного хлеба, ничем не выделяясь на темных ночных небесах.

— Включать? — спросил из кустов невидимый астроном.

Кеша махнул, генератор затарахтел, и в небе зажглась Луна. Прохожий с овчаркой остолбенели, собака вскинула морду и завыла.

Крановщик Василий был виртуозом своего дела — ему ничего не стоило крючком своего крана поддеть на спор бидон с пивом и пронести его сто метров, не расплескав ни капли, а уж Луну к форточке подвесить — это проще простого.

Луна встала точно у балкона Арсения. Сперва покачивалась, а потом застыла, как влитая, и засияла ровным магическим светом. Кеша, Андреич и Вася Черемухов смотрели, задрав головы, на балкон, на Луну, на звезды, которые завертелись в космическом хороводе вокруг Луны, признавая в ней князя света Меродака, повелителя созвездий. Чирк! чирк! — метеориты царапали звездный купол. Проплывали спутники, посланцы Земли. Млечный Путь расстилался от края до края небесной сферы. Покой и безмолвие окутали город. Овчарка перестала выть и устремилась дальше, волоча за собой хозяина.

— Тишина-то какая, — произнес Василий, закуривая сигарету «Пегас».

— Интересно, что там происходит? Получилось ли у него сказать то самое главное своей Гале? — забеспокоился Андреич.

Кеша молчал. Хотя муж мой давно спит и видит — отторгнуть обыденные привязанности, в данном случае он был абсолютно уверен, что посреди хаоса мыслей, импульсов и чувств, пусть на мгновение, но воцарились гармония и порядок.

Колыхнулась тюлевая занавеска, показалась тонкая рука, открыла окно. В окне стояла та, ради которой их новый друг пожертвовал бы и родиной, и добрым именем, а рядом он сам — воплощение бесстрашной, чувствительной души. Снизу невозможно рассмотреть лица, лишь очертания супругов, но и на очертаниях лежал отпечаток гордости, честности, благороднейших помышлений.

— Это Арсений и его Галя, — сказал Андреич, затуманивая взор.

Женщина и мужчина постояли в отдалении друг от друга, потом мужчина положил руку женщине на плечо, и они замерли, глядя на Луну, в мирном ореоле семейной жизни.

— Вот и чудесно, — сказал Кеша.

Вскоре окно закрылось, тюлевая занавеска легла на стекло, балкон опустел. Подождав пять минут, Андреич отключил генератор. Василий опустил луну. Кеша принял. Они погрузили ее на кран и поехали домой.

Кеша возвращался после долгой отлучки и не знал, что, пока он торговал поэзией, выезжая из-за острова на стрежень, привлекая посетителей в ресторан «Хрустальный звон», у Серафима на темечке выросла большая родинка или, как ее называла Рита, «блямба».

Конечно, она и до этого была, наш Фима вообще весь в веснушках и родинках — и тело наделено тайной звездных количеств, как сказал бы о Фиме поэт. Но за последние две недели она приобрела немалые размеры — разрослась вширь и ввысь. Еще немного, и она могла бы превратиться в бутон какого-то неведомого цветка.

Фима отправился в поликлинику, откуда принес направление в хирургическое отделение онкологической больницы. Вроде ничего страшного, сказали ему, но как бы чего не вышло!

— Надо ее отрезать. Чик! — и готово, — повторил слова хирурга Фима.

— Резать так резать, — согласилась Маргарита.

На сей раз Фиме особенно не хотелось ложиться в больницу. Во-первых, на Риту с Фимой надвигалась их собственная свадьба — но не простая, а золотая. И мы, конечно, думали да гадали, как бы так ухитриться отпраздновать это событие — чтобы и с помпой, и без лишних трат.

— Насчет пятидесятилетия нашей совместной жизни с Фимой вы можете не волноваться, — успокаивала нас Маргарита, — мы позовем всех, кто был на нашей свадьбе...

— ???

— ...свидетелями!

А во-вторых, прямо в разгар подготовки к золотой свадьбе в нашу Риту влюбился один очень древний писатель Жора Некипелов.

— У него странная судьба, — рассказывала Рита звенящим голосом. — Он сочинил необыкновенно знаменитую повесть «Женская честь». А потом его мама не отпускала от себя. Теперь ее нет, а Жора полон нерастраченной нежности, и ему не на кого ее излить. Он даже готов жениться! Правда, я думала, он влюблен в Марианну, а та решила, что в меня. Но я сказала, что не могу, ведь я уже замужем.

— Почему? — подал голос Фима, намазывая кусочек хлеба икрой минтая. — Пускай придет, мы на него посмотрим.

— Нет-нет-нет, — замахала руками Рита. — Я не потерплю никаких посторонних мужчин. Я тебя-то терплю едва-едва.

В конце концов Серафим сказал, что если он и ляжет в больницу, так только с Маргаритой.

В онкологической больнице Фиму приняли нехотя, с какой-то прохладцей, словно он был незваный гость. Прежде всего в приемном покое сестра сказала сурово, что пижаму, утку, тарелку и ложку у них не дают, а полотенец нет и никогда не было.

Потом она спросила:

— Сколько вам лет?

Фима ответил:

— Семьдесят пять.

Не стал говорить, что ему уже семьдесят девять, боясь услышать:

— У-у!.. И вы еще лечитесь? Дай бог всем дожить до вашего возраста!..

После измерения давления Фиму направили в отделение «голова-шея», в палату, где стояли семь кроватей, а на них в разных позах возлежали прооперированные и ожидающие операции.

Фиму раздели догола, положили на металлическую каталку времен доктора Боткина, накрыли простыней и повезли в операционный блок. Коридоры в больнице были такие длинные, что казалось, Фиму везут из Москвы в другой город, где как раз и живут самые лучшие в мире специалисты по «голове-шее».

Фима смотрел на потолок и считал лампы. На сто тридцать шестой лампе каталку остановили: из белых крашеных дверей с матовыми стеклами в ослепительно белом халате вышел хирург — на лице марлевая повязка. Черные глаза хирурга посмотрели на лежащего под простыней Фиму, и в них мелькнуло еле заметное разочарование. Но когда Серафима переложили с каталки на операционный стол, доктор в маске склонился над ним и произнес ему в самое ухо:

— Вы знаете, хотя больница государственная, не частная, *но именно чтобы отрезать родинку с макушки* — такую операцию у нас оплачивают.

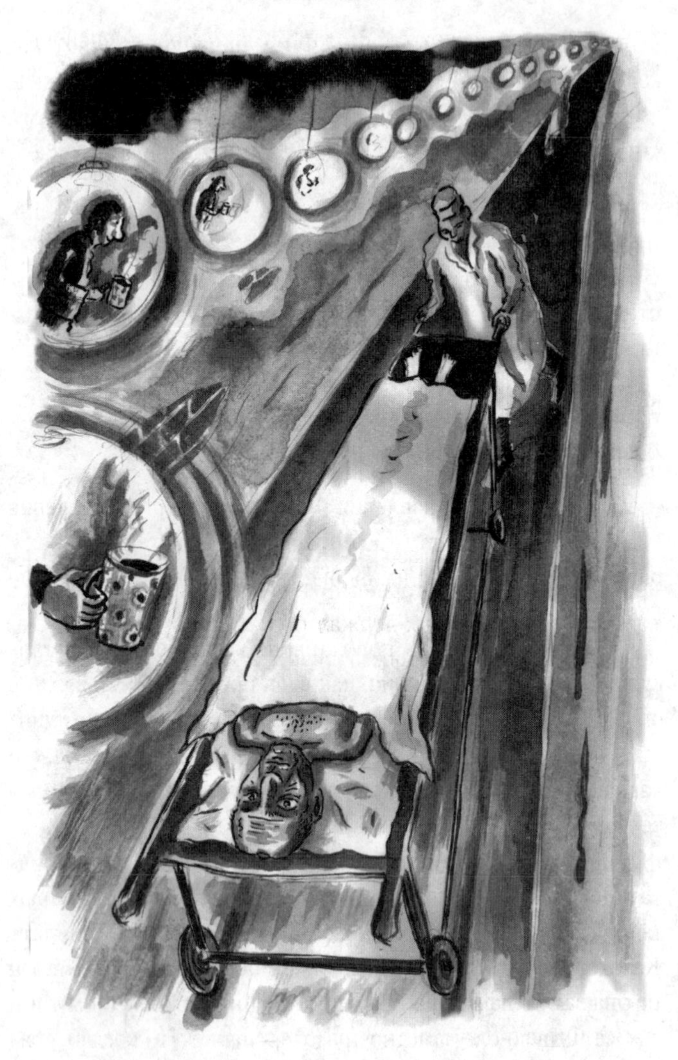

Для Фимы это прозвучало как гром среди ясного неба.

— И какая стоимость? — спросил он дрогнувшим голосом.

— Двадцать тысяч рублей.

А чтобы смягчить впечатление, добавил:

— Но вы не беспокойтесь, я вижу, вы человек пенсионного возраста — с вас мы возьмем со скидкой.

Глаза у хирурга бегали, поэтому Фима, как ему ни было грустно, сказал «Хорошо!», чтобы тот уже сфокусировался на родинке.

— Я его даже поблагодарил за такое гуманное отношение, — рассказывал потом Фима, который всегда отличался учтивостью и обходительностью. — И попросил, чтобы он не стеснялся в расходах, а полагался на то, что ему подсказывает клятва Гиппократа.

Серафим лежал на операционном столе под яркими лампами, укол начал действовать — свет ламп смешался с гулом операционной, мир поплыл, закружился...

— Фима, — услышал он Данин голос, — пора идти в школу.

Серафим открыл глаза и увидел отца — тот стоял над его кроватью на даче в Загорянке, одетый в ватную безрукавку и валенки. В руках Даня держал большую кружку какао, из кружки шел пар, лицо растворялось в этом пару, очертания плыли, нос, уши, улыбка таяли в облаке пара.

Из этого же облака возникла Валентина Петровна Сабанеева, Серафим у нее иногда оставался ночевать — школа-то в Москве, и в Загорянку трудно ездить каждый день. А у нее дочка Таня, актриса, очень юная, она тогда снялась в фильме «Дикая собака Динго». Все во дворе в нее были влюблены. А она любила Фиму, писала ему нежные письма, когда его с мачехой, братиком и сестричкой Даня отправил в Казахстан в эвакуацию. Больше Фима не увидел Таню, вскоре она заболела и умерла.

Вот Фима в Джусалы в Казахстане — минный завод, ночная смена — рабочему человеку полагаются продовольственные карточки на иждивенцев, а у него их трое! Утром в школу — прямо от станка, вымажется сажей специально, чтобы выглядеть, как герой, а потом спит на уроках, положив голову на парту.

Сорок третий год. Фима десятиклассник. Даня вызывает его в Москву, устраивает на подготовительное отделение железнодорожного института — а там сплошь начертательная геометрия, математика, физика, химия...

Фима вундеркинд, он все может объять, но как-то не лежит к этому душа.

А дальше так отчетливо, будто наяву, — вдруг он узнает, что в связи с близким окончанием войны правительство приняло решение организовать Институт международных отношений, где собираются готовить дипломатов.

Быть дипломатом, говорить на разных языках, ездить по всему миру, как капитан Немо! Фима побежал выяснять, какие сдавать экзамены. И там ему сказали, что если у кого-то хотя бы намек на «пятый пункт» — даже документы не рассматриваются. А Фима загорелся — нет, только туда. Что ж, добрые люди посоветовали ему сменить паспорт.

Мама у Серафима давным-давно умерла, она была белоруска. Вот он приходит за новым паспортом. Пришлось соврать, что старый потерял. Его спрашивают:

— Ты кто?

Фима ответил:

— Белорус.

— Хорошо, что белорус, а не француз, — пошутил седой и хромой начальник паспортного стола, майор запаса Караулов.

Тут грянул конкурс. Даня не мог помочь. Его могущество распространялось только на железную дорогу. Целый родственный клан у Фимы окончил железнодорожный институт: тетки, сестры, братья, разная седьмая вода на киселе — сплошь железнодорожники. А в Институт международных отношений поступали исключительно дети членов правительства, дипломатов и военачальников.

Фима сам все прошел, преодолел все преграды, сдал экзамены на сплошные пятерки. И поступил.

Чтобы как-то соответствовать своей новой национальности, Фима отрастил усы, как у сябра. Но проходил с усами недолго, усы топорщились и слишком выделяли Фиму из общей массы студентов, а это было не в его характере. Да и не нужно было особенно выделяться в то время. Фима сфотографировался с усами на память и распростился с национальной идентичностью.

Каждый год из института отчислялись тридцать-сорок человек — либо по доносам, либо насчет происхождения докапывались. На третьем курсе выгнали Митю Мартиросяна, армянина: вдруг раскопали, что у него в пятнадцатом колене затесался грегорианский священник.

«Кормчий Йозеф» вовсю уже подготавливал отправку сыновей и дочерей Сиона в Биробиджан — видимо, в память об исходе из Египта. Лучших преподавателей выпроваживали из института. Не за национальность, нет, — придумывали разные причины.

Вел у них международную экономику Шмулик Айзенбаум — умнейший человек на планете — наполовину еврей, наполовину армянин. Так его уволили, объяснив тем, что генеалогическое древо Шмулика корнями доходит до... Ивана Грозного. А Иван был царем и деспотом, врагом трудового народа.

Все пять лет Фима думал — попал он в список на этот раз или нет? Каждую весну просыпался в холодном поту, ждал, что станет известно про мельника Тевеля и его прекрасную Розу.

Только после защиты диплома, при распределении студентов, председатель комиссии, сотрудник КГБ, пронзительно глядя на Фиму поверх очков, произнес:

— Почему вы умолчали о некоторых обстоятельствах у вас в анкете?

Тот хотел ответить: потому что сначала меня бы не приняли, а потом отчислили...

Но произнес:

— Виноват, в следующий раз буду внимательнее!

...Фимина судьба разворачивалась, точно свиток холста, мир обретал очертания и снова их утрачивал. На Серафима наплывали какие-то лица — знакомые и не очень, набегали улицы, залитые солнцем и погруженные в сумерки, взгляд его взмывал над городами этой планеты, некоторое время он парил над Парижем, и тут, конечно, запел Ив Монтан... А под ним уже Африка — совершенно другой мир. Где это было? В Сенегале? Фима впервые увидел: идет негритянка — и у нее обнаженная грудь! А она шагает, как будто так и надо, да еще на голове корзина с фруктами.

— У них платья, — втолковывает Серафим отцу, — с портретами лидеров своих стран. Им такие материи выпускает Франция и пересылает в Сенегал, там это очень ходовой товар. Представляешь, пап, идет негритянка, крутит попой, а на попе у нее портрет президента! Я ее незаметно сфотографировал, а она руку вытянула — плати!

Даня слушает, улыбается, засыпая в кресле-качалке, ему снится чапаевская дивизия, в которой он три года служил на Гражданской войне, у самого командарма Василия Чапаева. Даня лично знал Петьку.

— Тихо, Петька, Чапай думать будет! — громко сказал Фима и выплыл из наркоза, причем сразу вспомнил про свою монографию. Нет, а правда, подумал Фима, если бы Советский Союз сохранился, лучше было бы или хуже? И пришел к выводу, что хорошо и то и это. Главное — быть здоровым.

— И богатым, — добавил мальчик, когда Фима рассказал ему, над чем сейчас работает.

А тот доктор, который оперировал Фиму, надо отдать ему справедливость — сделал все не за страх, а за совесть, тщательно проверил родинку, выяснил, что она доброкачественная, искренне Фиму поздравлял, жал руку... Серафим, конечно, принес обещанные деньги, а доктор обнял его и горячо поблагодарил.

— Только не надо никогда упоминать, — он попросил, — об этом нашем разговоре в операционной. — И с этими словами метко, без промаха положил деньги в свой ослепительно белый карман.

Ну, Серафим, мягкий и бесхитростный, как всегда, пообещал, что это останется между ними.

— А мне вырвали зуб и ничего не взяли, — похвасталась Маргарита.

— Тогда ТЫ могла бы с них взять, — заметил находчивый Фима. — Сказала бы: то у меня был зуб, а теперь его нет. Гоните пятнадцать тысяч!

Что ж, нашему братству не свойственно горевать о том, чего нельзя воротить, тратить время на бесплодные сожаления. Потеря пятнадцати тысяч рублей, уплывших на взятку врачу, была компенсирована Тасиным отцом Леонидом, которого родители так назвали в честь славного царя Спарты. Этот знаменательный Леонид умудрился у себя в Анапе построить три гаража — предположительно, один для себя, другой для Таси, а третий для младшей дочки Катюши. Хотя девчонки удачные, обе весом за три килограмма родились, Леонид, конечно, мечтал о сыне.

— Кому я передам гаражи и инструменты? — он грустно думал, взирая на эти несметные богатства. — Кто осуществит мои чаяния и надежды?

Машина у него была всего одна, «копейка». Он ее любил, как родную, своими руками облегчил кузов, заменив сталь на алюминий, вмонтировал телевизор, мини-бар и прочие атрибуты лимузина. Установил десятицилиндровый двигатель, который вообще разрабатывался для «ламборджини», да еще снабдил его технологией какого-то непосредственного впрыска!.. В результате, при объеме пять с лишним литров этот агрегат стал выдавать четыреста пятьдесят лошадиных сил с разгоном до сотни за пять секунд! Поэтому «копейкой» она была только с виду, а по существу — гоночный «ауди С8», если не «кадиллак» и не «додж».

Сам он принял эстафету от своего отца, великого и совершенного автомобильного Мастера.

— Мой папа, — рассказывал Леонид, когда мы в первый раз говорили по телефону, — у себя в гараже, не включая света, в темноте, руку мог протянуть и сказать, — где какая отверточка. Вслепую на спор готов был отремонтировать любую машину. Эх, жаль, Маруся, — он воскликнул с досадой, — ты не видишь сейчас мой гараж, как у меня там инструменты аккуратно разложены!

Периодически он оставлял свою любимую машину ночевать то в одном гараже, то в другом, то в третьем.

— А то они обидятся, — говорил Леонид. — Гараж не должен пустовать! Гараж обязан служить автомобилю!

Правда, из одного гаража он сделал гравировальную мастерскую по дереву: множество различных стамесок, сверлышек, циркулей, молоточков и миниатюрных рубанков были тщательно размещены на полочках, каждая на своем месте.

По субботам Леонид приходил в гараж, распахивал настежь ворота, чтобы хлынул и затопил пространство солнечный свет, и начинал вырезать на широкой буковой доске картину-рельеф: «Пушкин на реке Кура, декламирующий стихи волнам». Над этим рельефом Леня работал все лето, времени для него не существовало — главное сделать красиво, со всеми подробностями.

Первые работы — «Георгий Победоносец убивает идолище поганое» и «Николай Угодник, читающий книгу», отполированные и покрытые олифой, висели дома в прихожей на стене, удивляя гостей тщательностью исполнения и экспрессией. Выходит, не только Кеша был художником, но и Леонид, будущий тесть мальчика, имел склонность к художествам. Однако жизнь распорядилась так, что искусство — его хобби, а работа — водитель городского автобуса.

Когда Тася объявила большие сборы, Леонид скрепя сердце продал один гараж. Деньги были тщательно запакованы в полиэтиленовый пакет и зашиты в радикулитный пояс. Передать семь тысяч долларов поручили дедушке Грише, отцу Тасиной мамы, известной и почитаемой в Анапе целительницы. Гришу собирали в столицу, как большевистского курьера: неприметный старичок, никто не заподозрит, что он везет в Москву такую чудовищную сумму.

Встречали дедушку всей семьей, радости было много, но больше всех радовался Григорий Федорович — что довез доллары до места, не потерял, не растранжирил в вагоне-ресторане, что не украли их цыгане, не напали на поезд чеченцы с пистолетами и на лошадях.

Дедушка Гриша — потомственный казак родом из-под Новочеркасска. Его деда звали Варфоломей. Из поколения в поколение в их роду передавалась Варфоломеевская сабля. А заодно и легенда о том, как пламенный Варфоломей отправился свататься с двустволкой — аж прямо огорошил будущую родню тем, что, ворвавшись в дом невесты, закричал: «Всех перестреляю!»

Впрочем, он как-то сразу полюбился своей избраннице. Она покинула отчий кров, пошла за ним без малейших колебаний и, по словам Варфоломея, никогда об этом не пожалела.

Стоит ли говорить, что Гриша у нас мгновенно стал душой компании?

Как светлый звук трубы. Глаза васильковые, ясные, мы на него прямо налюбоваться не могли. А каким он смотрел именинником, когда мы освободили его от радикулитного пояса, набитого под завязочку американскими долларами! Гриша под ними весь взопрел. Сразу начал потчевать нас оздоровительным гербарием, экологически чистым, собранным в горах Приэльбрусья:

— Тут и рододендрон, — благодушно перечислял Гриша, — и первоцвет, потом иван-чай, мать-и-мачеха, зверобой, душица, чабрец, шалфей, мята, шиповник, барбарис, лист брусники, черники, земляники, малины и смородины...

Перечислениям не было конца. А когда он сыпал сушеные травы в чайник, распространяя горные пряные ароматы, в его пакете обнаружился длинный упругий гнедой волос из гривы коня.

Еще Гриша привез мешок спелого фундука в скорлупе. Развязал веревку, высыпал орехи на стол и за разговором — кр-рак, кр-рак, сидит и зубами их грызет. Мы чуть со стульев не попадали. Вытвори кто-нибудь из нас что-либо подобное, даже если б мы бросились к дружественному стоматологу Арсению, нашу корпорацию ожидали бы тысячи долларов убытку!..

— Сразу видно, — восхищенно сказала Рита, — что в Гришином организме очень много кальция.

А Фима добавил:

— Судя по Григорию Федоровичу, в нем вся таблица Менделеева богато представлена!

Мы стали думать, как нам развлечь Гришу — все-таки человек первый раз в Москве. Рита выразила готовность взять его с собой в Музыкальный театр имени Станиславского — там для пенсионеров бесплатно собирались давать «Баядерку».

— Это что, — подозрительно спросил Фима, — для тех, кому за девяносто?

— А танцевать для нас будут, кому за семьдесят, — весело сказала Рита.

— А петь — после ста! — пошутил дедушка Гриша, и все залились счастливым смехом.

Григорий Федорович, мягкий, покладистый, лучезарно принимал любые предложения — и в театр, и в Исторический музей, жалко, Планетарий десять лет на ремонте, ну, в Тасин развлекательный центр — в «Пещеру Ужасов»... Он был даже не против покататься на «бешеном диване». Кеша придумал отвезти Гришу в Третьяковскую галерею.

Привел, стал водить по залам, показывая иконы Рублева, картины передвижников, причем именно такие полотна, которые должен хотя бы раз в жизни увидеть каждый русский: Васнецов «Три богатыря», «Днепр в лунную ночь» Куинджи, «Дети перед грозой» Васильева, «Московский дворик» Поленова, «Утро в сосновом лесу» Ивана Шишкина.

— А что это у него медвежата, — вдруг спросил Гриша, — как прилепленные?

— Надо же, — удивился Кеша, — вы заметили? Их другой художник нарисовал. Не Шишкин, а Савицкий, по дружбе. Сам Шишкин не любил и не умел рисовать животных.

Возле «Явления Христа народу» присели на бархатную банкетку. Гриша забеспокоился, не простудились ли дети, которые купались в реке? САМ — шубой накрылся, а дети голые стоят?

Кеша посмотрел на Иоанна Крестителя в шкуре овцы, символизирующей его дальнейшую судьбу агнца. Тот стоял с вытянутой дланью, указующей на Иисуса.

— Не простудились, — сказал Кеша. — Жара там, как в Анапе, и в Иордане теплая вода. А вот художник Иванов после солнечной Италии в России простудился и умер. Правда, некоторые считают, он умер от огорчения. Двадцать лет писал «Явление Христа народу», еле приволок эту громадину из Рима, преподнес в дар русскому народу, а все смотрят — и не улавливают смысла. Свернули и поставили в угол. Теперь она признана величайшим шедевром мирового искусства. А художника уже не вернуть! ...Это Верещагин, сдвинутый на всяческих баталиях, — рассказывал Иннокентий дедушке. — Горы трупов и черепов, тяжелораненые и контуженные... Так он любил рисовать бои с их необратимыми последствиями! Даже, бедолага, погиб смертью храбрых на военном корабле, вместе с мольбертом, палитрой и кистями,

атакованный японскими самураями, когда отправился живописать битву при Цусиме.

Не меньше трех часов они разгуливали по залам Третьяковки, и хотя дедушка Гриша готов был с неослабевающим интересом продолжать осмотр, Иннокентий решил не останавливаться подробно на анализе творчества Судейкина, а просто сказал, что утонул Судейкин в Финском заливе, когда купался летом у себя на даче.

Гриша охал, вздыхал, сопереживал всем художникам без разбору — Исааку Левитану, Врубелю, судьба Кустодиева его страшно взволновала. Но в самое сердце поразила Григория Федоровича непутевая жизнь Саврасова, который, по рассказам Кеши, был простым русским пьяницей, всю жизнь боролся с алкогольным недугом, чуть ли не за бутылку шесть раз повторил для коллекционеров картину «Грачи прилетели». Им, видите ли, подавай только этих грачей! Небось, Саврасов не мог уже на них смотреть.

— Ну, совсем как наш Тема с береговой спасательной службы, — качал головой Гриша, — никак не может излечиться от пьянства. А ведь какой талант, какие он наличники выпиливает!

Григорий Федорович вышел из Третьяковки потрясенный. И они отправились обедать в клуб «Апшу». Вместе выпили, закусили, дедушку познакомили с архитектором Сашей Бродским, который обедал в клубе со своей многочисленной семьей.

— В следующий раз пойдем на Крымский и начнем с Петрова-Водкина, — пообещал Кеша.

Григорий Федорович переночевал на диванчике на кухне в обнимку с Герасимом и на следующий день уехал, оставив москвичам пакет с деньгами, холщовый мешок с орехами и запах железной дороги, который быстро выветрился. А вот орехи долго лежали в шкафу, напоминая, что на Черном море у нас есть близкие родственники и что когда-нибудь мы соберемся и поедем к ним, туда, где растут орехи, будем бродить босиком по горячему пляжу, кидать беззаботно камешки в воду, валяться на песке и купаться, позабыв обо всем на свете. А Леонид прокатит нас с ветерком на своей навороченной «копейке», которую ему страстно хотелось нам продемонстрировать.

— У нас с отцом теперь только и разговоров, что о художниках, об их творчестве и судьбах, — сказал он нам по телефону. — Кто умер от туберкулеза молодым, кто спился, кто сидел в тюрьме, а кто коротал свои дни в сумасшедшем доме. Хотел бы и я вам, — вдруг воскликнул Леонид, — показать свой шедевр! Откроешь капот — а там все сияет и сверкает!..

Есть два пути, говорили древние даосы: путь усилия и солнечный путь. Но Кеша избрал третий путь — лунный. Никакие заклинатели, кудесники и прорицатели, странствовавшие по Римской империи, не имели такого колоссального успеха у публики, как «мужик с Луной». Тем более астроном Потеряев развил бешеную деятельность по привлечению клиентов.

Опубликовав несколько бесплатных объявлений в газетах, они с Кешей пустили часть своих заработков на пиар-кампанию. Когда в лучших глянцевых журналах, в том числе «У нас на Рублевке», под эффектной рекламой стриптизеров клуба «Красная Шапочка» появилась фотография причудливой фигуры Иннокентия на корме — в шляпе и габардиновом пальто дяди Эфраима, плывущего по озеру в ночи с Луной, — это стало притчей во языцех всего города.

Объявление под фотографией гласило:

ПРИВАТНАЯ ЛУНА

Устраиваем явление Луны в любое время суток, предпочтительно в вечернее или ночное.

Исключительно поэтичное, романтичное, изысканное шоу одного безумного художника! Луна у вас дома, в саду, в бассейне, на лужайке, на вашем любимом дереве перед окном.

За дополнительную плату — соловьиное пение.

Звоните...

Присовокупить соловьев придумал мальчик, с детства хранивший виниловую грампластинку «Голоса рыб и птиц». Переливы курского соловья Кеша перебросил на диск, Андреич купил плеер и динамики. Электричество всегда было с ними, так что соловьи пели громко и заливисто, если кто-то желал, кроме Луны, еще и соловьиные трели.

Тут началось какое-то безумие. Звонили олигархи, жены олигархов, директора мелких и крупных компаний, брокеры, риэлторы...

Конечно, среди крупной добычи попадались мелкие рыбешки без гроша в кармане, которые наивно полагали, что Кеша прямо разбежался со своей Луной услаждать их взор с той незамысловатой целью, чтобы в мире стало больше поэзии и веселья.

— Слушай, друг, я тут пригласил своих ребят, с которыми на корабле служили, вот бы здорово получилось: мы сядем во дворе, нальем по стакану, выпьем, и вдруг ты из-за угла подваливаешь с месяцем!.. Сделай, а? Они обалдеют!..

Душа Иннокентия откликалась на зов простого народа, ему был близок и дорог этот мотив. Но Иван Андреич на корню отсекал подобные вызовы.

— Только к олигархам и на корпоративные мероприятия! — провозгласил бывший астроном.

С тех пор как Кеша вернулся с Клязьминского водохранилища, Потеряев у нас дневал и ночевал, спал на диване в кухне, гулял с Герасимом, бегал в магазин, а на семейных встречах проводил с нами астрономические беседы.

— Знаете ли вы, — говорил он, пьянея от вина и всеобщего внимания, — что Земля была когда-то исполинским яйцом! В порыве гениальности это открытие совершил Рудольф Штайнер. Да-да, раньше Земля была гораздо живее. Она целиком и полностью была проникнута жизнью. И оживотворяла ее — Луна!

Все были околдованы речами Потеряева, но его лекцию без конца прерывали телефонные звонки. «Мужику с Луной» поднимать трубку не полагалось. Заказы принимал Иван Андреич. Только Андреич — меня Потеряев не подпускал к телефону, ибо он один из нашей флибустьерской команды навострился вытряхивать из клиента предоплату.

— У нас предоплата, — сразу предупреждал он. — Но если ваше сердце не дрогнет и вы не испытаете поэтическое чувство, мы вам вернем ваши деньги!.. Где же должна была находиться Луна, чтобы оживотворять Землю? — шепотом спрашивал у нас Андреич, записывая адрес клиента в корабельный журнал. — Внутри Земли, дорогие мои! Луна была растворена в этом сгущенном супе, который являла собой Земля, и хотя она еще не имела границ, но обитала внутри Земли в качестве более плотного шара... Алло?!

Отец поп-звезды Кассиопеи, король куриных окорочков, лично просил «мужика с Луной» подъехать на день рождения Каси в полночь на телеге, запряженной простой деревенской лошадью в Серебряный бор. Лошадь и телегу уже купил. Сколько это будет стоить? Шестьсот баксов? Всего-навсего?

— Надо нам увеличивать стоимость наших услуг, — говорил повседневным голосом Андреич и вдохновенно продолжал: — ...Но Земля извергла Луну. Это факт. А факты — упрямое дело! И сегодня можно увидеть по впадине на Земле и по разрыву между континентами, что Луна когда-то вылетела оттуда, где находится Тихий океан...

Вдруг позвонил греческий оливковый магнат, который потратил на свадьбу сына больше трех миллионов долларов, и кричит в трубку:

— Где «мужик с Луной», мать-перемать? Без него свадьба — не свадьба!!!

Снегурочки, клоуны, тамада... Самые изобретательные постановочные эффекты казались скучными и банальными по сравнению с Кешиной Луной. Повсюду ждали Кешу распростертые объятия.

Звонили из калужской славянской языческой общины. Хотели оформить вызов на праздник Ивана Купалы в леса, просили сделать десятипроцентную скидку для братьев славян.

— А вот луна, — они спрашивали, — водонепроницаемая? Можете так устроить, чтобы дядька с Луной вышел ночью из-под воды в простыне, таща за собой Луну со включенным светом? Инвесторы славянских язычников не поскупятся!

— Я только забыл, — чесал в затылке Андреич, — как звали заказчика. То ли Упокой, то ли Неупокой?

— Так НЕ или У...? — интересовался Кеша.

Торговец алмазами, олигарх Ваха Аликберов, прислал из Сибири электронное письмо:

«Почем полумесяц?»

Сияющей золотой луной он решил украсить вершину минарета.

Меньше всех возни оказалось с Обществом любителей поэзии танка. Им только зажгли Луну в чайной, как они сказали:

— А ты, мужик, уйди, не маячь, надо, чтобы было японское настроение.

Кеша отошел в сторонку и просто всю ночь сидел, смотрел за электричеством.

Раз как-то «мужика с Луной» пригласила на приватную вечеринку известная писательница, житель Жуковки Оксана Робски. Она хотела не только Луну и соловьев, но чтобы сам художник почтил своим присутствием компанию ее друзей, собравшихся у нее в загородном доме по случаю выхода новой книги. Иннокентий сначала взял всю сумму, передал Андреичу, а сам стал тусоваться среди гостей Оксаны. Его познакомили с режиссером Житинкиным, братьями Полушкиными, литературным критиком Андреем Немзером и самим Никасом Сафроновым.

— Что ж ты не взял автограф у Никаса? — сказала Рита. — Красавец мужчина!

— Я не являюсь поклонником его таланта, — важно ответил Кеша, доставая из кармана увесистый конверт.

Промокший, усталый, запыленный, иногда выпимши, Иннокентий возвращался под утро и приносил гонорары. Так Гильгамеш в месопотамском эпосе «О всевидавшем» скитается в пустыне, обросший волосами, прикрыв наготу шкурой льва, стремясь познать тайну богов. Он следует за солнцем по необитаемым землям и сквозь подземные миры. Однако возвращается невредимым из своих скитаний, совершает омовение, сбрасывает львиную шкуру и облачается в чистые одежды. Потом целый день спит, а вечером проглядывает журнал, где Андреич изо дня в день излагает, кому чего от него надо и где.

Однажды я сделала отчаянную попытку разбудить мужа воспламеняющим поцелуем, рекомендованным Камасутрой в подобных случаях. Но Кеша сквозь сон пробормотал:

— Н-не сейчас! На один поцелуй мужчина тратит шестьдесят калорий.

Вот как ему приходилось экономить силы!

В какой-то момент астроном Потеряев надумал завести портфолио с фотографиями лунного перформанса. Для этого он созвонился с московским Домом фотографии и спросил у директора без всяких околичностей:

— Ольга Львовна, кто в Москве сейчас лучший фотограф?

Им оказался Борис Бенедиктов, молодой человек, похожий на Пушкина, причем не только внешне: в его порывистости, энергии, улыбке просвечивало что-то поистине пушкинское. Он с жаром откликнулся на предложение создать серию фотоэтюдов, воспевающих дружбу мужика и Луны. Это портфолио стало событием в художественной жизни Москвы.

Андреич напечатал визитки с изображением месяца и номером мобильного телефона. Последнюю модель «Моторолы» серебристого цвета — под цвет Луны — он решился купить после того, как они устроили шоу в Нескучном саду на корпоративном празднике компании «Космострейд», занимающейся инвестированием лишних денег в космическую геологию.

— Кончатся все минералы на Земле, тогда будем добывать на Луне! — сказал генеральный, подняв тост за процветание и единение компании.

И добавил:

— Луна — наше светлое будущее!

Тут из-за деревьев появился Кеша, он вез на трехколесной тачке сияющую Луну. Этакий рудокоп, нашедший вместо руды или каменного угля небесное тело, везет его на тачке в подарок людям всей планеты.

Аплодисменты не смолкали, главный бухгалтер заплакала, не стесняясь генерального, мелкие брокеры встали со стульев и, вскинув руки, хором закричали:

— «Космострейд» — лучшая компания в мире! Спасибо, Виталий Сергеевич!

Кеша ходил туда-сюда восемь раз. Потом все фотографировались, собравшись вокруг тачки с Луной. Виталий Сергеевич пожал руку Иннокентию, а бухгалтер засунула конверт ему в карман.

Магический свет Луны, а также бурная деятельность Андреича, этого эстета и дилетанта, приносили свои плоды. Коробочка из-под зефира, которая служила сейфом, медленно, но неуклонно пополнялась. Ее уже приходилось подхватывать аптечной резинкой. Кеша ленился преодолевать эти препятствия, и попросту выкладывал добычу из карманов на стол. При этом он покрикивал на меня, словно ухарь-купец:

— Не ставь мед на деньги! Ты не пользуешься деньгами и не представляешь, как это неприятно, когда все липкое!

Пришлось заменить «Зефир в шоколаде» на коробку из-под обуви «Carnaby». Мальчик любил новые ботинки, в детстве мы его не баловали, часто принимая ношеные ботинки и сапожки от подросших детей наших друзей. Поэтому снисходительно относились к его маленькой слабости — чуть не каждый сезон приобретать фешенебельную обувь.

Больше всех с этой страстью нашего сына повезло Фиме — у них одинаковый размер ноги. Так что ботинки, отвергнутые мальчиком, неизменно перекочевывали к дедушке.

Представьте себе пожилого элегантного профессора в песочного цвета лодочках из кожи питона с вставками из кожи аллигатора, произведенных самим Балдинини! Это наш Фима — образец светского человека, форменный царь Мидас, одним своим прикосновением все вокруг превращающий в золото. Вот он идет на Домодедовский рынок за помидорами и тащит за собой коляску с такими скрипучими колесами, что даже бродячие собаки разбегаются и прячутся под скамейками. А самые храбрые псы лают на Серафима до хрипоты, пока он не сойдет во чрево метрополитена.

Никакие масла не брали эти скрипучие колеса, и никакие силы в мире не заставили бы Фиму расстаться с его кошмарной сумкой. В своих мечтах он уже вез в ней, как из пушки, день в день, час в час, минута в минуту, наши миллионы в СУ-23, оглашая колодезным скрипом всю округу.

Я сказала «наши», поскольку в последний момент и мне Господь благоволил даровать коммерческий заказ, ибо истина бесконечна, а чудеса неистощимы. В конце августа Андреич подзывает меня к телефону.

— Маруся? — чей-то сипловатый голос. — Это друг Володьки Персица — Паша, помнишь, в Доме архитекторов мы нехило подебоширили? У меня к тебе дело. Вовка говорил, ты сценарии сочиняешь? Мне тут предложили снять рекламный ролик для партии «Триединая Русь», я там плакаты рисую. Это, конечно, не Голливуд, а всего лишь мультик на полторы минуты, но можно подзаработать. Проси, сколько хочешь, я передам, а там — как получится.

— Полторы тысячи долларов, — сказала я наудачу.

— Предоплату!.. — рычит Андреич.

— ...И пятьсот аванс! — выпалила я.

— Моя школа! — потирал руки довольный астроном.

Паша созвонился, заказчики согласились.

В большом красивом светлом здании со стягом на козырьке нас встретил менеджер Илья и — коридорами, коридорами — повел к идеологам в ставку. Там два солидных историка Всеволод Петрович и Святослав Тихонович, в галстуках, в пиджаках, часа примерно четыре вдумчиво загружали меня информацией. Чуть ли не полный рабочий день я конспектировала вехи и события истории государства Российского, которые они замыслили втиснуть в полторы минуты. На ярких исторических примерах в трех роликах по тридцать секунд мне надо было наглядно продемонстрировать, что мощь России заключена в идее неразрывного триединства — державности, православия и народности.

Все это время Павел сидел со мной рядом за длинным столом, в том же сером обшарпанном пиджачке, и очень важно кивал. Вот как жизнь распорядилась, думала я: были два друга, вместе работали в мультипликации, вместе гуляли, выпивали, ухаживали за красивыми девушками, а теперь один высоко взлетел, превратился из Володьки в Вольдемара, в резиновых американских галошах блистает в Голливуде, на короткой ноге с Вупи Голдберг и Джеком Николсоном, а другой как был Пашка, так и остался, простился с чаяниями, так, пробавляется на подножном корму.

— В общем, хронометраж такой, — подвел итог Святослав Тихонович. — Юрий Долгорукий возводит Москву на семи холмах — две секунды; набег Золотой орды и достойный отпор Дмитрия Донского Золотой орде — шесть секунд, духовный расцвет — пять секунд, три — на релаксацию. Вечер, пейзаж — две секунды, новое утро. Кремль белокаменный, художник Андрей Рублев — три секунды, нотки тревожности, заходит солнце, Минин и Пожарский — четыре секунды, Петр Первый — две, Ломоносов идет в Москву в лаптях — три секунды, Нарышкин — полсекунды, восходит солнце, а дальше весна, Университет, война 1812 года — пять секунд, строительство Новодевичьего монастыря — секунда, Кутузов, куда мы уйдем от Кутузова? Бородинское сражение — две секунды. Восходит солнце, ускоренно бегут облака. Строительство Триумфальной — секунда, Октябрьская революция — две секунды, Гражданская война — полторы, Отечественная — три, победный парад на Красной площади — одна, салют, заходит солнце. Лирическая пауза на две секунды, и — мажорно — выходим на новый духовный расцвет, связанный с освоением космоса: искания Циолковского, свершения Королева, подвиг Гагарина — семь секунд.

— А что будем делать с музыкой? — спрашиваю, захваченная глобальностью патриотической затеи.

— Музыка будет Свиридова, «Время, вперед!».

— А закадровый текст?

— Текст нужен эпохальный — с бухты-барахты не напишешь, — произнес Всеволод Тихонович, сурово сдвинув брови. — Такой нам потребуется текст, который наши потомки на граните выбьют! Надо много думать, чтоб написать этот текст!.. Боюсь, только мне и Святославу Тихоновичу он будет по плечу.

Мы скрепили нашу устную договоренность железным рукопожатием и условились, что у меня послезавтра будет готов сценарий первого ролика. Илья вывел нас во двор и вручил мне книгу с торжественным заголовком «Москва», начертанным славянской вязью, практически неподъемную.

— Ознакомитесь на досуге, — сказал он вполне серьезно. — Теперь насчет аванса: мне было бы спокойней, если бы вы принесли свои наброски. Тогда я с легкой душой выну из кармана пятьсот долларов. А то знаете, как бывает, — недавно один художник (от слова «худо») забрал сто баксов и пропал. Я его разыскиваю, а он мне заявляет: «Вот это все, что вы там рассказали, меня до того не заинтересовало, что я готов не только вернуть аванс, но и приплатить еще немного, только бы ничего для вас не делать!»

— А если я вам поведаю все случаи, — отвечаю, насторожившись, — когда я начала работать без аванса... Да и с авансом...

— В сле-ду-ю-щий раз, — настойчиво стал выпроваживать нас Илья.

— Илюш, а почему? — вступился за меня Павел. — Знаешь, Марусь, — он сказал артистическим шепотом, — если тебе Илья сейчас не заплатит, я откажусь работать, хотя уже знаю, как сделать красиво.

Я даже удивилась, какой этот Паша молодец.

Илья тяжело вздохнул и кому-то позвонил — наверное, Святославу или Всеволоду. Отдавая мне аванс, этот былинный богатырь совсем стал смурной.

Дома я вывесила перед глазами свиток великой русской истории, посекундно расписанной Святославом и Всеволодом. Ум не вмещал столь динамичной концепции. Только знакомство с неумолимой хронологией Тибетской книги мертвых отчасти примиряло меня с таким забористым методом прессования великих и страшных событий. Как все это описать? Как выразить на бумаге?

Я до того сосредоточилась на отпущенных мне секундах, что глаза начали слипаться, меня стало клонить в сон. Во сне сразу появился Юрий Долгорукий, мой стародавний знакомец, в детстве с бабушкой мы гуляли под его простертой дланью, когда жили в Большом Гнездниковском переулке. Ветер шевелил его кудри, одежду, гриву коня. Потом показались лица простых русичей и злобных татар, скачущих с копьями наперевес на степных коротконогих лошадях.

Лошадь! Вот символ бегущего времени! Лошади мчатся в пространстве, а оно разворачивается, как свиток.

К вечеру был готов сценарий — с диалогами, с титрами и рекомендациями для художника. Я аккуратно перепечатала его на компьютере шестнадцатым кеглем, чтобы получилось побольше страниц.

«Памятник Юрия Долгорукого на коне оживает перед восходом солнца. Всадник стоит на вершине холма. Все покрыто лесами. Солнце всходит. Там, куда показывает рука, вырастают первые постройки. Слышен стук топоров. Как на картине Васнецова «Начало строительства Москвы». На

коньке крыши сидит мужик с топором в руке, утирает пот со лба. В окне Женщина, символизирующая Россию, рядом с ней мальчик — будущее России, и тут же храм — духовный расцвет.

Летят журавли, тревожно курлыча. На солнце наплывают тучи. С высоты мы видим, как тень от облаков издали ползет по земле к городу на семи холмах. Конь Долгорукого заволновался, раздувает ноздри. Чует: это не просто тень. Это татары идут, ощетинившиеся копьями. Стук копыт, бряцанье оружием. Музыка становится тревожной...»

И так далее.

Когда я читала сценарий Кеше, он даже в одном месте смахнул слезу, потом встал, поблагодарил меня и сказал:

— Я горжусь, что я русский, а не калмык. Спасибо!

Текст послали по электронной почте на имя Федора Сухова, хотя Святослав Тихонович носил другую фамилию. Видимо, предвыборный штаб «Триединой» требовал конспирации, поэтому каждый, кто работал на продвижении «державности, православия и народности» имел свой партийный псевдоним на случай провала задания партии. Да и деньги там крутились немалые. Если какая растрата, что с Федора Сухова возьмешь? Он давно уже где-то в глубинке Ярославской губернии со своей любезной Катериной Матвеевной.

Ответа от «f. sukhov» не пришло. На следующий день тоже. Я заволновалась, доехало ли мое великое творение, не затерялось ли в проводах, не осело ли в сухом остатке на каких-нибудь серверах?

Звоню — подошел Всеволод.

— Знаете, что я вам скажу, — пробормотал он после паузы, — мы тут передумали. Этот художник с нами больше не работает. Слабонервный оказался. Хлопнул дверью и ушел. Мы погоревали со Святославом Тихоновичем, а потом взяли и сами за него плакаты нарисовали. Теперь своими силами сделаем рекламные ролики. А ваш сценарий слишком для нас хорош. Нам нужен партийный плакат, все должно быть с высоты птичьего полета, а вы там развели турусы на колесах. Словом, у нас к вам просьба: верните деньги.

Я почувствовала, как вся напряглась, перед мысленным взором вырос конь Дмитрия Донского и сам Дмитрий с мечом. Он глянул на меня большими, почему-то черными злыми глазами и сказал:

— Не отдадим ни пяди!

— Не отдам, — сказала я твердым голосом. — Я все сделала от души, ночи не спала, это мой гонорар.

— Как?! — вскричал Всеволод. — Наша партия не может нести такие потери! Это же партийная касса.

— Все сделаю для вашей партии, да что — вашей, теперь она и моя партия, своя, родная. — Речь моя текла, как полноводная река по российским просторам. — Одно могу вам сказать в утешение: на выборах я буду голосовать только за «Триединую Русь». Мой голос — ваш!

— Дороговато нам достался ваш голос, — вздохнул Всеволод, не ожидая, что получит такой отпор. Видимо он понял, что деньги уже не вернуть. — А могу я вас попросить, — произнес он, окончательно закручинившись, — *за наши пятьсот долларов* отдать нам книгу, посвященную истории Москвы?..

Дмитрий Донской может мною гордиться, Минин и Пожарский записали меня в свое ополчение, Кутузов со мной поскакал бить французов. Это была хоть и маленькая, но победа моего гордого малочисленного племени литераторов-сценаристов.

Конечно, если бы не великая цель собрать деньги на квартиру моему мальчику, я бы никогда не решилась на такой подвиг, а просто привезла бы деньги обратно этим трем богатырям и отдала вместе с книгой «Москва». Но именно так становились героями простые русские крестьяне, когда на кону стояло — пан или пропал, будет жить Русь Великая или нет, когда ворог у порога...

Пойте Богу нашему, пойте, пойте, Цареви нашему, пойте Вси языцы, воплещите руками, воскликните Богу гласом радования: Господь, просвещение мое и Спаситель мой, кого убоюся, кто Бог великий, яко Бог наш? Ты еси Бог — творяй чудеса!..

К началу сентября у нас набиралась требуемая сумма.

Кеша объявил Андреичу, что берет отпуск и временно прекращает представления.

— О нет! — взмолился прикипевший к Луне астроном. — Я только что договорился с японским музеем современного искусства города Неяма, что мы покажем им Луну. Они стали просить: продайте нам ее за большие деньги! Но когда я расписал им наши перформансы!.. Музеи крупнейших городов Японии в очередь становятся. Это ж твой первый заграничный выезд, ворота в большой мир искусства! Благодаря Луне ты станешь звездой всепланетного значения! Они уже выслали согласие на гербовой бумаге и обещали оплатить дорогу.

Кеша на минуту задумался, прикрыл глаза и явственно увидел себя с обритой головой в большой, как зонт, дорожной шляпе, сплетенной из непромокаемых кипарисовых стружек, в плаще из тростника, соломенных сандалиях. Издалека его можно принять за нищего, буддийского паломника или даоса, покинувшего бренный мир. В руке у него посох и четки со ста восемью бусинами. На шее висит сума, где хранится тушечница, флейта и крошечный деревянный гонг. А на сгорбленной спине медленно и осторожно несет Кеша через бамбуковый мост сияющую Луну.

Внизу шуршат камыши, поют цикады, лягушка прыгнула в тихий ночной пруд. На берегу столпились японцы в черных строгих костюмах и японки в кимоно, завороженно глядят они на Луну, у каждого в руках — маленькая серебристая цифровая камера.

Когда Иннокентий достиг середины моста, Андреич махнул рукой, и все защелкали фотоаппаратами, стали кланяться и благодарить художника и поэта, приехавшего из далекой России, вернувшего им поэзию, что когда-то обитала на японских островах.

Кеша открыл глаза и сказал:

— Не уговаривай, Андреич, не поеду. Я нужен здесь, моим, нам дело надо делать, сейчас не до поэзии. С Луной в Японию поедешь ты. Такая тебе оказана высокая честь. Я отдаю ее под твое начало и знаю, что ты достойно выполнишь эту миссию.

— А как я обустрою инсталляцию? — в неописуемом волнении закричал астроном.

— Мне представляется, какой должна быть выставка в идеале, — спокойно ответил Кеша. — Это просторный затемненный зал, Луна лежит на деревенских деревянных санях, и ни одного человека. Пусто — ни врагов, ни друзей. Включил в розетку штепсель, и все дела. Других инструкций у меня нет.

Андреич сначала растерялся, что он едет в Японию с Луной. Он и не мечтал побывать в тех далеких краях, про которые только знал, что там живут самураи и камикадзе.

Бывало, Йося Мерц рассказывал ему о своих поездках за рубеж.

— Если б ты знал, Андреич, — с блуждающей улыбкой говорил Иосиф, — сколько на Земле красивых мест — и все мимо денег!..

Думал ли астроном Потеряев, простой обитатель дома престарелых с Клязьминского водохранилища, что ему выпадет шанс в этой жизни воочию узреть Страну Восходящего Солнца, лежащую за пределами наших представлений о мире, за гранью действительности, обитель сновидений!..

Что ж, астроном Потеряев справил себе заграничный паспорт, купил костюм и отправился за японской визой.

В японском посольстве его удивило, что все сообщения для нашего народа висят на стенках исключительно на японском языке. Он стал выяснять, что все это значит. И хотя любого другого на его месте японцы крайне вежливо давно бы послали куда подальше, с Андреичем развели церемонии, поскольку в Японии старость в почете и каждый старикан, доживший до Андреичевых лет, становится национальным достоянием.

Ему предложили зеленого чаю, усадили в кресло, подарили красочный буклет с фотографией Фудзиямы. Так что вскоре Иван Андреич-сан стал обладателем японской визы и мог беспрепятственно выехать по делам в Нейму.

Японская сторона, с нетерпением ожидавшая лунного шоу, мгновенно устроила билет на его имя и страховку. Правда, в целях экономии был предложен наземный транспорт и морской паром.

— А, мне все равно, на пароме так на пароме, когда еще такая возможность выпадет! — махнул рукой Андреич.

Кеша благословил Потеряева, объяснил, как себя вести с кураторами, какую речь держать на открытии, каких вопросов ждать от журналистов и что надеть на вернисаж.

Всей семьей собирали чемодан: новый шерстяной костюм и бабочка, белая рубашка и лакированные туфли, фотокамера, русские сувениры, бинокль, компас, теплые носки и носовые платки.

Луна была упакована в несколько слоев гофрированного картона, замотана полиэтиленом и завязана веревками. Мальчик помог все это доставить на Ярославский вокзал. Луну погрузили в багажный вагон, где она осторожно притулилась к ящику с финиками и коробкой с компьютером и поехала с Андреичем на восток.

Через неделю мы получили телеграмму из Владивостока, что Потеряев погрузился на паром и отбывает на японские острова. Дальше связь с ним оборвалась. Да и, честно сказать, не до него нам здесь было — полным ходом шел сбор денег, обмен, обсчет, сортировка купюр и перевозка наличностей.

Время-то сейчас какое — пиратское время! Если десять лет назад было бандитское, то сейчас немного стало полегче — бандитов сменили пираты. То там, то тут происходили вылазки рыцарей удачи. Недавно среди бела дня трое отчаянных парней напали на автомобиль «БМВ». Вышли на Осташкинское шоссе в черных вязаных шапочках по самые уши, остановили машину, и пригрозив автоматом Калашникова и гранатой, забрали деньги, которые везли пассажиры. Причем немалую сумму — битком набитый мешок.

Возникает вопрос: куда везли мешок долларов эти пассажиры? И откуда грабители узнали об их мешке? Видимо, у пиратов есть осведомители, или везде расставлены маленькие видеокамеры. И они наблюдают за всеми, кто накопил, меняет или получает крупные суммы денег.

Кешиного брата, энтомолога Александра, ограбили сразу после выхода из обменника. Вечером после работы он зашел поменять накопленные на ремонт кухни триста долларов в обменный пункт рядом со своим домом, а когда вышел — к нему подбежали два мужика в черных вязаных шапочках и закричали, показывая огромные ножи: «Кошелек или жизнь!»

Александр благоразумно отдал бумажник. Они вынули все, что он туда положил, вернули кошелек и, не поблагодарив, растаяли в сумерках.

Кроме прямых вылазок пираты большого города прибегают к разным мошенническим методам выемки деньги у населения.

К примеру, обзванивали ветеранов войны и под видом проведения акции «Здоровый ветеран» являлись к ним домой и собирали деньги на долгосрочное гарантированное медицинское обслуживание.

Рита чуть не попала на десять тысяч рублей, когда явился такой мошенник. В белом халате, с фонендоскопом на шее и в черной вязаной шапочке он производил положительное впечатление, так и сыпал медицинскими терминами. Внимательно выслушав жалобы Риты, он сказал:

— Вам требуется более обстоятельное лечение, я должен посоветоваться с главным врачом нашей клиники имени Бурденко.

Он куда-то позвонил, позвал «Исаака Соломоновича», вкратце изложил ему Ритины проблемы, а потом заявил, что потребуется не десять, а пятнадцать тысяч рублей и немедленно. Слава богу, у Риты не было при себе таких денег. Тогда врач любезно предложил Маргарите пройти вместе с ним в Сбербанк, чтобы снять деньги с книжки и передать ему. Рита стала собираться. Но пришел Фима и поломал сценарий. Доктор и Серафиму любезно предложил поучаствовать в проекте «Здоровый ветеран», внеся всего-то десять тысяч рублей, тем более Фима после операции на темени ходил с перебинтованной головой, как подстреленный красный командир. Однако Фима не так легко расстается с накопленными капиталами.

— Мы подумаем, — сказал Серафим, — и позвоним вам завтра в Институт госпитальной хирургии имени Бурденко.

Впрочем, телефон, который оставил добрый доктор, неделю был намертво занят. Видимо, люди трезвые и рассудительные, из тех, кто слегка притормозил, прежде чем вывернуть карманы, хотели побольше узнать об этой гуманистической программе.

А через некоторое время Фима услышал по радио, что арестовали банду мошенников в белых халатах и черных шапочках, которые под видом интеллигентных врачей выцыганивали деньги у больных ветеранов.

Так Рита и Серафим остались при своих капиталах и со своими жалобами.

После этого случая Фима стал подозрительнее относиться к людям. А Рита нет. Она продолжала открывать двери всем, кто стучался или звонил в звонок. Я сто раз просила ее хотя бы смотреть в дверной «васисдас», перед тем как пускать пришельцев в квартиру!

— Вы же можете попасть черт знает, в какую переделку!.. — кричала я на них и топала ногами.

Тогда Рита смущенно призналась мне, что не дотягивается до «васисдаса», так как он врезан в дверь слишком высоко. А спрашивать через закрытую дверь невежливо и оскорбляет желающего войти, пусть даже он пират в черной шапочке.

— Мир входящему! — звонко декларировала Рита, и это прозвучало, как заклятие, преодолевающее врагов, злых духов, призраков и химер. После чего, без всякой паузы, приветливо предложила нашему товариществу купить небольшой пистолет или револьвер. — Можно браунинг, — сказала она, как будто речь о самых пустяковых, примелькавшихся вещах, — ну, такой, какой был у моего папы в Гражданскую войну.

Отныне по телефону старались не произносить слово «деньги» и «квартира». Все были уверены, что нас прослушивают таинственные спецслужбы, которые за определенный гонорар сообщают, у кого в домах имеются крупные суммы, зашитые в матрацы.

Придумывали разные кодовые слова. Скажем, так:

— Приезжайте, будем стричь купоны (считать деньги).

Или:

— Собираемся — грести сено, вязать снопы (складывать доллары в пачки по тысяче).

Ибо наступала осень — пора стягивать войска, сосредотачивать наши отдельные капиталы в одной кассе, чтобы, когда запоет полковая труба, мы двинулись с обозом в место назначения, где через год обещают нам построить то, что не называемо, но понятно каждому.

Квартиру Фимы и Риты решили использовать как перевалочную базу — ближе к стройуправлению. Был разработан жесточайший план, продуман каждый шаг, четко распределены роли, все утрясли, упорядочили, отрегулировали. Казалось, никакая оплошность или случайность не могла просочиться в прописанный алгоритм. Это напоминало сооружение взрывного устройства, тот самый случай, когда сапер ошибается один раз.

Все пункты были детально расписаны в «Памятке бойцу». Пункт первый гласил:

«Товарищ! Москва полна прохиндеев и проходимцев! За

каждым углом прячутся барсеточник или гопник. Цыганки так и норовят заговорить зубы, ввести в гипноз и беспрепятственно забрать содержимое твоего кошелька. Больше того! Она проскочит к тебе домой, и ты отдашь ей все золото и бриллианты, и еще кофе напоишь. Такова сила гипноза.

Поэтому, когда ты продвигаешься по городу, занимаясь дислокацией накоплений, первое: старайся ходить по двое или по трое!

Второе: категорически запрещается вступать в разговоры, позволять до себя дотрагиваться, заглядывать тебе в глаза, декламировать стихи и петь тебе песни.

Третье: не подавай виду, что у тебя в карманах деньги! Перевозить большие суммы надо беззаботно и весело, как будто едешь на дискотеку или возвращаешься с военных сборов.

Форма одежды: перевозчик денег должен быть одет бедно, но аккуратно.

N. B: НЕ спать в метро с большими деньгами!!! Фима прочел в газете, что современный жулик оснащен специализированным детектором, который сквозь сумки и портфели на любом расстоянии определяет наличку...»

Однажды, словно стартовый выстрел, прозвучало:

— Все собираемся сортировать листовки и вычитывать рукописи перед сдачей в издательство. Завтра будем покупать книгу.

«Книга» — квартира. На абордаж! — как говорили матросы.

Первой в подземке с деньгами оказалась я. Пять «снопов» у нас дома были обернуты в фольгу для запекания курицы, сложены в рюкзак, а сверху для конспирации накрыты клубками шерсти и вязальными спицами.

Я вошла в вагон, села, достала спицы и начала вязать шапочку, являя пасторальную картину интеллигентной женщины среднего достатка.

Напротив меня спал пьяный мужичок, бомж — не бомж, на вид, скорее, безработный инженер. Вдруг он поднял тяжелые веки, наши взгляды встретились, что уже само по себе категорически запрещено «памяткой». Я хотела немедленно отвести глаза, но тут его лицо окрасилось богатейшей гаммой чувств, какая только доступна полностью потерянному в жизни человеку, к тому же крепко выпившему.

Безудержной мимикой он дал мне понять, что потрясен, восхищен, даже в некотором роде обескуражен моей красотой. Восторг придал ему силы. Он встал, пошатываясь, сделал пару шагов, склонился надо мной и зашептал:

— Кто ты, прекрасная незнакомка?

Своим вопросом он молниеносно лишил меня бдительности. Да, человек немного выпил, но не в стельку же, в самом деле, кожаная куртка хотя и старая, но благородно поношенная, запах — всего только перегара... Ничего отталкивающего, а вопрос сформулирован грамотно и утонченно.

Я невольно почувствовала к нему расположение, однако, памятуя о втором пункте «памятки», отмахнулась, мол, отвали, не приближайся. А он, как Чаплин в «Огнях большого города», изумленно:

— Ах, ты немая?.. Ну что ж, ладно, ничего, — бормочет этот человек с немыслимым состраданием. — Но ты немая и глухая? — он заорал мне прямо в ухо.

Я говорю ему:

— Держите дистанцию.

Ах, до чего он обрадовался, что у меня все, как у людей:

— Боже мой! — вскричал. — Я хочу, чтобы ты была моей! Только моей и ничьей больше! Ты вяжешь? Лишь одна моя мама умела это делать! О, моя мама! Где ты была все эти годы? — воскликнул он, воздев руки к потолку, и страстно зашептал: — Я тебе не смогу дать свой телефон. У меня его нет. Но твой я запомню или запишу на ладони! — И с этими словами опустился на колени и начал осыпать мои руки поцелуями.

В общем, когда я встретилась в метро с Иннокентием (он вез еще двадцать пять «снопов», только-только взятых из банка) и с гордостью поведала ему о впечатлении, которое произвожу на мужчин, он побледнел и спросил с ужасной тревогой:

— А ну посмотри, на месте ли «снопы»?!

К счастью, как я и предполагала, этого человека интересовала я, а не мои деньги. Тогда Кеша выхватил из кармана спиртовые салфетки и обтер меня с ног до головы, причем особо тщательно тер мои губы и даже зубы!..

Тем временем Рита в лимонном берете — одна (Фиме как раз позвонили, и он разговаривал про футбол) — отправилась снимать со своего спецсчета «Осень патриарха» в сберегательном банке сто тысяч рублей, шокировав служащих, поскольку утрачивала при этом какой-то огромный процент.

— Не надо сейчас ничего снимать, — взялась ее предупреждать кассир, — в середине декабря у вас будут проценты!.. Не снимайте!

Тут без содрогания нельзя представить дальнейшую сцену. Рита замешкалась у окна, за ней выстроилась длинная очередь, и, чтобы объяснить свой абсурдный поступок, она обратилась к этим недовольным людям с увещевательной речью:

— Понимаете, раз в жизни такое бывает. Вы уж извините, что со мной долго возятся! Надо снять весь вклад — внучеку квартиру покупаем... — Словом, она вела себя как профессор Плейшнер перед провалом: была рассеянна, заговаривала с каждым встречным и слушала пенье птиц. А когда с сотней тысяч в ридикюле она приблизилась к своему подъезду, оттуда вышли два типа в черных шапочках. Один сказал Рите:

— Бабуля, привет!

А она им ответила как ни в чем не бывало:

— Привет, мальчики!

И, одинокая, не обремененная сопровождающими лицами, впорхнула в полутемный подъезд. А эти двое — галантно придержали ей дверь.

Только наша Тася абсолютно молча и сосредоточенно возила «снопы» на «сеновал» и уезжала за новыми и новыми «снопами», которые хранились в разных банках столицы. Она вытаскивала деньги из внутреннего кармана красного пуховичка, складывала на стол и снова пускалась в путь на тонких шпилечках — цок-цок-цок, ни слова не говоря, заглядывал ли ей кто-нибудь в глаза по дороге в банк и обратно, читал ли стихи или пел песни.

Но тут возникла другая проблема: десять сотен долларов, из тех, что прислал из Анапы отец Леонид, отсырели и немного покрылись плесенью.

— Что вы смеетесь?! — воскликнула Тася. — Да, он где-то хранил их, берег, прятал много лет в укромных уголках своих гаражей!.. Естественно, они заплесневели!

— Ничего страшного, — успокоила ее Рита. — Мы сейчас их вымоем и высушим!..

Они разложили сопревшие купюры на батареи, откопали фен и утюг, все это включили и принялись за дело.

— Идем брать кассу! — скомандовал мне Фима, надвинув на лоб поддельную клетчатую кепку «Burberry». И мы вдвоем, тщательно соблюдая технику безопасности, отправились за его основополагающим капиталом.

В тот день в Сбербанке было очень много народу. Я села за стол и продолжила вязать голубую шапку, маскируясь под старушку. Серафим в старом вытертом пиджаке, с седой трехдневной щетиной и слуховым аппаратиком в ухе, протянул в окошко сберкнижку и сказал:

— Я закрываю счет.

Девушка вскинула брови:

— Да вы что?! У нас нет таких денег! Надо заказывать!

За нами тянулся бескрайний хвост, и все с интересом слушали этот разговор.

— Я подожду, — с христианским смирением отозвался Серафим.

— Деньги здесь могут быть только после обеда. Езжайте в главный банк.

— Ладно, — говорит Фима, — поедем в главный. А вы заказывайте, заказывайте, вдруг там не будет, тогда я к вам вернусь.

Главный банк тоже не смог выдать Фиме все, что тот накопил. И мы опять оказались в нашей сберкассе.

— Привезли?

— Пока нет, едут.

Я занимаю очередь. Передо мной, казалось, вся Москва решила получить пенсию. В кассу вплыл Кеша с полным рюкзаком долларов. Он потоптался немного, излучая такое сияние, что любой, даже никудышный счетчик Гейгера мог бы запеленговать за его спиной сумасшедшие деньги.

— Привезли? — спрашивает Кеша на всю сберегательную кассу.

— Да пока не привезли! — разводит руками Фима.

— Ладно, — миролюбиво говорит Кеша, — раз не привезли, я, пожалуй, пойду, дома подожду.

Он уходит, заходит мальчик, и тут же раздается голос Риты — узнаваемый и любимый всеми бывалыми радиослушателями, старыми москвичами:

— Друзья! — говорит она. — Где можно узнать, не оставила ли я косметичку, когда забирала свои сто тысяч?..

Буквально в каждом окошке светились наши лучезарные лица в состоянии полного аффекта. В третий раз подошла очередь Фимы, но с фронта не было вестей, и мы пропустили вперед веселую старушку, которая норовила и снять побольше, и чего-то там заначить.

— На гроб! — она мне сообщила с торжествующей улыбкой.

И — выразительно — глазами вниз:

— ТУДА не хочется! А готовиться надо!

— Несут! — ликующе крикнул мальчик, увидев двух здоровых инкассаторов с охраной, вооруженных до зубов, с мешками денег.

На протяжении получаса Фиме отсчитывали деньги перед микрофоном. Вся очередь слушала, какими тут пахнет сбережениями.

Складываем деньги в портфель, застегиваем, выходим из банка. Ну, Господи, помогай в напастях и треволнениях мира сего, избави нас от всякого злого обстояния! Облик Серафима выражает полное и абсолютное напускное спокойствие. Единственная им была допущена ошибка резидента — до самого подъезда за нами бежал не внушающий доверия субъект, крича:

— Мужчина! Мужчина! Вы забыли паспорт!..

Все были немного не в себе от того, что надо быть исключительно осторожным и предельно внимательным. После того как Фима сделал выговор Рите и еще раз объяснил, как себя следует вести человеку при деньгах на улице, в лифте, сберкассе или дома, Кеша входит в дом с новой порцией «снопов», а дверь не заперта!

При этом взору входящего открывается такая картина — в комнате на столе высится гора Фудзи из банкнот различного достоинства, будто с минуты на минуту привезут партию

героина. А Серафим, как обыкновенный наркобарон, стоит в туалете с открытой дверью — отливает. Не говоря уже о Рите, которая самозабвенно смотрит по телевизору передачу о Пушкине и вообще ничего не видит и не слышит.

Если со стороны посмотреть на наше содружество, подсчитывающее деньги, можно было подумать, что снимается кино с участием Роберта де Ниро режиссером Квентином Тарантино. Серафим, слегка небритый, в мохеровой кофте с кожаными налокотниками, сидел в конце стола и таинственно улыбался, отвечая односложно и невпопад. Вскоре выяснилось, что он куда-то задевал свой слуховой аппарат, и вся эта загадочность благополучно компенсировала его глухоту.

Поэтому, когда неожиданно позвонили в дверь, мы даже не обратили внимания, зато Рита вышла в коридор и быстро открыла. Кеша накинул одеяло на гору денег, и все застыли, как на спиритическом сеансе, глядя на стол и прислушиваясь к голосам в коридоре.

— Сахару не надо? Мешок недорого, — послышался хриплый бас.

— Нет, не надо нам сахару, — закричал Кеша, боясь, что Рита скажет: нужно, будем варить варенье *когда-нибудь*, — и пригласит продавца сахара на кухню.

Единым фронтом мы двинулись к двери. Продавец, приезжий мужик в тельняшке и ветровке, посмотрел на эту шеренгу, явно настроенную недружелюбно к нему и его сахару, и ретировался.

— Никому не открывать! Договорились ведь, никому не открывать дверь! — возмутился мальчик. — А вы тут устроили проходной двор.

Осталось только явиться преподобной Вере из общества «Свидетели Иеговы», которая названивала Маргарите и по телефону давала ей божественные наставления, хотя они абсолютно друг с другом незнакомы. Более того, эта Вера стала предлагать заглянуть к Маргарите на огонек. Тут Фима проявил бдительность и устроил жене скандал. Пришлось Рите продолжать учиться на заочном.

— Мы уже скоро переходим к Иисусу, — с гордостью говорила Рита.

— Только сейчас? За все это время? — удивлялся Фима.

Потом ей позвонила с такой же целью Надежда. Но Рита

вежливо отклонила *Надежду*, сославшись на то, что у нее уже есть *Вера*.

— Вера — наш человек, — созналась Надежда.

— Осталось только начать трезвонить еще одной прохиндейке по имени Любовь, — сказал Кеша.

Теперь нужно было поменять доллары на рубли, а уж потом забрасывать в стройуправление, где как-то запросто сказали:

— Привозите все целиком, осталось два дня, вы рискуете, надо заключить договор.

Мы упаковали доллары и евро в полиэтиленовый пакет, положили деньги на дно огромной сумки, сверху набросали Фимины рубашки не первой свежести. Вроде мужики едут в прачечную стирать белье, а не везут охапку валюты в какой-то левый банк для обмена. Видите ли, эту квартиру можно покупать только за рубли. А мальчику присоветовали одного банкира, замечательного тем, что порядочную сумму он обменивает с минимальным процентом.

На молниеносном военном совете постановили, что в оперативную группу вольется Серафим.

— Ему будет интересно, — сказал мальчик.

Фиме велели сбрить щетину, надеть шерстяной черный костюм-тройку, подаренный дедушке внуком со своего плеча сразу после защиты диссертации, галстук, модные ботинки и швейцарские часы.

С ботинками вышла заминка. Фима не знал, какие выбрать.

— Ботинки к черному костюму, — поучал Серафима внук, — должны быть черные. ЧЕРНЫЕ! А не вишневые! И не персиковые!..

Благодаря общим усилиям, образ бесприютного кокни, ночующего под мостом на берегу Темзы, сменился шикарным обликом дона Корлеоне — такой у нашего Фимы необъятный диапазон.

— Тебе можно прохиндейничать на такой экзотической внешности, — уважительно сказал мальчик.

Мы даже начали опасаться, как бы у Серафима не поинтересовались, когда они явятся отдавать деньги за квартиру, — почему он берет всего-навсего однокомнатную в захудалом районе, а не в Староконюшенном переулке или в доме Пороховщикова.

Итак, трое элегантных джентльменов с клетчатой дорожной сумкой, красноречивее клетчатой кепки повествующей о приверженности Фимы англомании, а также о том, что, если он и не покупает лондонские футбольные клубы, то уж, по крайней мере, жить не может без английского эля, вышли из подъезда, сели в изумрудную ветеранскую «оку», разогрели мотор и поехали. Мальчик за рулем, Фима — рядом, делает вид, что читает газету, а позади Иннокентий крепко прижимает к груди сумку с деньгами.

Рыцарь ордена тамплиеров, собравшись сделать вылазку против осаждающих его неверных, не сосредоточен так, как сконцентрировались эти трое, отправляясь на встречу с банкиром. Нервы у всех натянуты, как струны гавайской гитары. В памяти всплывали особо дерзкие случаи краж барсеток и сумок из салонов автомобилей.

Вспомнили директора художественной галереи из Таганрога, приехавшую на «газели» — покупать столичное искусство. Ее интересовали картины из пуха и сухих цветов, есть такая группа художников-флористов. Все лето они живут на дачах, гуляют по лугам, собирают лютики и ковыль, сушат, а длинными зимними вечерами сидят у себя в квартирках и клеят миниатюры и масштабные панно, поражая нас своей безудержной фантазией. И, что удивительно, хорошо продаются.

Так вот директор галереи ехала с большими деньгами из Таганрога в Москву, беззаботно любовалась окраинами столицы. Вдруг сзади — бац! Шофер выскочил из машины, ему показывают на бампер: вай-вай, какая неприятность. И директор галереи туда же: ах! как это могло получиться? Возвращается — сумки нет. А там, кроме денег, — все документы, мобильный телефон, билет профсоюза работников культуры и серебряный заговоренный доллар.

Сумку с профсоюзным билетом и записной книжкой подбросили к дверям ближайшего отделения милиции, чтобы ограбленный гражданин не расстраивался — милиционеры найдут и позвонят. Милиционеры действительно позвонили — дочери директора в Таганрог и сказали: «Приезжайте, ищите тело, сумку мы ее нашли, а вот тело пока нет!»

Вспоминая этот досадный случай, Кеша еще крепче прижимал к себе хозяйственный кофр с деньгами, подозрительно оглядывая из окошка соседние автомобили.

Зато Серафим нашел подходящее время — огласил заметку, где специалисты Гознака предупреждали жителей столицы, что, по оперативным данным, в Москве разошлись фальшивые тысячерублевки очень высокого качества исполнения.

— «...Эти истинные произведения искусства можно получить даже в банках! А уж в обменниках, — читал Фима с выражением, — редкий случай, если тебе не подсунут фальшивую купюру...»

Встречу банкир Дима назначил на углу Сивцева Вражка и Староконюшенного, возле мусорного бака с надписью «Минкульт». Припарковали машину и стали наблюдать за мрачноватым потоком человечества, движущимся по Сивцеву Вражку.

— Он будет в джинсах, с полиэтиленовым пакетом в руках, — сказал мальчик.

Через тридцать минут к мусорному баку подкатил старый потрепанный «Москвич» эксклюзивной окраски «брызги шампанского». Оттуда вышел Дима в джинсах и с пакетом в руках, точь-в-точь такой, каким его описал мальчик.

Фима закрылся газетой, как бы читая, но держал ее вверх тормашками, всем своим видом показывая, что, по его представлениям — возможно, конечно, устаревшим, — банкиры должны выглядеть иначе. Кеша тоже напрягся, но сумку все же выпустил из рук.

Мальчик уединился с Дмитрием в «Москвиче» и переложил туго перевязанные пачки кредитных билетов государственного банка Соединенных Штатов к Диме в эфемерный полиэтиленовый пакет.

— Ты только скажи, сколько тут, — беззаботно попросил Дима, — а то мне некогда пересчитывать. — После чего скрылся с пакетом в торце ближайшего здания за массивной парадной дверью. Никакой расписки, ничего.

— Ох. — Кеша набрал в легкие побольше воздуха, вылез из машины, приблизился к заветной двери и прочитал табличку: «Общество спортсменов-инвалидов Московской области».

Кеша нервно подергал ручку: дверь была заперта.

Они сели в «оку» и стали ждать.

— А вдруг он не вернется? — слабым голосом проговорил Кеша. — Даже если мы заберем его автомобиль в качестве компенсации, это не возместит нам и десятой части того, что он похитил.

Фима продолжал читать перевернутую газету.

Мальчик молчал.

Прошло сорок пять минут.

— Академический час, — нарушил молчание профессор Серафим, нащупывая нитроглицерин в кармане пиджака.

В этот момент массивная дверь «Общества спортсменов-инвалидов» распахнулась, и на пороге появился банкир. Насвистывающей походкой он возвратился, помахивая пакетом.

— Держите, — сказал Дима, вытаскивая увесистый газетный сверток, — здесь семьдесят три котлеты — два миллиона шестьсот пятьдесят тысяч триста восемь рублей.

О том, чтобы пересчитывать, не могло быть и речи. Да и *пытаться стереть верхний слой металлической полоски*, как советовали специалисты Гознака, дабы удостовериться в подлинности купюр, ни у кого не хватило пороху. Так все обрадовались простому факту возвращения этого никому не знакомого человека.

— Что вы разволновались, я не понимаю? — вымолвил мальчик, едва к нему вернулся дар речи. — Мне рассказывали, один мужик шел прямо по улице с чемоданом денег — нес их в стройуправление!.. Правда, не донес... А Дима всегда держит деньги в обшарпанном пакете — в метро, в автобусе, в машине. Бросит пакет на заднее сиденье, и привет. Ну, кто подумает, что у тебя в затертом драном пакетике миллионы? Профессионал, — уважительно добавил мальчик.

— А мы только учимся, — скромно заметил Кеша.

Уже вечерело, когда они тронулись дальше в путь. Нельзя было терять ни минуты. И, как назло, Москва встала. На всех дорогах, объездах, трамвайных путях — сплошные пробки. Мальчик попробовал ринуться за эвакуатором, и моментально раздался посвист ГАИ.

Кеша задрожал от страха.

— Все, — сказал он. — Сейчас они проверят, что там везут эти трое. И, к своей радости, обнаружат три миллиона!..

Весь — комок нервов, мальчик вышел из машины и вдруг вспомнил, что сегодня День милиции.

— С праздником! — сказал он, протягивая документы.

— Спасибо, — неподкупно ответил милиционер. — Едем по встречке. Права будем отбирать, или штраф на месте?

— Держите. — Мальчик протянул пятьсот рублей.

Тот разулыбался, пожал мальчику руку и проводил до автомобиля.

— Праздники я люблю. — Инспектор ГАИ открыл дверцу и окинул взглядом салон. — Но — такие: свадьба, день рождения! Там весело, свободно! А День милиции — знаете, как мы говорим? Лицо в цветах, а жопа в мыле!..

Кеша, мальчик и Серафим изобразили понимающие улыбки.

До закрытия оставалось полтора часа, когда три мушкетера с кошельком, доверху набитым золотыми дукатами, прибыли в СУ-23 и, припарковав «оку» между красной «маздой» и черным «ауди», зашли в офис. В центре холла их встретил неработающий фонтан с гигантской малахитовой лягушкой в луже, победно зажавшей в зубах стрелу Ивана Царевича.

Мальчик забрал у Кеши сумку, и вместе с Фимой удалился в кассу. Глядя на их мажорную поступь, Кеша вновь вспомнил песню бродячих индусов:

> Холодным солнце может стать
> Луна от жара раскалиться,
> Но над ученьем истинным все демоны не властны:
> Когда степенно слон шагает,
> Как может богомол его остановить?

Мысли блуждали у Иннокентия в голове, роились, путались, и он никак не мог обрести обычное для него спокойное и созерцательное состояние духа. Всего за один день сколь многократно утрачивал он полноводную связь с потоком жизни, как захлестнули его омрачения, типичные для носителей грубого ментального сознания. Ему даже не верилось, что он, внезапно ослепленный миражами, несколько раз чуть в набедренную повязку не наложил!

Кеша снял ботинки, сел в позу лотоса, прикрыл глаза и глубоко вздохнул. Естественно, к нему направился охранник, беспомощный узник сансары, но Иннокентий вынырнул из феноменального мира и погрузился в неизмеримую, ясную, вечную, божественную пустоту. А когда охранник стал трясти его за плечо и требовать принять надлежащий вид или покинуть помещение, Кеша размеренно произнес:

— *Бедный какой человек, зачем ты надел эту шапку с кокардой?*

Тут он увидел мальчика и Серафима. Что удивительно — точно с такой набитой сумкой, с какой они удалились, и на их лицах было полнейшее смятение.

Оказывается, пока мы наскребали сантимы по всем сусекам, цена квадратного метра выросла на три процента. Ничтожные три процента, если ты покупаешь мороженое или пиво, не нанесли бы нашему бюджету никакого урона, но в случае покупки квартиры три процента казались целым состоянием. Завтра последний день, а у нас — ни к дереву прислониться, ни на камень опереться.

Наступил конец света, в этом не было никаких сомнений. Паника охватила дружный, сплоченный коллектив, где каждый выполнял конкретные задачи по добыванию денег, но никто не ожидал, что в самый ответственный момент этих денег не хватит.

— Да что же это такое? — воскликнул мальчик. — Я не позволю так с собой обращаться! Я человек заслуженный, не простой, я два раза болел скарлатиной!

— Если я стану торговать фесками, люди будут рождаться без головы, — обреченно сказал Иннокентий.

А Серафим, наш подпольный миллионер, вы только вообразите себе: в одной руке у него черт знает сколько тысяч долларов, а другой он в прямом смысле схватился за голову.

— Я все время предчувствовал, что должно произойти что-нибудь в этом роде, — сказал Фима. — Ладно, если наши представления о честной игре не совпадают — идемте отсюда! — И он непреклонно надел кепку.

— Только не это! — застонал Кеша. — Я не повезу три миллиона домой. Их надо немедленно отдать. Кому? Зачем? За что? Неважно! Лишь бы от них отделаться! Избавиться от всего! — прошептал он малодушно. — Пустые карманы! И — находить везде и во всем тишину.

— Подождите, подождите, — стал урезонивать его Серафим. — Мы должны взвесить все аргументы и контрдоводы. А где мы возьмем недостающую сумму? Мой Институт международного рабочего движения закрыли, друзей-товарищей отправили на пенсию, независимо от возраста. Отныне я и мои коллеги можем считаться... как ты говоришь, Иннокентий? Насельниками буддийских монастырей?

— Да, это великая страна для человека, готового раствориться в неизмеримом, — отозвался Кеша. — Ничего, будем уповать на вышние силы, и они нам подкинут еще немного!

— А что делать тем, кто не верит в Бога? — грустно спросил Фима.

— Уповать на тех, кто верит, — сказал, как отрезал, Кеша.

Они вернулись в кассу и вновь предстали перед работником СУ-23 по имени Леокадия. Обрамленная кассовым окошком, она почему-то сидела в непроницаемо черных очках. Согласитесь: не такое уж частое явление среди кассиров. Все равно, что у вас принимает денежные вклады мужчина с пиратской повязкой на глазу, а когда ему нужно приблизиться к сейфу или о чем-нибудь справиться в картотеке, он громко стучит по полу деревянной ногой.

Леокадия выразила готовность принять НЕ всю сумму, а это не много не мало — два миллиона восемьсот тридцать тысяч рублей.

— А тут действительно касса? — еще разок спросил мальчик, сверля Леокадию пронзительным взглядом.

— Да, — ответила она убежденно.

— ТОЧНО?

— Точно.

Леокадия приняла капитал. Счетный аппаратик разинул пасть, обнажил зубья и быстро, как виртуоз-балалаечник, принялся считать деньги. На табло высвечивались огромные цифры, складываясь в заоблачные, почти ирреальные суммы.

Пересчитав деньги, Леокадия артистично раскинула веером одну из пачек под лампами другого аппарата. Это был специальный прибор — определитель фальшивых купюр. И тут — ко всеобщему ужасу — кассу огласил противный писк.

— Елки-палки. — У Серафима на лбу выступили капельки пота.

Кеша съежился, как ягуар.

Леокадия отложила пачку и подвергла анализу вторую. Писк повторился. Леокадия сняла очки, внимательно изучила тысячную купюру на свет, поднесла под синюю лампу детектора.

Писк нарастал. Он уже напоминал милицейскую сирену.

— Кажется, мы сейчас получим бесплатное жилье — за мошенничество, — сказал мальчик.

— Минуточку, — сказал Серафим и, словно иллюзионист на цирковом представлении, выхватил мятую десятирублевку из нагрудного кармана. — А ну-ка суньте!

Растерянная Леокадия сунула ее под всевидящий синий глаз детектора.

Поднялся писк.

— Десятки не подделывают! — победоносно закричал Фима. — Зовите монтера или электрика, кто там у вас заведует приборами? Он сломался!

Через минуту, жмурясь от яркого света, в кассу вошел усатый мастер Гоша. Такое впечатление, будто он сидел под лестницей и ждал срочного вызова. Гоша выключил аппарат из сети, потом стукнул его кулаком и включил снова. Аппарат пискнул в последний раз, как бы оправдываясь — уж и пошутить нельзя! И не издал больше ни звука, пока проверял наши деньги.

— Нет, я не знаю, — пробормотал Серафим, утирая пот со лба, — мы уже все щеки подставили, а между прочим, у нас их не так много, всего по четыре у каждого!

На прощанье Леокадия сказала:

— Не хочется выжимать из вас последние соки, господа, но если в ближайшие двадцать четыре часа вы не принесете сто сорок тысяч, наш договор будет аннулирован. Деньги вам вернут, а квартиру продадут другому покупателю. — И она махнула рукой в сторону малахитовой лягушки, за которой тулилась разная полупочтенная публика — трое харизматических горцев и некто вроде Тартарена из Тараскона. — Вон, видите, Маслюк с Полтавы? Вторые сутки здесь сидит, боится с деньгами отойти от охранника. А вон три горца Уча, Гуча и Датуча. Ждут, когда кто-нибудь из пайщиков не успеет сдать взнос.

— И, между прочим, завтра свадьба Элтона Джона с его другом, — серьезно сказал Серафим, разворачивая газету. — Теперь они покупают квартиру!

— Надеюсь, не в нашем доме? — спросил мальчик.

Другой бы рассмеялся этой искрометной репризе. Но Леокадия надела темные очки, показывая, что аудиенция окончена. При этом содержимое клетчатого кофра исчезло в ее несгораемом сейфе, а взамен в металлическом блюдце, похожем на пепельницу появился маленький, на редкость неформальный квиток. У нас такие чеки выдают в продуктовом магазине.

Оглушенные новой проблемой, не зная, где и как найти требуемую сумму, они сели в машину и задумались. За окнами автомобиля пробегали озабоченные люди в темных одеждах, рабочий день закончился, город почернел, дома обуглились, зажглись искры окон. Порыв ветра бросил в лобовое окно охапку ярко-красных кленовых листьев.

— Поехали домой, там разберемся, — сказал мальчик и повернул ключ зажигания.

«Ока» затарахтела, чихнула и покатила домой. Кеша с Фимой расслабились, Фима имел осовелый вид, пустая сумка с его рубашками валялась на полу, денег в ней не было, что искренне радовало Кешу.

— Только посмотрите на него! — качал головой мальчик. — Нет, вы видели? Радуется, что остался без денег!..

Мы ждали своих мужчин, не зажигая света. Темнело, капли дождя стучали по карнизу. Тася стояла у окна, смотрела на фонари, на автомобили с горящими фарами. Мы с ней хотели отвлечься, включили телевизор, но там по всем программам такие показывали ужасы — опять всех убили, опять всех зарезали... Мы его сразу выключили, чтобы не сбрендить.

Особенно волновалась Маргарита.

— По части опасений, — говорила она с гордостью, — я такая гениальная, что из одних моих опасений можно сочинить детективный роман!

Время от времени я звонила Кеше, он отвечал:

— Нету положительной динамики.

— Стрёмно.

— Оштрафовали.

— Наткнулись на скрытую мину.

Последняя информация, которую мы приняли в тот день, была такая:

— Деньги все отдали, а толку никакого.

Тут Рита выхватила трубку и прокричала:

— Зачем ты такие вещи говоришь по телефону! Те люди, которые все это время нас подслушивали, — им будет обидно!..

Поэтому, когда они наконец приехали домой, мы кинулись к ним и заключили в объятия. Даже не стали бы ничего спрашивать, как говорится, вернулись и вернулись. Но они сами все рассказали, когда напились, наелись, обогрелись «Амаретто».

— ...В общем, так, — завершил свое повествованье Кеша. — Кто быстрей внесет полную стоимость, тот нашу квартиру и получит. Конечно, — воскликнул он с горькой обидой, — кавказцы приходят с полными рюкзаками денег — поэтому квартиры нарасхват!

— Кеш, тут есть человек, который вот именно с Кавказа, — с укором заметил мальчик.

— Причем кто это говорит? — сказала я. — Кто сам — с Урала!

— Видимо, он считает, что с Урала быть лучше, чем с Кавказа! — подхватила Рита.

— Что же нам делать? — недоумевал Серафим.

Он бродил по квартире, просвечивая как лучом рентгена, книжные полки, навалы журналов и старых газет, надеясь отыскать тайные конверты, — вдруг он припрятал тыщу-другую и забыл?

— Тася вот-вот заплачет, — сказал мальчик, влюбленнейший из влюбленных. Он прямо поверить не мог, неужели наша семья не преодолеет все преграды, чтобы порадовать его любимую? — Ну, где ваши друзья? — воскликнул он. — Сильные, смелые, богатые? Звоните Мордуховичу, пусть одолжит три тысячи баксов?

Все смолкли, понурились. Сразу стали слышны бормотания соседки сверху Аиды Пантелеймоновны: богоугодны ли цены на рынках? Снова эти евреи притесняют наших палестинцев... Коренное население вымирает, тогда как пришельцы оккупируют Землю...

— Ах, как нам сейчас пригодилась бы моя Луна! — вздохнул Кеша. — Я бы с ней плыл, шел, летел, не щадя сил, пока не иссякло бы электричество, показывая, сколь многослойна жизнь, помогая постичь взаимосвязь всего сущего. Несколько выездов за ночь, и мы были бы спасены.

И тут он вскричал:

— Идея! А что, если Потеряев продаст луну японцам! А мы под это дело срочно одолжим у Никаса Сафронова?! Посмотрим, что пишет астроном?..

Кеша вынул из кармана салатовый конверт, на нем марка с изображением горы Фудзи, нарисованной Хокусаем, с печатью города Осака — первое известие от Потеряева с тех пор, как его паром отплыл из Владивостока. Письмо пришло еще утром, но его даже некогда было прочитать.

Дорогие мои земляки! — начал Кеша, а мы сели вокруг и стали слушать. — Как вы там, на Большой Земле, на Родине, в России? Живы ли? Приобрели ли недвижимость?

Иннокентий, здравствуй! Должен извиниться, что не сразу вышел на связь, когда со мной стряслось невероятное происшествие, о котором мог бы только мечтать любой учитель по астрономии, я уж не говорю — по географии. Все бы ничего, случись это лично со мной, однако — крепись Иннокентий! — пострадала Луна, дорогая наша кормилица, вот что печалит меня до невозможности и страшно огорчает.

Но — слушай по порядку.

Сначала все шло хорошо. Погрузил я Луну на паром, сам устроился в каюте второго класса, вид из окошка — океан, красоты неописуемой! Примерно три часа плыли мы при попутном ветре, на небе — ни облачка, вода — ты не поверишь — чистейшая лазурь! И некоторое время паром сопровождали дельфины!

А через три часа, после того как мы вышли в открытое море, вдруг начало штормить. Настолько резко переменилась погода! Паром кидало из стороны в сторону. Все пассажиры и члены экипажа надели спасательные жилеты. Я надел два. На всякий случай. Шторм, Иннокентий, был такой силы, что наше суденышко трепало, как щепку.

Я выскочил на палубу проверить, как там Луна? Я ее упаковал в специальный непромокаемый ящик, и этот ящик закрепили на верхней палубе. Что там творилось — какой был кавардак! Волны хлестали, матросы ползали по-пластунски от борта к борту, ящики с грузом летели за борт.

Нам всем велели спускаться в шлюпки, потому что обнаружилась большая пробоина в борту и паром мог с минуты на минуту перевернуться.

Вдруг я увидел, как один ящик разломался на куски, из него вылетела наша Луна. Она плавно опустилась на волны и заскользила по океану. Я закричал матросам, которые держали весла и управляли шлюпкой, что надо спасти Луну, вон она, там, на волнах.

Но когда они обернулись и посмотрели, куда я показывал, ее там уже не было. Она утонула. Кеша, прости меня, не уберег я нашу Луну, белолицую красавицу. Как распроклятый Стенька Разин, что персидскую княжну потопил, так и я — утопил нашу королевну. Даже пузырей не было видно. Так она канула в воду.

Сам я подумал, уж не прыгнуть ли мне за ней, но японские матросы схватили меня крепко и привязали к скамейке. Через два часа нас подобрал японский рыболовецкий сейнер, где меня обогрели и подсушили. Накормили суси и дали сто грамм сакэ. Отвезли в порт, поселили в спецприют для потерпевших кораблекрушение.

Так как весь мой скарб потонул, выдали мне одежду, деревянные башмаки и зубную щетку. Вот живу здесь уже вторую неделю, изучаю японский язык по комиксам манга, уже могу объяс-

няться с персоналом. А поскольку все мои документы пропали, теперь я могу считаться Гражданином Мира. Поэтому я решил пока здесь остаться и пустить корни. Поживем — увидим.

Сумимасэн, Инокентий-сан, за то, что я не выполнил возложенную на меня планетарную миссию по продвижению твоего искусства за рубеж.

Аригато, ваш *Иван Потеряев*.

Мы сидели, молча, опустошенные, не поднимая глаз на Кешу. Когда он прочитал последние строки и отложил письмо, всем стало ясно, что последний шанс был эвфемеридой, и этот шанс утонул вместе с дорогой и всеми любимой Луной.

— Что ж, — сказал Кеша голосом человека, разом вышедшего за пределы надежд и опасений, — буду писать картины, а то все хэппенинги да перформансы. Пора становиться классическим художником — из пуха и сухих цветов создавать пейзажи, как те ребята. У них, наверное, нет проблемы, где достать денег.

— Денег у Кеши хватит,
Кеша за все заплатит,
он был всегда такой!..

— пропела Рита.

— Я пойду поставлю чайник, — сказал мальчик.

— Ставь, — сказала Рита. — Но учти, у нас чайник просто светится. Светит, но не греет. Его лучше как лампочку использовать.

— Господи! — воскликнул мальчик. — Лучше б ты этого не говорила! Только все мои надежды рушите. Тася, я тебе не пара!

— Какая ерунда! — Тася подошла и обняла нашего мальчика. — Ты мой рододендрон, мой клевер, мой тысячелистник...

— А ты, Кеша — мой птичий горец, — сказала я мужу и тоже его обняла.

— А ты — моя крушина, — рассеянно проговорил Кеша. В глазах у него стояли слезы.

— А Фима — мое мумие... — подхватила Рита.

— Всё, друзья, — отозвался Фима, пропуская мимо ушей нежный шелест листвы нашего родословного древа. — Это дело не сдвинуть с места и целой упряжке миллионеров. Проще на Луне дом построить, чем купить тут квартиру, — сказал он виноватым-превиноватым тоном. А сам лежит, сложа руки на груди, как поверженный Наполеон.

— Надо мне будет Фиме сшить ночную треуголку, — пошутила Рита, но никто не засмеялся — такое на всех нашло уныние.

С тех пор как наш маленький, но гордый клан занялся борьбой за место под солнцем, Фима впервые приготовился сдавать позиции. Это был не какой-нибудь нокдаун, мы их пережили уйму за прошедший год. Но каждый из нас, вдохновляемый Серафимом, снова поднимался, и с помутневшим взором, покачиваясь, шел в бой. Это был форменный нокаут, знаменующий полное и окончательное поражение.

Мой отец, видная персона, непотопляемый Серафим, умевший ловко обходить все подводные камни! Какой у него богатый опыт ориентации по обстоятельствам, столько галстуков человек износил!.. Пожимал руку самому Чарли Чаплину! И вот он лежит на диване, престарелый летами, трагически прикрыв веки, и вся его поза говорит о том, что он никакой не золотой рудник, а простой Акакий Акакиевич Башмачкин, подверженный игре коварных стихий.

Боже мой, да вознесется рука твоя, не забуди убогих твоих до конца!

Все затихли, смолкла этажом выше Аида Пантелеймоновна, затикали наручные часы Серафима, мерно отсчитывая срок сдачи денег. Тысячи людей, дрожащих от страха, застыли на пороге любви, когда внезапно какое-то новое вихревое движение подхватило нас, мы это все почувствовали! Перед нами поплыли странные видения сфер, кругов, эфемерных пространств и небесных городов...

Нет, вы подумайте: только наша семейка вознамерилась прийти к выводу, что Бог несправедлив, непоследователен, непостижим, как мир, который нам снится во сне и который снится нам наяву, исчезли в космическом растворении.

И тут, потрясая миллиарды галактик, в гробовой тишине, в бездне пламенного света раздался телефонный звонок.

Серафим протянул руку и поднял трубку.

— Алло, — сказал он.

Это был Анатолий, географ. Почему-то голос в трубке громогласно зазвучал на всю квартиру, как будто труба архангела.

— Дорогой вы мой Серафим! — произнес Толя. — Я получил наследство из Америки, тот самый гонорар доктора Рябинина за гималайскую экспедицию!

— Не может быть!.. — прошептал Фима, и его потускневший взгляд вновь обрел прежнее сияние.

— Не верите? Точно! И все благодаря вашим стараниям, заботам, благодаря вашим связям с дядей Колей, царство ему небесное, на меня свалилось целое состояние — десять тысяч американских долларов! Там, оказывается, в «Чейз-Манхэттен-банке» действительно до сих пор хранятся деньги экспедиции Рериха. И они мне без всякой волокиты перевели по завещанию часть, причитавшуюся дедушке, — с процентами! Представляете? Сегодня после обеда. Вы слышите, Серафим Данилыч? Какая удача! Теперь я смогу купить параплан и фотографировать землю с высоты птичьего полета! Ой, да что я о себе да о себе? А вам не нужно денег? Вы как сейчас, не нуждаетесь?

Фима по привычке, по обыкновению своему, раз и навсегда заведенному порядку, хотел ответить: нет, не нужно, спасибо, мой дорогой. Но, бросив взгляд на удрученную компанию, собравшуюся у него за столом, впервые в жизни признался:

— Толя, мы нуждаемся. И наши нужды не терпят отлагательств.

— Завтра идем в банк, — решительно сказал Толя, — и берем столько, сколько нужно.

— Денег у Фимы хватит, —
Толя за все заплатит...

— запела Рита.

Небо за окном озарилось невечерним светом, внезапно расцвел на подоконнике бутон амарилиса. Мир перевернулся, поплыл, голоса затихли, смешавшись с далеким гудением тибетских чаш, звоном колокольчиков, пением цимбал. День закончился. Наступила ночь.

Новоселье праздновали в узком семейном кругу, не стали приглашать кого попало. Решили: потом, когда отремонтируем квартиру, постелим полы и водрузим унитаз — позовем всех наших друзей.

А пока Тася и мальчик сидели во главе стола, счастливые, притихшие, и любовались мыльными пузырями, игрой радужного света на их боках.

— Это мне мама прислала баночку мыльных пузырей, — улыбнулась Тася. — Я всегда их просила у Деда Мороза.

Мы подарили им самое дорогое, что у нас было, — дубовый стол «Анаконда», дабы его нестареющая мощь, крепкие ноги и сияющая столешница (мы предварительно ее навощили и отполировали), могли послужить еще не одному поколению. Кеша обойдется раздвижным кухонным столиком, который скромно тулился в коридоре, пока на кухне царила «Анаконда».

От себя лично он преподнес ребятам проигрыватель «Вега» с колонками.

— Пусть молодежь пользуется, им нужнее, — благородно сказал Иннокентий. — В конце концов, это они у нас едут на ярмарку. Мы-то уже с ярмарки едем...

— Так до нее и не доехав, — благожелательно пошутил мальчик.

Мы уселись вокруг многоуважаемого стола на древние стулья Риты с Фимой. Доблестный дед Степан получил их в подарок от Октябрьской революции. В 1917 году во время штурма дворца князя Константина Романова рабочие и крестьяне экспроприировали эти стулья «у буржуазии». В минувшем столетии на них сидели гости Степы — Дмитрий Ильич Ульянов, младший брат Ленина, бессменный секретарь вождя Елена Стасова, пламенная Инесса Арманд, хирург Спасо-Кукотский...

Вместе с медной люстрой в виде изогнутых стеблей озерных лилий рыжеволосый и лучезарный Степан подарил эти стулья Рите с Фимой, когда они переехали на новую квартиру в Черемушки. Там сиживали на стульях из дворца не менее яркие личности, гости Серафима и Маргариты: чубатый лейтенант Роберт, его жена модистка Лючия Ивановна, радиожурналист Поплавский, член партии с двадцать второго года, возлюбленная Есенина, хотя и старенькая, а симпатичная учительница Шаганэ, Рокотов Сергей Аполлинариевич, дипломат и по совместительству шпион, как потом выяснилось, артистка Ляля Черная и ее муж Моисей Рыбак, специалист по арго, Юрий Визбор... Да кто только не ходил к ним в гости и не сидел на этих стульях — много замечательного народа, хороших и добрых друзей.

Ушли гости, ушли насовсем, стулья опустели, стоят в ожидании у стен, и потому решили Фима и Рита передать молоденам эти стулья — пускай старые, но еще крепкие. Грациозно изогнутые ножки твердо держали седоков, не качались, красную обивку поменяли недавно, всего-то пятнадцать лет назад.

— Будут стулья — появятся гости, — крылатыми словами сопроводили Рита с Фимой свой подарок.

Остальную мебель купили в «Икее», новенькую, из свежего дерева, сработанную заботливыми руками румын. Особенно хороша была этажерка, на которой стояли несколько книг буддийской направленности. Как ци, сгущаясь, становится веществом, а истончаясь — духом, так мальчик покинул продуктовую ниву и стал работать в издательстве, которое продвигало буддизм в нашей увязшей в сансаре стране.

Иннокентий откупорил бутылку шампанского. Тася приготовила пасту — макароны с креветками, жареными помидорами, чесноком, зеленью, а сверху полила настоящим японским соусом в честь Потеряича.

Я тоже на радостях испекла пирог — все плоды, собранные мною за жизнь с древа познания вложила я в начинку этого пирога, аккуратно нашинковав, нажарила лучку, тщательно перемешала, только бы не пригорело!..

— Какая у меня девочка стала большая, — с гордостью сказала Рита, — ей уже пятьдесят лет!

Серафим, свободный ото всех тревог, сидел за столом в фирменной толстовке из вельвета.

— Ну все, — сказал он, поднимая бокал. — Теперь давайте, живите, как говорил мой дедушка Тевель: «Да будет воля Твоя, Отец, чтобы мы увеличивались и размножались, как рыбы».

Еще когда играли свадьбу на Красную Горку, мальчик и Тася тревожились, как Фима будет выглядеть после удаления блямбы на их бракосочетании? Фима предложил им россыпь вариантов на выбор: или он будет с перебинтованной головой, словно командир Щорс, раненный на Гражданской войне, или с необъятным пластырем на макушке, или наденет ермолку, оставшуюся в наследство от дедушки Тевеля. Но только при этом отпустит пейсы.

— Да ходи уже просто так, без всего, — упрашивал его мальчик. — Чтобы нас не позорить.

— Не могу, — отвечал Серафим. — Подумают, что меня казак шашкой рубанул.

— Ерунда!

— А вдруг пойдет дождь? — беспокоился Фима.

— На этот случай человечество сделало изобретение, слышал когда-нибудь? Зонт называется.

Но Фима очень волновался из-за своей блямбы, и даже не хотел идти с Маргаритой в театр Вахтангова:

— Вдруг мне чихнут на лысину, как я потом с ними буду скандалить?..

В тот знаменательный год Серафим, исполненный энтузиазма, любви и духовной славы, перевалил на девятый десяток.

Рита в вязаной кофте глядела на него с высоты своих восьмидесяти трех и спрашивала:

— Фима, ну ты рад, что тебе исполнилось восемьдесят лет?

— Восемьдесят, — отвечал Серафим, — это такой юбилей, когда ты и космос — и больше ничего...

Яви им, Господи, милость и отраду, благоволи даровать им сицевую милость свою. Возраст, сами понимаете, то сердце прихватит, то давление... Недавно Рита пришла к врачу.

— Я заметила, — говорит, — если вдруг подскакивает давление, его можно снизить, начав рыдать. Вот смеряйте мне давление — какое у меня сейчас? Сто девяносто? Тогда давайте я сяду и буду у вас рыдать.

— Рыдайте, — сказала ей участковый терапевт.

— Я села и стала рыдать, — рассказывала потом Рита. — Я прорыдала три минуты, и мне они показались часом. Я говорю: может, хватит? Уже три минуты. Она отвечает: нет уж, рыдайте пять.

Измерила снова — давление снизилось до ста шестидесяти.

— Ничего себе! — Доктор так и ахнула. — Ну, можете рыдать, если хотите!..

Мы сидели в неподвижной точке вращающегося мира, Фима с мальчиком смотрели телевизор — кубок европейских чемпионов «Спартак» — «Арсенал» — и грызли семечки, которые жарила Тася.

— Все мое детство папа заставлял меня жарить семечки, — вздохнула она, помешивая их деревянной лопаточкой на сковородке. — Стоишь и жаришь часами, не отходя от плиты.

— Как же у вас тут плохо телевизор берет! — переживал Серафим.

Среди мельтешащих полосок и снежной крупы бегали черно-белые фигурки футболистов. Мяч почти не виден. Но Фиме и этого довольно было, чтобы понять: «Спартак» безнадежно проигрывает.

— Боже мой! — чуть не плакал Серафим. — Какие у нас были раньше игроки! Старухин — он играл головой! Так играл головой! Никто так не играл головой, как Старухин. Болельщики ходили смотреть — специально, как играет головой Старухин. Пусть земля ему будет пухом.

Тут англичане вкатили «Спартаку» очередной мяч.

— Ой-ой-ой! — закричал Серафим. — Бобров! — воскликнул он, и глаза его засверкали. — Встань из могилы, покажи им, как надо играть!

Мы с Кешей, светясь от счастья, прохаживались из комнаты на кухню и обратно.

— Стоящая квартира, крупногабаритная, хотя и однокомнатная, — говорил Кеша. — Кухня — девять метров, а могла бы быть и шесть. Просторный коридор. Жалко, темной комнаты нету.

Он постучал по стене и прислушался:

— Гипсокартон хорошего качества. Обои будете клеить или красить водоэмульсионкой? Я бы покрасил. Причем все стены — в разные цвета. Но это пустяки. Главное — высокие потолки и большие окна.

— А давайте выпьем за тех, — предложил Фима, — кто помог нам приобрести эту уютную квартиру. Прежде всего, мне хочется вспомнить добрым словом Кешину Луну, которая вновь погрузилась в суп земной, откуда когда-то вырвалась и обрела самостоятельное сияние.

— Так и представляю ее, — задумчиво сказал Кеша. — Аккуратно лежит на коралловом рифе, среди водорослей и актиний, вокруг раки-отшельники справляют тризну, а медузы поют ей свои псалмы. Жалко, что невозможно включить ее на глубине тысячи метров, — представляю, какое было бы зрелище!

— Ничего, — успокоил его Серафим. — Пройдет несколько лет, ее найдут и поднимут со дна океана, как нашли самолет Экзюпери. Починят и поместят в музей. В Японии такая уйма музеев, что им создать еще один — раз плюнуть. Японцы назовут его Музей Утонувшей Луны. А Ивана Андреича назначат директором. Он этого достоин.

Все встали и подошли к окну. Стеклопакеты были тройные, из белого пластика последнего поколения. Огромные, от пола до потолка, они являли нам во всем великолепии пустынные серебристые лунные пейзажи, само море Спокойствия простиралось перед нами, темное лунное море, покрытое морскими базальтами, освещенное ровным солнечным светом.

Справа возвышались горы космонавта Андерсена, а перед окном пролегала трещина, которая рассекала дно кратера и терялась где-то вдали, у горизонта.

Пейзаж обрывался и начиналось небо, как виноградная черная краска с мириадами светящихся косточек — звезд. Мы не узнавали ни одного созвездия, этот звездный атлас нашей семье был полностью незнаком, будто сумасшедший сеятель шагал за плугом и хаотически сыпал зерна. Лишь Млечный Путь выглядел привычно, и мы обрадовались ему, как родному.

Неожиданно край неба окрасился голубым. Голубое свечение становилось ярче, сильнее, пока не хлынуло, как цунами, сокрушая дамбы, и не затопило Море Спокойствия, заливая синевой каменистую лунную поверхность. А из-за горизонта выкатилась огромная планета и стала подниматься над Луной, как исполинское голубое солнце.

Вся в очертаниях материков, до боли знакомых с детства, прошитых руслами рек, течение которых несет нас к иным берегам, растительным и животным мирам, скольжение тонкого в грузное, прозрачности в мутное, плоть Земли и образы Неба всходили над нами, напоминая о той прекрасной поре нашей жизни, когда мы все вместе, плечом к плечу, копили на новую квартиру, забывая про время, хлеб и воду.

Солнечный ветер овевал нашу Землю, вспыхивали огни святого Эльма, сквозь разрывы облаков просвечивали лазоревые моря и отчетливо слышались разговоры полузаснувших рыб, — такая живая, пульсирующая, наполненная тьмой-тьмущей созданий — иллюзорных форм божественного. Собирая заслуги по крупицам, объятые безмерной тоской, в течение бесконечно великих эонов они ожидают, пока обретут драгоценное человеческое рождение.

Прах, песок, камни и дерева, жизнь, такая ослепительная, прозрачная и неисчерпаемая, жажда обретения, славы, похвалы, наши страхи разлук и утрат, в сутолоке полдня пронизывали нас солнечное сияние, а также блеск лунного света, перемешанные с ветром, огнем, водой и землей. Корни воображения, снов, галлюцинаций, где реальное остается полнейшей тайной, города, скованные снегами, путь освобождения от череды рождений, храм Гуань-Инь на Благоухающей горе, Мост Поцелуев и дерево Бодхи, которое последним исчезнет при кончине мира и проявится первым при новом рождении.

— Ой, — нарушила Тася наше потрясенное молчание, — завтра же купим тюль на окна.

— И шторы с веселеньким рисуночком, — добавила Рита.

— Все постепенно образуется, — сказал мой мудрый мальчик.

— Ну, — я спросила, — кто будет чай, кто будет кофе?

Мы вернулись к столу. Только Герасим остался спать на коврике у батареи под окном.

Кеша налил себе рюмочку и поставил на вертушку «Веги» виниловую грампластинку Джона Леннона, которую хранил еще со времен студенческой юности. И зазвучала песня, та самая, знаменитая, которую в 1971 году сочинил и исполнил на белом рояле битл в синих круглых очках. Сам рояль со

следами его сигарет на крышке был потом продан за полтора миллиона фунтов стерлингов, очки сданы в музей, а пластинка все это время пылилась у Кеши на полке вместе с его первыми картинами — до этого торжественного дня.

— *Imagine*, — запел Джон, — *there's no heaven*

It's easy if you try
No hell below us
Above us only sky
Imagine all the people
Living for today...
Imagine there's no countries
It isn't hard to do
Nothing to kill or die for
And no religion too
Imagine all the people
Living life in peace...
Imagine no possesions
I wonder if you can
No need for greed or hunger
In a brotherhood of man
Imagine all the people
Sharing all the world...
You may say I'm a dreamer
But I'm not the only one
I hope some day you'll join us
And the world will be as one

Содержание

Литературно-художественное издание

Марина Москвина

МОИ РОМАНЫ

Ответственный редактор *Н. Холодова*
Художественный редактор *М. Суворова*
Компьютерная верстка *К. Москалев*

ООО «Издательство «Эксмо»
127299, Москва, ул. Клары Цеткин, д. 18/5. Тел. 411-68-86, 956-39-21.
Home page: **www.eksmo.ru** E-mail: **info@eksmo.ru**

Оптовая торговля книгами «Эксмо»:
ООО «ТД «Эксмо». 142700, Московская обл., Ленинский р-н, г. Видное,
Белокаменное ш., д. 1, многоканальный тел. 411-50-74.
E-mail: **reception@eksmo-sale.ru**

По вопросам приобретения книг «Эксмо» зарубежными оптовыми покупателями *обращаться в ООО «Дип покет»*
E-mail: **foreignseller@eksmo-sale.ru**

International Sales: *International wholesale customers should contact «Deep Pocket» Pvt. Ltd. for their orders.* **foreignseller@eksmo-sale.ru**

По вопросам заказа книг корпоративным клиентам, в том числе в специальном оформлении, *обращаться по тел. 411-68-59 доб. 2115, 2117, 2118.* E-mail: **vipzakaz@eksmo.ru**

Оптовая торговля бумажно-беловыми и канцелярскими товарами для школы и офиса «Канц-Эксмо»:
Компания «Канц-Эксмо»: 142702, Московская обл., Ленинский р-н, г. Видное-2,
Белокаменное ш., д. 1, а/я 5. Тел./факс +7 (495) 745-28-87 (многоканальный).
e-mail: **kanc@eksmo-sale.ru**, сайт: **www.kanc-eksmo.ru**

Полный ассортимент книг издательства «Эксмо» для оптовых покупателей:
В Санкт-Петербурге: ООО СЗКО, пр-т Обуховской Обороны, д. 84Е. Тел. (812) 365-46-03/04.
В Нижнем Новгороде: ООО ТД «Эксмо НН», ул. Маршала Воронова, д. 3. Тел. (8312) 72-36-70.
В Казани: ООО «НКП Казань», ул. Фрезерная, д. 5. Тел. (843) 570-40-45/46.
В Ростове-на-Дону: ООО «РДЦ-Ростов», пр. Стачки, 243А. Тел. (863) 220-19-34.
В Самаре: ООО «РДЦ-Самара», пр-т Кирова, д. 75/1, литера «Е». Тел. (846) 269-66-70.
В Екатеринбурге: ООО «РДЦ-Екатеринбург», ул. Прибалтийская, д. 24а. Тел. (343) 378-49-45.
В Киеве: ООО «РДЦ Эксмо-Украина», ул. Луговая, д. 9. Тел./факс (044) 501-91-19.
Во Львове: ТП ООО «Эксмо-Запад», ул. Бузкова, д. 2. Тел./факс (032) 245-00-19.
В Симферополе: ООО «Эксмо-Крым», ул. Киевская, д. 153. Тел./факс (0652) 22-90-03, 54-32-99.
В Казахстане: ТОО «РДЦ-Алматы», ул. Домбровского, д. 3а. Тел./факс (727) 251-59-90/91.
gm.eksmo_almaty@arna.kz

Мелкооптовая торговля книгами «Эксмо» и канцтоварами «Канц-Эксмо»:
127254, Москва, ул. Добролюбова, д. 2. Тел.: (495) 780-58-34.

Полный ассортимент продукции издательства «Эксмо»:
В Москве в сети магазинов «Новый книжный»:
Центральный магазин — Москва, Сухаревская пл., 12. Тел. 937-85-81.
Волгоградский пр-т, д. 78, тел. 177-22-11; ул. Братиславская, д. 12. Тел. 346-99-95.
Информация о магазинах «Новый книжный» по тел. 780-58-81.
В Санкт-Петербурге в сети магазинов «Буквоед»:
«Магазин на Невском», д. 13. Тел. (812) 310-22-44.

Подписано в печать 10.10.2008.
Формат 84x108 $^1/_{32}$. Печать офсетная. Бумага писч. Усл. печ. л. 33,6.
Тираж 4000 экз. Заказ 4055.

Отпечатано с электронных носителей издательства.
ОАО "Тверской полиграфический комбинат". 170024, г. Тверь, пр-т Ленина, 5.
Телефон: (4822) 44-52-03, 44-50-34, Телефон/факс: (4822)44-42-15
Home page - www.tverpk.ru Электронная почта (E-mail) - sales@tverpk.ru

25